D1374235

SÉLECTION DU READER'S DIGEST

LE CANADA DES ROUTES TRANQUILLES

LE CANADA DES ROUTES TRANQUILLES

Sélection du Reader's Digest (Canada) Ltée
Montréal

Le Canada des routes tranquilles

ÉQUIPE DE SÉLECTION DU READER'S DIGEST

RÉDACTION : Agnès Saint-Laurent
CONCEPTION GRAPHIQUE : Andrée Payette
CONCEPTION CARTOGRAPHIQUE : Lucie Martineau
RECHERCHE EN PHOTOGRAPHIE : Rachel Irwin
DIRECTION ARTISTIQUE : John McGuffie
PRÉPARATION DE COPIE : Joseph Marchetti
COORDINATION : Susan Wong
PRODUCTION : Holger Lorenzen
SECRÉTAIRE DE RÉDACTION : Elizabeth Eastman

Dans *Le Canada des routes tranquilles,* les chapitres sur le Québec sont des textes originaux ; les autres sont l'adaptation en français de *Back Roads and Getaway Places of Canada*, publié par The Reader's Digest Association (Canada) Ltd.

CONCEPTION ET RÉDACTION : Andrew R. Byers

AUTRES COLLABORATEURS DE L'ÉDITION FRANÇAISE

COLLABORATEURS EN RÉGION :
Voir la liste des pages 392 et 393
TRADUCTION : Suzette Belleau, Michèle Pharand
RÉDACTION ET RECHERCHE : Geneviève Beullac, Lise Parent
TOPONYMIE : Michèle Pharand
INDEX : France Laverdure
CARTOGRAPHIE : Hatra, Westmount, Qué.

Données de catalogage avant publication (Canada)
Vedette principale au titre :
Le Canada des routes tranquilles
1re éd. canadienne.
Comprend un index.
Traduction partielle de : *Back roads and Getaway Places of Canada*

ISBN 0-88850-008-4

1. Canada — Guides. I. Sélection du Reader's Digest (Canada) (Firme). II. Titre.

FC75.C35814 1993 917.104'647 C93-096975-8
F1016.C35814 1993

Imprimé au Canada

94 95 96 97 98 / 5 4 3 2 1

REMERCIEMENTS
L'éditeur remercie les organismes suivants pour leur contribution à cet ouvrage :

Environnement Canada
Parcs Canada
Services canadiens de la Faune

Algoma Country Travel Association
Association touristique de l'Abitibi-Témiscamingue
Association touristique du Bas-Saint-Laurent
Association touristique de Charlevoix
Association touristique de Chaudière-Appalaches
Association touristique du Cœur-du-Québec
Association touristique de l'Estrie
Association touristique de la Gaspésie
Association touristique des Îles-de-la-Madeleine
Association touristique de Lanaudière
Association touristique des Laurentides
Association touristique de l'Outaouais
Association touristique de la Montérégie
Association touristique du Saguenay–Lac-Saint-Jean
Commission de la Capitale nationale
Développement économique et Tourisme, Alberta
Développement économique et Tourisme, Nouveau-Brunswick
Festival Country Travel Association
Grey Bruce Tourism Association
Huronia Tourism Association
James Bay Frontier
Ministère du Tourisme du Québec, Accueil et renseignements touristiques
Muskoka Tourism Association
Near North Tourism Association
Ontario East Travel Association
Ontario Heritage Foundation
Peterborough Tourism Bureau
Presqu'Ile District Tourism and Commerce Association
Prince Edward Island Marketing Agency
Quinte's Isle Tourism Association
Rainbow Country Travel Association
Southwestern Ontario Travel Association
Sunset Country Travel Association
Tourism Association of Southwestern British Columbia
Tourism Association of Vancouver Island
Tourisme, Colombie-Britannique
Tourisme, Culture and Récréation, Nouvelle-Écosse
Tourisme, Saskatchewan
Tourisme et Culture, Terre-Neuve
Travel Manitoba
Travel Ontario (ministère de la Culture, du Tourisme et de la Récréation)
Tri-Town Chamber of Commerce
York Region Tourism Marketing Agency

Ruth Allen
Neville Atkinson
Elinor Barr
Jacques A. Brunet
Dan Bulloch
Sandra Chabot
Ernie Christmas
Rod Cotton
Jennifer Corbett
Kay Coxworthy
Robert Davidson
Everett DeJong
Erin Downey
Rod Drew
Gayle Ferguson
Vicky Haberl
Larry Halverson
David Harley
Tom Hince
Dan Hinde
Carol Horne
Jerry Ives
Juanita Keel-Ryan
Doug Kielau
Diane Lamoureux
Carol Livingstone
Peter McFadden
Al McFayden
Rod McFayden
David McGrew
Susan McNamee
Étienne Marquis
Florence Miller
Liz Poulton
Maxime Saint-Amour
Bruce Shoenhals
Fryzee Shuhood
Al Smith
David Steele
Judy Sutherland
Debbie Thorne
Wayne Zimmer

L'éditeur remercie également les parcs provinciaux, les bureaux de renseignements touristiques à travers le Canada, le Conseil de bande des Haidas et Canards, illimités.

Avant-propos : les chemins de l'évasion...

Un pâle croissant de lune luit doucement sur les hauteurs du parc national des Lacs-Waterton, en Alberta (page 90).

LE CANADA DES ROUTES TRANQUILLES présente un large choix de sites et de circuits automobiles d'un océan à l'autre, de préférence hors des sentiers battus. Mais de très nombreuses destinations sont à distance raisonnable d'une ville importante. Certaines se visiteront à un rythme détendu ou feront l'objet d'une excursion de fin de semaine. Les renseignements fournis — histoire, géographie, flore, foires, festivals, camping... — vous permettront à la fois de planifier des voyages de plus longue durée et de ne rien rater des endroits peu connus.

Le Canada des routes tranquilles célèbre les beautés naturelles et les petits coins retirés : entre une métropole et une petite ville, son choix est d'emblée pour la deuxième ; il préfère les routes secondaires aux autoroutes. Il vous oriente vers des plages et des terrains de camping peu fréquentés, des villages pittoresques, des forts historiques,

Un vieux moulin toujours actif, à Flesherton (page 184)

Le sablonneux lac Philippe, dans le parc de la Gatineau (page 258)

des haltes fleuries, des villes fantômes... (Les sites mieux connus comme les parcs nationaux ont également été abordés, mais sous un angle différent des approches habituelles.) Ce guide de voyage de 400 pages vous propose des détours que vous ne regretterez pas, en particulier dans les circuits automobiles avec carte ; généralement ils se feront en une journée, sauf quelques-uns qui s'adressent aux plus aventureux. Des croisières en bateau et des excursions en train ou en avion vous sont également suggérées.

Pour rassembler toutes les informations qui se trouvent dans ce guide, nous avons fait appel à plus de 180 auteurs régionaux (voir la liste de leurs noms, aux pages 392 et 393). Des spécialistes à l'échelle locale, régionale et provinciale ont confirmé et même enrichi les données d'ordre touristique.

Flottille de voiliers ancrés dans un havre de la baie de Mahone, sur la côte Atlantique (page 363)

En tout, *Le Canada des routes tranquilles* décrit en détail 340 sites et 26 parcs nationaux. Il offre en plus 56 circuits à parcourir en automobile. Ses textes sont illustrés par plus de 400 photographies exclusives en couleurs. Quelque 76 cartes permettent de se situer à l'intérieur d'une région ou d'un petit coin de pays. Vous y trouverez aussi des pavés d'information sur les attractions et les événements spéciaux et des pictogrammes indiquant les loisirs et l'hébergement dans une région donnée. (Voir aussi Comment consulter ce guide, aux pages 12 et 13.)

Le Canada des routes tranquilles a été conçu pour ceux et celles qui ont envie de flâner dans des coins de pays tranquilles, d'un cachet magnifique ou singulier. Ses descriptions et ses photographies font de ce guide un livre de lecture passionnant pour les amateurs d'inédit en matière de tourisme.

La rédaction.

Table des matières

RÉGION 20 ÎLE-DU-PRINCE-ÉDOUARD

RÉGION 21 NOUVELLE-ÉCOSSE

RÉGION 22 TERRE-NEUVE ET LABRADOR

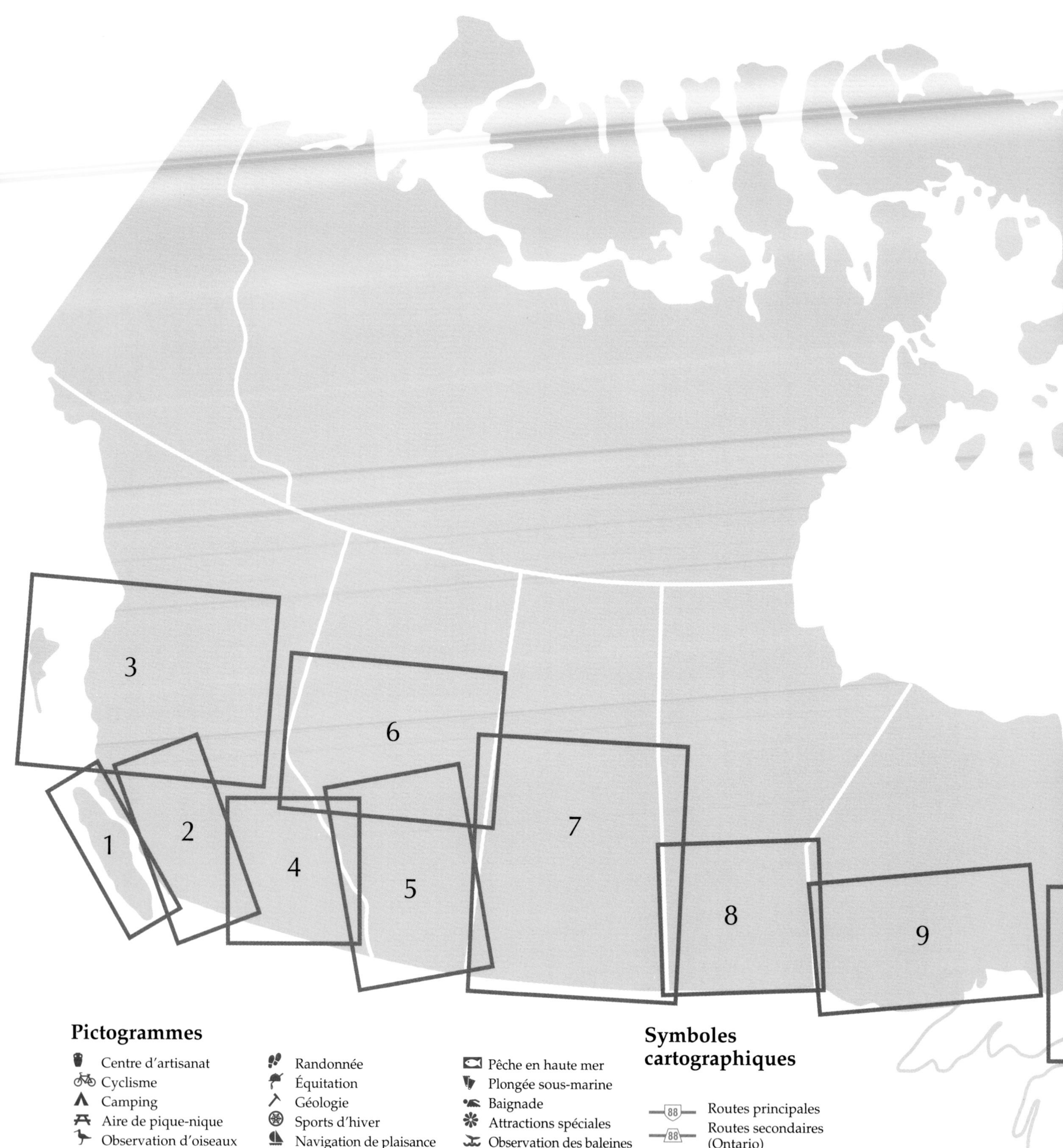

Pictogrammes

- Centre d'artisanat
- Cyclisme
- Camping
- Aire de pique-nique
- Observation d'oiseaux
- Alpinisme
- Golf
- Randonnée
- Équitation
- Géologie
- Sports d'hiver
- Navigation de plaisance
- Canotage
- Pêche
- Pêche en haute mer
- Plongée sous-marine
- Baignade
- Attractions spéciales
- Observation des baleines
- Photographie de la nature
- Hébergement

Symboles cartographiques

- Routes principales
- Routes secondaires (Ontario)
- Parcs
- Traversier

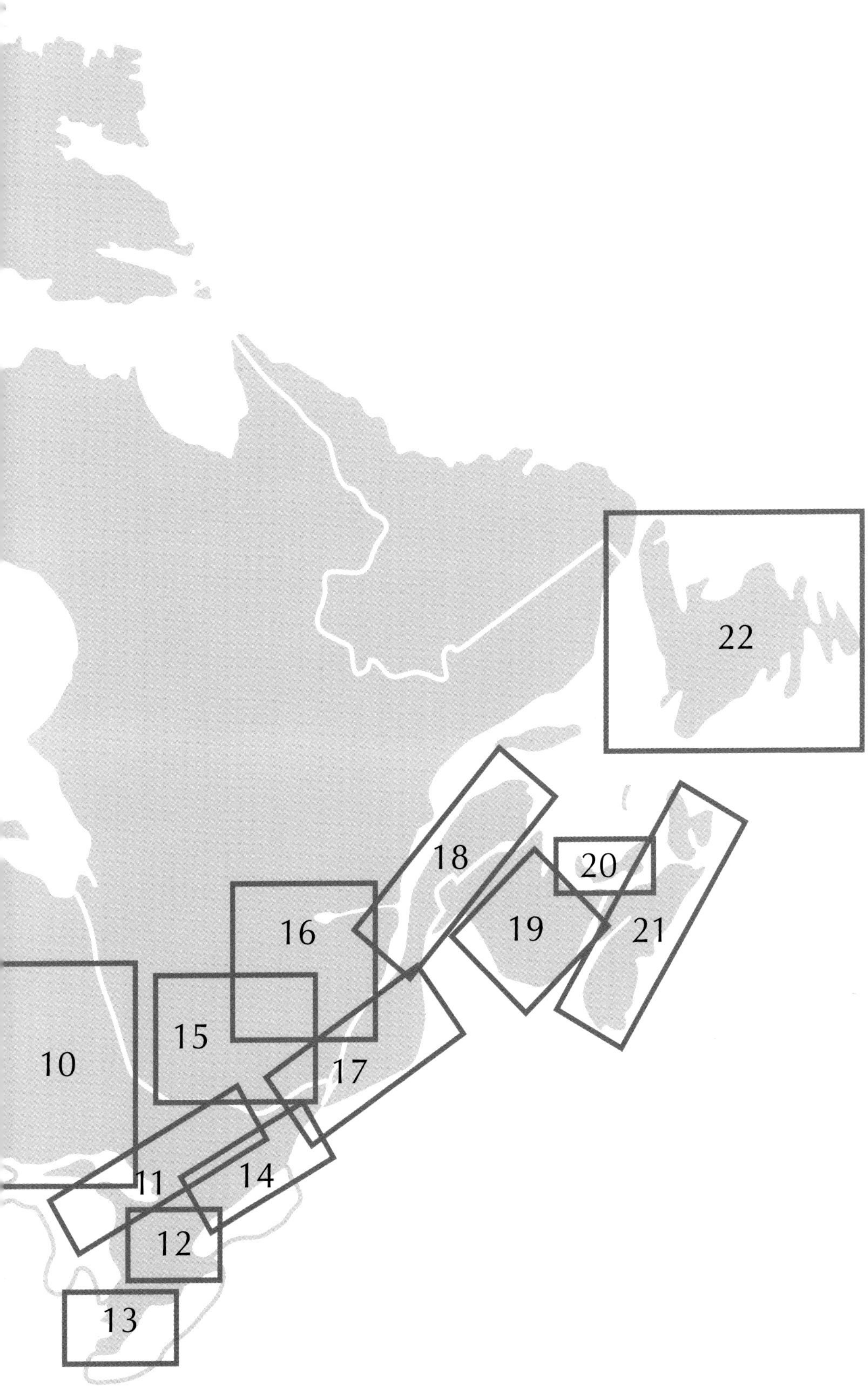

Comment consulter ce guide

Le Canada des routes tranquilles est découpé en 22 régions, numérotées d'ouest en est de Vancouver à Terre-Neuve. La carte générale (*à gauche*) sert à repérer les régions. La photographie d'un paysage représentatif et une carte de la région occupent les quatre premières pages de chaque chapitre, ainsi qu'une table des matières avec la liste des sites, des parcs nationaux et des circuits automobiles décrits dans le chapitre.

Les sites décrits en détail sont numérotés pour qu'on puisse mieux les repérer sur la carte de la région. En dessous du nom du site, une liste de pictogrammes (voir ci-contre) indique le type de loisirs qu'on y pratique et l'hébergement qu'on y trouve. Un pavé en couleurs mentionne les attractions ou les événements célébrés sur le site même ou dans le voisinage. Des articles non numérotés apportent un complément d'information sur un thème abordé dans un site ou décrivent une destination éloignée. Les titres de ces articles figurent en italique dans la table des matières.

Les circuits automobiles se détachent dans des encadrés en couleurs. Ils s'accompagnent d'une carte routière schématique (voir la liste des symboles en page 12).

La description des parcs nationaux figure sur une ou deux pleines pages à fond beige. Les renseignements pratiques recouvrent neuf types d'activités et d'hébergement.

ÎLE DE VANCOUVER

1
Île de Vancouver

Sites

Port Hardy
Alert Bay
Parc provincial Cape Scott
Telegraph Cove
Île Quadra
Parc Strathcona
Détroit de Nootka (en bateau)
Gold River
Cumberland
Îles Denman et Hornby
Ucluelet
Tofino
Bamfield
Île Gabriola
Lake Cowichan
Île Salt Spring
Île Galiano
Île Pender
Île Mayne

Circuits automobiles

Le nord de l'île de Vancouver :
Port Hardy à Holberg
Tour du lac Cowichan

Parc national

Pacific Rim

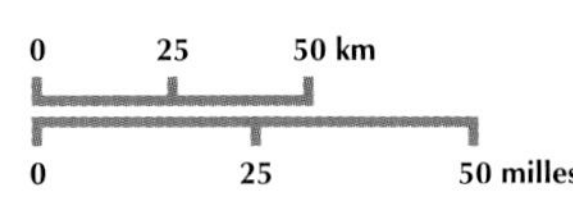

Pages précédentes :
Whaling Station Bay, dans l'île Hornby

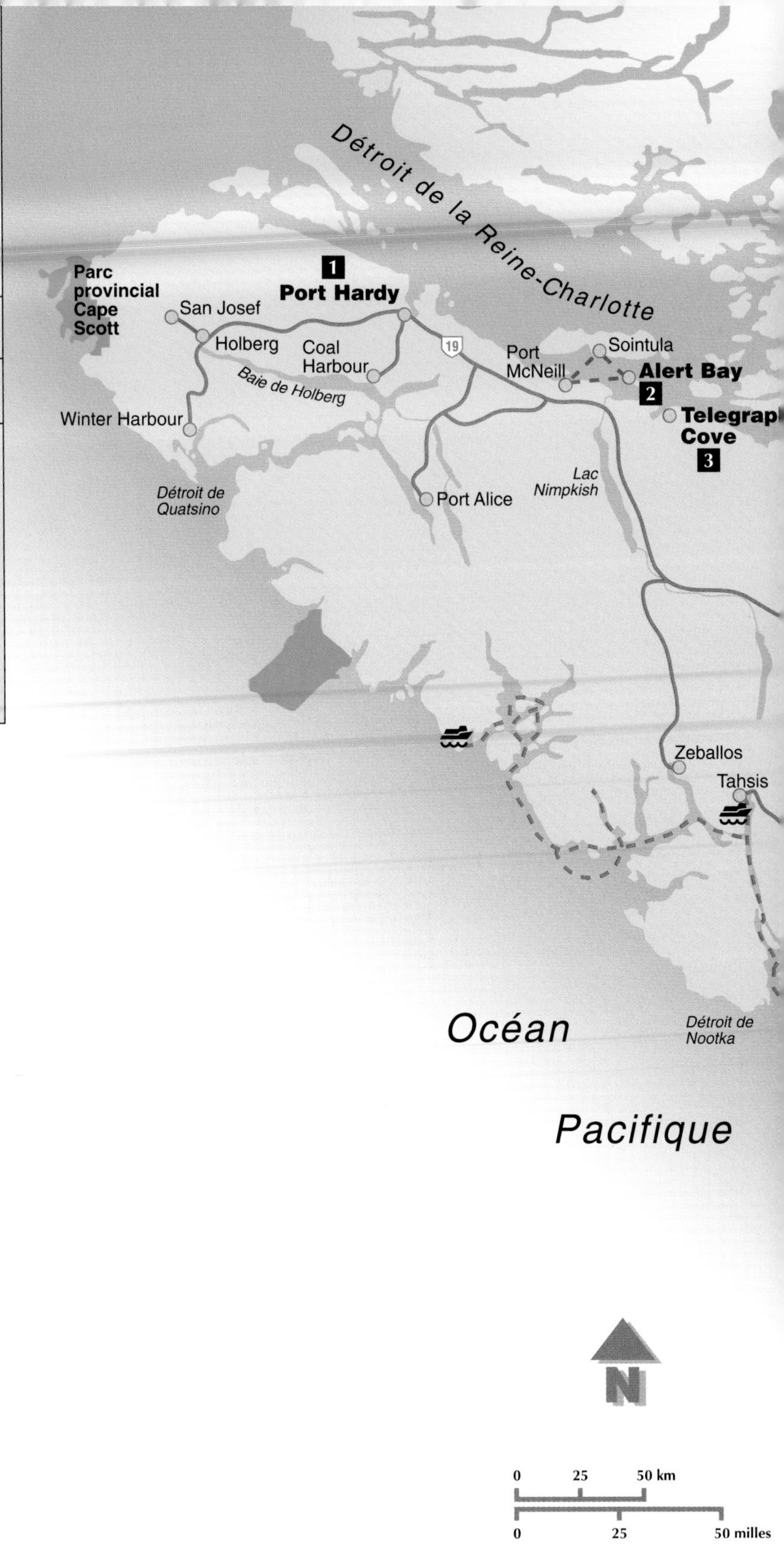

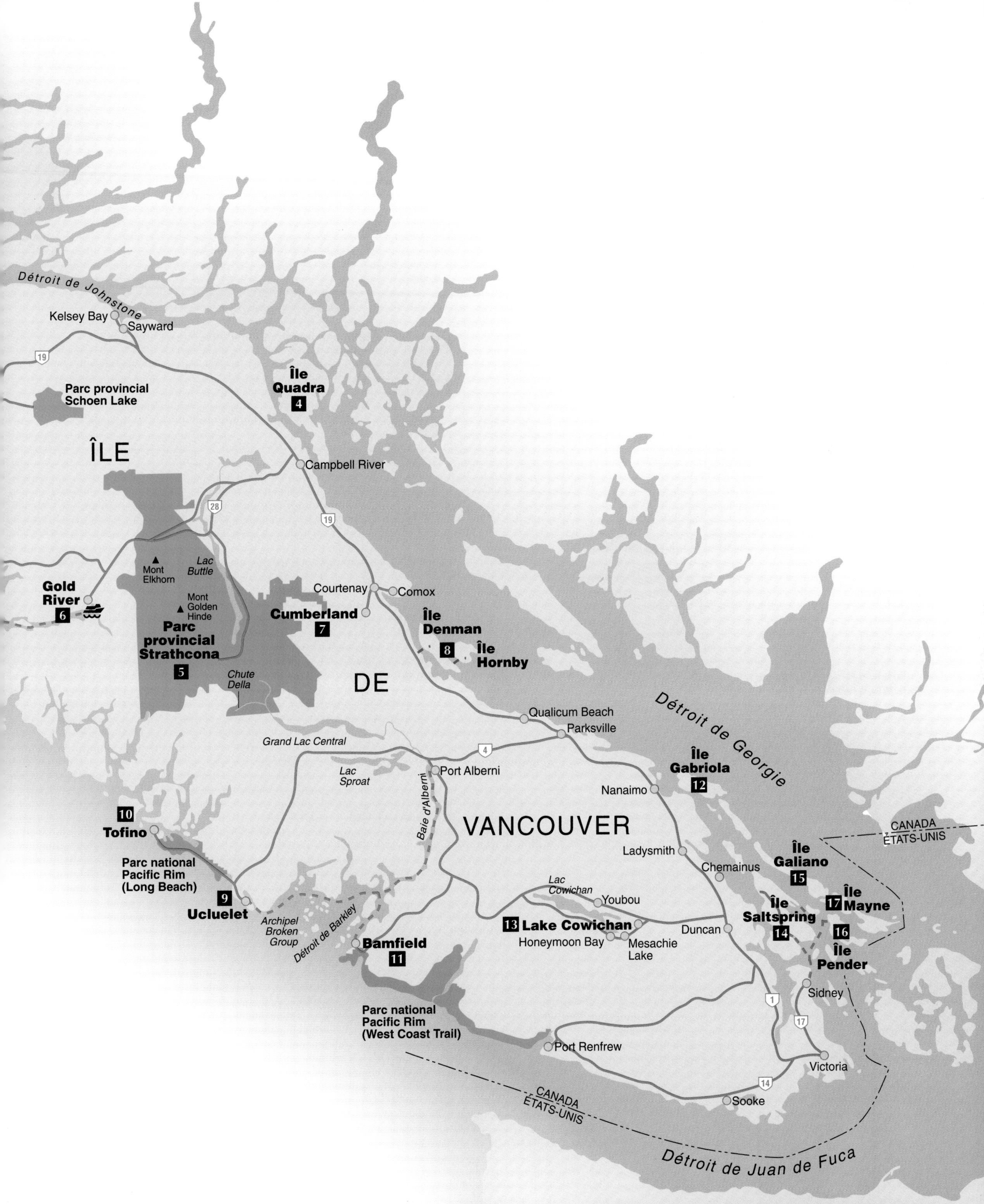

Détroit de Johnstone
Kelsey Bay
Sayward
19
Parc provincial
Schoen Lake
Île
Quadra
4
ÎLE
Campbell River
28
19
Mont
Elkhorn
Lac
Buttle
Gold
River
6
Mont
Golden
Hinde
Parc
provincial
Strathcona
5
Courtenay
Comox
Cumberland
7
Île
Denman
8
Île
Hornby
Chute
Della
DE
Qualicum Beach
Parksville
Détroit de Georgie
Grand Lac Central
4
Lac
Sproat
Port Alberni
Baie d'Alberni
Île
Gabriola
12
Nanaimo
10
Tofino
VANCOUVER
CANADA
ÉTATS-UNIS
Ladysmith
Île
Galiano
15
Chemainus
Parc national
Pacific Rim
(Long Beach)
Lac
Cowichan
Youbou
Île
Mayne
17
9
Ucluelet
Archipel
Broken
Group
Détroit de Barkley
13 Lake Cowichan
Île
Saltspring
14
16
Duncan
Honeymoon Bay
Mesachie
Lake
Bamfield
11
Île
Pender
Sidney
Parc national
Pacific Rim
(West Coast Trail)
1
17
Port Renfrew
Victoria
14
Sooke
CANADA
ÉTATS-UNIS
Détroit de Juan de Fuca

1 Port Hardy

Port Hardy (pop. 5 082) marque l'accès au passage Intérieur, couloir maritime qui mène, au nord, à Prince Rupert sur le continent. C'est aussi de là que part le visiteur à la découverte du nord de l'île de Vancouver. Enfin, Port Hardy est le royaume du saumon coho.

La ville est depuis 1979 accessible par une route pavée, la route Island, construite grâce à la grande ténacité des habitants du nord de l'île. Le parc Carrot rappelle malicieusement les efforts de ceux qui se plaignaient d'être « carrotés » par le gouvernement. Une plaque ornée d'une carotte de bois indique le mille zéro de la route « Trans-Carrot ». D'ailleurs, dans les veines des habitants de Port Hardy coule un sang de batailleurs. La ville a été nommée en l'honneur de sir Thomas Masterman Hardy (1769-1839), vice-amiral qui avait combattu aux côtés de Nelson à Trafalgar.

Il fait bon se promener dans la ville, surtout le long de la digue, dans le port où se côtoient les barques de pêche, les voiliers et les hydravions.

Le musée de Port Hardy évoque l'histoire de la région. Son principal attrait est la reproduction d'un site archéologique qui remonte à 8 000 ans, situé près de Bear Cove, de l'autre côté de la baie. Le musée est ouvert toute l'année, à des heures variables. Renseignez-vous auparavant sur place.

Peu avant d'arriver à Port Hardy, à l'embouchure de la rivière Quatse, s'étend un refuge d'oiseaux, le Quatse River Tidal Marsh. C'est un marécage où, à partir de sentiers, on peut observer des outardes, des canards et des hérons.

L'enseigne, à l'entrée de Port Hardy

À Fort Rupert, non loin de là, le visiteur verra des mâts totémiques kwakiutls, et pourra visiter, sur rendez-vous, une galerie-atelier, The Copper Maker. Dans le village, seule une cheminée rappelle le poste de traite (1849) et la mine de charbon de la Compagnie de la Baie d'Hudson.

Un aller-retour de deux jours par le traversier qui relie Port Hardy et Prince Rupert par le passage Intérieur permet d'observer de près des aigles, des baleines et des marsouins.

Événements spéciaux
Filomi Days (juillet)

Les attraits du nord de l'île de Vancouver

Distance : 67 km

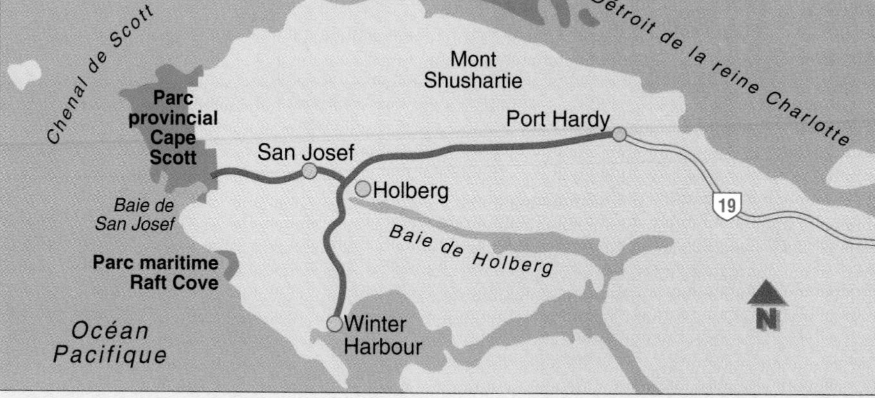

À la sortie de Port Hardy s'ouvre un chemin forestier qui donne accès à l'extrémité nord de l'île de Vancouver. Empruntez la route 19 vers l'ouest. À 3,5 km environ, la route pavée devient un chemin de terre sinueux, en terrain montagneux.

- Au lac Kains, à 20 km, à droite, se trouve « l'arbre des pas perdus ». Il s'agit du Shoe Tree, un arbre mort, auquel sont clouées des centaines de paires de bottes et de chaussures, sur 2 m de hauteur.
- Plus loin, à 15 km, la route longe le lac Nawhiti. On y trouve une aire de récréation administrée par les services forestiers de la province, où croissent de grands arbres moussus, de seconde venue. Un peu plus loin, la route grimpe et offre une vue panoramique du lac Nawhiti et de la forêt environnante.
- Poursuivez jusqu'à Holberg (pop. 200), qui se trouve à 47 km de Port Hardy. Le village niche au fond d'un fjord de 33 km. Colonisé par des Danois du Minnesota qui avaient tenté tout d'abord de s'établir dans la région voisine du cap Scott, il a été nommé en l'honneur d'un écrivain danois du XVIIIe siècle.

L'arbre des pas perdus

Holberg se vida en 1916 jusqu'à ce que commence l'exploitation forestière, vers 1942. La population s'y installa alors sur un immense radeau couvert de maisons et doté de tous les services. On disait que c'était le plus grand camp flottant de la côte ouest de l'Amérique.

La tradition forestière du village est demeurée bien vivante. À la mi-juin se tient une compétition sportive de bûcherons, les Loggers' Sports Days, avec concours de sciage, lancer de la hache et drave.

- À l'intersection, 4 km au nord de Holberg, prenez la direction du camping San Josef, 20 km plus loin. Juste avant d'arriver à la rivière San Josef, une petite route mène au Ronning's Garden, un jardin de colons danois en voie de restauration. Au camping débute le sentier qui mène au parc provincial Cape Scott.
- Ou bien, à cette même intersection, prenez à gauche et faites 25 km jusqu'au village de pêcheurs de Winter Harbour. Vous pourrez y pratiquer la pêche ou vous promener en forêt pour observer la faune. Peut-être y verrez-vous une espèce rare, l'éléphant de mer.

2 Alert Bay

En vous dirigeant vers l'île Cormorant à bord du traversier de Port McNeill, vous apercevrez dans l'eau des maisons de bois construites sur pilotis. C'est Alert Bay (pop. 628), le cœur de la culture kwakiutl.

Les navires s'y ravitaillent en carburant depuis la fin du XIXe siècle. Le village doit son nom au premier bateau qui fit escale dans la baie.

Les deux extrémités de la rue principale d'Alert Bay témoignent de la culture autochtone : au sud de la rue Fir (tournez à droite en quittant le traversier), se touve le cimetière Nimpkish ; à l'extrémité nord de la rue Front, le Centre culturel U'Mista.

L'église historique d'Alert Bay, bâtie en Angleterre, a été reconstituée ici en 1879.

CAP VENTEUX ET FORÊTS MOUSSUES

Se rendre au parc provincial Cape Scott représente tout un défi. Avant d'atteindre ces 15 070 ha de luxuriante forêt côtière, il faut, en partant de Port Hardy, rouler 67 km vers l'est sur le chemin forestier qui mène au camping San Josef. De là, le parc n'est accessible qu'à pied, par des sentiers difficiles et longs parfois de 20 km, qui traversent de vieilles forêts moussues de cèdre rouge, de cèdre jaune, de pin lodgepole, de pruche et de sapin.

Champignons et mousses, au cap Scott

Les excursionnistes doivent être prêts à franchir en rampant d'épais fourrés de ronce remarquable, de gueules noires, de gaulthérie et de fougère, empruntant parfois les « tunnels » ouverts par les ours noirs. Il faut six heures pour aboutir à Nels Bight, une bande de sable fin longue de 2,5 km, et encore deux autres pour atteindre le cap Scott. Le cap doit son nom à David Scott, un marchand de Bombay qui, en 1786, finança la première expédition commerciale sur la côte du Pacifique.

On peut observer la loutre, le cougar, le cerf, le wapiti et le loup. L'otarie de Steller et le phoque se prélassent sur les 64 km de littoral qui bordent le parc. La grue canadienne et le héron pataugent dans les anses, et quelque 10 000 outardes s'arrêtent ici dans leur migration vers le sud.

Le parc est l'une des régions les plus pluvieuses du continent ; elle a connu des pluies records de 5 000 mm en un an. Ce sont les violentes tempêtes qui ont découragé la colonisation danoise dans la baie de Hansen, en 1897 et en 1910, obligeant 80 familles à quitter les lieux. La toponymie (pointe Frederiksen, lac Eric) porte la marque de leur passage. Avant eux, les Kwakiutls occupaient la région, et certains pensent que le cap Scott serait leur terre d'origine.

Le cimetière, protégé par de vieux mâts totémiques ornés de spectaculaires motifs kwakiutls, est considéré comme un lieu sacré. On demande aux visiteurs de ne pas s'y promener.

Ceux-ci sont par ailleurs les bienvenus au Centre culturel U'Mista. Conçu dans le style des maisons longues traditionnelles, le centre abrite une impressionnante collection de masques et d'objets cérémoniels confisqués dans les années 20 par les agents du gouvernement fédéral. Devant la grande maison, où ont lieu les cérémonies du potlatch, se dresse le mât totémique le plus haut du monde (53 m). Érigé en 1973, il est orné de motifs qui évoquent l'histoire de la nation Kwakwak'awakw à laquelle se rattache la tribu kwakiutl.

Le passé européen a également été préservé à Alert Bay. La petite chapelle anglicane Christ Church, d'abord construite en Angleterre, fut réassemblée ici en 1879. Les croix qui en soulignent le faîte et le pignon font penser à une maison de pain d'épice.

Mât totémique, à Alert Bay

Sur la crête qui domine Alert Bay se trouve le parc écologique Gator Gardens, un marécage peuplé de gaulthérie à hauteur d'homme. Aux branches des pruches et des pins pend une mousse vert vif, dite cheveux de sorcière. Un trottoir de bois de 225 m serpente parmi les choux puants et les chicots gris des cèdres, uniques vestiges de la forêt qui autrefois couvrait la région.

Événements spéciaux

Compétitions sportives indiennes (juin)

Festival Cormorant Sea (août)

L'artère principale de Telegraph Cove, l'un des endroits les plus charmants de la Côte.

3 Telegraph Cove

Des quais, des bateaux et des maisons de bois sur pilotis dominent le port de Telegraph Cove (pop. 25). Un long trottoir de bois relie les édifices du bord de l'eau et fait office de rue principale.

Telegraph Cove, fondé en 1911, marquait la fin d'une ligne télégraphique qui, d'arbre en arbre, montait de Campbell River par la côte est de l'île de Vancouver. À partir d'ici, les messages en morse étaient transmis d'abord à Alert Bay, sur l'île Cormorant, puis vers les petites localités isolées au nord.

On part de Telegraph Cove pour aller observer les baleines dans le détroit de Johnstone, tout près, et dans la baie de Robson, à 20 km. Cette baie est une réserve écologique de 1 250 ha fréquentée par les voraces épaulards. Ils s'y rassemblent l'été, au moment des migrations, et viennent se frotter les flancs sur les récifs qui parsèment cette partie du littoral. Les bateaux sont interdits dans la réserve, mais du bateau d'excursion on pourra quand même observer les cétacés de très près.

À Beaver Cove, au chantier Canfor, sont triées les billes venues de la vallée de Nimpkish : bois de charpente, contre-plaqué, bardeau et pâte. Le chantier est ouvert aux visiteurs. Dans la baie, il faut voir les remorqueurs de 5,5 m manœuvrer les billes.

Les visiteurs peuvent, par l'Englewood Railway, faire un tour dans

Enseigne de quai, à Telegraph Cove

la montagne et la forêt. Le chemin de fer appartient à l'un des derniers exploitants forestiers par rail de la Colombie-Britannique. Le train, que tire une locomotive à vapeur, part de Woss Camp, à l'intérieur des terres.

Événements spéciaux
Foire artisanale (août)

4 Île Quadra

La plus grande des îles du passage Discovery fait 24 km de longueur et doit son nom à l'explorateur espagnol Bodega y Quadra. On s'y rend par traversier à partir de Campbell River.

Voilier à l'ancre dans les eaux bleues et paisibles de Rebecca Spit, dans l'île Quadra.

L'île, relativement peu peuplée, a conservé son caractère rustique. Elle n'en est pas moins reconnue dans le monde entier auprès des initiés pour la qualité de sa pêche au saumon. On y pratique aussi l'exploration en forêt et les excursions en montagne.

Du parc provincial Rebecca Spit, la vue embrasse le chenal Sutil et, au loin, sur le continent, la chaîne Côtière. Il y a un seul terrain de camping dans toute l'île, celui de We-Wai-Kai, non loin du parc, qu'administre la bande indienne de Cape Mudge. La roche que vient battre la marée haute sur la plage We-Wai-Kai porte d'anciens pétroglyphes, des masques et des personnages mythologiques, qui sont parmi les plus importants de la côte du Pacifique.

Le Centre culturel kwakiutl de Cape Mudge expose des objets sacrés (pipes, crécelles, masques et coiffures) reliés à la cérémonie du potlatch.

En vous promenant dans les sentiers, peut-être croiserez-vous des cerfs de Sitka et des écureuils de Douglas ou verrez-vous des phoques et des otaries. Le loup et le cougar sont plus rares. Au pied des arbres dont certains, comme le cèdre et le sapin, sont immenses et de première venue, croissent des mousses épaisses, de la gaulthérie, du houx et des fleurs sauvages. Le pic, le tangara, la grive et le carouge à épaulettes survolent l'endroit.

Sur la grève, on cueille des huîtres et des palourdes. Pour la pêche en mer, on se procurera un permis dans la plupart des magasins et des auberges.

La baie de Quathiaski et la pointe Whiskey, à l'extrémité méridionale de l'île, comptent parmi les meilleurs sites de plongée sous-marine en Amérique du Nord. On y observe, entre autres, la pieuvre, l'oursin, l'anémone de mer et le requin (des espèces inoffensives).

Dans le nord de l'île se trouvent les ruines de la mine d'or de Lucky Jim.

Événements spéciaux
May Days (mai)
Barbecue de saumon (juin)
Foire d'automne (août)

Les chutes Della dévalent parmi les pins des Nine Peaks, dans le parc Strathcona.

5 Parc Strathcona

Le parc Strathcona, fondé en 1911, est le plus vieux parc provincial de la Colombie-Britannique. Il est aussi, avec ses 2 226 km^2, le plus grand de l'île de Vancouver. Ses services administratifs sont à Miracle Beach, entre Courtenay et Campbell River.

Cet univers de glaciers, de forêts anciennes et de montagnes coiffées de neiges éternelles n'est accessible, dans l'ensemble, qu'à ceux qui sont équipés pour survivre en forêt. Le parc n'en renferme pas moins plusieurs terrains de camping équipés et un bon nombre de sentiers de randonnée.

Au lac Buttle, deux sentiers mènent en 20 minutes, l'un aux chutes Lupin, à travers une forêt où pousse le monotrope uniflore, et l'autre aux chutes Lady ; un troisième aboutit en 45 minutes au ruisseau Karst parmi des reliefs de calcaire, des chutes et des cuvettes. Autour du camping de Ralph River, on se promène dans une forêt où pousse le gingembre sauvage.

Près de la décharge du lac Buttle, une route panoramique pavée longe le lac vers le sud. Au bout du lac se trouvent le ruisseau Myra et la mine Westmin Resources ; de là, des sentiers vont aux chutes Myra et au lac Cream.

Les Amérindiens croyaient le plateau Forbidden peuplé par des esprits mauvais qui dévoraient les femmes et les enfants. Le plateau est relié à Courtenay par une route de gravier. On atteint le sentier qui mène à la prairie Paradise par le chemin forestier de

EXCURSION EN MER VERS DES BAIES SECRÈTES

À la vitesse de 12 nœuds à l'heure, le *Uchuck III* croise sans se hâter dans les eaux littorales des détroits de Nootka et de Kyuquot, au nord-ouest de l'île de Vancouver. Ce bateau de bois de 41,5 m — un dragueur de mines de la Seconde Guerre mondiale — assure la livraison de vivres et de matériaux de toutes sortes et transporte les passagers à destination de ports et de camps de bûcherons et de mineurs isolés. Lors de ses navettes régulières, il prend aussi des vacanciers à bord. Les départs se font au quai de Gold River, au bout de la route 28, dans la baie de Muchalat.

En juillet et en août, le *Uchuk* permet de passer une journée dans la baie de Muchalat, l'un des trois bras du détroit de Nootka qui pénètre dans les terres jusqu'au parc Strathcona. Le bateau fait une brève escale à Resolution Cove, où le capitaine James Cook jeta l'ancre pour la première fois en 1778 ; de là, il poursuit à Friendly Cove (Yoquot), au sud-ouest de l'île de Nootka, où Cook fit sa première rencontre avec les autochtones. L'accès à Friendly Cove, terre ancestrale des Mowachahts et site d'une ancienne bourgade qui remonte peut-être à 4 000 ans, fut longtemps interdit aux étrangers. La bande permet maintenant une brève visite guidée, moyennant redevances.

Le *Uchuk* contourne l'île Blight et l'embouchure de la baie de Tlupana (un autre bras du détroit de Nootka) pour remonter la longue baie étroite de Tahsis jusqu'au village forestier du même nom. On dit de Tahsis qu'il est le « berceau de la Colombie-Britannique » car c'est ici que Cook se rendit dans les quartiers indiens rencontrer le chef indien Maquinna.

Une excursion de deux jours dans le détroit de Kyuquot suit à peu près le même itinéraire en continuant en pleine mer jusqu'au village de Kyoquot. (Le bateau jette l'ancre au large, en face de l'île Walter's.) Au printemps, cette excursion permet d'observer la baleine grise dont c'est ici la route migratoire.

Vastes et fraîches, les cavernes Upana, près de Gold River, ravissent les spéléologues.

Fletcher Challenge, à partir de la même route. De la prairie Paradise, le randonneur a le choix entre plusieurs sentiers : celui du mont Becher (2 heures de marche), du lac Douglas et du lac MacKenzie (3 heures), du lac Kwai (6 heures), du lac Battleship (1 heure) et, enfin, le sentier Loop (45 minutes).

À l'auberge du parc Strathcona, qui se situe juste à l'extérieur du parc, là où le lac Buttle devient le lac Campbell Supérieur, on offre diverses activités (alpinisme, escalade, ski, pêche à la truite, excursions par hélicoptère, étude des fleurs sauvages et photographie) ainsi que des cours Elderhostel aux personnes du troisième âge.

Dans le parc même, on pratique le kayak en eau calme ou rapide.

6 Gold River

Au confluent des rivières Gold et Heber se trouve le village de Gold River (pop. 2 200). Situé au cœur d'une région où abondent les eaux tumultueuses, il attire les amateurs d'émotions fortes du monde entier. Les meilleurs kayakistes et adeptes du radeau du monde viennent défier les courants violents et les puissants tourbillons de la rivière Gold et son Big Bend, un coude à 90 degrés. On les observe de l'aire de pique-nique du parc Big Bend, au bord de la route 28.

Tout près, les spéléologues pourront explorer la caverne Quatsino et, au nord du village, les cavernes Upana. L'usine de pulpe de Gold River, au bout de la route 28 sur la baie de Muchalat, est une autre attraction locale.

Il est possible de noliser un hydravion pour aller pêcher dans les coins reculés du détroit de Nootka, là où le capitaine Cook prit contact avec les autochtones en 1778. Un ancien dragueur de mines offre des excursions dans les détroits de Nootka et de Kyuquot.

Événements spéciaux
Journées de Gold River (juin)

Cumberland

Au tournant du siècle, le paisible village de Cumberland (pop. 2 200) bouillonnait d'activité avec ses commerces et ses mines.

La rue principale, bordée d'élégants édifices du XIXe siècle, mène au musée Cumberland qu'abrite le centre culturel du même nom. Il rappelle l'histoire de ce village charbonnier ainsi que le grand incendie qui détruisit des îlots entiers de maisons. On y voit des photographies de sa population d'origine japonaise et la réplique d'une mine de charbon.

Au cours des années 20, il y avait à Cumberland 10 mines de charbon et une population de 15 000 habitants composée de Noirs, de Britanniques, de Chinois, d'Italiens et de Japonais qui formaient des communautés distinctes. La dernière mine ferma ses portes en 1966, et la plupart des habitants quittèrent les lieux. Il reste une seule cabine dans l'ancien village chinois, à un peu plus de 1 km du village, sur la route du lac Comox. Ce dernier, alimenté par les eaux de fusion d'un glacier, est idéal pour la baignade.

Tous les ans, en juin, en souvenir des mineurs (Miners' Day), des représentants syndicaux viennent à Cumberland se recueillir sur la tombe d'Albert « Ginger » Goodwin. Partisan du syndicalisme, il luttait pour améliorer les conditions de travail dans les mines quand, en 1918, il fut brusquement conscrit dans l'armée. Pressentant un piège de la part du gouvernement, il s'enfuit dans les montagnes. Des détachements de policiers furent lancés à sa poursuite. L'un d'eux, un chasseur de primes du nom de Daniel Campbell, l'abattit. Aux funérailles de Goodwin, le cortège s'étirait sur plus d'un kilomètre. Sa mort déclencha une grève générale d'une journée à Vancouver.

Événements spéciaux
Empire Days (mai)
Miners' Memorial Day (juin)
Journées du lac Comox (juillet)

8 Îles Denman et Hornby

En général, les visiteurs qui prennent le traversier à Buckley Bay, dans l'île de Vancouver, traversent l'île Denman pour aller prendre un autre traversier à destination de l'île Hornby. Les plages de l'île Denman, moins sablonneuses,

Cueillette de coquillages sur la plage de Whaling Station Bay, dans l'île Hornby.

certes, et moins spectaculaires que celles de l'île Hornby, sont pourtant plus paisibles et l'on peut y flâner à loisir.

Au parc provincial Boyle Point, par exemple, on pourra, au bout d'une courte promenade sur un trottoir de bois, ramasser en quantité des huîtres et des palourdes. Il n'est pas nécessaire d'avoir un permis pour une cueillette familiale, mais il faut respecter les quotas quotidiens et éviter les zones commerciales, clairement identifiées.

En février, les otaries fréquentent les eaux, au moment où le hareng se rassemble en grands bancs pour frayer entre les deux îles, dans le chenal Lambert. Les énormes mammifères, attirés par le hareng, sont à leur tour la proie des épaulards, et l'on assiste parfois à de terribles scènes de prédation.

La bicyclette est un excellent moyen de visiter les îles : il y a peu de circulation, la plupart des routes sont pavées et le climat est doux. Dans les deux îles, on trouve des bicyclettes à louer et des ateliers de réparation. Les divers sentiers qui grimpent à l'assaut du mont Geoffrey, dans l'île Hornby, combleront les mordus du vélo de montagne.

Dans l'île Hornby, dès la sortie du traversier, les sentiers de randonnée qui traversent la montagne mènent jusqu'à l'anse Ford. Un sentier de 4 km fait le tour du parc Helliwell. Il franchit d'épaisses forêts de sapins de Douglas pour aboutir au sommet de falaises noires. Des centaines d'aigles, de cormorans, de goélands et de grands hérons, de même que des dizaines d'espèces de canards, ont choisi cet endroit pour s'y reproduire.

Les plages en pente douce et les courants à peu près nuls sont idéals pour les enfants. À l'ouest de la pointe Tralee, on voit de vieux pétroglyphes indiens sculptés dans le roc ; à la pointe Phipps, on trouve des fossiles. Au large de l'anse Ford, les récifs, une autre merveille, sont un attrait pour les plongeurs. Enfin, on peut louer des kayaks et faire des excursions en mer en toute saison.

Dans l'une ou l'autre île, les ateliers de potiers, de sculpteurs, de vaniers, de joailliers ou de verriers rendront la visite inoubliable.

Événements spéciaux
Festival des arts de la scène (août)

9 Ucluelet

Ucluelet (pop. 1 500), qui signifie « port calme » en langue amérindienne, est un port naturel situé à l'entrée ouest de la baie de Barkley. Sa flotte de bateaux de pêche occupe le troisième rang en Colombie-Britannique. Le village n'a été relié à l'île de Vancouver qu'en 1959 avec le parachèvement de l'autoroute Port-Alberni-Ucluelet.

Le *Canadian Princess*, véritable station flottante de pêche sportive, constitue une des principales attractions du village. Après avoir fait pendant 43 ans des relevés hydrographiques le long de la côte, ce bateau de 70 m est venu s'amarrer, en 1977, au quai de l'avenue Pennsylvania. Il est désormais à la tête

d'une flottille de petites embarcations de 13 m qui assurent annuellement le transport de milliers de visiteurs vers les bancs de pêche.

Il faut voir, au pied de la rue Main, le premier magasin d'Ucluelet (1908). Ses planchers, son comptoir principal et ses étagères sont d'origine. On y vend maintenant souvenirs et cartes postales.

L'été, le phare de la pointe Amphitrite, au bout du chemin Peninsula, offre une visite guidée de ses installations : le régulateur de trafic maritime, la station radio de la garde côtière de Tofino et l'édifice des mesures d'urgence, conçu à la suite d'un déversement massif de pétrole sur la côte en 1989.

Les nombreux jardins de fleurs qui égaient le village sont inspirés des travaux de George Fraser, horticulteur écossais qui s'établit dans le village au début du XXe siècle. Il défricha une partie de la grande forêt luxuriante pour cultiver des rhododendrons, des azalées, de la bruyère et divers hybrides. Son jardin, qui s'étend sur les bords de la baie d'Ucluelet, parvint à une notoriété mondiale et devint un point d'intérêt sur la route des vapeurs. Un petit jardin fut inauguré en 1977 en l'honneur de Fraser sur Peninsula Drive.

Autrefois voué à la chasse aux phoques, Ucluelet vit maintenant de foresterie et de pêcherie. Les amateurs de pêche sportive y viennent pour les riches bancs de saumons, de morues, de flétans, de rougets et de merluches ; les amants de la nature, pour les randonnées en mer, le spectacle des baleines et la plongée sous-marine.

Événements spéciaux

Festivités de la baleine (mars)
Festival de musique Pacific Rim (juillet)
Ukee Days (août)

10 Tofino

Tofino (pop. 1 100) est ouvert sur le Pacifique, d'un côté, et adossé à la myriade d'îles du détroit de Clayoquot, de l'autre. Avec ses galeries d'art et ses restaurants, c'est un îlot de civilisation dans la nature sauvage. Le port grouille de bateaux de pêche qui arrivent chargés de saumons, de crevettes et de harengs et d'autres qui partent à la pêche ou pour observer les baleines. Tofino, c'est aussi une plaque tournante du circuit touristique.

Un lever de soleil se déploie sur les bateaux de pêche amarrés aux quais de Tofino.

L'anse Hot Springs se trouve à l'entrée de la baie de Sidney, à 40 km environ de Tofino par bateau. De là, on se rend à pied en 20 minutes aux sources chaudes, à travers la forêt, en empruntant de confortables trottoirs de cèdre. Les eaux de la source thermale, qui atteignent la voluptueuse température de 50°C, dévalent sur 3,5 m en cascadant dans une série de petits bassins avant de parvenir à la mer.

L'île Vargas, à 20 minutes de Tofino par bateau, est couverte d'une forêt humide en grande partie encore vierge et entourée de plages de sable blanc dont certaines s'ouvrent sur le Pacifique.

Pacific Rim

Le parc national Pacific Rim, sur la côte ouest de l'île de Vancouver, est une terre de violents contrastes : tandis que sur la côte retentit le fracas des vagues qui déferlent, le silence le plus profond règne à l'intérieur des terres sur la grande forêt humide ; d'un côté, l'océan s'étend à perte de vue et, de l'autre, de gigantesques conifères barrent l'horizon.

Fondé en mai 1970, le parc comprend trois sections distinctes longeant la côte. La plus septentrionale, Long Beach, est une bande de 11 km de sable dur et blanc se détachant sur un fond de sombres conifères. On y arrive de Port Alberni par la route 4. La deuxième section se situe environ 20 km au sud-est de Long Beach : c'est l'archipel Broken Group, formé d'une centaine d'îles rocheuses. Le bateau *Lady Rose,* en partance de Port Alberni, y fait escale entre Ucluelet et Bamfield, de part et d'autre du détroit de Barkley. La troisième section est une piste sur la côte, West Coast Trail, qui couvre 77 km du nord au sud entre Bamfield et Port Renfrew, à l'entrée du détroit de Juan de Fuca. On se rend à Bamfield par un chemin forestier si l'on vient de Port Alberni et par un chemin forestier à circulation limitée si l'on vient de Lake Cowichan. Dans ce dernier cas, il est bon de se renseigner auprès de la compagnie forestière avant de planifier son départ.

Mouettes sur une plage accidentée du West Coast Trail

La piste West Coast Trail, ouverte entre 1907 et 1912, est jalonnée de cabines pourvues du téléphone ; elles sont destinées à recueillir les marins qui font naufrage dans les eaux traîtresses du détroit de Juan de Fuca. Auparavant, les naufragés mouraient de froid, incapables qu'ils étaient d'entrer dans l'impénétrable forêt humide. On accède à la piste à Bamfield ou à Port Renfrew. Les randonneurs d'expérience mettent une semaine à la parcourir. Elle est ouverte du 1er mai au 1er octobre ; il faut faire des réservations et il y a des frais. Ceux qui désirent s'y mesurer sans la parcourir en entier l'empruntent sur une courte distance jusqu'à la plage Brady ou jusqu'à la baie de Topaltos, près du cap Beale.

Les trois forêts

Les sections de Long Beach et du West Coast Trail sont bordées de trois forêts distinctes. Du côté de la mer croissent les épinettes de Sitka aux rameaux tordus et aux troncs inclinés, qui témoignent non seulement de la violence des vents d'hiver mais aussi de la robustesse des arbres mêmes. Viennent ensuite les pins tordus, un peu moins hauts, qui croissent en bouquets dans des marais couverts de mousses, formés il y a au moins 10 000 ans et dont les eaux stagnantes atteignent par endroits près de 10 m de profondeur. Vient enfin la troisième forêt, si dense que la lumière parvient à peine au sol. Elle est essentiellement constituée de pruches de l'Ouest, mais elle renferme aussi des séquoias, ses arbres les plus gros et les plus vieux. L'un d'eux a 1 000 ans, mesure 19 m de diamètre et se dresse à 43 m. Dans la section de Long Beach, huit sentiers de 1 à 5 km de longueur entraînent le randonneur dans cet univers dense et sombre.

Peu d'animaux s'y manifestent. Il y a la couleuvre rayée, des salamandres (animaux sans poumons qui respirent par la peau) et la rainette versicolore. Les petits mammifères (écureuils roux, visons, martres et ratons laveurs) y trouvent leur subsistance, mais ils sont peu bruyants et peu nombreux. À part le cerf de Sitka, qui broute parmi les épinettes, il y a très peu de grands mammifères. Cela s'explique par la densité de la forêt, mais aussi en partie par les forts courants froids qui empêchent les tamias rayés et les orignaux, entre autres, de traverser le détroit de Georgie. Quelques espèces sont cependant parvenues dans l'île de Vancouver et dans les environs du parc. L'ours noir, plus gros que son cousin du continent, a une fourrure tout à fait noire sans la moindre trace de brun comme on le voit ailleurs. La sombre forêt humide cache aussi le cougar, félin solitaire que l'on n'aperçoit que rarement.

Un littoral bigarré

Les eaux du parc abritent pour leur part une faune riche et diversifiée. Le long du littoral rocheux, dans la zone de l'estran, algues et plancton colorent les rochers en rouge et en brun. À marée descendante émergent d'énormes rochers couverts de balanes, de patelles et de moules. Dans les grandes mares, les chabots se mêlent aux bernard-l'ermite qui occupent des coquilles délaissées. Il y a ici plus de 20 espèces d'étoiles de mer, plus que n'importe où ailleurs dans le Pacifique Nord.

Les piquants oursins, les anémones de mer diversement colorées et les mollusques aux couleurs vives (orange, jaune et blanc) animent les fonds du détroit de Barkley. Il y a aussi plusieurs espèces de pieuvres, dont la plus grosse du monde, la pieuvre géante du Pacifique (*Octopus dofleini*). En déployant ses tentacules, elle peut atteindre jusqu'à 6 m. La plupart des individus ne font cependant que la moitié de cette taille.

Toute cette population représente une réserve alimentaire pour les mammifères marins, qu'on observera du bord de l'eau ou du bateau. Sur les récifs Sea Lion, au large de Long Beach, s'ébattent les otaries dont les puissants grognements réussissent à couvrir le bruit des vagues. Dans les eaux calmes du détroit de Barkley, les phoques sortent leurs museaux moustachus pour détecter d'éventuels prédateurs, notamment les épaulards.

L'animal le plus impressionnant à venir s'alimenter dans cette riche réserve attire au printemps une foule d'observateurs : c'est la baleine grise du Pacifique. Longue de 14 m, elle s'arrête dans ces eaux au cours de ses migrations vers les territoires de l'Arctique où elle va se nourrir l'été, et vers les aires, au large du Mexique, où elle va se reproduire l'hiver. Quelques-unes, une cinquantaine peut-être, passent l'été dans le détroit de Clayoquot et se joignent, l'automne, aux bandes qui redescendent vers le sud. On peut observer les baleines à partir du rivage ou du bord des bateaux d'excursions qui partent de Tofino et d'Ucluelet.

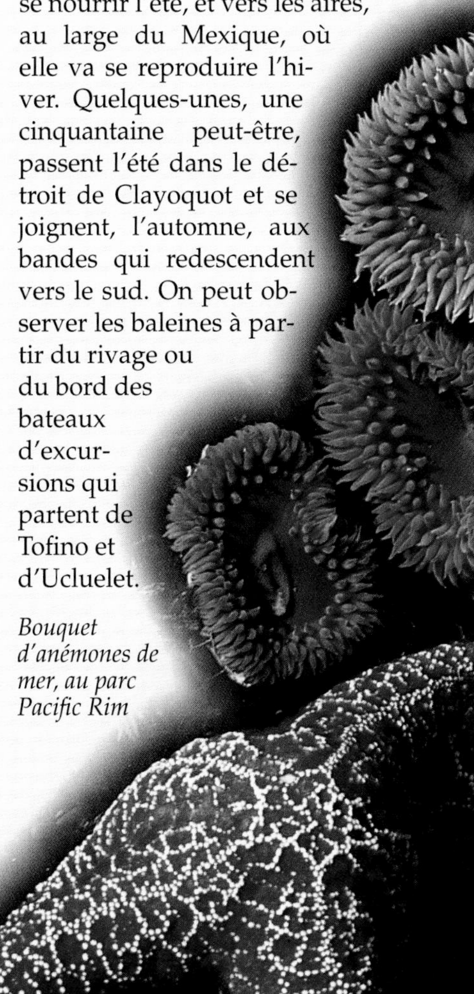

Bouquet d'anémones de mer, au parc Pacific Rim

Des 250 espèces d'oiseaux repérées dans le parc, la moitié sont des oiseaux aquatiques. Des milliers de pluviers, de bécasseaux et de tourne-pierres parcourent les plages et les mares à la recherche des petits invertébrés qui constituent leur nourriture. Des nuées de goélands et de canards se rassemblent en avril pour se nourrir de harengs en frai. Des espèces plongeuses semblables à des pingouins hivernent ailleurs mais viennent se reproduire dans le parc. Elles ont pour nom alque à cou blanc et alque à bec cornu et ne s'approchent de la terre ferme qu'entre le crépuscule et l'aube. Les pigargues à tête blanche fréquentent aussi le parc à la recherche de crabes et de poissons rejetés ; ces opportunistes se nourrissent de cadavres de phoques et d'otaries, quand ils ne dérobent pas aux aigles pêcheurs une nourriture durement gagnée.

RENSEIGNEMENTS PRATIQUES

Accueil : *Pour Long Beach, sur la route 4, à l'entrée du parc.*
Pour le West Coast Trail, dans la baie de Pachena, au sud de Bamfield.
Installations : *À Long Beach, camping de la pointe Green (94 places) ouvert toute l'année, avec services. Au bout du sentier Schooner (1,2 km), au nord de Long Beach, un camping (100 places), sans services, ouvert toute l'année. Pas de réservations. Durée maximale du séjour : 7 jours.*
Archipel Broken Group : endroits désignés pour camper dans 8 des îles. Aux campings des îles Gibraltar, Dodd et Willis, les eaux sont protégées.
Activités : *Long Beach : pêche, plongée sous-marine, randonnée, excursions, observation des baleines.*
Centre Wickaninnish : programme d'interprétation.
Archipel Broken Group : les gros bateaux peuvent s'ancrer ; canots et kayaks peuvent circuler entre les îles.

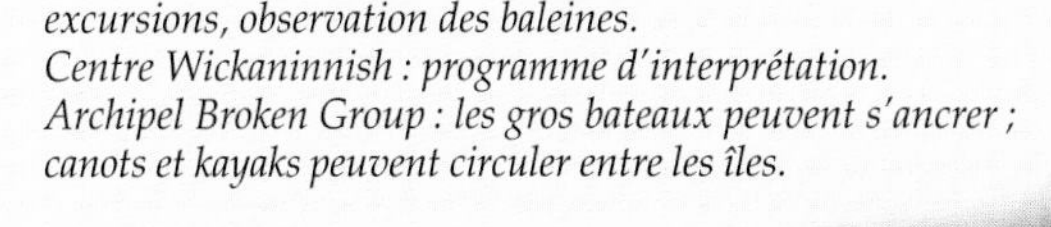

L'endroit est idéal pour faire de la randonnée ou du camping sauvage, ou tout simplement pour y flâner.

Du centre de Tofino la vue embrasse le passage Browning et la luxuriante île Meares que ponctuent les monts Lone Cone et Colnett. L'île Mears, qui est recouverte d'une forêt de première venue, est bien pourvue d'un réseau de sentiers ; elle abrite aussi une faune abondante. En 1984, les bandes clayoquot et ahousaht la déclarèrent parc tribal pour la préserver de l'exploitation. La forêt du détroit de Clayoquot est en effet l'une des trois grandes forêts humides de climat tempéré primitives qui restent dans le monde. (Les deux autres sont en Nouvelle-Zélande et au Chili.) Malgré cette mesure, l'avenir de l'île demeure incertain.

Dans l'île Meares, à 8 km sur la côte est de la baie de Lemmens qui coupe presque l'île en deux, se trouvent les ruines du fort Defiance. Il s'agit des quartiers d'hiver du capitaine Robert Gray, premier Américain à avoir fait le tour du globe en bateau. Au cours de l'hiver 1791-1792, il y construisit un sloop de 14 m. Les ruines ont été déclarées site archéologique en 1967.

Événements spéciaux

Festivités de la baleine (mars)

Journées de Clayoquot (juillet)

Festival de musique Pacific Rim (juillet)

11 Bamfield

Une petite baie dans le détroit de Barkley divise en deux secteurs le village de Bamfield (pop. 200) ; seul un trottoir de bois les relie l'un à l'autre. Les résidents de l'Est peuvent sans problème sortir du village en voiture, mais ceux de l'Ouest sont obligés de prendre le bateau pour se rendre à leur voiture,

L'océan Pacifique se fraie des rigoles dans le sable et les galets de la plage de Bamfield, aux abords de la piste West Coast Trail.

garée dans Bamfield-Est. C'est que chez eux, comme à Venise, les voitures ne circulent pas.

Avant 1900, Bamfield était un village amérindien. Les ruines de l'ancien village ohiaht sont encore debout. Non loin de la plage Second, se trouve la falaise d'où les Ohiahts précipitaient leurs ennemis ; on l'appelle Execution Rock (le rocher des exécutions).

Bamfield est l'accès septentrional de la piste West Coast Trail, qui représente une section du parc national Pacific Rim. La piste a été découpée dans la forêt vierge en 1906 à la suite du naufrage du *Valencia* sur les récifs, qui fit 126 morts. On lui donna le surnom de Lifesaving Trail (sentier de la survie) : les naufragés de cette portion de la côte baptisée « le cimetière du Pacifique » pourraient désormais y trouver du secours. Tous les ans, plus de 4 000 visiteurs font à pied les 77 km qui séparent Port Renfrew de Bamfield.

D'autres viennent à Bamfield par bateau, sur le *Lady Rose*, après avoir laissé leur voiture à Port Alberni. Mais l'été, la plupart des visiteurs empruntent en auto le chemin forestier en gravier qui part de Port Alberni ; les 93 km se font à peu près en deux heures.

Bamfield est une destination prisée des adeptes de la pêche sportive qui ont toujours l'espoir de faire, dans le détroit de Barkley, des prises records. On y observe également les oiseaux et les baleines et on y pratique la voile, le canotage et le kayak.

Les laboratoires de biologie de la station maritime de Bamfield sont logés à l'ancien point d'arrivée des câbles transpacifiques sous-marins qui reliaient entre eux les pays du Commonwealth. Toutes les fins de semaine de l'été, la station offre des visites guidées du laboratoire où l'on peut voir, entre autres, le squelette (8 m) d'une grande baleine grise.

Événements spéciaux

Semaine annuelle des incendies (juillet)

Station maritime de Bamfield : portes ouvertes (octobre)

12 Île Gabriola

Le traversier de Nanaimo vous mène à l'île Gabriola (pop. 3 500), dans le détroit de Georgie. Ce sont, dit-on, les colons espagnols qui auraient baptisé l'île, *gaviola* signifiant en espagnol goéland. D'autres noms témoignent aussi de leur présence, tel celui de la baie de Descanso où s'arrête le traversier.

On fait le tour de l'île en empruntant le chemin South qui, au nord, devient le chemin North. L'île est l'endroit rêvé pour la randonnée cycliste car il y a très peu de pentes raides.

Les plages de sable sont idéales pour pique-niquer et observer la faune littorale. La plage Brickyard, ainsi nommée à cause des fragments de brique que la mer y dépose (ils proviennent d'une ancienne briqueterie du début du siècle), attire les oiseaux de mer. Les phoques fréquentent les eaux qui séparent l'île Gabriola de l'île Mudge.

Les anciens habitants de l'île, les Salishs, y ont laissé des pétroglyphes. Tout au bout de la baie de Degnen, on peut en voir un à marée basse qui représente une créature marine mythique. Dans la baie de Lock, au nord, s'étend le parc provincial Sandwell. On y découvre des amas de coquilles d'huîtres et de palourdes, témoins des festins amérindiens, et, sur de gros rochers au niveau des marées hautes, un ensemble de pétroglyphes érodés.

L'île renferme aussi d'étonnantes falaises de grès sculptées par le vent et les vagues. Au parc provincial Drumberg, on rencontre des formes insolites, dont des trous sphériques qui percent le grès du littoral. À 3 km de l'intersection qui mène à Drumberg, il faut remarquer à droite de la route l'église eucharistique St. Martin's, entièrement faite de billes de bois.

À partir du chemin North, un sentier public mène à l'extrémité la plus septentrionale de l'île et aux « galeries » Malaspina, une bande de grès longue de 90 m, haute de 4 m, ayant la forme de vagues géantes et surmontée de quelques arbres rabougris.

Événements spéciaux

Barbecue de saumon (août)

13 Lake Cowichan

C'est aux hautes futaies qui l'entourent que le village de Lake Cowichan (pop. 2 500) doit son existence. Depuis sa fondation en 1887, l'exploitation forestière demeure à la source de son économie. Il ne reste pourtant aujourd'hui qu'une seule usine, à Youbou, située à 16 km à l'ouest.

Le parc Saywell s'étend au centre du village. Il domine le lac et comprend des aires de pique-nique et le Musée ferroviaire Kaatza, qui occupe l'ancienne gare du chemin de fer E&N (1913). On y présente des exhibits divers, dont un fourgon de queue (1918), qui évo-

Le traversier des îles de l'archipel Gulf sillonne paisiblement le détroit de Georgie.

Un lac scintillant dans un écrin de verdure

Distance : 80 km

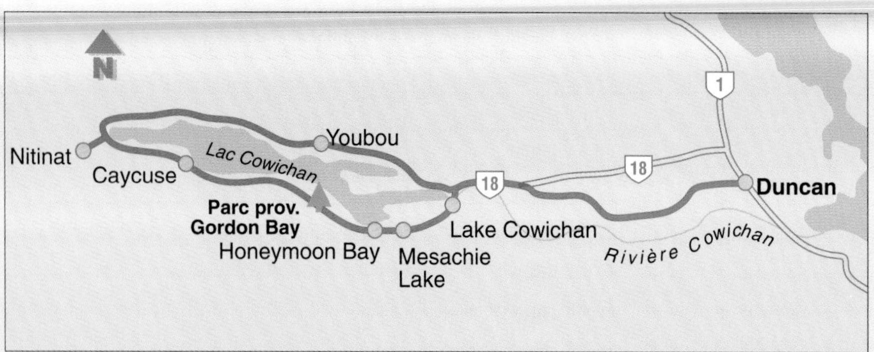

Le village de Lake Cowichan marque le début du circuit de 80 km qui, par la route 18, fait le tour du lac.

• Longez le bord de l'eau vers le sud-ouest sur 5 km, par la route South Shore, jusqu'à Mesachie Lake et à la station de recherche du lac Cowichan, où l'on étudie des hybrides résistants pour reboiser les forêts de la côte. (Visites guidées sur réservation.) Il y a, le long de la route 18, de nombreuses forêts expérimentales de sapin de Douglas, à divers stades de croissance. Comme la région du lac Cowichan a une vocation forestière, il faut être prudent sur les routes : d'énormes camions forestiers les empruntent aussi.

Partie de golf au terrain de Marsh Meadows, à Honeymoon Bay

• À quelques kilomètres de là, un petit village forestier, Honeymoon Bay, a été baptisé ainsi en souvenir d'un propriétaire terrien qui quitta le village à la fin du XIXe siècle à la recherche d'une femme à marier. Il ne revint jamais, mais le nom resta. La route pavée s'arrête là ; il faut ralentir sa vitesse.

• Au-delà de Honeymoon Bay s'étendent le terrain de golf Marsh Meadows et le parc provincial Gordon Bay. Un parc naturel, 1 km plus loin, abrite des fleurs sauvages caractéristiques de la forêt humide de l'Ouest, ainsi que des champignons qu'on cueille à l'automne.

• À Caycuse se trouve le terrain de camping BC Forest Products où l'on peut pêcher, faire de la randonnée et se promener sur l'eau. Au-delà de Caycuse, la route grimpe et devient sinueuse ; elle contourne la rive ouest du lac et se poursuit sur la rive nord.

• Environ 16 km avant le village de Lake Cowichan, à Youbou, se trouve la seule usine de la région encore en activité. On la visite l'été. Près du village se dresse la station Satellite Earth de Téléglobe Canada. Il est parfois possible de visiter les installations pour voir de plus près les satellites géants.

• Au nord du village de Lake Cowichan coule la petite rivière Meade où on trouva de l'or au début du XIXe siècle. Les visiteurs tentent encore leur chance et lavent à la batée les sables de la rivière.

quent l'ère des pionniers. À côté du musée, l'école Bell Tower date de 1925.

Toujours dans le parc Saywell il y a le barrage Fletcher Challenge, aménagé en 1957 pour alimenter en eau l'usine de pâte et de papier. L'été, on peut visiter gratuitement les installations.

Il faut se promener dans le village où s'alignent des petits commerces auxquels de fausses façades donnent plus d'ampleur. De l'autre côté du pont vert qui franchit la rivière se dresse l'hôtel Riverside, reconstruit en 1929 ; c'était un lieu exclusif réservé aux chasseurs et aux pêcheurs fortunés.

Événements spéciaux

Journées du lac (juin)

Régates de Youbou (août)

14 Île Salt Spring

L'île fut ainsi baptisée vers 1850 par des agents de la Compagnie de la Baie d'Hudson qui voyaient de l'eau salée rougeâtre sourdre d'une colline.

Les voyageurs en provenance de l'île de Vancouver débarquent à Fulford Harbor. De là, ils peuvent se rendre au parc Ruckle et marcher sur la côte rocheuse d'où la vue sur le détroit de Georgie est exceptionnelle. Un peu après l'entrée du parc, on aperçoit dans la vallée la ferme ancestrale de Henry Ruckle datant des années 1870.

La vallée de la Burgoyne, sur la route qui relie Fulford et Ganges, regorge de fermes et d'églises historiques. La famille Akerman fut la première à s'y installer vers les années 1860. Un musée en bois rond, propriété de la famille, se trouve à droite, après la salle communautaire de Fulford. Il abrite une collection d'objets salishs. Ce musée est ouvert pendant l'été, tous les après-midi de semaine.

Un boisé, une prairie, un champ de pois de senteur : tout le charme de l'île Salt Spring.

Le mont Maxwell dresse sa falaise déchiquetée au-dessus de la baie de Burgoyne. On accède à son sommet par le chemin Cranberry, près de Ganges ; l'hiver, il faut utiliser une voiture à quatre roues motrices. La vue du sommet embrasse la vallée de la Burgoyne et l'île de Vancouver.

Ganges, principal centre commercial de l'île, porte le nom du vaisseau amiral de l'escadre du Pacifique de la marine royale (1857-1860). Dans le village, on trouve des galeries et des boutiques d'art. Tous les samedis, le parc Centennial, au centre du village, accueille le marché agricole où l'on vend aussi des produits de fabrication artisanale. Des musiciens confèrent à l'événement encore plus de couleur locale.

À Vesuvius, l'autre centre commercial de l'île, se trouve le quai du traversier qui fait la navette entre Vesuvius et Crofton, reliant l'île à la région de Duncan, dans l'île de Vancouver. Juste avant d'arriver au quai, se trouve le chemin Sunset Drive qui parcourt les terres agricoles du nord de l'île. Le chemin North Beach est une route panoramique qui longe la mer.

Dans l'île, renommée pour ses artistes et ses artisans, il y a partout des ateliers, tandis que des troupes de théâtre locales donnent régulièrement des spectacles.

Événements spéciaux

Course du tour de l'île (mai)
Sea Capers (mi-juin)
Fulford Day (mi-août)
Foire d'automne (fin septembre)
Festival des lumières (fin novembre)

15 Île Galiano

Les forêts de conifères, les plages de coquillages et la faune variée de l'île Galiano (pop. 900) n'ont sans doute pas beaucoup changé depuis 1792, année où l'explorateur espagnol Dionisio Alcala Galiano y débarqua. L'île est l'une des plus belles de l'archipel Gulf. Bordant à l'est l'archipel, elle s'étire vers le nord-ouest sur plus de 26 km, dans le détroit de Georgie. Elle n'a cependant que 57 km² de superficie totale, sa largeur ne dépassant jamais 3 km. La population habite surtout l'extrémité sud, près du quai du traversier, dans la baie de Sturdies. L'île marque le premier arrêt du traversier venant de Tsawwassen, dans l'archipel Gulf. Elle est donc rapidement accessible.

Protégée des pluies du Pacifique par l'île Salt Spring et l'île de Vancouver, c'est l'une des îles les plus sèches de l'archipel. Comme l'eau y est parfois rare, il est recommandé d'apporter son eau potable si l'on va y passer la journée. Les risques d'incendie étant également élevés, les feux de camp sont interdits partout, sauf dans le parc maritime Montague Harbor.

Les eaux sont poissonneuses, surtout dans la passe Active, en face de l'île Mayne, et dans la passe Porlier, du

Halte pour un casse-croûte devant la murale colorée d'une boutique, dans l'île Galiano.

côté de l'île Valdes. L'endroit est idéal pour faire de la plongée sous-marine et pour observer le pigargue à tête blanche, le phoque commun et l'épaulard.

À l'autre bout de l'île, dans la baie de Coon, on parvient au parc provincial Dionisio Point par un petit chemin qui traverse une zone élevée et reboisée d'où la vue embrasse le détroit de Georgie et le continent. Ce chemin débouche sur un parc de stationnement, sur la pointe Dionisio. De là, les visiteurs vont se promener dans la forêt de cèdres, de sapins et d'arbousiers adultes ou sur la plage, le long du détroit de Georgie et de la passe Porlier.

Du chemin Porlier Pass, parsemé de galeries et d'ateliers, la vue porte sur le chenal Trincomali, l'île Salt Spring, les petites îles avoisinantes et, au loin, sur les montagnes de l'île de Vancouver.

Dans le sud de l'île, il y a, au parc maritime Montague Harbor, un terrain de camping. Il faut voir aussi les falaises Galiano qui offrent une vue superbe sur la passe Active.

Événements spéciaux
Strawberry Tea (juin)
Foire des tisserands de Galiano (juillet et novembre)
North Galiano Jamboree (début juin)
Salon de la peinture (juillet)
Festival de poésie (juillet)
Festival de la mûre (octobre)

16 Île Pender

On ne sait plus trop, dans le cas de l'île Pender, s'il s'agit de deux îles ou d'une seule. Ce que l'on sait, c'est qu'elle a d'abord été une seule île. En 1903, à l'époque où le chemin le plus court entre les côtes est et ouest de l'île était un isthme rocheux que l'on franchissait par portage, les insulaires demandèrent au gouvernement d'y creuser un canal pour faciliter le passage. L'isthme disparu, l'île se trouvait divisée en deux. En 1950, les automobiles devenant plus nombreuses, il fallut construire un pont pour relier les deux parties de l'île.

L'île Pender (pop. 1 400) est un endroit exquis qui jouit d'un climat méditerrannéen (il tombe entre 40 et 55 cm de pluie annuellement) et qui est agrémenté de nombreuses plages, de baies spectaculaires, de riantes vallées et de grands espaces.

Le nord de l'île est la partie la plus peuplée et c'est là, dans la baie d'Otter, que s'arrête le traversier en provenance de l'île de Vancouver. Les nombreuses petites baies favorisent la pêche, la navigation de plaisance et les sports nautiques (canot et kayak). La forêt et le bord de mer invitent à la randonnée et à la promenade. Il y a un terrain de golf de 9 trous. Enfin, l'été, on peut visiter un site archéologique salish, du côté nord du pont.

De l'autre côté du pont, dans la portion sud de l'île, s'étend une plage publique (la plupart des autres plages sont privées). De la pointe Gowlland, on a une vue superbe sur la passe Boundary, l'archipel San Juan au-delà de la frontière américaine et le mont Baker, dans l'État de Washington. Les épaulards se manifestent de temps en temps dans les parages.

On pourra escalader le mont Norman, point culminant de l'île Pender ; il est en certains endroits assez abrupt. Du sommet, la vue embrasse Bedwell Harbor, la passe Boundary, l'archipel San Juan et le détroit de Juan de Fuca où circulent navires et pétroliers.

Événements spéciaux
Derby et barbecue de saumon (juillet)
Course de yacht de Pender (août)
Foire d'automne (août)
Marché des tisserands (fin novembre)

L'île Mayne reste la plus sauvage des îles de l'archipel Gulf.

17 Île Mayne

À mi-chemin entre Vancouver et Victoria se trouve l'île Mayne (pop. 781). Des routes panoramiques y longent des plages de sable et y contournent des promontoires et des rochers couverts d'arbousiers et de sapins.

Le traversier s'arrête à Miner's Bay, principal village de l'île et l'un des plus anciens de l'archipel Gulf. Il doit son nom aux mineurs de Vancouver qui s'y arrêtaient, vers 1855, en route pour les régions aurifères du fleuve Fraser, de l'autre côté du détroit de Georgie.

Miner's Bay retient du passé un hôtel centenaire, de même qu'une prison (1893), un centre communautaire (1899) et l'église St. Mary Magdalene (1896). L'ancienne prison, devenue un musée, abrite des documents relatifs à la vie des insulaires ; ils sont exposés les fins de semaine durant les mois d'été.

De Miner's Bay, le chemin Georgina Point longe la mer jusqu'au phare érigé en 1885 sur la pointe Georgina. De là, la vue embrasse la passe Active et le détroit de Georgie.

La plage la plus intéressante se trouve dans la baie de Campbell. Le sentier qui y mène commence à 2 km de l'in-

Au départ de l'île Mayne, le portail du traversier s'ouvre sur la scène théâtrale d'un coucher de soleil qui scintille de mille feux.

tersection du chemin Fernhill, sur lequel se trouve l'auberge Fernhill dont les chambres sont décorées dans des styles variés : marocain, oriental et jacobin. L'été, le menu du soir propose des plats « historiques », recettes de l'Empire romain jusqu'au XIXe siècle.

Dans l'île, les amoureux de la nature et des grands espaces ont le choix de deux circuits pédestres. Le premier, qui aboutit à la pointe Helen, part à 1 km de la sortie du traversier. C'est une agréable randonnée d'une heure et demie qui mène à une pointe moussue, idéale pour pique-niquer ou observer les aigles, les phoques et les otaries. La péninsule est une réserve indienne, et l'on demande aux visiteurs de respecter les sentiers et la propreté des lieux.

Le départ du deuxième circuit se trouve à 600 m à l'est du premier. C'est un chemin en gravier qui mène, par le flanc sud, au sommet du mont Parke. L'accès en est interdit aux voitures. Laissez la vôtre sur la route principale et faites à pied les 3 km jusqu'au sommet. Vous verrez vos efforts récompensés par de splendides points de vue sur Vancouver et Victoria.

Événements spéciaux

Foire et défilé d'automne (mi-août)

Derby de saumon de Springwater (fin août)

Barbecue de saumon (début septembre)

Foire des métiers d'art (mi-novembre)

ENVIRONS DE VANCOUVER

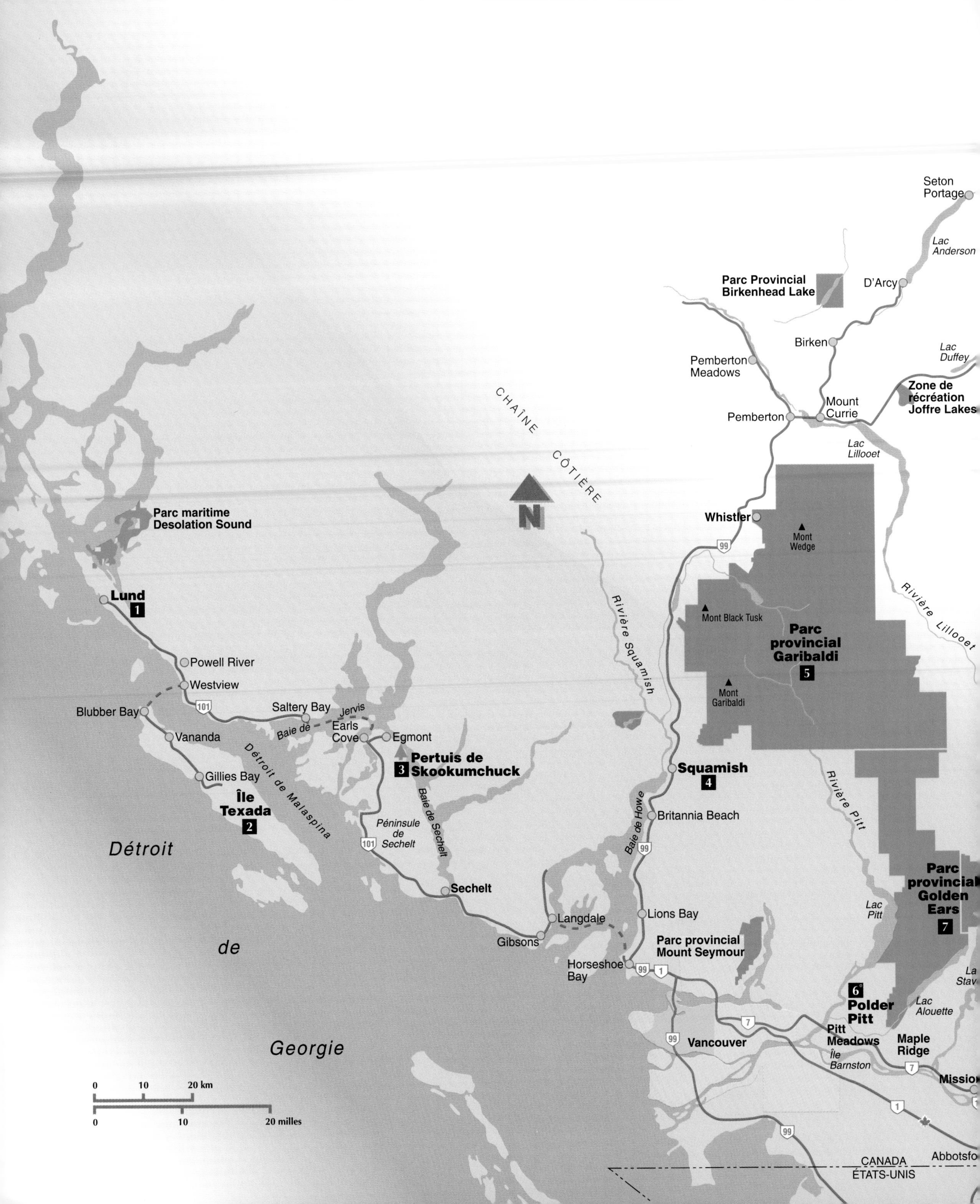

Seton Portage
Lac Anderson
Parc Provincial Birkenhead Lake
D'Arcy
Birken
Lac Duffey
Pemberton Meadows
Zone de récréation Joffre Lakes
Mount Currie
Pemberton
Lac Lillooet
CHAÎNE CÔTIÈRE
N
Parc maritime Desolation Sound
Whistler
Mont Wedge
99
Lund
1
Rivière Squamish
Rivière Lillooet
Mont Black Tusk
Parc provincial Garibaldi
5
Powell River
Westview
Mont Garibaldi
101
Saltery Bay
Blubber Bay
Baie de Jervis
Earls Cove
Egmont
Vananda
Détroit de Malaspina
Pertuis de Skookumchuck
3
Squamish
4
Gillies Bay
Île Texada
2
Baie de Sechelt
Rivière Pitt
Britannia Beach
Péninsule de Sechelt
Baie de Howe
Détroit
Sechelt
Parc provincial Golden Ears
7
Lac Pitt
Lions Bay
Langdale
de
Gibsons
Parc provincial Mount Seymour
Horseshoe Bay
6
Polder Pitt
Lac Alouette
Pitt Meadows
Maple Ridge
Vancouver
Île Barnston
Georgie
0 10 20 km
0 10 20 milles
CANADA
ÉTATS-UNIS
Abbotsfo

2

Environs de Vancouver

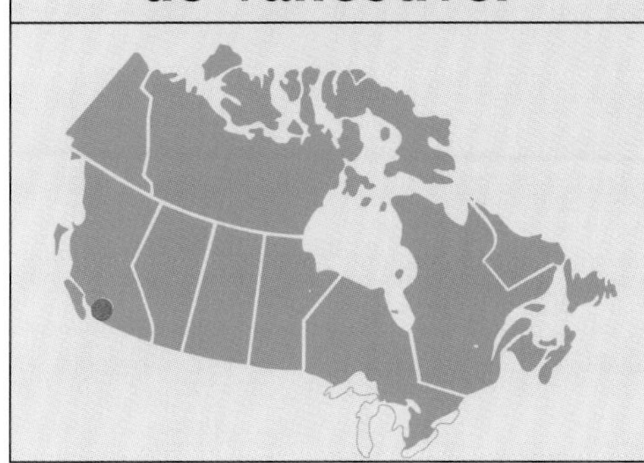

Sites

Desolation Sound
Lund
Île Texada
Pertuis de Skookumchuck
Squamish
Parc provincial Garibaldi
Polder Pitt
Parc provincial Golden Ears
Parc provincial du Sasquatch
Île Barnston
Parc provincial Cultus Lake
Hope
Zone de récréation Coquihalla Canyon :
Tunnels Othello
Parc provincial Manning

Circuits automobiles

Piste des chercheurs d'or :
Pemberton à D'Arcy
Piste des bûcherons :
Pemberton à Lillooet
Le lac Chilliwack

Pages précédentes :
Lac Joffre inférieur, dans la zone de récréation Joffre Lakes, vu de la route de Duffey Lake, entre Pemberton et Lillooet

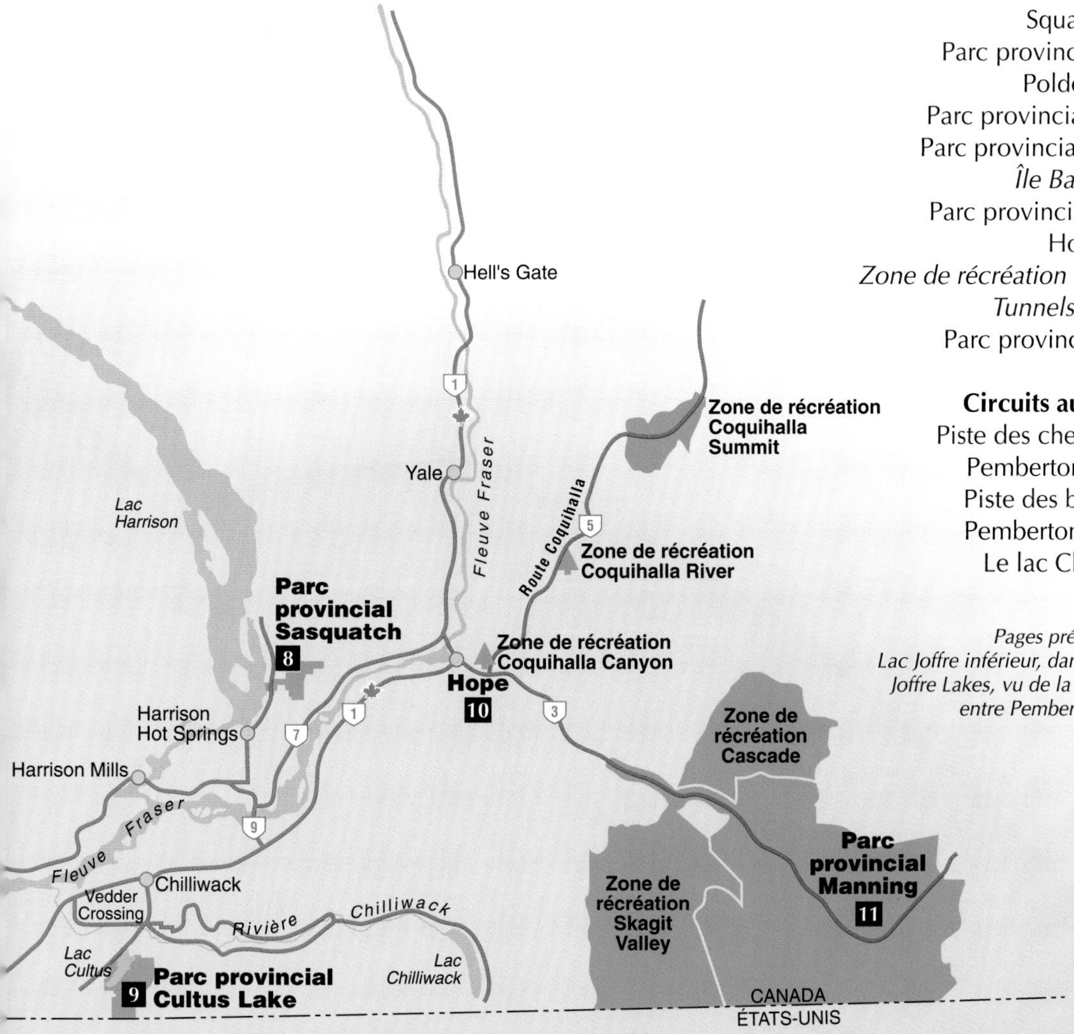

Hell's Gate
1
Zone de récréation Coquihalla Summit
Yale
Fleuve Fraser
Route Coquihalla
5
Lac Harrison
Zone de récréation Coquihalla River
Parc provincial Sasquatch
8
Zone de récréation Coquihalla Canyon
Hope
10
Harrison Hot Springs
7
1
3
Zone de récréation Cascade
Harrison Mills
Fleuve Fraser
9
Parc provincial Manning
11
Chilliwack
Vedder Crossing
Rivière Chilliwack
Zone de récréation Skagit Valley
Lac Cultus
Parc provincial Cultus Lake
9
Lac Chilliwack
CANADA
ÉTATS-UNIS

DESOLATION SOUND, LE PARC MAL NOMMÉ

Lieu de beauté et de solitude, Desolation Sound est un bras de mer du Pacifique qui pénètre à l'intérieur des terres montagneuses. On y a constitué un parc maritime de 5 600 ha qui englobe plus de 60 km de rivage marin. Les visiteurs y viennent, en yacht privé ou affrété, à partir de Lund ou de Powell River.

La péninsule de Malaspina, à l'ouest, protège le parc des vents et des orages qui remontent le détroit de Georgie. Les baies et les anses offrent des rades bien abritées. Les plus fréquentées sont Grace Harbour, au sud du parc, la baie de Tenedos, au centre, et Prideaux Haven, à l'extrémité nord-ouest.

En été, les amateurs de plongée et de natation fréquentent avec délectation des eaux qui atteignent 24°C. La pêche au saumon — coho et chinook — est réputée dans l'anse de Malaspina, la baie de Tenedos et dans les eaux du large.

L'intérieur du parc, ponctué de chutes, de lacs et de pics altiers (dont certains dépassent les 2 400 m d'altitude), offre un décor de rêve pour le camping, la randonnée et la pêche en eau douce, trois activités qui se combinent à merveille le long du sentier qui mène de la baie de Tenedos au lac Unwin.

Desolation Sound est renommé pour la richesse de sa faune. Les phoques s'y reproduisent sur des petits îlots comme Pilot Rock, dans la baie d'Otter. Les anses de Malaspina et de Lancelot abritent d'immenses parcs à huîtres que signalent des flotteurs bleus. Dans l'anse de Theodosia, les huîtres sont entourées de concombres de mer rouges et de crabes pâles. L'hiver, on déterre la nuit les coquillages — littlenecks ou manilles — que la marée basse laisse sans défense en cette saison. On observe aussi dans le parc le pygargue, le grand héron, la bernache canadienne et le martin-pêcheur.

Grand héron, Desolation Sound

Une flottille de bateaux de plaisance ancrés à Lund accueille le lever du soleil.

1 Lund

La route 101, la voie de transport la plus longue en Amérique, relie Puerto Monte, au Chili, à Lund (pop. 350), à 150 km au nord de Vancouver.

On découvre ce village de pêcheur au-delà d'un groupe de maisons entourées d'arbres fruitiers envahissants ; il est typique des localités de la côte avec son quai fédéral où se côtoient de vieilles barques de pêche et d'élégants bateaux de plaisance et où foisonnent les enseignes signalant des bateaux à louer, des promenades en mer et des entreprises de récupération maritime. Au chantier maritime, on s'affaire à des réparations en cale sèche et on construit à l'occasion un chalutier ou un remorqueur. Au bout de la promenade, un studio de sculpture sur bois et un petit café, bâtis sur pilotis, accueillent les visiteurs en été.

Construit en 1911, un vieil hôtel au charme suranné se dresse face au détroit de Georgie et à l'île Savary ; il loge le bureau de poste dans son hall d'entrée. Autrefois, la Union Steamships y débarquait des passagers deux fois par semaine, tandis qu'au bar les pêcheurs côtoyaient les bûcherons de Desolation Sound. Le magasin général vendait de tout, des aiguilles à coudre autant que des chaînes à trains de bois ; on y trouve encore maintenant de tout, aussi bien des haches que des denrées.

Le visiteur trouve facilement ici des embarcations et de l'équipement à louer, des forfaits de pêche et de plongée autonome, ainsi que des excursions dans les parages, comme au parc maritime de Desolation Sound. En été, un service de bateau-taxi permet de se rendre à l'île Savary pour profiter des magnifiques baies de sable blanc.

Événements spéciaux
Journées de Lund (août)
Festival Bluegrass (mi-août)

2 Île Texada

Dans le détroit de Georgie, non loin de la côte dont elle est séparée par le détroit de Malaspina, se dresse la silhouette bleuâtre de l'île Texada ; avec ses 48 km de long et ses 8 km de large, c'est la plus grande des îles Gulf.

Toutes les 90 minutes, un traversier relie en 20 minutes Powell River et le nord de l'île. Malgré cette navette, l'île, balayée par les vents, demeure sauvage. Ses seules routes, des chemins d'exploitation forestière, exigent des véhicules robustes.

Le rivage oriental de l'île, inhabité, tombe en pente raide vers le détroit de Malaspina ; il est bordé d'une frange d'arbres — sapins baumiers, épinettes glauques, sapins de Douglas, érables du Pacifique — qu'interrompent ici et là des coupes de bois. Le sous-sol est riche en cuivre, en or, en fer et en marbre.

Au fil des ans, diverses entreprises ont exploité ce sous-sol. On trouve encore des vestiges de leur passage, comme ce concasseur aux abord d'une mine du nord de l'île, qui a gardé un peu de minerai dans ses engrenages.

Trois mines sont toujours en exploitation. À Van Anda, la plus grande localité de l'île, le passé revit dans les noms de certaines rues : Copper Queen (reine du cuivre), Smelter (fonderie). Au temps jadis de sa prospérité, la ville pouvait se vanter d'avoir le plus grand opéra au nord de San Francisco.

À l'ouest de l'île, Gillies Bay regroupe quelques résidences et des chalets d'été ; on y trouve un magasin général, des studios d'art et une longue plage de sable à marée basse. Le parc régional Shelter Point, au sud de Gillies Bay, offre des terrains de camping et de pique-nique, une plage de galets et un point de vue exceptionnel sur les montagnes de l'île Vancouver, de l'autre côté du détroit de Georgie.

3 Pertuis de Skookumchuck

La baie de Sechelt, barrée au sud par la terre, a comme unique entrée sur la mer une ouverture de 200 m au nord, dans la baie de Jervis : c'est le pertuis de Skookumchuck. Poussées par le flux ou aspirées par le reflux, les eaux du Pacifique s'y engouffrent avec fracas, créant les rapides d'eau salée les plus importants du Pacifique.

Le mot *skookumchuck*, emprunté à la langue des Chinooks, désigne avec justesse des eaux turbulentes. Durant les grandes marées, les vagues s'élèvent à 1 m ; et, tandis qu'elles s'engouffrent dans la baie à une vitesse de 30 km/h, naissent des tourbillons et un mascaret de 2 m. On peut compter sur 15 minutes à peine de répit relatif entre le flux et le reflux ; aussi les récits abondent-ils à propos de bateaux ou de trains de bois engloutis.

Pour observer le phénomène, on peut se rendre au parc provincial du pertuis de Skookumchuck (123 ha) en empruntant un très beau sentier forestier de 4 km au nord d'Egmont.

En une heure de marche, on peut aussi se rendre aux belvédères de Roland et de Narrows, sur la rive ouest du pertuis. Là, assis sur la roche en pente douce, vous observez à loisir les poissons-lunes sauter dans l'eau claire ou un phoque négocier son passage dans les rapides à marée haute.

Le pertuis de Skookumchuck est déconseillé aux plaisanciers, à moins qu'ils ne soient très experts.

4 Squamish

Squamish (pop. 12 000) est dominée par deux sommets, les monts Garibaldi et Stawamus Chief. Ce dernier est un énorme monolithe de granite de 610 m de hauteur, l'un des plus importants du monde ; sa forme évoque le profil d'un chef indien endormi. On est au paradis des alpinistes. Des écoles initient les néophytes sur le mont voisin, Smoke Bluffs, et les plus aguerris vont affronter le Stawamus Chief.

Au parc provincial Shannon Falls, à 4 km au sud de Squamish par la route 99, la chute Shannon (355 m), cinq fois plus hautes que le Niagara, est la troisième en importance au Canada. Le parc de 87 ha qui l'entoure est aussi un rendez-vous des alpinistes.

Britannia Beach (pop. 500) se trouve à 15 km au sud de Squamish. Les mines Britannia ont produit 56 millions de tonnes de cuivre entre 1905 et 1974. Les visiteurs d'aujourd'hui, dûment casqués, prennent place à bord d'un petit train qui les emmène découvrir les entrailles de la mine.

Plus au sud, au parc provincial maritime de Porteau Cove, les amateurs de plongée autonome peuvent explorer les épaves de deux bateaux qui attirent des milliers de poissons et servent de support à une belle flore sous-marine.

En été, on peut faire l'aller-retour de Vancouver-Nord à Squamish à bord d'un train des années 40, le *Royal Hudson*, tiré par une locomotive à vapeur. On peut faire aussi la croisière en bateau, à bord du *Britannia*.

Événements spéciaux

Discovery Day (à Britannia Beach, début mai)
Squamish Loggers' Sports Day (fin juillet ou début août)
Squamish Open Air Regatta (début août)
Festival d'art Indian Summer (août)
Festival Octoberfest (octobre)

La route 99 jusqu'à Squamish épouse la ligne des rochers sur la baie de Howe.

La piste des chercheurs d'or et celle des bûcherons

1. DE PEMBERTON À D'ARCY
Distance : 37 km (dans un sens)
Le village de Pemberton (pop. 550), à l'extrême nord de la route 99, est niché dans un cirque de montagnes recouvertes de neiges éternelles. La vallée de type alpin qui l'entoure est renommée pour ses pommes de terre de semence. Connu depuis longtemps parmi les amateurs de camping, de randonnée et de pêche, Pemberton est le point de départ de deux excursions hors des sentiers battus qui, ensemble, demandent une journée.

• Prenez la route d'asphalte en direction de Mount Currie et virez vers le nord sur le chemin de D'Arcy. Vous êtes ici sur la piste Douglas Trail, ouverte en 1860 entre Fort Langley et Lillooet au moment de la ruée vers l'or et délaissée quatre ans plus tard pour la route du canyon Fraser.

• À 4 km environ au nord-est de Mount Currie, virez à droite à la centrale hydro-électrique ; vous vous dirigez alors vers l'aire de récréation d'Owl Creek où se trouvent deux campings, l'un à Owl Creek, l'autre sur la rivière Birkenhead. À partir d'ici, la route longe cette rivière.

• Poursuivez jusqu'à l'aire de récréation de Spetch Creek, au milieu du Hindoo Flats, à 12,6 km de Mount Currie. On peut y faire halte pour la nuit.

• La route s'incurve vers le nord-est comme la rivière Gates et dépasse la petite localité de Birken, à 26 km environ de Mount Currie.

• Prenez la direction ouest sur le chemin de gravier Blackwater Creek jusqu'au parc provincial Birkenhead Lake. Vous pouvez vous arrêter en route à l'aire de récréation du lac Blackwater pour faire du bateau ou de la pêche.

• Continuez jusqu'au parc, qui loge au cœur des montagnes enneigées de la chaîne Côtière. Le lac Birkenhead, qui fait 6 km de long, est renommé pour ses kokanis et ses truites. Des sentiers incitent les visiteurs à la randonnée, au pique-nique et au camping.

• Revenez à la route principale et prenez la direction nord vers D'Arcy à l'extrémité sud du lac Anderson où il y a des terrains de camping. Autrefois connu sous le nom de Port Anderson, le village logeait un poste de traite de la compagnie de la Baie d'Hudson au moment de la ruée vers l'or de 1860.

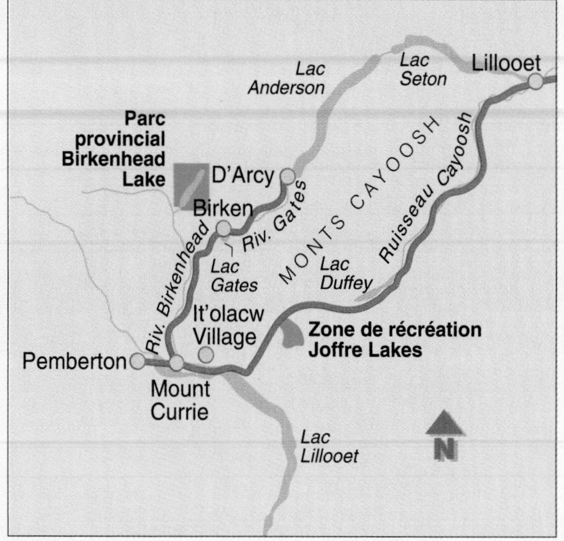

2. DE PEMBERTON À LILLOOET
Distance : environ 100 km
La nouvelle route qui, depuis 1990, va de Duffey Lake à Lillooet emprunte le tracé de l'ancien chemin forestier.

• De Pemberton, roulez en direction est vers Mount Currie et tournez à droite à l'église. Après 9 km de gravier, la route d'asphalte reprend au lac Lillooet.

• Poursuivez jusqu'à l'aire de récréation du lac Joffre, que gère la province. Le sentier Joffre Lakes Trail suit le ruisseau Upper Joffre, passe non loin de trois lacs d'origine glaciaire et permet d'admirer le mont majestueux Matier (2 390 m).

• Direction nord, la route suit le ruisseau Cayoosh jusqu'à Lillooet et longe un moment la rive sud du lac Duffey. Plusieurs coins pittoresques méritent un arrêt : l'un d'eux est un appontement à 19 km environ au nord du lac Joffre ; un autre est le Seton Lake Reservoir, à 6 km environ au sud de Lillooet, un bel endroit calme où l'on peut se baigner et pique-niquer.

• La route se termine à Lillooet (voir Région 4), capitale de la ruée vers l'or de 1860 et point de départ de la première piste du Caribou menant aux champs aurifères.

5 Parc provincial Garibaldi

Le chardon est très abondant l'été

Le parc provincial Garibaldi (1 958 km²) est une étendue sauvage dominée par les 2 678 m du mont Garibaldi. Les véhicules sont interdits dans ce parc montagneux. Il y a cinq accès sur la route 99.

Le premier accès, si l'on monte au nord à partir de Squamish, est le sentier Diamond Head ou sentier des lacs Elfin. On prend à droite le chemin Mamquam ; une route de terre raide et tortueuse mène au terrain de stationnement, 16 km plus loin. De là, on se rend à pied ou à vélo jusqu'au poste du garde forestier des lacs Elfin, à 11 km de là, qui offre un gîte de 34 places et un camping gratuit. Les feux de camp sont interdits dans le parc, mais on peut se servir de réchauds au propane répartis dans plusieurs abris, pourvu qu'on apporte ses propres ustensiles de cuisine.

Le deuxième point d'accès est le sentier du Black Tusk ou sentier du lac Garibaldi, à 37 km au nord de Squamish. Le vélo n'est pas autorisé ici ; le visiteur doit donc parcourir à pied les 9 km du sentier. Il y a deux terrains de camping : Taylor Meadows (7,5 km en amont sur le sentier) et le poste du garde forestier du lac Garibaldi. Un sentier mène au pied du mont Black Tusk (2 315 m) en 7 km. Il se poursuit ensuite jusqu'au lac Garibaldi, flanqué à l'est par deux glaciers, qui portent les noms de Sphinx et Sentinelle.

Le troisième accès se trouve à 2,5 km au sud de Whistler, au lac Cheakamus. La marche de 3 km jusqu'au lac se fait en terrain relativement plat. Ici, on ne peut pas cuisiner mais on peut faire du camping sauvage.

On rejoint un quatrième point d'accès, le Singing Pass, dans le terrain de stationnement Village Square de la station de ski de Whistler. Le sentier de 7,5 km comporte des points de vue spectaculaires sur les montagnes, les lacs d'origine glaciaire et les prés émaillés de fleurs alpines. De Singing Pass, on rejoint en 2 km le lac Russett où on peut passer la nuit sous la tente.

Enfin, le cinquième point d'accès se situe au lac Wedgemount, à 13 km au nord de la station de ski de Whistler sur la route 99. La piste de 7 km, très ardue, est réservée aux experts. On y trouve un camping rudimentaire et une petite hutte pour la nuit. C'est de là que partent les alpinistes qui escaladent les pics environnants et notamment le mont Wedge.

La digue du marais Katzie, dans le polder de Pitt, a créé un refuge pour la sauvagine.

6 Polder Pitt

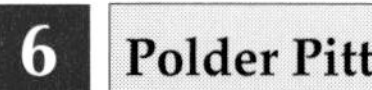

Là où le Fraser s'apprête à se jeter dans le détroit de Georgie, il existe un coin de terre isolé, remarquable à la fois par l'exploit humain qu'il représente et par la sauvagine qu'il attire. Sur la rivière Pitt (dernier affluent du Fraser, qui prend sa source dans le seul lac d'eau douce à marées du monde), 1 600 ha de terres autrefois marécageuses ont été récupérées et asséchées.

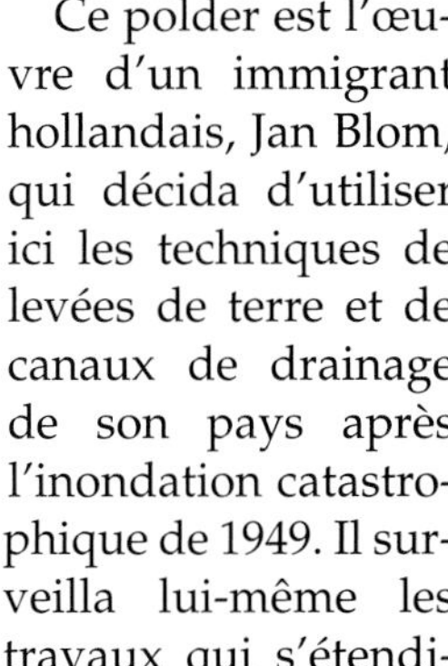

Toile d'araignée, Polder Pitt

Ce polder est l'œuvre d'un immigrant hollandais, Jan Blom, qui décida d'utiliser ici les techniques de levées de terre et de canaux de drainage de son pays après l'inondation catastrophique de 1949. Il surveilla lui-même les travaux qui s'étendirent sur 2 754 ha. Enfin, pour exploiter les terres ainsi récupérées, il fit appel à des concitoyens et put convaincre une douzaine de familles hollandaises de venir fonder un village semblable à ceux de leur pays natal... au pied des neiges éternelles de la chaîne Côtière.

Aujourd'hui, le polder, couvert d'un moelleux tapis d'herbe tendre, renferme les plus beaux pâturages de la vallée du Fraser. Mais les terres asséchées ne sont pas toutes vouées à l'élevage et à l'industrie laitière. Promeneurs et cyclistes peuvent visiter la région en empruntant les chemins aménagés sur les levées de terre ou en parcourant les marais en canot.

En 1972, la récupération des terres près du lac Pitt étant devenue trop coûteuse, 1 296 ha furent vendus au gouvernement de la Colombie-Britannique qui en fit une ceinture verte et une réserve naturelle.

Aujourd'hui, la réserve du polder Pitt, au sud du lac Pitt, est l'un des deux grands refuges de sauvagines de la vallée du Fraser. On peut y voir des canards et des oies sauvages, mais surtout un oiseau rare, la grue du Canada. Les pygargues à tête blanche abondent et les balbuzards viennent nicher en été. Loutres, castors, coyotes, cerfs, ratons laveurs, chats sauvages et ours fréquentent aussi les lieux.

Le polder Pitt offre un grand choix de sentiers pour la randonnée ou l'interprétation de la nature, dont la plupart commencent au lac. Les plus intéressants à parcourir sont sur les digues Perimeter, Circular, Mountainside et Crane Reserve. Des tours d'observation et des pavillons ponctuent les sentiers et les marais.

En canot — on peut louer des embarcations au lac Pitt — on explorera les marais et la rivière Widgeon. Dans le lac Pitt, les pêcheurs trouveront de la carpe, de la truite et du saumon.

Événements spéciaux
Pitt Meadows Day (début mai)
Festival des bleuets (août)

7 Parc provincial Golden Ears

Au coucher du soleil, le double sommet du mont Golden Ears (1 706 m), coiffé de neiges éternelles, se couvre de beaux reflets dorés. Le premier

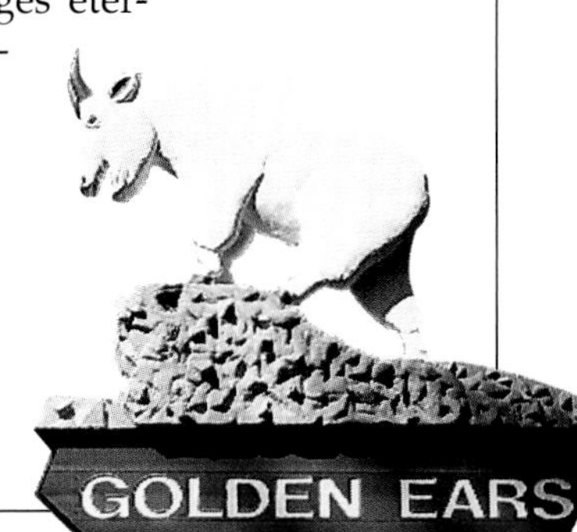

La chèvre de montagne, sentinelle du parc Golden Ears

arpenteur le décrivit comme le « mont aux oreilles dorées » et en fut si frappé qu'il ne fit aucune mention des autres montagnes de la chaîne Côtière dont il fait partie. Le parc auquel il a donné son nom couvre une étendue de 55 km du nord au sud et une superficie totale de 550 km². Pour s'y rendre, on passe par Maple Ridge, à 41 km à l'est de Vancouver, sur la route 7. Il suffit ensuite de suivre les panneaux indicateurs à partir de Haney ou d'Albion.

Le lac Alouette, ceinturé de hauts sommets, invite à la baignade et aux sports nautiques, dans le parc provincial Golden Ears.

Au nord, le parc Golden Ears jouxte les limites sud du parc provincial Garibaldi ; entre les deux se dresse une barrière de pics altiers.

Au sud, se situe le centre récréatif du lac Alouette. Un terrain de camping de 205 places (Lake Alouette) et un autre (Gold Creek), tout près, d'une capacité de 138 sont parmi les plus grands de la Colombie-Britannique. On trouve sur place toutes les commodités, mais pour les véhicules récréatifs et les caravanes, il n'y a pas de raccord aux services. Au bord du lac se trouve un vaste terrain de pique-nique. On peut aussi se baigner dans le lac Alouette, bien que ses eaux soient glaciales en toutes saisons.

Le parc Golden Ears est le paradis des excursionnistes. Le sentier du lac Mike est à la fois l'un des plus faciles et l'un des plus spectaculaires : l'aller-retour se fait à pied en une heure et demie et on peut faire le même parcours à cheval. Un autre sentier (10 km) mène au sommet du mont Alouette ; les cinq heures de marche sont amplement récompensées par une vue magnifique sur le lac. La piste la plus difficile, celle du Golden Ears — 12 km et sept heures dans un seul sens —, est réservée aux marcheurs aguerris.

Le campeur peut dénicher, surtout dans la réserve naturelle Spirea, des plantes carnivores comme les rossolis, d'étonnants monotropes uniflores, blancs et cireux et, en automne, une belle diversité de champignons dans le sous-bois. Il verra des chevreuils brouter au bord de la route et distinguera peut-être dans la nuit le cri des coyotes. La visite des ours noirs est rare, mais il vaut mieux laisser les vivres dans la voiture.

8 Parc provincial du Sasquatch

Le nom de ce parc de 1 220 ha, situé sur les rives du lac Harrison, rappelle une légende qui a la vie dure dans les montagnes de l'Ouest. Un géant qui aurait l'allure d'un singe hanterait les sommets neigeux. Cette créature mythique, connue sous le nom de Sasquatch ou Grand-Pied, n'existe pas qu'ici ; le Yéti du Tibet est son proche parent. Au fil des ans, le Sasquatch a été signalé dans le nord-ouest des États-Unis et en Colombie-Britannique. Ceux qui prétendent l'avoir vu disent qu'il mesure 3 m et pourrait peser plus de 140 kg. Mais les preuves solides manquent.

Si, parmi les visiteurs, quelques-uns rêvent d'apercevoir le Sasquatch, la plupart viennent au parc pour profiter de ses trois magnifiques campings. Celui de Bench (64 places) et celui de Lakeside (42) se situent dans le nord-est du parc, sur les bords du lac Deer dont les eaux scintillantes reflètent un encerclement de montagnes. La pêche y est excellente ; les hors-bord sont interdits, sauf ceux munis d'un moteur électrique. Le troisième camping (71 places), au lac Hicks, dans le sud-ouest, est agrémenté de belles plages, de sentiers d'excursion et de voies de canotage. Les hors-bord de 10 chevaux ou moins sont tolérés sur ce lac.

Près du centre d'information à l'entrée du parc, on trouve d'admirables installations à pique-nique à Green Point sur le lac Harrison, l'ancienne

Cyclistes débarquant du traversier après une excursion dans l'île Barnston (arrière-plan).

ÎLE BARNSTON, UN OASIS DE PAIX

L'île Barnston (pop. 150), située dans le fleuve Fraser, est à proximité de trois municipalités de la banlieue de Vancouver — Surrey, Maple Ridge et Pitt Meadows —, mais la frénésie de croissance qui marque les rives l'a épargnée. Le bras de fleuve qui la sépare de Surrey a sans doute aidé à préserver son charme rustique qu'évoquent des barques de pêche décolorées par les intempéries et des étables usées par le temps.

La traversée de cinq minutes depuis la 104e avenue à Surrey se fait à bord d'un petit chaland, tiré par un puissant remorqueur. Le voyage est gratuit, mais il n'y a pas d'horaire. On gare sa voiture près de la rampe et on klaxonne pour attirer l'attention du passeur.

Du traversier, on peut se faire une bonne idée du type d'entreprise qu'alimente le Fraser : des scieries et des cours à bois ponctuent la rive. Les petits remorqueurs bourdonnent d'activité autour des trains de bois. Ils se font doubler par de grandes barques de pêche qui s'en vont moissonner les eaux poissonneuses du fleuve.

Une route de 10 km fait le tour de l'île, petit croissant de 5 km de longueur sur 3 km de largeur, si plat qu'il était constamment inondé avant qu'on construise des levées de terre. C'est sur ces digues qu'on circule.

Barnston vit d'agriculture et de pêche. La population se concentre du côté sud-est de l'île ; elle est composée de pêcheurs-maraîchers qui passent en quelques enjambées du jardin-potager à la jetée où les attendent leur barque et leurs filets étendus à sécher.

Vous verrez sans doute des pygargues à tête blanche, surtout au printemps où la montée des saumons les attire. Les aigles perchent au sommet des cotonniers qui parsèment l'île. Les grands hérons font aussi partie du paysage, mais ils préfèrent nicher près des pâturages humides du centre. Pour faire de la bicyclette, marcher, courir ou venir en promenade, l'île Barnston, à une demi-heure de la ville, vous réserve une délicieuse halte de détente.

L'île n'offre aucune commodité pour les touristes et tous les terrains sont privés, sauf la route. Efforcez-vous de toujours stationner en contrebas et n'oubliez pas, en partant, d'emporter vos ordures.

voie d'eau qui menait les chercheurs d'or vers l'intérieur de la province dans les années 1860.

Le lac Trout, à proximité, est une minuscule nappe d'eau qui recèle d'énormes truites (hors-bord interdits.)

Pour atteindre le parc du Sasquatch, on passe par le village de Harrison Hot Springs, réputé pour ses sources thermales. L'eau, qui jaillit d'une source dans les profondeurs du lac, peut atteindre 60°C. Refroidie à 38°C, elle alimente la station thermale au centre du village. Sa teneur élevée en soufre la rend, dit-on, très bénéfique.

Les sources chaudes sont nombreuses dans la forêt environnante mais elles ne sont pas exploitées ; on s'y rend à pied ou en véhicule à traction aux quatre roues.

9 Parc provincial Cultus Lake

Station estivale populaire depuis 1890, le lac Cultus se situe entre International Ridge, au sud-est, et le mont Vedder, au nord-ouest.

Son nom, emprunté à un mot chinook dérivé de la langue salish, signifie « bon à rien ». Un tabou lui aura

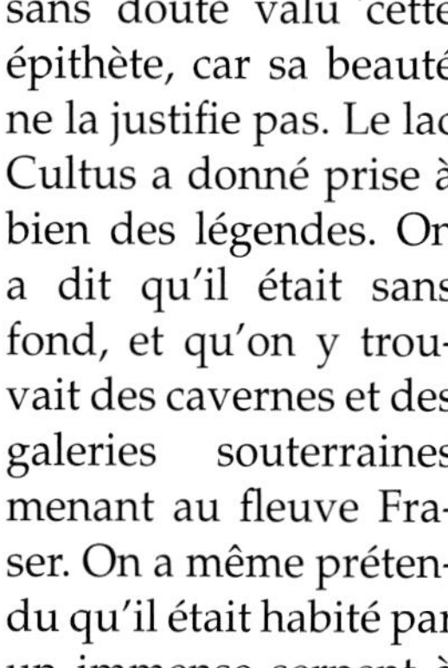

sans doute valu cette épithète, car sa beauté ne la justifie pas. Le lac Cultus a donné prise à bien des légendes. On a dit qu'il était sans fond, et qu'on y trouvait des cavernes et des galeries souterraines menant au fleuve Fraser. On a même prétendu qu'il était habité par un immense serpent à deux têtes.

Lagopède, dans les montagnes de la Colombie-Britannique

Il y a, au parc provincial Cultus Lake (556 ha), quatre excellents campings : Clear Creek (80 emplacements), Delta Grove (58), Entrance Bay (52) et Maple Bay (106). On trouve aussi de belles plages dans les baies de Delta Grove, d'Entrance, de Maple et de Spring.

Le lac Chilliwack aux eaux d'émeraude

Distance : 42 km (dans un sens)

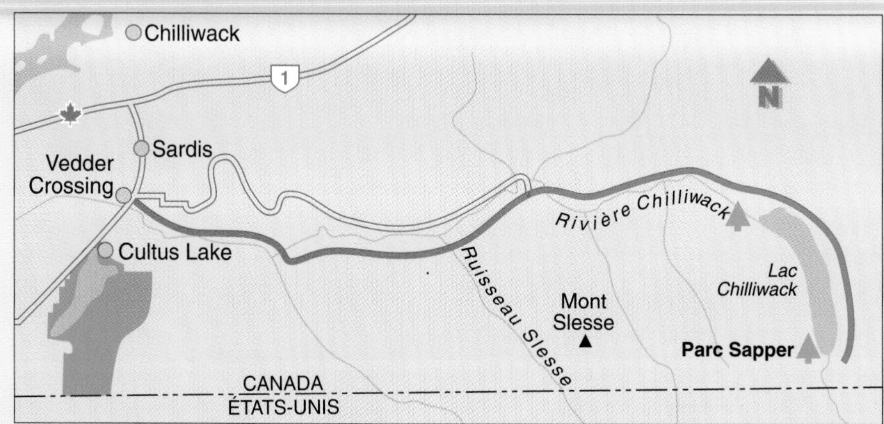

La randonnée d'une demi-journée au lac Chilliwack commence au pont à deux voies qui enjambe les rivières Chilliwack et Vedder à Vedder Crossing. Cette route de campagne, qui est en excellent état, grimpe sans arrêt en se dirigeant vers l'est ; elle longe et franchit la turbulente rivière Chilliwack et ses nombreux petits affluents. Elle traverse ensuite une région densément boisée, remplie de fougères, de champignons et de mousses. Dans la vallée de la rivière Slesse se dressent des pics redoutables aux neiges éternelles, dont fait partie le mont Slesse qui culmine à 2 429 m.

- Un peu plus loin, on arrive au centre d'entraînement de l'équipe olympique de kayak qui s'exerce dans les eaux furibondes de la rivière Chilliwack. Les kayakeurs viennent ici du monde entier.

Au lac Chilliwack, l'eau fraîche et le sable doux sont propices à la promenade.

- La zone de récréation de Thurston Meadows, à 18 km du point de départ, est l'endroit rêvé pour pique-niquer : des tables et des grils se dressent au bord de la rivière aux eaux fraîches et vives.
- À 4 km de là, une entreprise gouvernementale, le Chilliwack River Salmonid Enhancement Facility, a pour mission d'ensemencer chaque année la rivière avec 260 000 spécimens — saumons coho, chinook, keta, truites et steelhead. La Chilliwack est connue comme l'une des meilleures rivières à saumon de la Colombie-Britannique.
- Après avoir roulé 30 km au total, on quitte l'asphalte pour le gravier bien tassé. Juste avant le lac Chilliwack se trouve le site récréatif de Post Creek, sur le côté gauche de la route. Un chemin sinueux aboutit au stationnement, point de départ d'un réseau de sentiers qui mènent aux lacs Lindeman, Greendrop et Flora. Celui du lac Lindeman n'a que 1,2 km de longueur et constitue une agréable promenade propice à l'observation des oiseaux.
- Avec ses eaux profondes d'un brillant vert émeraude, le lac Chilliwack enchante les amateurs de touladis et de Dolly Varden. Le parc provincial Chilliwack Lake offre plus de 100 emplacements de camping, des sites à pique-nique et une rampe de lancement pour les bateaux.
- La vue du lac est splendide le long de la route de terre un peu cahoteuse qui le suit, à travers des cèdres géants, jusqu'à son extrémité sud. C'est ici que le Corps Royal du Génie canadien a aménagé le parc Sapper, un terrain de camping rudimentaire, où on peut faire une halte et se restaurer avant d'amorcer le retour.

Après-midi ensoleillé à Vedder Crossing, en direction du lac Chilliwak.

Un guide naturaliste est à la disposition des visiteurs de juin à août. Plusieurs activités ont été conçues pour les enfants, depuis la randonnée pédestre et les courses de go-cart jusqu'à l'observation des étoiles, la nuit venue.

Si le lac retentit du vrombissement des moteurs à ski nautique, les bois environnants sont divinement silencieux.

Le sentier Teapot, qui part de la baie de Honeymoon, mène en 5 km au mont Teapot ; on compte une bonne heure dans chaque direction. Le sentier Seven Sisters, entre la baie d'Entrance et le ruisseau Clear, traverse une magnifique zone forestière et un groupe de sept gigantesques sapins de Douglas. Une piste qu'on peut parcourir à pied ou à cheval relie le nord du parc et le chemin Edmeston avec le sud et la route 918, près des terrains à pique-nique de la baie de Maple.

Un sentier d'interprétation commence au terrain de stationnement et mène le visiteur vers plusieurs des beautés naturelles du parc, tandis que le sentier Giant Douglas, qu'on parcourt en 40 minutes, part du camping de Delta Grove, sur la route de la vallée du Columbia, et passe près de quelques grands sapins de Douglas.

Août, le mois le plus achalandé au lac Cultus, atteint son point culminant avec la Krafty Raft Race, une course qui met en lice une variété hétéroclite de radeaux. Chaque année, de nombreux amateurs se construisent des radeaux de fortune pour prendre part à cette compétition.

10 Hope

Hope (pop. 6 500) donne accès, dans le sud, au canyon du Fraser. Beaucoup de voyageurs traversent cette localité en été ; mais peu s'y arrêtent. Pourtant, elle constitue un excellent point d'attache pour les excursionnistes avides de nature sauvage.

OTHELLO : UN HAUT FAIT DU GÉNIE HUMAIN

Les tunnels abandonnés du projet Othello (le Quintette) traversent une gorge impressionnante, entaillée dans le granit par les eaux écumantes de la rivière Coquihalla à une profondeur de 90 m. Avec ses quatre tunnels pour chemin de fer et ses deux ponts, la zone de récréation Coquihalla Canyon (130 ha), 10 km à l'est de Hope, attire ceux qui recherchent la solitude et l'émerveillement. Pour atteindre les tunnels, roulez vers l'est à partir de Hope, par les routes de Kawkawa Lake et Othello. Tournez à droite à la route Tunnels et garez-vous.

Un chemin de 2,8 km franchit les tunnels et les ponts. Apportez une torche électrique pour examiner les parois des tunnels qu'a noircies la fumée des locomotives au charbon.

À la sortie du premier tunnel, la vue est à couper le souffle. Des arbustes et des arbres s'accrochent désespérément au moindre interstice de la paroi verticale du défilé. À la sortie du second, on traverse un pont dominant de haut les eaux déchaînées de la Coquihalla. On franchit ainsi un troisième et un quatrième tunnel. Mais où donc est le cinquième tunnel ? On prétend qu'une fenêtre pratiquée dans le troisième tunnel serait considérée comme le cinquième membre du quintette. Ne le ratez pas !

Le canyon posait un terrible problème de génie à ceux qui voulaient construire un chemin de fer entre Merritt et Hope en 1914. L'ingénieur en chef, Andrew McCulloch, opta pour les tunnels et les ponts. Son admiration pour Shakespeare était sans borne ; il donna à son projet le nom d'Othello.

L'œuvre de McCulloch, un exploit technique, se révéla désastreuse à l'usage ; la neige et la glace rendaient les tunnels impraticables la majeure partie de l'année. Quand on abandonna la voie ferrée en 1959, on remit les tunnels à la Colombie-Britannique.

La zone est idéale pour pique-niquer et pêcher la truite steelhead.

La marmotte des Rocheuses est une créature familière des parcs de l'Ouest.

La ville elle-même ne manque pas d'intérêt. Il faut voir le jardin Japanese Friendship, qui rend hommage aux Japonais internés à Tashme, à l'est de Hope, durant la Deuxième Guerre mondiale. Au musée Hope, on se tourne vers un passé plus lointain en contemplant des artefacts ayant appartenu aux premiers Indiens de la région, de même que des souvenirs de la traite des fourrures et d'autres de la ruée vers l'or (1860) dans la vallée du Fraser.

Le long de la route 3, à 16 km à l'est de Hope, d'énormes blocs de pierre rappellent que, le 9 janvier 1965, un pan du pic Johnson s'écrasa dans la vallée, ensevelissant un tronçon de route sous 45 m de rochers. Une plaque identifie le site de la catastrophe.

La route 1, au nord de Hope, traverse des paysages impressionnants : eaux tumultueuses du Fraser, murailles déchiquetées du canyon et pentes boisées de la montagne.

Sur la route 1, à 21 km au nord de Hope, se trouve Yale (pop. 300). On a du mal à croire que ce village fut un jour la ville la plus peuplée au nord de San Francisco et à l'ouest de Chicago. Bordels, maisons de jeux, bateaux à roue ont disparu, mais il en reste des souvenirs qu'on retrouve au musée de Yale, ouvert du mercredi au dimanche, de juin à septembre.

On vient souvent à Yale pour se marier, dans le pittoresque temple anglican de St. John the Divine, construit en 1859-1860. C'est le plus vieux temple de Colombie-Britannique à occuper son site d'origine et le mobilier est en grande partie d'origine.

Événements spéciaux

Course Fraser River Barrel Race de Yale (août)

Hope Brigade Days (septembre)

Salmon Spawning Run (octobre)

11 Parc provincial Manning

En juillet et en août, le sous-bois du parc provincial Manning oublie son manteau de froidure et de gel et revêt brièvement une livrée florale de toutes les couleurs. Le long de la route 3, c'est la fête des fleurs dans les prés alpins.

L'entrée ouest du parc mène à Rhododendron Flats, un des rares endroits en Colombie-Britannique où poussent des rhododendrons sauvages ; à la mi-juin, ils sont en pleine floraison.

En suivant la route 3 qui longe la rivière Skagit, on arrive à l'hôtel Manning Park Lodge. En face, une route d'asphalte, ouverte de juillet à septembre, grimpe à l'observatoire du haut duquel on admire la chaîne des Cascades. De l'observatoire, une route de gravier de 6 km mène au pic Blackwall (2 063 m). Un court sentier aménagé de 1 km, le Paintbrush, part du poste Alpine Naturalist Hut.

Le sentier Heather, de 21 km, commence au stationnement. Il coupe à travers les prés du pic Blackwall et du mont Three Brothers, dans une vallée émaillée de fleurs qui s'étend sur 24 km de longueur et 5 km de largeur.

À l'ouest du Manning Park Lodge se trouvent les lacs Lightning. Plusieurs sentiers s'en détachent : le Lightning Lake Loop de 9 km, le Lightning Lake Chain de 12 km, le Skyline I de 20,4 km et l'éprouvant Frosty Mountain Loop de 29,2 km. Au sommet du mont Frosty (2 408 m), le point culminant du parc, on a de nouveau une vue spectaculaire sur le nord des Cascades.

Sur le rebord occidental du parc se trouve l'aire de récréation de la vallée de la Skagit, de 32 570 ha. La pêche à la mouche y est renommée.

Au nord, on rencontre l'aire de récréation Cascade. Les amateurs d'histoire emprunteront les vieilles pistes Dewdney, Whatcom ou Hope Pass, fréquentées vers la fin du siècle dernier par les chercheurs d'or et par les pionniers qui allaient ouvrir à la civilisation la vallée de l'Okanagan.

Pique-nique dans un pré fleuri du parc provincial Manning, sur fond de chaînes montagneuses.

CENTRE DE LA COLOMBIE-BRITANNIQUE

3

Centre de la Colombie-Britannique

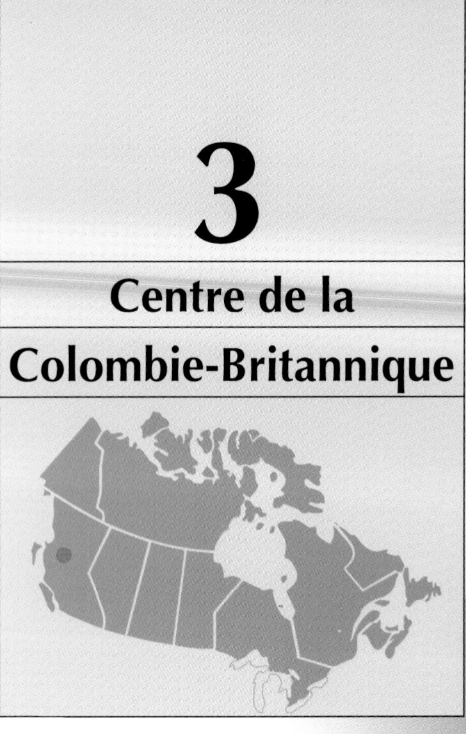

Sites

Archipel de la Reine-Charlotte
Parc provincial Naikoon
Port Edward
Hazelton
Fort St. James
Parc historique Cottonwood House
Parc historique de Barkerville
Parc provincial Bowron Lake
Williams Lake
Parc provincial Tweedsmuir
Bella Coola
Gang Ranch
Clinton
Lillooet
Ashcroft

Circuits automobiles

Région lacustre entre Prince-George et Prince-Rupert
Le Caribou, berceau de la ruée vers l'or
Clinton à Williams Lake

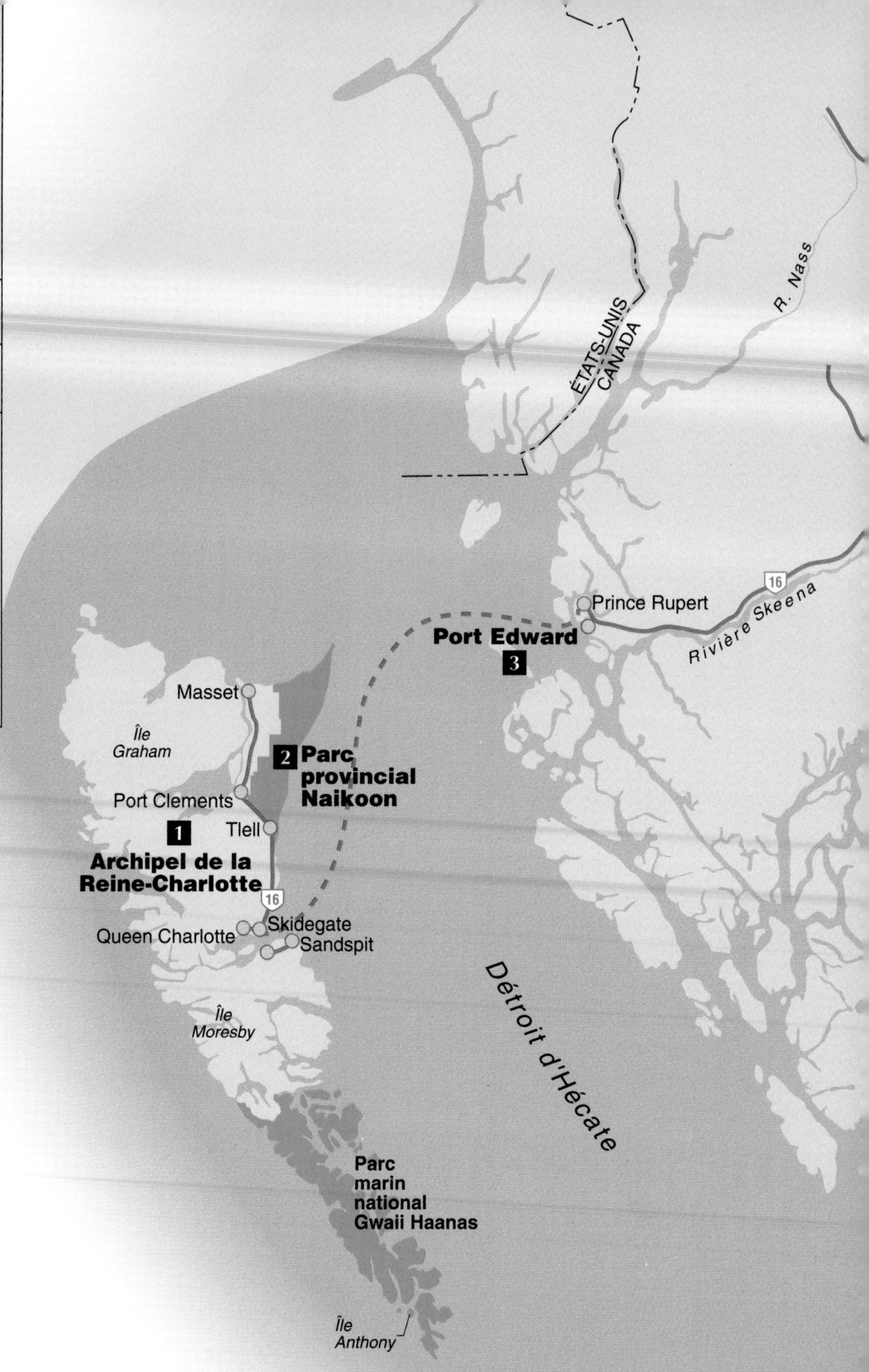

Pages précédentes : Arc-en-ciel sur l'autoroute 27, près de Fort St. James

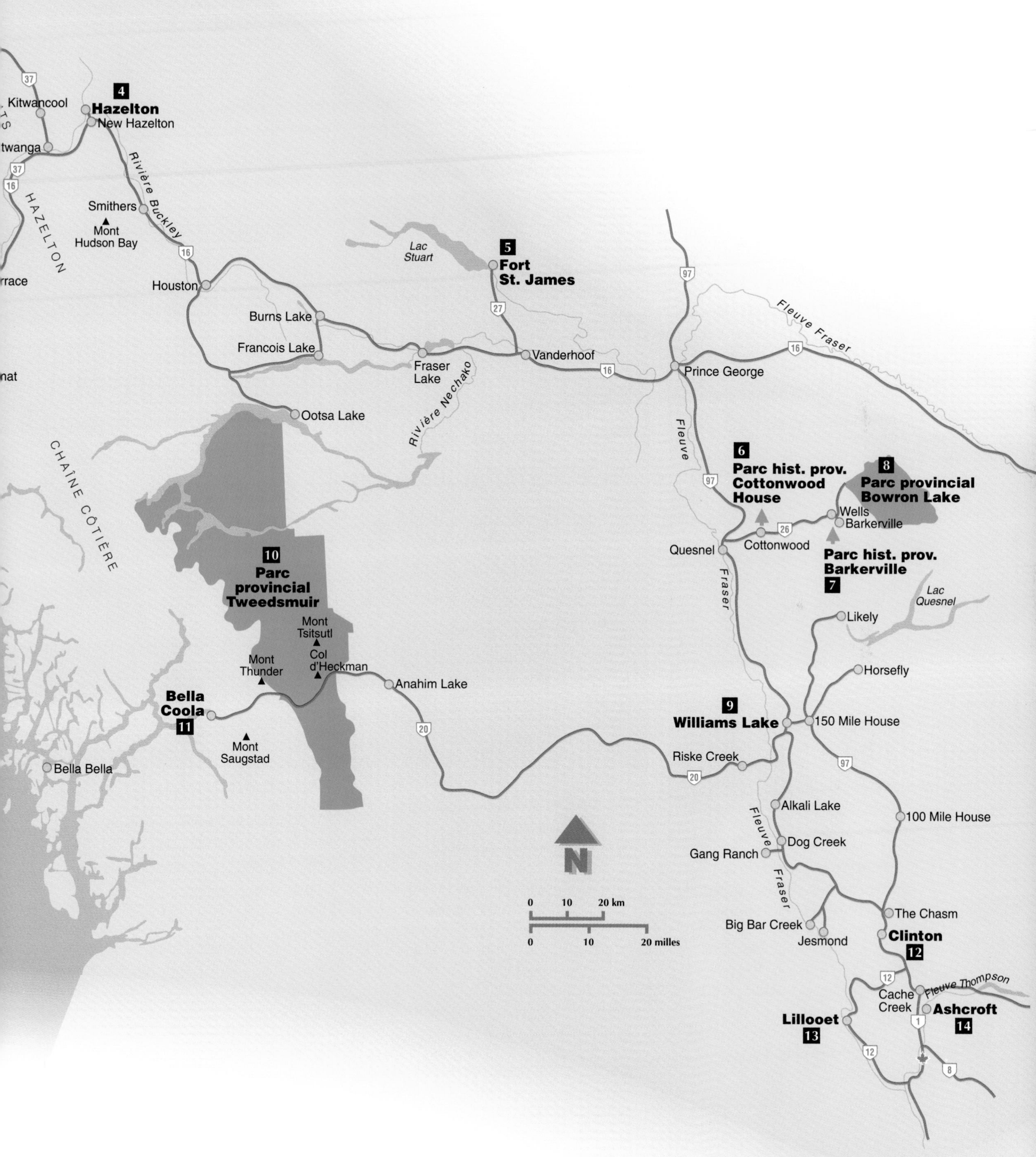

4
Hazelton
New Hazelton
Kitwancool
twanga
Rivière Buckley
Smithers
Mont
Hudson Bay
HAZELTON
rrace
Houston
Burns Lake
Francois Lake
Fraser
Lake
Lac
Stuart
5
Fort
St. James
Vanderhoof
Rivière Nechako
Prince George
Fleuve Fraser
Ootsa Lake
nat
CHAÎNE CÔTIÈRE
6
Parc hist. prov.
Cottonwood
House
8
Parc provincial
Bowron Lake
Wells
Barkerville
Cottonwood
Quesnel
Fleuve
Fraser
Parc hist. prov.
Barkerville
7
Lac
Quesnel
Likely
Horsefly
10
Parc
provincial
Tweedsmuir
Mont
Tsitsutl
Col
d'Heckman
Mont
Thunder
Anahim Lake
Bella
Coola
11
Mont
Saugstad
Bella Bella
9
Williams Lake
150 Mile House
Riske Creek
Alkali Lake
100 Mile House
Dog Creek
Gang Ranch
Fleuve
Fraser
N
0 10 20 km
0 10 20 milles
The Chasm
Big Bar Creek
Jesmond
Clinton
12
Cache
Creek
Fleuve Thompson
Ashcroft
14
Lillooet
13

1 Archipel de la Reine-Charlotte

Enveloppées de brumes, les 150 îles de l'archipel de la Reine-Charlotte donnent au visiteur qui s'en approche une impression de mystère et de dépaysement. À 90 km de la terre ferme, elles forment un croissant de 250 km de longueur. Nous sommes ici dans le *Haida Gwaii,* la patrie des Haidas depuis des millénaires.

Avec leurs 9 033 km^2, les îles Graham et Moresby sont les plus importantes. La première (env. 6 400 km^2) est la plus grande et la plus populeuse : c'est celle qui renferme la plupart des villages. La seconde est très peu peuplée : toute la partie sud de l'île (en fait les trois quarts de son territoire) constitue la réserve du parc national Gwaii Hanaas.

Le traversier, au départ de Prince-Rupert, atteint Skidegate, dans l'île Graham, en six heures tandis que l'avion, à partir de Prince-Rupert ou de Vancouver, atterrit régulièrement à Sandspit, dans l'île Moresby. Un traversier relie les deux îles. Dans l'île Graham, la route 16 dessert tous les centres intéressants : Queen Charlotte City, Skidegate, Port Clements, Masset, Haida, le refuge d'oiseaux Delkatla et le parc provincial Naikoon.

Constituée en municipalité en 1908, Queen Charlotte City (pop. 950), appelée familièrement « Charlotte », est la capitale officieuse de l'île Graham. Elle conserve plusieurs maisons de bois fort pittoresques. Une école de 1909 présente un bel exemple de l'architecture du début du siècle, tandis que l'hôtel Premier (1910) a conservé sa façade d'origine. On trouve à Charlotte de petits hôtels et un camping.

Skidegate, sur la baie de Rooney, domine une longue plage de galets d'où l'on peut observer au large, depuis la fin d'avril jusqu'en juin, des baleines grises de Californie. Elles séjournent et se reproduisent ici au cours de leurs migrations annuelles entre le Mexique et l'Alaska.

Au-delà des lumières de Skidegate, dans l'île Graham, se profilent les monts bleutés de l'île Moresby.

Par la plage de Skidegate, on a accès au quartier général du Conseil de bande des Haidas, une maison longue de type traditionnel. On la repère aisément à son mât totémique de 16,5 m de hauteur, œuvre du sculpteur de renommée internationale, Bill Reid, et d'un artiste local, Guujaaw. Près d'un bâtiment appelé Haida Gwaii Watchman Building, on peut voir une autre œuvre de Reid, le *Loo Taas* (dévoreur de vagues). Il s'agit de la réplique d'un canot de cèdre haida. Long de 15 m, ce canot lui fut commandé pour l'Exposition universelle de Vancouver en 1986. Reid travaille le bronze, l'argent, l'or, le bois et l'argilite, une pierre noire semblable à l'ardoise, qu'on trouve dans l'archipel. Son œuvre majeure — *Canot noir, esprit du Haida Gwaii* — décore les terrains de l'ambassade du Canada à Washington.

Dans le même voisinage, le musée de l'Archipel de la Reine-Charlotte, un bâtiment en rondins de cèdre, renferme une importante collection de mâts totémiques haidas et de sculptures en argilite, ainsi qu'une galerie d'objets anciens et une boutique de cadeaux où l'on peut se procurer des sculptures, des peintures et des tissages haidas.

À 1 km au nord du village, un sentier bien identifié mène à une plage rocailleuse où se dresse Balance Rock, un énorme rocher en équilibre précaire sur un rivage parsemé de fossiles.

Au bout de l'île, à 107 km au nord de Skidegate, se trouve Old Masset (pop. 672) où l'on peut voir, au musée Ed Jones, des artefacts haidas. Un mât totémique de 12 m, la Mère Ourse, se dresse devant l'église St. John. Sculpté en 1969 par Robert Davidson, c'est le premier mât totémique qui ait jamais été exécuté à titre commémoratif : il est dédié aux ancêtres de Masset.

L'île Anthony, au sud de l'île Moresby, renferme le plus bel ensemble au monde de mâts totémiques et funéraires des Haidas. On peut les voir au site appelé Ninstints, qui fait partie du patrimoine mondial des Nations Unies. Avant de s'y rendre — ou de visiter tout site non habité — il faut en obtenir l'autorisation auprès du Conseil de bande à Skidegate ou à Masset.

Événements spéciaux

Journée de l'hôpital, à Charlotte (juin)

Journée de Skidegate (juin)

2 Parc provincial Naikoon

Ce parc (726 km^2) de l'île Graham est ponctué de plages, de tourbières et de forêts. Son nom vient de *Nai-kun,* qui veut dire « long nez » en haida ; il décrit Rose Spit, un glissement de terrain de 5 km dans le nord du parc.

On accède au parc par la route 16 à Tlell, à 40 km au nord de l'aéroport de Skidegate ; il y a également des entrées à Mayer Lake et près de Masset. Les bureaux administratifs se situent près du pont de la rivière Tlell où se trouve également un terrain de pique-nique. Un sentier balisé de 5 km suit la rive nord très venteuse de la Tlell, rivière réputée pour son saumon coho et sa truite steelhead, et mène à la plage et à l'épave du *Pesuta,* un bateau marchand qui s'échoua en 1928.

Au lac Mayer, on peut pique-niquer, faire du bateau et du camping sauvage et pêcher la truite fardée. Le camping Misty Meadows, près des bureaux du parc, offre 30 emplacements.

Argonaut Plain, au centre du parc, est surtout une tourbière où poussent l'épinette, le pin et le cèdre en version rabougrie, mais qu'encercle un beau peuplement de pins vrillés et de cèdres jaunes et rouges. À l'ouest, les orages terribles du Pacifique pilonnent régulièrement le rivage ; à l'est, le parc s'ouvre sur 90 km de belles plages de sable, parsemées de bois flotté. Ancrées par la végétation, des dunes blanches pénètrent vers l'intérieur.

On dit que le mont Tow (109 m) serait une gigantesque baleine, pétrifiée pour s'être battue contre le héros haida Tow. Pour atteindre cette colline d'origine volcanique, il faut prendre à Masset, en direction est, une route de terre qui commence à l'em-

Amanite, dans le parc provincial Naikoon

bouchure de la rivière Hiellen. La route longe le refuge Delkatla, où l'on peut observer le cygne trompette, la grue du Canada, le faucon pèlerin, le pic chevelu et la petite nyctale. La réserve écologique de Tow Hill, plus loin sur la même route, protège les dunes, les plages et les tourbières de la pointe Yakan. Des sentiers sillonnent ces terres marécageuses où des colons tentèrent sans succès de s'installer au début du siècle.

Le sentier Cape Fife, dans le parc provincial Naikoon, se perd dans la verte luxuriance de la forêt pluviale du Pacifique.

La route se termine à Agate Beach. Le camping offre 21 emplacements avec foyers et tables de pique-nique. À partir du terrain de stationnement, on a le choix de plusieurs sentiers. Si on suit la rive ouest de la rivière Hiellen, il faut prendre à gauche, à la fourche, pour escalader le mont Tow d'où l'on a une vue remarquable sur le détroit de Dixon et, par temps clair, sur des îles de l'Alaska. La branche droite de la fourche aboutit à une plage parsemée de petits coquillages et de pierres de toutes les couleurs, polies par la mer. À marée basse apparaissent des rochers basaltiques, tourmentés et fissurés. Les langues de sable entre les rochers se prêtent aux bains de soleil.

Au début de l'été, les dunes sont couvertes de framboisiers sauvages en pleine floraison ; plus tard apparaissent les capitules jaune vif de la tanaisie vulgaire. De mai à septembre, les gens de l'endroit ramassent des pétoncles, des coques, des palourdes et des couteaux. Il n'est pas rare de rencontrer ici un cerf mulet, un phoque, une otarie, un faucon pèlerin, un pygargue à tête blanche, un épaulard ou une baleine grise de Californie.

Un autre sentier se prête à une randonnée pédestre de deux ou trois jours. Il rejoint d'abord la pointe Fife sur la côte est, en 10 km ; de là, une piste en boucle de 21 km mène à Rose Spit, un refuge écologique réservé à la recherche scientifique et consacré à la préservation des dunes, de leurs oiseaux et de leur flore. Il est défendu de camper, de chasser et de pêcher en cet endroit, mais on peut y observer les oiseaux qui empruntent la route migratoire du Pacifique. Au retour, une marche énergique sur le sable dur de la plage North permet de respirer à pleins poumons l'air du grand large.

3 Port Edward

De 1889 à 1968, la mise en conserve du poisson fit la fortune de Port Edward (pop. 700) qui exploitait une trentaine de fabriques à l'embouchure de la rivière Skeena. Aujourd'hui, un village-musée, North Pacific Cannery, rappelle cette époque grâce à la restauration de l'une des plus anciennes fabriques de mise en conserve de l'Ouest.

À l'époque de sa création, Port Edward était un village isolé auquel la mer seule donnait accès. On s'y rend maintenant en 10 km par un embranchement de la route 16.

Construite sur des pilotis enfoncés dans la vase du détroit d'Inverness, la North Pacific Cannery est un musée animé, avec une authentique chaîne de mise en conserve et de l'équipement qu'on trouvait dans les villages de pêcheurs au XIXe et au début du XXe siècle. Des trottoirs vont d'un bâtiment à l'autre, souvent sur des plateformes surplombant des eaux tumultueuses. La silhouette embrumée de la chaîne Côtière se profile à l'arrière-plan.

Des guides expliquent ou démontrent le fonctionnement de la machinerie. Un spectacle sur l'industrie de la pêche, *The Skeena River Story*, met en scène un seul acteur qui, grâce à de rapides changements de costume, incarne une vingtaine de personnages dans autant de saynettes. Des diapositives font revivre l'atmosphère de l'époque.

Plus de 2 500 personnes travaillaient à la North Pacific Cannery durant la saison de pointe. La compagnie les logeait dans des maisonnettes ou des habitations communes. L'une de ces dernières a été convertie pour offrir le gîte aux visiteurs.

4 Hazelton

Les neiges éternelles des monts Rocher-Déboulé dominent le paysage de Hazelton (pop. 486) où, depuis huit millénaires, vivent les Gitksans, les gens de la Skeena. Dans un rayon de 65 km, la forêt dense et la montagne sauvage constituent pour eux un habitat sacré.

Le village indien de 'Ksan, tout près de Hazelton, est un véritable musée où se conservent l'art et la culture des Gitksans. On y trouve sept bâtiments communautaires de facture traditionnelle : la Maison de l'Épilobe (consacrée aux masques et aux cordes), la Maison-Grenouille (de l'âge le plus lointain), la Maison du Loup ou des arrière-grands-pères, la Maison de la Sculpture sur bois, le studio de sérigraphie, la boutique de cadeaux 'ksan et le Centre national d'exposition du Nord-Ouest. Ce dernier est en même temps un musée et une galerie d'art. Sa collection permanente comprend des couvertures, des masques et des paniers fabriqués selon la tradition 'ksan.

Maisons communautaires et mâts totémiques expriment la culture des Gitksans au village indien de 'Ksan.

La Maison de la Sculpture sur bois loge l'Institut Kitnmaax des Indiens de la côte du nord-ouest. Les œuvres des artistes locaux formés dans cet institut

Région lacustre entre Prince-George et Prince-Rupert

Distance : 181 km (incluant les excursions complémentaires)

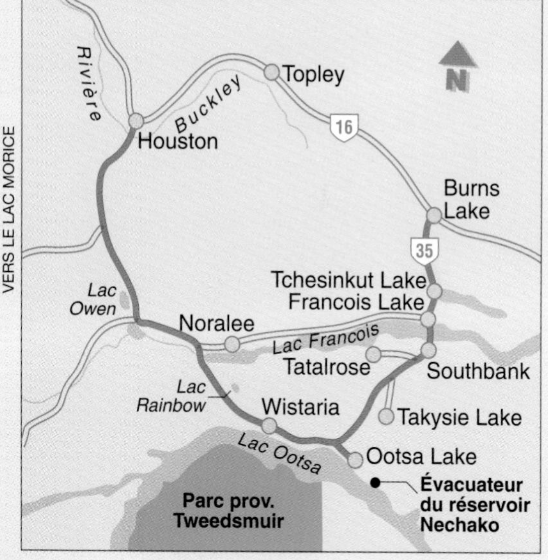

À mi-chemin entre Prince-George et Prince-Rupert se trouvent certains des plus grands lacs de la province : les lacs Stuart, Takla et Babine, qui se situent au nord de la route 16 vers Yellowhead ; et les lacs Francois et Ootsa, au sud.

Le circuit proposé va de Houston à Burns Lake en passant par les lacs Francois et Ootsa ; ce dernier est constitué de plusieurs petits lacs. L'exploration de l'arrière-pays peut se faire en quatre heures, mais il faut compter la journée si on est disposé à faire quelques détours en route par des chemins de terre.

- Faites provision d'essence et de nourriture avant d'entreprendre le voyage. À 3,5 km à l'ouest de Houston, quittez la route 16 pour prendre vers le sud le chemin forestier de Morice River.
- À 21 km du croisement, la colline que l'on aperçoit, balafrée de cicatrices et couverte d'épilobes rouges, fut le site d'un des pires incendies forestiers de la Colombie-Britannique. La catastrophe, qui eut lieu en 1983, détruisit 185 km² de forêt et une poignée d'habitations.
- Après avoir roulé 27 km, vous atteignez le chemin forestier Morice-Owen. Les amateurs de pêche voudront faire un détour par le lac Morice, à l'ouest ; d'autres choisiront de camper dans un terrain spacieux près du lac Owen, au sud-est. Pour poursuivre le circuit, il faut prendre à gauche la route d'Ootsa Lake qui traverse des marais et la rivière Nadina en direction du sud-est. Après 2,5 km, une route latérale mène à la petite zone de récréation de Francois West, en bordure du lac Francois.
- Toute de suite après, la route, laissant derrière elle le lac Francois, oblique vers le sud et enjambe les monts Shelford. Au lac Rainbow se trouve une autre petite zone de récréation.
- Une route latérale en direction sud mène au terrain de pique-nique du parc provincial Wistaria ; une autre route, en face du Wistaria Community Club, aboutit, 1,5 km plus loin vers le sud, à des appontements pour bateaux et à une petite jetée dans l'une des nombreuses baies abritées du lac Ootsa. C'est d'ici qu'on se rend en bateau au parc provincial Tweedsmuir.
- La route traverse des champs de céréales et longe la rive nord du lac Ootsa ; elle mène à la zone de récréation gérée par les services forestiers de Ootsa Landing, qui se situe à 44 km de Noralee.
- Tout près d'Ootsa Lake, l'évacuateur du réservoir Nechako offre des terrains de camping et des appontements.
- À partir d'Ootsa Lake, suivez la route d'asphalte en direction de Burns Lake. Après 20 km, prenez la route qui mène au Southbank Ferry Terminal, un bac sur le lac Francois, 19 km plus loin.
- Le bac, qui part toutes les heures, fait la traversée en 20 minutes. Camions de transport du bois, visiteurs et gens de l'endroit utilisent ce mode de transport gratuit pour rejoindre la rive nord du lac et les centres que dessert la route 16 vers Yellowhead.
- De l'autre côté du lac, 24 km vous séparent de Burns Lake et de la route 16. Dans cette dernière étape, vous croiserez des endroits de villégiature et des terrains de camping, comme au lac Tchewinkut et à Agate Point.

se retrouvent maintenant un peu partout dans le monde. Certaines d'entre elles sont en vente dans la boutique de cadeaux 'ksan.

Chacun de ces bâtiments contribue à faire connaître un aspect différent de la vie des Gitksans. Dans l'un d'eux, on explique les méthodes traditionnelles employées pour fabriquer les vêtements et les outils ; un autre expose des costumes et de l'artisanat. Un autre encore illustre les préparatifs qui précèdent les fêtes traditionnelles. Tous ont

Aigles, ours et autres figures mythiques décorent les mâts totémiques de 'Ksan, au pays des Gitksans.

été bâtis à la main avec des outils anciens et décorés à l'intérieur de représentations mythologiques.

On trouve également au village un ensemble important de mâts totémiques. À cet égard, la région entière est fameuse et plusieurs de ces mâts figurent dans les peintures d'Emily Carr. Ensemble, les régions d'Hazelton et de Kitwanga offrent la plus grande collection de mâts historiques de toute la Colombie-Britannique. Les spécimens les plus beaux se trouvent au village de Kispiox (25 km au nord de New Hazelton), à Kitwanga (40 km à l'ouest de New Hazelton) et à Kitwankool (35 km au nord de Kitwanga).

Le village de 'Ksan offre des tours guidés entre la mi-mai et la mi-octobre. Le reste de l'année, il n'y a pas de tours et les heures d'ouverture varient.

Événements spéciaux
Rodéo Kispiox (juin)
Journées des pionniers (août)

5 Fort St. James

Fort St. James (pop. 2 058) est l'une des plus anciennes localités à l'ouest des Rocheuses qui aient été habitées sans interruption depuis leur fondation. En juillet 1806, Simon Fraser, explorateur et marchand de fourrures, prenait pied avec toute son équipe sur les bords du lac Stuart, là où se dresse actuellement le village. Ils y construisirent sans tarder un poste de traite qui resta en service pendant plus d'un siècle.

Fraser donna le nom de « Nouvelle-Calédonie » à la région desservie par Fort St. James, en l'honneur sans doute de sa mère qui lui avait parlé avec émotion des hautes terres d'Écosse. La ressemblance est d'ailleurs frappante : mêmes grands lacs sauvages, mêmes montagnes érodées par le temps, même forêt d'épinettes, de pins et de bois dur.

Le site historique national de Fort St. James, sur la route Kwah, près du lac Stuart, abrite le plus grand ensemble au pays de bâtiments consacrés à la traite des fourrures. Les terrains et divers bâtiments ont été restaurés dans l'état où ils étaient en 1896 : l'entrepôt de fourrures, la cache de poissons, le magasin, le logement des commis et le logement des cadres. Durant l'été, un personnel en costume d'époque recrée l'atmosphère qui régnait alors et le mode de vie spartiate de ce poste isolé.

Autre témoin de la même époque, la toute modeste église Notre-Dame-de-Bonne-Espérance qui se dresse à 3 km du fort sur les rives du lac Stuart. Construite en 1873, c'est l'une des plus vieilles de la Colombie-Britannique. On y célèbre encore la messe en fin de journée, l'été.

La population de Fort St. James — « le Fort », pour les habitants — a conservé un peu l'esprit des pionniers. Nichée dans l'angle sud-est du lac Stuart, la petite ville est dominée par le mont Pope (1 472 m) ; la route qui la traverse n'est jamais loin du lac. De belle taille (12 km de largeur à Fort St. James et 100 km de longueur) mais d'humeur imprévisible, ce lac fait partie d'un système hydrographique qui remonte à 300 km au nord-ouest de la localité.

Dans les années 30 et 40, seul l'avion de brousse permettait de circuler dans cette région bien peu peuplée. Jusqu'en

L'intérieur du poste de traite de Fort St. James, tel qu'il était en 1896.

Façade du poste de traite de Fort St. James (1860), où étaient entreposées les peaux.

1970, Fort St. James servit de base aux hydravions qui transportaient les mineurs, les bûcherons, les chasseurs et les trappeurs. (Un modèle réduit des deux tiers d'un Junker W-34 rappelle ces temps héroïques au parc historique provincial Cottonwood House.) Les ronrons des moteurs troublent encore la sérénité de Fort St. James car l'endroit demeure le point de départ par excellence pour partir à la découverte du nord de la province.

Deux parcs provinciaux situés sur la rive sud du lac Stuart permettent d'explorer l'arrière-pays. Celui de Paarens Beach (36 emplacements de camping) se trouve à 15 km à l'ouest de Fort St. James, tandis que la zone provinciale de récréation de Sowchea Bay (30 emplacements) se trouve 5 km plus loin.

6 Parc historique provincial Cottonwood House

Le joyau de ce parc de 10 ha est un bâtiment à étage, Cottonwood House. C'est la seule halte qui subsiste de toutes celles qui jalonnèrent les 610 km de la piste du Caribou entre Yale et Barkerville, à l'époque de la ruée vers l'or, en 1860. La route 26, celle qui mène à Barkerville, suit le dernier tronçon de cette piste historique. Cottonwood House accueillit ses premiers clients en 1865 ; le relais leur offrait le gîte et le couvert, ainsi que du fourrage pour les bestiaux et les chevaux de diligence. Parmi le mobilier d'époque, on note des tables de travail, des commodes, des chaises inclinables, une « truie » et un poêle à bois à deux fours.

Cottonwood House est ouvert tous les jours aux visiteurs, du mois de mai à la fête du Travail.

7 Parc historique de Barkerville

Au cœur de ce parc de 65 ha, une ville exhale encore la fièvre qui régnait au moment de la ruée vers l'or, dans les années 1860. *Saloons,* magasins, hôtels et restaurants de la fin du XIXe siècle ont été minutieusement restaurés de chaque côté de la rue principale qui mène à la petite église en bois de St. Saviour. Les trottoirs brinquebalants qui sillonnent la petite ville donnent accès à 127 bâtiments historiques où des guides en costumes d'époque font revivre l'ambiance d'antan. Le Théâtre Royal présente des spectacles de vaudeville avec l'esprit caustique des chercheurs d'or. Le site est ouvert toute l'année, mais il est animé en été seulement.

La ville porte le nom de Billy Barker, un batelier venu d'Angleterre. En 1862, lui et ses acolytes découvrirent de l'or au fond d'un puits de 12 m près du lac Williams. Ils en récoltèrent la somme de 600 000 $, une fortune à l'époque. Barker épousa une veuve exigeante qui le ruina avant de l'abandonner à son sort. Il mourut à Victoria en 1894, ne laissant derrière lui que des souvenirs ; on l'enterra dans la fosse commune.

En 1868, un incendie détruisit Barkerville qui fut reconstruite en l'espace d'un mois. Mais l'or s'épuisa et les mineurs s'en allèrent. Barkerville tomba dans l'oubli. En 1958, la Colombie-Britannique transforma le site en parc historique et la ville fut restaurée dans l'état où elle était entre 1858 et 1885.

Une autre ruée vers l'or fit, dans les années 30, la fortune de la ville minière de Wells, à quelque 8 km à l'ouest. Une mine d'or souterraine lui épargna les affres de la grande dépression. Aujourd'hui, avec ses fausses façades et ses trottoirs de bois, Wells ressemble à un décor pour un vieux film western.

Événements spéciaux

Escalade Great Canadian Hill Climb (mars)

Journée d'ouverture (juin)

Fêtes du Canada (juillet)

Festival historique de Wells (septembre)

Courses de chevaux attelés Invitational (septembre)

Fête des motoneigistes Yamafest (novembre)

Noël victorien (fin de semaine avant Noël)

8 Parc provincial Bowron Lake

Dominé par les neiges éternelles des monts Caribou dont certains pics altiers culminent à 2 000 m, ce parc de 1 216 km² englobe six grands lacs — Isaac (le plus grand avec ses 38 km), Indianpoint, Lanezi, Sandy, Spectacle et Bowron — reliés par des rivières, des ruisseaux et des portages. Le parc doit son nom à John Bowron, colon et commissaire qui vivait dans la localité voisine de Barkerville aux beaux jours de la ruée vers l'or des années 1860.

On accède au parc par un chemin de terre qui se détache de la route 26 après Cottonwood House, Wells et Barkerville. Le poste d'accueil et le terrain de camping se trouvent dans l'angle nord-est du lac Bowron. Près de l'entrée du parc, il y a en outre deux campings privés où l'on peut louer des canots.

Depuis son inauguration en 1961, le parc est le paradis des amateurs de canot et de kayak. Chaque année, plus de 4 000 d'entre eux explorent son circuit de lacs et de rivières. (Un système de réservations évite l'encombrement.) Ceux qui ont tout leur temps prévoient 7 à 10 jours pour en faire le tour, compte tenu des orages qui s'élèvent soudainement sur ces lacs longs et étroits. Les visiteurs pressés peuvent longer la rive ouest du lac Bowron et remonter au lac Spectacle, une excursion relativement facile de 24 km sans portage. Le lac Bowron seul est accessible aux embarcations motorisées.

Le parc sert de refuge aux orignaux, aux ours, aux cerfs et aux castors. En altitude, on risque de rencontrer un caribou, une chèvre de montagne ou un ours brun. L'intérieur du parc n'est pas aménagé ; seuls s'y trouvent des postes de surveillance, des portages et des espaces de camping munis de caches à aliments — car les ours sont habiles et gourmands.

À l'est de Williams Lake, une route mène au lac Quesnel, le plus grand du pays du Caribou.

9 Williams Lake

Williams Lake (pop. 10 500) s'appela d'abord *Columnitza,* un mot de la langue des Shuswaps signifiant « lieu de réunion des princes ». On explique de deux façons l'origine de son nom moderne. Il lui aurait été donné en l'honneur du chef Will'yum, un Shuswap qui fit la paix entre les Indiens et les colons blancs, ou bien pour rendre hommage à William Pinchbeck, un riche éleveur du temps de la colonisation.

Williams Lake acquit son identité en 1919 avec l'arrivée du chemin de fer. La gare, le plus vieux bâtiment de la ville, dessert encore aujourd'hui les passagers en route vers Vancouver et la Côte, et elle abrite une galerie d'art. À côté, le musée de Williams Lake expose des souvenirs de l'époque des élevages et des rodéos, ainsi que des équipements de cow-boys : selles, chapeaux, éperons, pantalons. Une collection de photographies rappelle les premiers temps du stampede local, vers 1919.

Williams Lake est un point de départ idéal pour ceux qui veulent explorer les 8 000 lacs et les forêts de la région du Caribou, à l'est, ou les ranchs du Chilcotin, à l'ouest. En juillet, le Stampede de Williams Lake rend hommage aux habiletés traditionnelle des cowboys : cavalcades en bronco, travail au lasso, lutte au bouvillon, domptage de chevaux sauvages, courses sur poney et chevauchées sur taureau.

Un sentier de 3 km, au nord de la ville, mène à Signal Point où le point de vue est spectaculaire.

Événements spéciaux

Spectacle des Trail Riders (mai)
Stampede de Williams Lake (juillet)
Festival Loggers' Sports (juillet)
Rodeo Sugarcane Finals (septembre)
Foire d'automne du Caribou (septembre)
Finales de rodéo de Colombie-Britannique (septembre)
Foire médiévale (novembre)

Le Caribou, berceau de la ruée vers l'or

Distance : 210 km (aller-retour)

Cette excursion aller-retour à partir de Williams Lake mène aux localités de 150 Mile House, Horsefly et Likely à travers les champs aurifères du Caribou où commença la ruée vers l'or en 1860.

• De Williams Lake, par la route 97 vers l'est, vous rejoignez en 16 km un endroit nommé 150 Mile House parce qu'il se situait à 150 milles du départ de la piste du Caribou, à Lillooet. En direction du nord-est, faites 5 km jusqu'à la jonction des routes de Horsefly et de Likely. Choisissez la première, sur la droite. Les prochains 50 km traversent une région d'élevage jusqu'à Horsefly, un centre de chasse et de pêche.

• Horsefly (pop. 400) fut baptisé ainsi (taon, en anglais) par les chercheurs d'or qui n'appréciaient pas cet insecte.

• En 1859, on trouva de l'or autour de Horsefly et cette découverte fut le coup d'envoi de la ruée vers l'or dans la région du Caribou. Le musée Jack Lynn (ouvert en juillet et août ou sur rendez-vous) rappelle cette époque héroïque.

Devant le centre communautaire, traversez le pont à une voie : de part et d'autre de la route qui suit, on élève des saumons nerkas. L'automne venu, ils se reproduisent aussi dans la rivière, près du pont.

Ville fantôme de Quesnel Forks, près de Likely

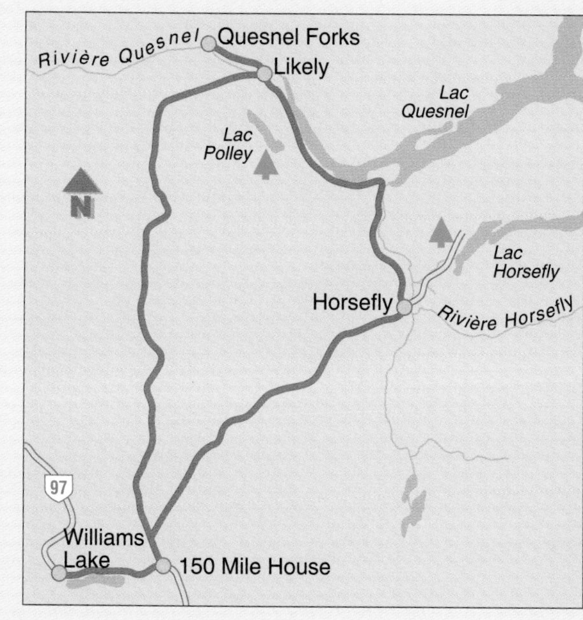

• En roulant 12 km de plus, vous atteignez le parc provincial Horsefly Lake où vous pouvez camper, piqueniquer, nager, faire du bateau et de la pêche.

• Revenez à Horsefly et suivez les indications pour Mitchell Bay Landing, vers le nord. Pendant 50 km environ, vous roulerez désormais sur le gravier. Le chemin suit d'abord la rivière Horsefly. Vous noterez des ensablements en certains endroits ; pourquoi ne pas tenter votre chance à la batée ?

• Continuez jusqu'au chemin forestier Horsefly/Likely que vous prenez sur la gauche ; le chemin cahoteux se poursuit sur 28 km (1 heure de voiture) à flanc de montagne.

• Après avoir roulé 11 km sur cette route forestière, vous apercevez le lac Quesnel, le plus grand du Caribou avec ses 500 km de rives panoramiques et un terrain de pique-nique d'où partent de nombreux sentiers. Une randonnée (1 km) mène à un four où l'on produisait du coke pour les forgerons durant la ruée vers l'or.

• Au kilomètre 18, un chemin mène au camping du lac Polley. Environ 2 km avant d'arriver à Likely, la chaussée est de nouveau asphaltée.

• Likely (pop. 500) présente divers sites historiques ; l'un d'entre eux se prétend le pub le plus couru en Colombie-Britannique. Allez faire un tour à Quesnel Forks où commença la prospection dans le Caribou et tentez-y aussi votre chance à la batée.

• Retraversez le pont et roulez en direction sud pendant 45 km pour revenir à 150 Mile House, puis à Williams Lake.

10 Parc provincial Tweedsmuir

Avec ses 9 810 km², Tweedsmuir est le plus grand des 385 parcs provinciaux de la Colombie-Britannique. Au visiteur émerveillé, il offre ses pics aux neiges éternelles, ses glaciers, ses défilés profonds, ses rivières écumantes et ses hautes chutes.

Mais la plupart de ces merveilles ne sont pas accessibles en voiture. La route 20, qui va de Williams Lake à Bella Coola, coupe l'extrémité sud du parc. Elle entre dans le parc au col d'Heckman (on roule alors sur le gravier) et zigzague sur 20 km dans la vallée de la rivière Atnarko. Son parcours en montagnes russes sur un tronçon nommé *The Hill* la rend peu praticable aux véhicules qui tirent une caravane. Elle devient ensuite une route d'asphalte et mène au poste d'accueil du parc, 2 km plus loin.

Le long de la route, plusieurs sentiers permettent de faire une incursion dans la nature. Près de Stuie, le sentier Kettle Pond prend 30 à 60 minutes, aller-retour. Celui de Burnt Bridge, à l'ouest du parc, grimpe au-delà du sentier Mackenzie Heritage et mène à un observatoire d'où l'on aperçoit la val-

Près de Gang Ranch, un système d'arrosage sophistiqué transforme des terres stériles en verts pâturages.

lée de la Bella Coola. Il faut compter 2 heures si l'on monte à Burnt Bridge Creek Crossing ; on revient le long du ruisseau jusqu'au stationnement.

À l'ouest du col d'Heckman, un sentier de 8 km mène aux monts Rainbow, aussi appelés *Tsitsutl* (les montagnes peintes) dans le dialecte des Indiens nuxalks de Bella Coola. Nuancés de rouge, de lavande, de violet et de jaune, les pics offrent un spectacle saisissant. Le sentier aboutit à un lac sans nom. Les pistes qui en partent sont réservées aux excursionnistes aguerris.

Les pistes difficiles — tels une portion du Mackenzie Heritage Trail (au total 420 km) et le sentier de la chute Hunlen, qui débute 2 km à l'est du poste d'accueil — ne manquent pas dans le parc. Avec un véhicule à quatre roues motrices, on accède en une heure, par la route Atnarko, à l'entrée du parc. Une heure de marche facile mène au lac Stillwater. Six ou huit autres heures de marche exténuante seront gratifiées par des points de vue spectaculaires à 210 m au-dessus de la rivière Atnarko, près de la chute Hunlen (260 m).

11 Bella Coola

Bella Coola (pop. 900) est un petit village de pêcheurs et de bûcherons. Il se dresse à l'embouchure de la rivière du même nom, au fond du chenal de Burke (un bras du Pacifique), à l'ouest d'une vallée de 64 km bordée par le parc provincial Tweedsmuir et les sommets enneigés de la chaîne Côtière, qui culmine à 2 500 m.

Cette terre des Nuxalks fut investie par les marchands de fourrures vers 1860. B.F. Jacobsen, un Norvégien amateur d'artefacts indiens, écrivit vers 1884 que le pays lui rappelait les fjords et les montagnes de sa terre natale. Séduits par ses descriptions, 84 Norvégiens, sous la houlette du révérend Christian Saugstad, affluèrent dans la vallée de la Bella Coola en 1894. Des Norvégiens du Minnesota vinrent les rejoindre par la suite et fondèrent Hagensborg, 20 km à l'est.

Logé dans une école de 1898, le musée de Bella Coola, ouvert entre la fin de juin et le début de septembre, rappelle l'histoire des Nuxalks, mais aussi celle des colons norvégiens. La ville, que les crues, en 1936, forcèrent à déménager au sud de la rivière, est marquée par les deux cultures. Certains édifices sont enjolivés d'aigles et de baleines peints selon la tradition nuxalk. Des mâts totémiques montent la garde devant le siège du conseil de bande. Des sculptures et des peintures décorent l'école Adwsalcta dans la réserve nuxalk, située 6,5 km à l'est de la ville. Il faut demander au conseil de bande l'autorisation d'aller voir les pétroglyphes du ruisseau Thorsen.

Deux parcs dans l'île Walker, 10 km à l'est de Bella Coola, offrent des sentiers de marche et d'équitation à l'ombre des thuyas. Plus loin vers l'est, on peut visiter la pisciculture de Snootli Creek qui fait l'élevage des saumons chinook, coho et steelhead pour ensemencer les rivières environnantes. Des bâtiments en troncs équarris, à la manière norvégienne, sont toujours debout à Hagensborg ; la maison historique The Sons of Norway est meublée dans le style des années 1900.

Événements spéciaux

Journées de festivités et compétitions sportives à Nuxalk (mai)

Festival du saumon (juillet)

Foire d'automne et tournoi de bûcherons (septembre)

Clinton à Williams Lake, sur la piste des chercheurs d'or

Distance : 200 km

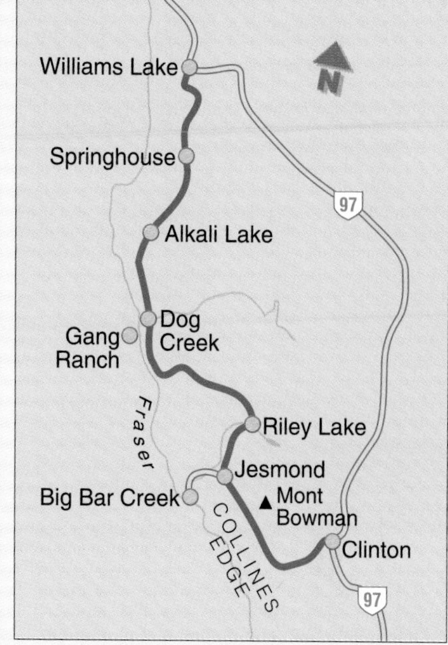

Cette excursion se fait en quatre heures de voiture, en partie sur des chemins de terre qui suivent le parcours d'une ancienne piste du temps de la ruée vers l'or. Le visiteur qui veut explorer la région plus à fond peut y consacrer une fin de semaine ou même une semaine entière. Par contre, à la hauteur de Riley Lake, celui qui désire rentrer plus vite a deux façons de retrouver la 97 pour revenir à Clinton.

- De Clinton, roulez vers le sud-ouest sur la route de Pavilion à travers la vallée de la Cutoff.
- Juste après la station hydroélectrique de Kelly Lake, obliquez vers le nord en prenant la route de Jesmond.
- Vous traversez la vallée de la Porcupine. Une barrière montagneuse très boisée, les monts Edge, sépare cette vallée du profond canyon du Fraser.
- Le Circle H Mountain Lodge, à 24 km au nord de Kelly Lake, est un ranch familial qui héberge les visiteurs et offre des excursions dans les monts Limestone.
- Avant d'arriver à Jesmond, vous apercevez le mont Bowman (2 243 m), l'un des plus hauts sommets de la région.
- À la sortie de Jesmond, prenez vers l'ouest le chemin Big Bar pour aller voir, à 19 km de là, un bac sur le Fraser qui dessert les habitants de la rive ouest depuis 1894.

Vous roulez sur un joli chemin de terre qui va toujours en descendant. Pendant les 14 premiers kilomètres, il suit le ruisseau Big Bar et circule en pente douce dans une belle vallée abritée. Près du Fraser, le paysage bucolique cède le pas à des formations rocheuses multicolores et la pente devient très abrupte. Abordez-la en première vitesse, dans les deux sens.

- De retour sur la route, roulez encore 5 km pour atteindre l'établissement de vacances familiales Big Bar Guest Ranch qui offre des excursions à cheval, encadre des randonnées pédestres et aussi des séances de recherche d'or à la batée.
- Au nord du Big Bar Guest Ranch, la route plonge dans une cuvette où gisent les bâtiments abandonnés et en ruine du ranch OK.
- À Riley Lake, il y a un camping au site de récréation des services forestiers, à 1 km à l'est de la route. Le parc provincial Big Bar Lake, 12 km à l'est, offre 33 emplacements de camping, un terrain de pique-nique et des appontements pour bateaux. C'est ici que vous avez une première occasion d'abréger l'excursion en prenant un chemin latéral qui passe par le lac Big Bar avant d'aboutir à la route 97, 46 km à l'est.
- Au nord de Riley Lake, la route de terre devient tortueuse et traverse une région semi-désertique aux arbres rabougris. Le relief, sculpté par la dernière glaciation, est ponctué de drumlins, d'eskers et de blocs erratiques. Après 10 km environ, la route croise celle de Meadow Lake, autre chemin latéral qui permet de retrouver la route 97.
- À partir de ce croisement, la route file vers le nord-ouest et débouche à travers un étroit défilé dans la vallée de la Canoe, large, fertile et bien irriguée.
- Le paysage est splendide. Les immenses domaines de Gang Ranch s'étendent à perte de vue de l'autre côté du Fraser, tandis que le rocher Pulpit Rock, bien connu des rafteurs, émerge des eaux boueuses du fleuve.
- La route suit le canyon jusqu'à un pont suspendu qui enjambe le Fraser et mène à Gang Ranch. Le groupe de bâtiments, 8 km à l'ouest du pont, incluent la petite école, le magasin qui abrite aussi un bureau de poste, et quelques services.
- Au-delà du pont, la route escalade la paroi du canyon à coup de virages en épingle à cheveux. Elle se dirige ensuite vers le nord, en longeant des falaises aux teintes bourgogne, œuvres d'un volcan préhistorique.
- Près de Dog Creek (Circle S Ranch), la route plonge de nouveau dans la vallée.
- Dans les collines au nord de la vallée, de gigantesques rochers arrachés par le temps aux falaises d'origine volcanique composent un paysage lunaire. La route monte à l'assaut du haut plateau qui surplombe le canyon du Fraser. À l'ouest, les pâturages s'étendent jusqu'à l'horizon. Des touffes de trembles signalent les cours d'eau qui alimentent le Fraser.
- La route finit par s'écarter du fleuve pour suivre le ruisseau Alkali. Une réserve faunique sur le lac Alkali protège l'aire de reproduction du pélican blanc.
- On aperçoit plus loin les bâtiments rouges du ranch Alkali, qui serait le plus vieux de la Colombie-Britannique.
- Avant Williams Lake, on peut s'arrêter pour la nuit à Springhouse et camper ou loger au ranch Springhouse Trails.
- À Williams Lake se termine le parcours. Ici commence le Chilcotin et la route vers Bella Coola.

Bâtiment de ferme abandonné au lac Meadow, sur la route du lac Alkali.

UN IMMENSE RANCH À L'ACCUEIL CHALEUREUX

Sur la route qui va de Clinton à Williams Lake, dans le Chilcotin, se trouve la plus grande ferme d'élevage de la province : avec ses 400 000 ha, Gang Ranch fait presque la moitié de l'Île-du-Prince-Édouard. La propriété s'étend sur 48 km d'est en ouest entre Big Creek et le Fraser, et sur 96 km du nord au sud, entre la rivière Chilcotin et la chaîne Côtière. Les bâtiments de ferme se dressent 8 km à l'ouest du croisement des routes Empire Valley et Gang Ranch. Pour y entrer, il faut traverser le Fraser sur le pont suspendu qu'utilisaient autrefois les éleveurs et les chercheurs d'or. Tel un petit village, il a son magasin général et son bureau de poste avec son propre cachet.

Tournesol, comme on en voit partout dans la région du Chilcotin

Gang Ranch fut fondé en 1883 par deux éleveurs américains, Thaddeus Harper et son frère Jerome, venus en Colombie-Britannique chercher fortune vers 1860. Le domaine comptait à l'origine 1,5 million d'hectares. Les Harper lui donnèrent le nom anglais de la charrue polysoc (Gang), qu'ils furent les premiers à utiliser dans la province. Leur marque, formée d'un H ou d'un JH aux branches entremêlées, est encore en usage.

Aujourd'hui, Bev et Larry Ramsted administrent Gang Ranch et accueillent les visiteurs qui viennent au magasin « piquer une jase » ou expédier leurs cartes postales. Il n'y a ni hôtel, ni restaurant ; avec un peu de chance, cependant, on peut rencontrer un vrai cow-boy (mais rarement l'été). Le domaine renferme des formations géologiques curieuses, des paysages d'une sauvage beauté et une faune intéressante. Il abrite l'un des plus grands troupeaux de mouflons.

12 Clinton

Durant la ruée vers l'or des années 1860, Clinton (pop. 662) était appelée « Junction » parce que le village se trouvait au croisement de deux pistes, celle du canyon Fraser et celle du Caribou. Personne n'y découvrit jamais d'or mais tous les chercheurs y passèrent. Elle reçut son nom officiel en 1863, en l'honneur de Henry Pelham Clinton, cinquième duc de Newcastle, secrétaire britannique aux Colonies de 1859 à 1864.

Bien des aventuriers peuplaient alors Clinton, au grand dam des bien-pensants. À l'hiver de 1867, Mme Mary Smith, membre de l'élite locale, eut l'idée d'organiser une fête huppée qui durerait une semaine entière. L'événement eut un tel succès qu'il fut repris d'année en année. On partait d'aussi loin que San Francisco pour assister au bal de Clinton, qui se tenait dans l'hôtel du village jusqu'à ce qu'un incendie le détruise en 1958.

Les objets qu'on a pu retirer du feu, telles les carafes du bar, sont exposés l'été au musée de la Société historique du sud du Caribou, près du centre de renseignements touristiques. Le bal de Clinton, en costume d'époque, continue d'avoir lieu tous les ans, à la fin de semaine qui suit la fête de la Reine.

À quelque 15 km au nord de Clinton, sur la route 97, se trouve le gouffre Painted Chasm. On suit Chasm Road sur 8 km jusqu'à un observatoire et un terrain de pique-nique. Le gouffre, creusé par les glaciers il y a 10 000 ans, mesure 1,5 km de longueur et 120 m de profondeur. La beauté des strates, qui font alterner le vieux rose et le marron, se voit mieux au soleil couchant. Il y a quelques sentiers tout autour. L'un d'eux descend au fond du canyon ; en suivant le cours d'un ruisseau, on peut voir plusieurs petites chutes.

Événements spéciaux
Journées médiévales (août)

13 Lillooet

À Lillooet (pop. 1 850), la largeur de la grand-rue a été calculée pour faciliter la vie aux conducteurs de diligences. Puisqu'ils ne pouvaient pas reculer, il fallait que les gros chariots jumelés et traînés par 20 bœufs puissent y faire demi-tour.

Pendant la ruée vers l'or, c'était ici le point de départ au sud de la piste du Caribou ; on l'appelait « Mile 0 ». C'était la première halte pour diligences (mile house) avant le départ pour les champs aurifères, comme le rappelle un monument sur la grand-rue. (Plus tard, la piste fut prolongée au sud jusqu'à Yale.)

Pour entrer à Lillooet, on traverse le fleuve Fraser — à l'endroit où les ruisseaux Seton et Cayoosh s'y jettent — par un pont appelé Bridge of the 23 Camels (pont des 23 chameaux), en souvenir des chameaux que fit venir le prospecteur Frank Laumeister pour transporter son équipement vers les champs aurifères. Il fut construit pour remplacer un pont suspendu érigé en 1911 et qu'on peut encore voir 3 km en amont. Ces détails et d'autres figurent dans le guide *Walking the Bridges* qu'on obtient au centre d'information touristique, logé, avec le musée de Lillooet, dans l'église anglicane St. Mary. Le musée, ouvert uniquement en saison, renferme des objets et des photographies d'intérêt historique.

Les circuits proposés, qui couvrent 10 km, incluent le bâtiment du journal où « Ma » Murray rédigeait ses édito-

Des collines chauves entourent Lillooet, au milieu d'une région semi-désertique.

riaux incendiaires, la maison historique Miyazaki et le théâtre Old Log Cabin où logèrent autrefois les fameux chameaux. Dans le parc Hangman's Tree, on voit un pin ponderosa de 12 m qui servait de gibet il y a 100 ans. Les amoncellements de roches tout autour datent du temps où l'on cherchait fébrilement de l'or.

La deuxième fin de semaine de juin, Lillooet est le site d'un carnaval appelé Only in Lillooet Days. Les habitants locaux, déguisés en bandits, font mine de s'emparer d'un train de passagers et d'enlever un magistrat. Les visiteurs peuvent s'habiller en prospecteurs d'or et participer à la fête.

Événements spéciaux

Pow-wow annuel de la bande indienne (janvier)

Soirée Begbie (juin)

Journées de Lillooet (juin)

Rodéo au lac Lillooet (septembre)

Concours de tir Black Powder Shoot (week-end de l'Action de grâces)

14 Ashcroft

En 1862, Clement Francis Cornwall et son frère Henry se taillèrent un domaine qu'ils appelèrent Ashcroft Manor, du nom de leur résidence familiale en Angleterre. Les deux hommes, grands amateurs de chasse à courre, poursuivaient le coyote avec une meute de chiens courants importée de leur pays natal. Dans leur maison au bord de la route, ils fournissaient du ravitaillement aux chercheurs d'or en route vers le Caribou. Ce manoir de bois de deux étages, à l'ombre de grands ormes, continue d'accueillir les passants.

Du manoir, la route de Cornwall traverse une terre de piedmont couverte d'armoise et de carex pour atteindre, en 5 km, la petite ville d'Ashcroft (pop. 1 950), nichée dans la verdure près de la rivière Thompson.

Lorsque le chemin de fer Canadien Pacifique arriva à Ashcroft en 1884, celle-ci devint la porte du Nord. D'Ashcroft, les diligences emportaient les passagers et le courrier au pays du Caribou, tandis que les wagons de marchandises partaient avec du matériel et des équipements pour en revenir chargés d'or ; l'express de Barnard (plus tard le BX express) était reconnaissable à ses couleurs rouge et jaune (on peut en voir une voiture au ranch historique de Hat Creek, à 22,5 km au nord de la ville). Ashcroft vivait une ère prospère, avec ses écuries et ses ateliers de forgeron. Tout changea le jour où le chemin de fer relia Vancouver au Caribou, juste avant la Première Guerre mondiale. La dernière diligence pour le Nord quitta Ascroft en 1919.

Le passé revit chaque année en juin avec les fêtes du stampede. Au musée local, on peut admirer des objets et des photographies rappelant les beaux jours de la ville. On s'y procure aussi un itinéraire qui dirige le visiteur vers plusieurs demeures du début du siècle.

Ashcroft se targue d'être la capitale canadienne du cuivre. À 40 km au sud, sur la route 97C, on peut faire la visite guidée d'une des plus grandes mines à ciel ouvert du monde, la Highland Valley Copper Mine. (Il est préférable de réserver.)

Le manoir Ashcroft reçoit encore les visiteurs, comme autrefois les pionniers, avec cordialité.

Événements spéciaux

Journées-souvenir du BX Express (août)

Foire d'automne d'Ashcroft (septembre)

des quatre terrains, se baigner, monter à cheval ou faire de la randonnée.

Durant juillet et août, un vapeur à roue, le *Phoebe Ann,* quitte le port de Sicamous avec du courrier, des marchandises et jusqu'à 45 passagers à son bord. L'excursion la plus populaire est celle qui se rend à Seymour Arm. Le *Phoebe Ann* lève l'ancre tôt le matin dans la rade de Sicamous et, après quelques escales, accoste vers midi à Seymour Arm, au nord du lac Shuswap. L'arrêt, qui dure une heure, permet de déjeuner à l'hôtel de Seymour Arm ou de faire un saut au parc provincial Silver Beach dont la plage est l'une des plus agréables du lac.

4 Grand Forks

Les vertes collines des Kootenays forment un écrin pour Grand Forks (pop. 3 500). À l'époque de sa prospérité, au début du siècle, trois chemins de fer venaient y prendre leur chargement d'or, d'argent et de cuivre des mines avoisinantes. C'est aussi ici que se rassemblaient les prospecteurs avant de rejoindre la vallée de la Granby ou, plus à l'ouest, celle de la Kettle.

Aujourd'hui, Grand Forks est un lieu de rencontre pour les amateurs de randonnées pédestres, les cyclistes et les skieurs de fond.

Des sentiers bien balisés font le tour des monts Phoenix et Thimble à l'ouest et se rendent, à l'est, au lac Christina — l'un des plus chauds de la Colombie-Britannique — en menant à des plages sablonneuses et à des points de vue spectaculaires.

Grand Forks est aussi un endroit apprécié des amateurs d'histoire. Le musée Boundary, qui est ouvert toute l'année, ramène les visiteurs à l'époque où la ville possédait la plus grande fonderie de cuivre de tout l'Empire britannique.

Devant les monts Selkirk, la ville de Nakusp, sur le lac Arrow du Nord, semble toute petite.

Dans un cours d'eau ombragé de la vallée de la Granby, un nageur solitaire.

À faible distance du musée, aux alentours de la 5th Street, une douzaine de maisons restaurées et plusieurs bâtiments rappellent la ruée vers l'or.

Les doukhobors, persécutés en Russie pour leurs croyances religieuses, s'installèrent dans la vallée de la Granby en 1909. La ville abrite encore aujourd'hui la permanence canadienne des doukhobors orthodoxes. Leur influence se fait sentir dans les restaurants qui servent des spécialités de la cuisine russe.

Une promenade de 17 km dans la vallée de la Granby, au nord de la ville, constitue une agréable excursion. Du musée Boundary, prenez à droite la route 3. De l'autre côté du pont, tournez à gauche sur la route de Granby. Le long de la rivière Granby, en direction nord, on aperçoit d'abord des amoncellements de résidus de la fonderie de cuivre avant d'arriver au lac Smelter, une étendue d'eau créée par un barrage hydroélectrique.

La route est bordée de bâtiments miniers en ruine. Quand on arrive au pont Humming Bird, on traverse la Granby pour revenir à Grand Forks. Si, par contre, on poursuit la route au nord du pont, on accède par la route North Fork à une aire sauvage qui englobe le bassin hydrographique du cours supérieur de la rivière Granby. Cet endroit est réservé aux excursionnistes, aux naturalistes et aux kayakeurs d'expérience.

Le lac Ward, à 2 km au nord-ouest de Grand Forks, est un refuge de sauvagine et un lieu idéal pour pique-niquer.

5 Nakusp

La petite ville forestière de Nakusp (pop. 1 600) se niche entre la chaîne des Monashee et les monts Selkirk sur la rive est du lac Arrow du Nord. Cette région montagneuse est ponctuée de sources thermales où l'eau surgit de la terre en bouillonnant.

Une promenade sur les berges du lac à Nakusp offre des points de vue étonnants sur le lac et sur le mont Saddleback derrière lequel se profilent les sommets des Monashee. Les lacs Arrow forment une étendue d'eau douce de 518 km^2 où abondent la truite arc-en-ciel, la Dolly Varden, la lotte, le grand corégone et le kokani. Plusieurs petits lacs de montagne, près de Nakusp, sont réputés pour la pêche à la mouche en été et sous la glace en hiver.

Dans la ville, au bord de l'eau, se trouve l'hôtel Leland, l'un des plus

Mont-Revelstoke et Glacier

Les monts Columbia, déjà vieux quand naquirent les Rocheuses, renferment des paysages parmi les plus rudes et les plus imposants du Canada : des montagnes massives aux flancs abrupts, des vallées meurtries par les avalanches, des glaciers jonchés de rochers et des neiges éternelles. Les monts Selkirk, qui en font partie, dominent les 260 km² du parc national du Mont-Revelstoke et les 1 350 km² du parc national Glacier, limité à l'ouest par les chaînons des Purcell.

Le parc national Glacier fut fondé en 1886, un an seulement après que le Canadien Pacifique eut franchi le col de Rogers dans les monts Selkirk. Celui du Mont-Revelstoke fut constitué en 1914 à la demande d'un groupe de citoyens désireux d'en préserver la beauté spectaculaire.

L'hiver est, dans ces deux parcs, la saison dominante. Chaque année, l'air du Pacifique, chargé d'humidité, se heurte aux montagnes et se condense pour tomber en abondantes chutes de neige — qui peuvent atteindre 23 m en une seule saison. Mais la neige ne peut demeurer longtemps accrochée aux parois verticales. On entend d'abord le craquement d'une fissure, très haut sur la montagne, au-delà des arbres. Puis la pente se met à glisser en prenant toujours de la vitesse. Des centaines de tonnes de cette neige, qui l'instant d'avant paraissait si paisible, se transforment en l'un des cataclysmes les plus puissants de la nature pour s'abîmer dans la vallée à plus de 320 km/h. Des avalanches de cette ampleur se produisent fréquemment entre novembre et mai.

La Transcanadienne longe le parc national du Mont-Revelstoke et traverse le parc national Glacier ; aussi a-t-on dû la doter de gigantesques paraneiges ; des sondages nivométriques évaluent constamment les risques. Quand un glissement paraît imminent, des artilleurs tirent du canon court sur les plaques dangereuses pour fragmenter la couche de neige. Pendant l'hiver, les voyageurs doivent se renseigner sur l'état des routes aux centres d'information de Revelstoke et de Golden avant de s'y engager.

Les vallées de pluie

Au creux des vallées, des cèdres rouges géants de l'Ouest supportent les assauts de l'hiver depuis au moins 800 ans. Leur tronc, d'un diamètre dépassant les 4 m, s'élance jusqu'à 46 m au-dessus des neiges. Sous leurs vertes frondaisons abondent la mousse et le lichen.

Les oiseaux fréquentent ces vallées en été seulement. La neige n'est pas encore arrivée que se sont tues les voix aigrelettes des grives et les longues mélodies des troglodytes. Mais des milliers de petits mammifères — musaraignes, campagnols et souris — y passent la froide saison, creusant dans la neige de longues galeries qui mènent à quelque nourriture. Peu de créatures demeurent à l'aise à la surface, si ce n'est le caribou de montagne, friand de lichen et capable de marcher sur la neige grâce à ses pieds en forme de raquettes. L'ours noir, bien visible en été, se terre douillettement au cœur des cèdres creux.

Les forêts de neige

Plus haut, la forêt change d'aspect et se peuple de pruches, de cèdres d'Engelmann et de sapins subalpins. Les chutes de neige sont abondantes et l'hiver paraît sans vie. Mais on peut apercevoir des geais du Canada, des chouettes et de grands corbeaux. De temps à autre, le léger sifflement des roitelets à couronne dorée et les savantes modulations des mésanges à tête brune rompent le silence profond. On aperçoit sur la neige les empreintes de la martre d'Amérique à côté de celles de l'écureuil roux, sa proie préférée.

Au niveau alpin, la forêt s'entrecoupe de prés et de clairières. La fonte des neiges dans ces prairies, en fin de juillet, fait apparaître dans l'eau des tourbillons d'insectes lilliputiens, les podures hivernaux. Les geais du Canada et les mésanges à tête brune s'accouplent juste à temps pour que leur progéniture puisse profiter de cette manne providentielle, tandis que les jeunes spermophiles mettent à profit cette brève accalmie dans la froidure pour se reproduire et engraisser en prévision du prochain sommeil hivernal.

Les fleurs sauvages s'épanouissent précipitamment et sèment leur graine à tout vent. Les claytonies de Virginie et les érythrones à grandes fleurs colorent d'abord les prés de blanc et de jaune ; elles sont bientôt remplacées par le lupin bleu, le phlox diffus, la castilléjie vermillon, l'arnica jaune et la bruyère. Voilà quelques exemples des fleurs qui émaillent les prairies alpines qui ont fait la réputation du parc du Mont-Revelstoke. On les aperçoit du Summit Parkway, une route panoramique de 26 km qui commence à l'entrée ouest du parc et grimpe jusqu'au sommet du mont Revelstoke, à 1 938 m. Plusieurs sentiers sillonnent le parc ; ils débutent le long du Summit Parkway ou de la Transcanadienne. Il faut se rappeler que le parc du Mont-Revelstoke n'a pas de camping ; en revanche, le parc Glacier en a deux.

Passé la limite des arbres

Au-delà de la ligne de boisement apparaît une végétation rachitique et prostrée. Là où de récents éboulis ont modifié le profil des montagnes, on aperçoit des champs de rochers en équilibre instable, couverts de lichen. Ce paysage sans aménité a été sculpté par les glaces qui, durant des millénaires, se sont formées, ont fondu et se sont aussitôt reformées.

Dans le parc national Glacier, les glaciers ont profondément entaillé les vallées ; ils ont donné au mont Sir Donald le profil classique du Cervin et doté de tours le mont Tupper. Plus de 400 glaciers couvrent le parc. L'un des plus visibles est le glacier Illecillewaet qu'on aperçoit depuis les sentiers

Les pentes invitantes mais à pic des monts Selkirk, dans le parc Glacier, défient les skieurs les plus habiles.

qui rayonnent autour du camping du même nom. De la Transcanadienne, on en voit de nombreux autres parmi les pics enneigés, en particulier le long du col de Rogers, l'une des routes de montagne les plus belles du monde.

Des nappes de glace ont créé le champ de glace Clachnacudainn, au centre du parc du Mont-Revelstoke, ainsi qu'un miroir de glace encaissé entre des parois rocheuses, *the Icebox* (la glacière), qu'on atteint par le sentier Mountain Meadows (1 km) à partir du Summit Parkway. Au sommet, un autre sentier (6 km) mène aux lacs Eva et Miller. Le lac Eva occupe une corniche qui, à quelques mètres de la rive, s'ouvre sur une vallée, 100 m en contrebas.

La toundra est un habitat rigoureux. Elle n'est pourtant pas dépourvue de vie. Le caribou, le carcajou, le grizzli et la chèvre de montagne la fréquentent. Il en va de même de certaines créatures microscopiques. En fin de printemps, quand le froid desserre son emprise dans la zone alpine, les neiges prennent une teinte rose pastèque : c'est l'envahissement de l'algue rouge, un micro-organisme qui se développe dans l'eau de fonte et se propulse au moyen d'une queue en forme de fouet. Quand la neige est presque entièrement fondue, de longues traînées rouge sang teignent la paroi rocheuse comme si l'hiver avait reçu son coup de mort.

RENSEIGNEMENTS PRATIQUES

Accès : *par la Transcanadienne.*

Accueil : *Revelstoke, à l'entrée du parc national du Mont-Revelstoke ; au col de Rogers, dans le parc national Glacier.*

Installations : *deux campings (76 emplacements) dans le parc national Glacier ; l'hôtel Glacier Park Lodge, au col de Rogers, ouvert toute l'année.*

Activités estivales : *randonnées, programmes d'interprétation et sentiers balisés.*

Activités hivernales : *ski de randonnée et raquette au parc du Mont-Revelstoke ; ski alpin difficile et dangereux au parc Glacier. Dans les deux parcs, il faut s'enquérir au préalable des conditions météorologiques ; au parc Glacier, les skieurs doivent s'inscrire avant d'entreprendre leur descente.*

La vallée de la Slocan : le pays de l'argent

Distance : environ 80 km

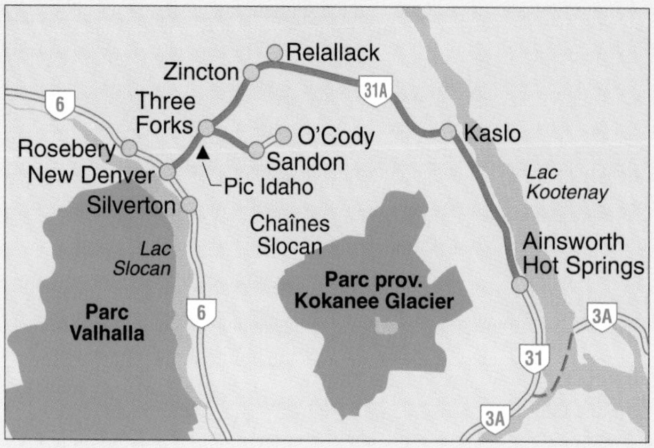

À partir de New Denver, la route 31A suit la trace des prospecteurs qui se ruèrent sur Sandon et dans la vallée de la Slocan à la fin du XIXe siècle.

- Faites 8 km en direction est sur la route 31A. Au croisement de Three Forks Junction, prenez la route en gravier (5 km) qui mène à Sandon.

En 1897, à peine six ans après qu'on y eut découvert de l'argent, Sandon comptait déjà 5 000 habitants. C'est dans le ruisseau de Sandon qu'on trouva la plus grosse pépite de galène argentifère (argent et plomb) du monde. Elle pesait 120 tonnes et était évaluée à 20 000 $. Il reste à Sandon 52 bâtiments de valeur historique, mais ils sont vides ; il ne vit plus ici qu'une poignée d'originaux.

- Revenez au croisement de Three Forks Junction et poursuivez vers l'est sur la route 31A pour traverser la Vallée des fantômes et ses villages miniers abandonnés comme Zincton et Retallack. Jusqu'à Kaslo, à 47 km, vous verrez des vestiges de l'activité minière, des tramways aériens, des voies ferrées.
- Kaslo, sur la rive ouest du lac Kootenay, était en 1889 un centre important de distribution et de transport pour les sociétés minières américaines.

Au bout de la bourdonnante rue principale de Kaslo se trouve un vapeur à roue, le *Moyie,* transformé en musée. Construit en 1898, cet élégant bateau navigua sur le lac Kootenay jusqu'en 1956. L'hôtel historique Langham a également été transformé en musée et en centre culturel. L'hôtel de ville de Kaslo date de 1897 ; c'est l'un des plus anciens bâtiments en bois de cette nature à remplir encore ses fonctions initiales.

- La route 31 serpente le long du lac Kootenay pendant 17 km avant d'arriver à la ville d'Ainsworth Hot Springs. Fondée en 1882 et d'abord nommée Hotsprings Camp, celle-ci fut le premier village minier de la région des Kootenays. Des eaux minérales chaudes sortent d'une grotte maintenant annexée à un établissement commercial. L'hôtel Silver Ledge où se trouve un petit musée, et le magasin général Fletcher, tous deux de 1896, ont conservé l'atmosphère du vieux Ainsworth.
- Sur la 31, 15 km plus loin, une route de gravier conduit aux grottes Cody. On y admire entre autres la « Salle du trône », une galerie de calcaire de 38 m² ornée de stalactiques et de stalagmites, une salle à écho et un ruisseau souterrain.

anciens de la province. Certaines parties du bâtiment remontent à 1892, année de la fondation de Nakusp.

Il y a plus d'un siècle, la localité était une ville prospère et un important centre de construction navale sur le réseau des lacs Arrow et du fleuve Columbia. Là se trouvait le terminus de la voie ferrée Nakusp-Slocan qui desservait à l'est les riches mines de Sandon dans la vallée de la Slocan.

Le musée de Nakusp a axé sa collection sur le bizarre. On peut y voir un cochon conservé dans un bocal, un os de cerf autour duquel a poussé un cèdre et des raquettes pour chevaux.

Les sources thermales, à 12 km de la ville, offrent deux piscines extérieures remplies d'une eau minérale inodore ; dans l'une, l'eau atteint 42°C ; dans l'autre, elle est un peu plus fraîche. D'autres sources thermales se trouvent dans des décors naturels remarquables, à proximité de la ville. Il faut s'y rendre à pied, mais elles valent le déplacement. Les sources Halcyon, Halfway et St. Leon sont les plus connues. On obtient plus de détail au centre touristique de Nakusp.

Dans le secteur, des sentiers de randonnée, les uns faciles, les autres plus exigeants, mènent à des points de vue spectaculaires. On peut retenir les services d'un guide pour effectuer les randonnées les plus longues à pied, à cheval ou même à dos de lama, cette bête ayant été importée des Andes.

Vers la fin de l'été, les mycologues convergent vers Nakusp pour la cueillette des champignons des bois. En hiver, Nakusp devient un centre de ski de randonnée avec, en direction ouest sur la route 6, la piste de ski Wensley Creek, et plusieurs autres vers le nord, le long de la route Hot Springs.

Événements spéciaux

Festival historique Minto Days (fin juin)

Derby de pêche (début juin)

Tournoi annuel de sto-pitch (longue fin de semaine d'août)

Foire d'automne (fin septembre)

6 New Denver

Quand on découvrit de l'argent dans la vallée de la Slocan, en 1891, le village s'appela Eldorado — pays chimérique de la richesse. Des années plus tard, des mineurs, qui rêvaient de voir leur ville surpasser celle de Denver dans le Colorado, lui donnèrent le nom qu'elle porte actuellement.

En cinq ans, New Denver passa du rang de camp de prospecteurs à celui de riche centre minier. Aujourd'hui, la localité n'est plus qu'un village pittoresque de 571 habitants. Les gloires et les malédictions de son passé sont évoquées au musée Silvery Slocan, ancien siège de la Banque de Montréal construit en 1897. On peut y voir un échantillon de galène argentifère (plomb et argent), une carabine Winchester 4560 et des objets datant des camps d'internement des Japonais.

Dans le village, le centre commémoratif Nikkei, érigé en souvenir de leur internement, rappelle que, durant les années 40, quelque 21 000 personnes d'origine japonaise furent exilées dans les villes fantômes et les villages isolés du centre de la Colombie-Britannique. Plus d'un tiers aboutirent aux environs de New Denver.

Les monts enneigés des Valhalla, des Slocan et des Kokanee étincellent autour de New Denver. L'un des sommets les plus impressionnants est le pic Idaho (2 280 m) qu'on peut atteindre par un sentier très raide. De là-haut, la vue sur le lac Slocan est spectaculaire.

7 Nelson

Les flancs boisés des chaînons des Purcell abritent, à Nelson (pop. 8 700), un étonnant joyau d'architecture. Cette ville qu'on a surnommée la « reine des Kootenays » est située sur la rivière du même nom et domine le bras ouest du lac Kootenay, un des plus grands lacs de la Colombie-Britannique.

Nelson eut des débuts fulgurants grâce à l'essor minier des années 1880. En 1904, c'était la plus importante municipalité entre Vancouver et Winnipeg. Quand prit fin la fièvre de l'argent vers 1920, Nelson délaissa les mines pour l'industrie forestière, l'élevage et la culture des arbres fruitiers, et devint le centre administratif de la région.

La rue Baker, la plus importante de la ville, fut restaurée dans les années 80. Plus de 300 bâtiments anciens y ont été recensés, certains antérieurs à 1910. On remarque notamment le théâtre Capitol, de style art déco. Vancouver et Victoria sont les deux seules villes en Colombie-Britannique dont la richesse architecturale dépasse celle de Nelson.

Une visite de la ville commence à l'hôtel de ville où l'on se procure trois itinéraires détaillés, publiés par le Comité du patrimoine de Nelson. Le *Heritage Cemetery Tour* amène le visiteur au cimetière de la rue Falls, au sommet d'une colline. On y voit entre autres la tombe de Frederick Niven (1878-1944), romancier canadien d'origine écossaise qui décrivit la vie quotidienne des pionniers.

L'été, les visiteurs peuvent goûter aux temps anciens de Nelson en s'embarquant à bord du tramway 23 qui date de 1899. (On prend ce tramway à l'extrémité est du parc Lakeside).

Le musée Nelson, à l'extrémité est de la rue Anderson, expose des objets indiens, de l'ancien équipement minier et le *Ladybird Speedboat*. Ce bateau à moteur, qui a été restauré, établit un record mondial de vitesse dans sa catégorie en 1933.

Nelson est un excellent tremplin pour l'aventure au grand air. Les excursionnistes ambitieux sont ici à moins de deux heures de trois parcs sauvages : le parc provincial Valhalla, la réserve naturelle des Purcell et le parc Kokanee Glacier.

Du haut du pic Idaho aux flancs émaillés de fleurettes, une belle vue du lac Slocan.

Drapé de lierre, le palais de justice de Nelson fait partie du riche héritage de la ville.

Événements spéciaux

École d'été des beaux-arts du Kootenay (juillet-août)

Tournoi de curling de Nelson (début juillet)

8 Creston

Encadrée de vergers et de fermes, Creston (pop. 4 200) est située dans la vallée du même nom entre les chaînons des Purcell et les monts Moyie à l'est, et les monts Selkirk à l'ouest. Des tours organisés permettent de visiter diverses curiosités, dont une brasserie et une fabrique de bougies.

Pêches de Creston

En 1863, un chemin muletier, Dewdney Gold Rush Trail,

De grandes murales, à Creston, évoquent la vie des forestiers d'autrefois.

passait ici entre Hope et Wild Horse Creek. Deux décennies plus tard, mines, forêts et agriculture avaient donné naissance à une communauté qui fut desservie par le chemin de fer à partir de 1890. C'est alors qu'elle reçut son premier nom de Seventh Siding.

Creston se fait fort de restaurer ses vieux bâtiments dont quelques-uns sont de style édouardien, mais la plupart sont art déco. Les deux élévateurs à grains de la ville, une rareté dans le sud de la Colombie-Britannique, témoignent de récoltes abondantes.

Cinq grandes murales réparties à travers la ville évoquent la foresterie, la nature et l'écologie. L'une d'elles, qui illustre les quatre saisons dans la vallée de Creston, décore le mur extérieur d'un magasin à rayons. Au musée de la Vallée de Creston, on peut voir, parmi des souvenirs des Indiens et des pionniers, un de ces canots kootenay dont la proue et la poupe s'abaissent jusqu'à la ligne de flottaison ou même en dessous. Détail curieux : le seul autre endroit où on trouve pareils canots est la région du fleuve Amour, en Sibérie.

À 1 km de la ville s'étendent les jardins et l'arboretum Wayside. L'un des jardins, qui s'échelonne sur trois terrasses avant de suivre un cours d'eau, étonne par sa facture classique au milieu de son environnement de montagnes et de vergers.

On peut pique-niquer à 5 km au nord de la ville sur la route 3A, dans un pavillon qui domine la vallée. Une plaque rappelle que 85 km de digues protègent ici 10 000 ha de terre agricole contre les débordements de la rivière.

De l'autre côté de la rivière se trouve la réserve faunique de la vallée de Creston dont les terres humides attirent au printemps et en automne des

Le sillon des Rocheuses

Distance : environ 90 km

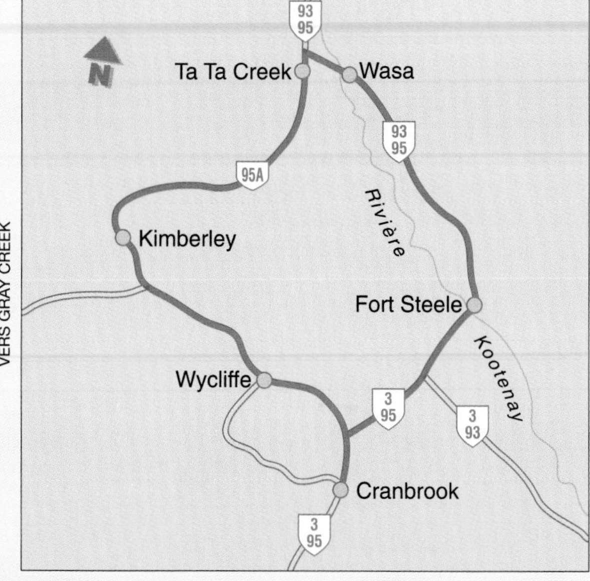

Entre Kimberley et Cranbrook, vous roulez dans le sillon des Rocheuses. Cette immense vallée, flanquée des montagnes Rocheuses à l'est et des chaînons des Purcell à l'ouest, s'étire sur 1 400 km, depuis la frontière américaine au Montana presque jusqu'à la frontière du Yukon.

- À Kimberley, prenez la route 95A en direction sud vers Cranbrook. À votre droite, vous apercevrez le croisement avec la route 44. Il s'agit d'un chemin forestier de 75 km, connu sous le nom de Gray Creek Pass Road, qui traverse les chaînons des Purcell pour rejoindre le lac Kootenay et la vallée de la Creston. Praticable uniquement en été, il présente des descentes abruptes et des virages en épingle à cheveux à l'approche du ruisseau Gray. Si vous voulez vous y risquer, renseignez-vous d'abord sur l'état de la route.
- À Cranbrook (pop. 16 000), arrêtez-vous au musée du Rail, à la hauteur de la rue Baker. Quelques voitures rappellent le fameux Trans-Canada, un luxueux train de voyageurs de 1929 ; prenez le thé dans la voiture-restaurant.
- À la sortie est de Cranbrook, suivez la route 3/95 et restez à gauche aux panneaux indiquant Invermere et Radium. Vous faites face aux Rocheuses.
- Quelque 12 km plus loin, la route traverse la rivière Kootenay ; le visiteur aperçoit alors la gigantesque roue à aubes de Fort Steele sur la rive est.
- Un peu plus loin, sur la gauche, un chemin mène au village historique de Fort Steele. La localité s'appelait au début Galbraith's Ferry ; c'était en effet ici qu'on prenait le traversier si l'on était prospecteur et qu'on s'en allait chercher de l'or à Wild Horse Creek en 1863 ou en 1884.

Quand les prospecteurs s'en furent allés, les colons s'installèrent. Des querelles de terres entre ceux-ci et les Indiens forcèrent la Gendarmerie royale à envoyer le surintendant Samuel Steele calmer les esprits. Steele ouvrit le premier poste à l'est des Rocheuses et régla le différend en moins d'un an. On l'honora en donnant son nom à la petite municipalité.

Oubliée par le chemin de fer en 1904, Fort Steele devint une ville fantôme et le demeura jusqu'à sa reconstruction 70 ans plus tard. C'est maintenant un village historique doté de 60 bâtiments restaurés, qu'on peut visiter en calèche ou à bord d'un petit train.

- La 93/95 traverse ensuite les marécages de la rivière Kootenay, refuge d'oiseaux aquatiques migrateurs. À 21 km de Fort Steele, le parc provincial Wasa Lake offre un lac peu profond, une plage, des appontements à bateaux, un camping, une aire à pique-nique et des sentiers.
- La route traverse de nouveau la rivière Kootenay 2 km au nord du lac Wasa et croise la route 95A. Virez à gauche sur cette route qui gravit tranquillement les chaînons des Purcell jusqu'à Kimberley.

milliers d'oiseaux migrateurs, notamment des cygnes siffleurs. Ce sont eux qui ont valu à la région son nom de « vallée des cygnes ». Quelque 250 espèces d'oiseaux, dont des balbuzards et des pygargues à tête blanche, nichent dans la réserve.

En été, des excursions guidées en canot permettent de visiter les marais. La réserve offre 1 km de trottoir accessible en chaise roulante et 6,5 km de sentiers faciles ; 48 km de digues sont ouverts aux excursionnistes. Du camping situé à l'ouest de la réserve faunique, un pont suspendu au-dessus du ruisseau Summit mène au sentier balisé Dewdney (5 km).

Événements spéciaux

Festival des fleurs (mai)

Foire d'automne (début septembre)

9 Kimberley

Wilkommen, c'est le mot de bienvenue à Kimberley (pop. 7 000), un coin de Bavière dans le sud-est de la Colombie-Britannique. C'était autrefois un centre minier, avec la plus grand mine d'argent, de plomb et de zinc au monde. Aujourd'hui, Kimberley, la plus haute ville du Canada, est devenu un centre de villégiature quatre-saisons.

Sur la Platzl, une rue piétonnière en pavés au centre de la ville, le plus grand coucou du monde marque les heures. Boutiques, cafés-terrasses et la musique d'un accordéoniste créent une véritable atmosphère bavaroise.

Le musée Heritage, avec sa collection d'objets de mineurs, loge sur la Platzl, au-dessus de la bibliothèque municipale. Le Centre international des arts se trouve à un coin de rue.

Le Bavarian City Mining Railway offre une brève excursion en train. Le trajet de 2,5 km comporte un arrêt pour admirer la vue des Thousands Peaks. Puis le train traverse un pont de bois, haut de 7,6 m et long de 61 m, d'où les voyageurs aperçoivent l'entrée de la mine Sullivan. Un refuge faunique et un terrain de golf se trouvent à proximité de la mine.

L'église Saint-Eugène, près de Kimberley, est l'une des plus jolies églises en bois de la région.

L'activité minière commença en 1892. Quatre hommes vendirent bientôt leur concession à une entreprise qui allait devenir la Cominco. Un fertilisant, sous-produit de la mine, a permis de créer les Jardins Cominco, un parc floral de 1 ha entretenu par la compagnie et ouvert aux visiteurs.

Du centre de Kimberley, le chemin Rotary/Lions (6 km), le long du ruisseau Mark, mène au village de Marysville, un paradis pour les amateurs d'antiquités. La rivière St. Mary's traverse le village. De la rue principale, un trottoir de bois conduit aux chutes Marysville sur le ruisseau Mark.

Il faut visiter l'église néo-gothique de la mission Saint-Eugène (1897) dans la paisible vallée de la St. Mary. Pour s'y rendre, on fait 15 km à l'est de Kimberley sur la route 95A et on prend la route de l'ancien aéroport vers le sud.

Événements spéciaux

Journée Cranbrook Sam Steele (fin juin)

Festival de juillet (fin juillet)

Championnat international d'accordéon à l'ancienne de Kimberley (mi-juillet)

Yoho et Kootenay

Le lac O'Hara dans le parc Yoho : un joyau d'émeraude dans un décor de pics altiers et de chutes assourdissantes.

L'un est altier, impétueux ; l'autre, doux et réservé. Les parcs nationaux Yoho et Kootenay se ressemblent par une topographie propre aux Rocheuses, mais chacun a sa personnalité. En 1981, l'Unesco a fait d'eux un site du patrimoine mondial, avec les parcs nationaux de Banff et de Jasper.

Le parc Yoho est le plus vieux des deux ; il date de l'époque où le chemin de fer transcontinental faisait la conquête des Rocheuses. Ses montagnes sont massives et escarpées ; ses vallées, profondes ; ses chutes, parmi les plus hautes du Canada. La malicieuse rivière Kicking Horse y fraie son chemin dans la boue et les débris glaciaires. Des avalanches de neige ensevelissent la voie ferrée et la route chaque hiver.

Le parc Kootenay est au contraire plus « doux » ; sa forme allongée épouse, à l'ouest, la ligne de partage des eaux. Kootenay offre de surprenants contrastes, entre de brûlantes sources thermales et des lacs glacials, entre des défilés profonds et des glaciers altiers. La route Banff-Windermere le traverse de part en part, de même que les vallées relativement douces de la Vermilion et de la Kootenay.

L'origine de leurs deux noms est fort différente. Yoho vient d'un mot de la langue cri qui signifie « inspirant la crainte ». Kootenay, pour sa part, réfère aux Indiens du même nom, ceux-là mêmes qui, chaque hiver, avaient l'habitude de traverser les Rocheuses pour aller chasser le bison, jusqu'à sa disparition vers 1850. Les Kootenays démontraient de réelles aptitudes d'entrepreneurship. C'est à eux, en effet, qu'on attribue l'introduction du cheval dans les tribus des plaines, à la fin du XVIIIe siècle. Ils échangeaient les bêtes contre des marchandises que les Peigans et les Pieds-Noirs avaient pu se procurer auprès des Blancs en échange de leurs peaux.

Les Kootenays exploitaient aussi l'argile riche en fer qu'ils trouvaient dans la petite rivière Ochre, un affluent de la

Kootenay. Situé près de l'entrée nord du parc, l'endroit est aujourd'hui connu sous le nom de Paint Pots. En mélangeant à la chaleur les terres jaunes et orange, ils obtenaient un pigment ocre, fort prisé des Indiens des plaines et de la forêt.

Yoho, le parc du chemin de fer

Le chemin de fer était à peine terminé que la beauté du parc Yoho attirait les visiteurs et surtout les peintres. L'un des membres du Groupe des Sept, J.E.H. MacDonald, a légué un témoignage de sa visite : « J'ai sous les yeux, écrivait-il, des chutes, des glaciers, des torrents, des prairies, des éboulis et des pics enneigés... il y a aussi les épinettes, les sapins baumiers et les mélèzes de Lyall... et le mois d'août prend des allures de carte de Noël, avec les mélèzes qui perdent leurs aiguilles dans la lumière éblouissante des premières neiges traversées par le soleil. »

Le mélèze de Lyall pousse à la limite de la végétation arborescente, à 2 000 m au-dessus du niveau de la mer. Proche parent du mélèze laricin et du mélèze occidental, le mélèze subalpin ou de Lyall perd ses aiguilles fin septembre, après qu'elles ont viré au jaune cadmium. Contre le ciel azur de la montagne et les nuages chargés de neige, près des lacs bleu laiteux ou vert émeraude des Rocheuses, en été comme en automne, les mélèzes attirent le regard.

Du lac Emerald, MacDonald écrivit qu'il offrait tour à tour le vert de l'émeraude et celui de la malachite, le vert du jade et celui de l'iris, le vert des yeux des sirènes et celui du chapelet de sainte Brigitte, celui des joyaux ornant la couronne de saint Patrick et tous les verts qu'on peut imaginer pour le décrire. On atteint ce merveilleux lac Emerald par une route qui se détache de la Transcanadienne, à peu de distance de la ville de Field, centre administratif du parc.

L'une des curiosités les plus séduisantes du parc Yoho est un dépôt de fossiles, Burgess Shale, découvert en 1909 par Charles Doolittle Walcott. Le paléontologue américain se trouvait sur le mont Wapta quand il trébucha sur un tesson de schiste. Celui-ci, en s'ouvrant, révéla les restes fossilisés de plusieurs organismes à corps mou. Le site, aujourd'hui protégé, recelait 120 espèces d'invertébrés marins. Le dépôt date de la période cambrienne ; il compte donc 500 millions d'années. On atteint Burgess Shale à pied, au terme d'une excursion exténuante de 22 km aller-retour. L'accès au site est restreint et l'on ne s'y rend que sur réservation.

Au sud-ouest du dépôt, à la limite du parc, se trouve la chute Wapta ; elle dégringole de 30 m dans la rivière Kicking Horse qui, à cet endroit, occupe un lit de 60 m de large.

Kootenay, le parc de la route

Si Yoho est créature du chemin de fer, Kootenay doit son existence à la route. Il fut fondé en 1920, neuf ans après la construction de la route qui monte au col du Vermilion, tronçon de la grande route Banff-Windermere qui, depuis 1923, relie l'est de la Colombrie-Britannique aux Prairies.

La partie supérieure du parc englobe la ligne de partage des eaux, pendant que sa partie inférieure se termine par un rétrécissement, appelé autrefois les « portes de fer ». Celui-ci débouche dans le sillon des Rocheuses, une longue vallée nichée entre cette chaîne et celle de Columbia. Les contours sinueux du parc suivent les méandres des rivières Vermilion et Kootenay. Au nord, les glaciers Storm et Stanley montent la garde, à peu de distance du col du Vermilion. Dans le sud, les hautes falaises rocheuses du canyon Sinclair paraissent éclaboussées de couleur. À une extrémité triomphe le mélèze. Partout ailleurs, la forêt s'efface devant des prairies émaillées d'une incroyable variété de fleurs alpines.

Le printemps ne vient pas dans la zone alpine avant juin. En juillet, quand les herbes des basses régions sont en pleine floraison, l'érythrone à grandes fleurs dresse sa tige florale nue à travers la neige dans les prés alpins accrochés aux glaciers. Le printemps est le moment de faire l'expérience des contrastes dans le parc du Kootenay. Par la tiède douceur d'un matin d'avril, on peut faire du ski de randonnée sur une neige craquante et, plus tard, se promener sous les peupliers bourgeonnants ou plonger dans une piscine extérieure d'eaux thermales, dans le voisinage de Radium Hot Springs.

En 1968, la foudre déclencha un incendie qui dura quatre jours près de la limite nord-est du parc et détruisit une vaste forêt. La régénérescence fut immédiate. En détruisant les arbres, le feu avait libéré la forêt des sujets âgés ou malades et ouvert des espaces où les ruminants, caribous ou cerfs, pouvaient venir paître. Des arbustes et des plantes à baies apparurent dans les plaques dénudées, pour le plus grand bonheur des ours noirs et des grizzlis. Il suffit de suivre les 800 m du sentier Fireweed, près du col du Vermilion, pour découvrir, entre les troncs calcinés, une richesse végétale insoupçonnée qui prospère dans cet humus enrichi de cendre : quatre-temps, linnées boréales, ancolies aux fleurs jaunes, épilobes à feuilles étroites, baptisées bouquets rouges, qui ont donné son nom anglais au sentier.

Bien des visiteurs traversent le parc du Kootenay sans s'arrêter et se privent ainsi de paysages de toute beauté : le lac Floe, ourlé de mélèzes et niché au pied des falaises abruptes d'une muraille verticale, le Rock Wall, ou encore le cirque enfermant le glacier Stanley. Ceux qui explorent les nombreux sentiers le long de la route 93 verront la formation rocheuse du mont Sinclair, pareille à une tête d'Indien, ou apercevront le mont Assiniboine depuis Kootenay Crossing.

RENSEIGNEMENTS PRATIQUES
Accès : *la Transcanadienne pour Yoho ; la route 93 pour Kootenay.*
Accueil : *Field pour Yoho; Radium Hot Springs pour Kootenay.*
Installations : *Yoho : 5 campings dont 2 avec services partiels (315 emplacements) ; réservations exigées pour le camping du lac O'Hara. Kootenay : 5 campings (476 emplacements), 1 pour les groupes, 1 pour camping d'hiver, 3 avec services partiels.*
Activités estivales : *excursions en montagne, rafting (Kootenay seulement), randonnée, équitation, canot.*
Activités hivernales : *ski alpin, ski de randonnée, raquette, escalade sur glace.*

SUD DE L'ALBERTA

Col du Sunwapta
Zone de récréation Bighorn Wildland
Réserve forestière des montagnes Rocheuses
Rivière Red Deer
Parc national de Banff
Col du Bow
Col du Kicking Horse
Lake Louise
Mont Castle
Col du Vermilion
Banff
Canmore
Mont Allen
Red Deer
Olds
Rivière Red Deer
6
Parc provincial Dry Island Buffalo Jump
Parc provincial Midland
7
Drumheller
East Coulee
2
Cochrane
Calgary
Rivière Bow
Okotoks
High River
Parc provincial Peter Lougheed
1
Région de Kananaskis
Col du Highwood
MONTAGNES ROCHEUSES
ALBERTA
COLOMBIE-BRITANNIQUE
Vulcan
Réserve forestière des montagnes Rocheuses
Chutes Livingston
Mont Livingston
Claresholm
N
0 10 20 km
0 10 20 milles
Head-Smashed-In Buffalo Jump
Fort Macleod
4
Lethbridge
3
Frank
Col du Crowsnest
Pincher Creek
Rivière Waterton
Cardston
5
Mont Blackiston
Parc national des Lacs-Waterton
Carway
Rivière Milk
Milk du Nord
Rivière

5

Sud de l'Alberta

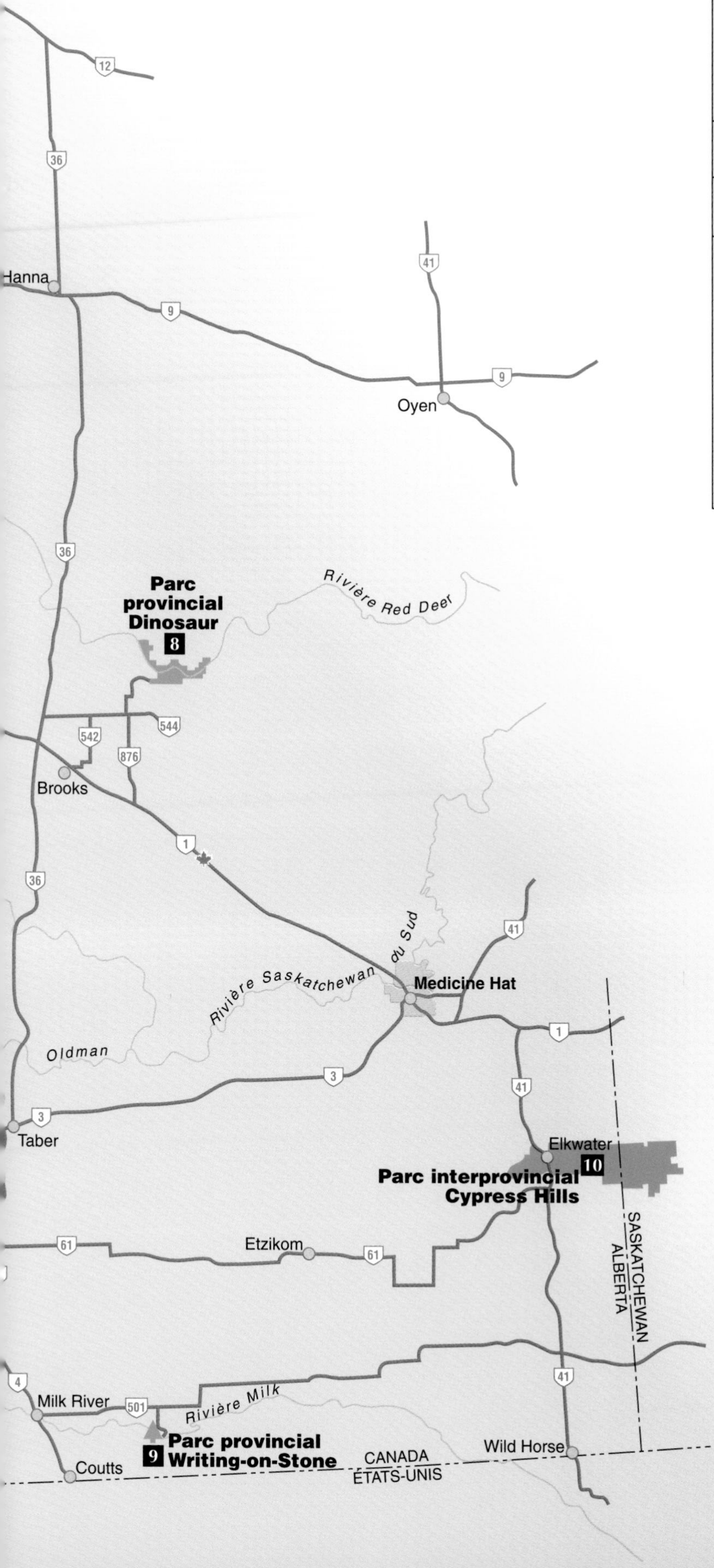

Sites

Parc provincial Peter Lougheed
Région de Kananaskis
Cochrane
Éboulement de Frank
Frank
Fort Macleod
Cardston
Falaise Head-Smashed-In
Parc provincial Dry Island
Buffalo Jump
Drumheller
Musée de paléontologie Royal Tyrrell
Parc provincial Dinosaur
Parc provincial Writing-on-Stone
Pétroglyphes et pictogrammes
Parc interprovincial Cypress Hills

Circuits automobiles

Col du Crowsnest
East Coulee
Route du Dinosaure

Parcs nationaux

Banff
Lacs-Waterton

Pages précédentes :
Lac Elkwater,
dans le parc interprovincial Cypress Hills

LE PARC DU PARTAGE

Le parc provincial Peter Lougheed préserve, au sein d'un pays hérissé de montagnes, quelques-uns des paysages les plus spectaculaires du Canada. Ses routes vous entraînent à la limite de territoires vierges et vous font découvrir la formidable barrière naturelle que constitue la ligne de partage des eaux. Nommé en l'honneur de Peter Lougheed, ancien Premier ministre de l'Alberta grâce à qui fut constituée la région de Kananaskis, ce vaste domaine de 508 km² est le plus grand parc de l'Alberta.

Entrez dans le parc par la route 40 et dirigez-vous vers la route Kananaskis Lakes Trail, 52 km au sud de la Transcanadienne. De denses peuplements de pins gris et d'épinettes se succèdent jusqu'à une vallée évasée, modelée par les glaciers il y a à peine 10 000 ans. Les versants exposés aux vents sont le domaine du mouflon, de la chèvre de montagne et de l'ours grizzly. Légèrement concaves à la base, ils présentent en altitude des parois quasi verticales.

Au kiosque de renseignements, à 4 km de la sortie de la route 40, une exposition explique l'évolution biophysique de la région et l'histoire de son peuplement.

La route s'arrête entre les lacs Upper et Lower Kananaskis, joyaux turquoise alimentés par l'eau de fusion des glaciers.

Au retour, notez à droite un grand marais où s'affairent les castors. Aux abords, peut-être aurez-vous la chance de voir des grands hérons. L'endroit marque le départ du sentier de marche et de vélo Pocaterra. Il doit son nom à un jeune aristocrate italien, Giorgio Pocaterra, arrivé au Canada en 1903, qui fut le premier Blanc à voir les lacs Kananaskis depuis le sud.

De retour sur la route 40, prenez vers le sud la route du col du Highwood : vous contemplerez une version alpine de la toundra arctique. (Voie fermée de la mi-décembre à juin.)

Vous pourrez quitter le parc par le chemin Smith-Dorrien Trail (64 km), une route de terre qui suit le ruisseau Smith-Dorrien et serpente parmi les pins géants.

1 Région de Kananaskis

En 1977, le gouvernement de l'Alberta délimita un territoire d'une beauté remarquable, grand comme les trois quarts de l'Île-du-Prince-Édouard. La région de Kananaskis était née, vaste zone de récréation de 4 250 km² avec des réserves écologiques, des réserves fauniques et trois parcs provinciaux. Dans un décor spectaculaire, d'immenses territoires vierges côtoient ici des stations de ski, des terrains de golf, des hôtels et des campings.

Des limites de Calgary à la frontière de la Colombie-Britannique, la région de Kananaskis comprend de hautes montagnes aux neiges éternelles, des vallées glaciaires peuplées de trembles et de conifères, des prairies parsemées de fleurs sauvages et des plateaux où se réfugiaient à l'époque préhistorique les chasseurs de bison. C'est également là que s'établirent les premières fermes d'élevage de l'Alberta.

La région de Kananaskis accueille chaque année des millions de visiteurs. Mais, sur ses 1 500 km de sentiers, on rencontre peu de monde. En fait, on a davantage de chances de voir des wapitis, des orignaux, des mouflons, des chèvres de montagne, des castors, des cerfs et des ours.

On y accède par la route 40, ou Kananaskis Trail, qui descend vers le sud à partir de la Transcanadienne, environ à 90 km à l'ouest de Calgary. Faites une première halte au kiosque de renseignements du lac Barrier, à 6 km de la Transcanadienne, pour vous procurer des cartes et de la documentation.

Sur cette route spectaculaire, 18 km plus loin, se trouve le complexe touristique de Kananaskis, composé de trois hôtels et de la station de ski Nakiska où, en 1988, se tinrent les descentes aux Jeux olympiques. Les amateurs trou-

Dans le parc Peter Lougheed, la route 40, au col du Highwood (2 206 m), est la plus haute route d'asphalte au Canada.

veront là deux golfs publics de 18 trous, conçus par Robert Trent Jones.

L'été, on peut mettre à l'eau des embarcations aux lacs Spray, Barrier, Upper et Lower Kananaskis. La rivière Kananaskis se prête au canot, au kayak et à la descente en radeau. Au complexe, on peut louer des vélos de montagne ou s'inscrire à des excursions en radeau ; les écuries Boundary, de l'autre côté de la route, offrent des randonnées à cheval. Les lacs poissonneux, en montagne ou dans la vallée, combleront les pêcheurs à la ligne.

L'hiver, la région de Kananaskis se transforme en un royaume feutré aux cascades figées et aux prairies neigeuses. La station Canmore Nordic est la plus fréquentée des cinq stations de ski de fond de la région. C'est là, à 1,8 km au sud de Canmore, qu'eurent lieu le biathlon et les courses de ski de fond des Jeux olympiques de 1988. De l'auberge, on a une vue superbe sur le mont Rundle et son sommet enneigé.

2 Cochrane

Il y a 100 ans, le voyageur qui descendait à la gare toute neuve du Canadien Pacifique dans ce village du bout du monde pouvait aussi bien rencontrer des comtesses et des sénateurs trompant le temps au terrain de polo que des cowboys prenant un verre au bar.

À Cochrane (pop. 5 000), le terrain de polo est devenu un terrain de rodéo, l'aristocratie a cédé la place à une prospère communauté d'artistes, mais y demeure toujours un cachet spécial.

À 20 km à l'ouest de Calgary, Cochrane est blotti sur le flanc sud-ouest du mont Big Hill dont le nom cri, *Manachaban*, signifie « là où l'on va chercher des arcs ». La rivière Bow (arc), l'une des rivières des plus poissonneuses en truites d'Amérique du Nord, longe la limite sud de la ville.

La benoîte à trois fleurs s'accommode bien des terres arides de l'Alberta.

Pour voir comment vivaient les riches pionniers, allez voir, à 2,5 km du centre du village, la Maison Fisher, devenue la maison de retraite Mount St. Francis. Charles Wellington Fisher (1871-1919), riche éleveur et premier président albertain de la Chambre des Communes, fit venir des maçons d'Angleterre pour bâtir sa maison sur le flanc ouest du mont Big Hill, face aux Rocheuses. Il s'y donnait des fêtes somptueuses. La saison des mondanités se clôturait, à l'automne, par une chasse au loup. (Pour visiter la maison, il faut appeler à l'avance.)

L'élevage, qui donna naissance à Cochrane, se pratique toujours. Le lieu historique provincial Cochrane Ranch, ouvert de la mi-mai à septembre, donne un aperçu du mode de vie des cowboys. Dans les années 1870, le sénateur du Québec Matthew Henry Cochrane (1824-1903), appuyé par des gens d'affaires et des politiciens de l'Est, profita du prix avantageux des terres qu'offrait alors le Dominion du Canada pour stimuler la colonisation.

Avec un prix de location d'un cent l'acre, Cochrane afferma 109 000 acres (4 400 ha) et, en 1881, il était le premier à faire monter du Montana de grands troupeaux de bêtes. Deux ans plus tard, de mauvaises pratiques d'élevage et la rigueur des hivers avaient décimé son troupeau, et l'affermage fut divisé. Malgré cet échec, le ranch Cochrane marqua en Alberta le début de l'élevage du bœuf. Au centre d'interprétation, vous apprendrez comment se pratiquaient l'élevage, le marquage au fer et le dressage des chevaux.

Au studio West, au coin de la 2e avenue et de la rue Bow, le sculpteur Don Beggs coule en bronze des figures de cowboys, d'Indiens et d'éleveur, qui ornent les édifices municipaux et les galeries d'art de Fredericton à Victoria.

Événements spéciaux
Journées du patrimoine (août)

Banff

En 1883, les ouvriers du Canadien Pacifique remarquèrent de la vapeur qui s'échappait du mont Sulphur, près du site actuel de Banff. Leurs recherches les menèrent à une caverne où surgissaient des eaux chaudes et sulfureuses. Ils y construisirent des cabines de bain. Un différend éclata bientôt relativement aux droits de propriété et on fit appel au gouvernement fédéral pour le régler. En 1885, par ordre du Conseil, les sources thermales étaient déclarées bien public et une réserve de 26 km² était créée pour les préserver.

Un geai gris, sur une branche de mélèze ployant sous la neige, dans le parc national de Banff.

Ce territoire allait devenir le premier parc national du Canada, le parc des Montagnes Rocheuses. En 1930, on changea son nom en parc national de Banff. Aujourd'hui, le parc couvre 6 641 km², soit la moitié de la superficie du parc de Jasper, qui le borde au nord. Le parc de Banff est aussi délimité, à l'ouest, par les parcs Yoho et Kootenay. Ensemble, ces quatre parcs nationaux forment un site reconnu du patrimoine mondial. Ils assurent aux grands mammifères et aux espèces en péril un espace vital protégé. Il vit par exemple entre 80 et 100 ours grizzlis dans le parc de Banff (et 110 dans celui de Jasper).

Sources thermales et villages fantômes

Les sources thermales à l'origine du parc sont alimentées par les eaux du mont Sulphur (2 451 m), juste au sud du village de Banff. Les eaux de ruissellement s'infiltrent à plus de 2 km de profondeur et la chaleur du noyau terrestre les transforme en vapeur. Sous l'effet de la pression, la vapeur remonte par des failles dans le roc et ressort aux sources sous forme liquide. La maison de bain en pierre, construite en 1887, de même que la piscine et l'édifice de pierre abritant la caverne et le bassin, érigés en 1914, sont ouverts au public. On se baigne aussi aux sources Upper Hot Springs. L'eau chaude des sources du mont Sulphur vient alimenter le marais Cave and Basin, en contrebas, où elle engendre un microclimat qui favorise la croissance d'une végétation luxuriante, verte toute l'année. Les eaux n'y gèlent à peu près jamais, certains oiseaux y passent toute l'année et quelques poissons tropicaux y ont été introduits, illégalement mais avec succès, par des habitants de Banff. Il se peut d'ailleurs que cette expérience ait hâté l'extinction du naseux de rapides. Un trottoir de bois permet d'observer la faune de ce marais exceptionnel.

Près du village de Banff, sur la route du lac Minnewanka, se trouvent les vestiges de Bankhead, village minier qui était à une certaine époque plus important que Banff. Il n'en reste plus que les fondations et des machines rongées par la rouille. Le village se développa à partir de 1903 quand le Canadien Pacifique voulut exploiter une mine au mont Cascade (2 998 m) pour alimenter en combustible ses machines à vapeur. Mais le coût d'extraction d'un charbon maigre dans du roc massif, associé aux grèves de mineurs, eut raison de l'aventure. En 1922, Bankhead était devenu un village fantôme. Au milieu des ruines, ici et là se dresse de la grande rhubarbe sauvage, échappée des potagers que cultivaient les ouvriers chinois.

Silver City, un autre village désert situé dans le parc, vit le jour en 1883 après qu'on eut montré à un prospecteur de la région du minerai contenant de l'argent et du cuivre. Mais on ne retrouva pas le filon d'argent et le village fut bientôt abandonné. Les lieux valent la visite ne serait-ce que pour voir la chute Silverton à laquelle mène un agréable sentier de 2,5 km, à partir de la promenade Bow Valley.

Le paysage glaciaire de Banff

Ce sont les glaciers qui ont modelé les vallées et les dépressions, les crêtes et les sommets qui font du parc de Banff un lieu si impressionnant. Ils glissent encore lentement sur les pentes, polissant le roc sur leur passage et alimentant de leurs eaux de fonte les lacs et les cours d'eau. Pour mieux admirer les paysages glaciaires, prenez la promenade Bow Valley (1A), moins fréquentée que la Transcanadienne (1) et que la promenade des Champs-de-Glace (93 nord), qui va du lac Louise au glacier Columbia et à Jasper. Toutefois, pour mieux saisir les beautés du parc, rien ne vaut une randonnée pédestre. Un sentier facile mène de la rive du lac Louise à la plaine des Six Glaciers, en 6,5 km, en passant au-dessus des moraines et des dépôts de gravier. Il aboutit à l'une des deux seules maisons de thé qui restent, parmi celles que le Canadien Pacifique construisit dans le parc au début du siècle. Au-delà, une crête morainique offre une vue exceptionnelle sur les montagnes environnantes et les six glaciers : Victoria supérieur et inférieur, LeFroy supérieur et inférieur, Pope et Aberdeen.

Un sentier relativement abrupt de 2,5 km conduit à la vallée de la Larch à partir de la route du lac Moraine. Il grimpe jusqu'à une prairie de type subalpin qui domine le lac Moraine, véritable joyau bleu-vert serti dans la vallée des Dix-Sommets (Ten Peaks). Cette promenade est particulièrement agréable en automne, parmi les ors des mélèzes.

Encore 2,5 km et vous parvenez au sommet du col de la Sentinelle, l'un des cols les plus élevés du parc (2 611 m). Pour le franchir, il faut de robustes chaussures de marche.

En contrebas se précipitent les eaux de la cascade Giant Steps. Le sentier qui y mène part du parc de stationnement de Paradise Creek, également sur la route du lac Moraine, et décrit une boucle dans la vallée de la Paradise.

Les lacs des Rocheuses se reconnaissent à leurs eaux laiteuses de couleur émeraude, conséquences de la farine glaciaire qui s'y trouve en suspension. Le lac Louise, l'un des plus beaux, comble un bassin rond où se réfléchit une couronne de montagnes nues. Du lac Agnès, situé plus haut dans une vallée suspendue flanquée des deux monts Beehive (Little et Big), on a une vue extraordinaire sur le lac Louise. Le sentier qui y mène (8 km aller-retour) passe près de la chute Bridal Veil (voile de la mariée) et va jusqu'à un escalier taillé dans la falaise pour aboutir à un salon de thé.

Les Inkpots (pots d'encre), petits bassins limpides aux eaux vertes issues de sources souterraines qui en maintiennent la température à 10°C, sont renommés pour leur couleur. L'été, on s'y rend par le canyon Johnston, à partir de la promenade Bow Valley. Le sentier croise sept chutes encaissées dans le calcaire du canyon. Pour aller aux Inkpots l'hiver, on part du parc de stationnement de Moose Meadows par une piste de ski de fond qui contourne le canyon.

RENSEIGNEMENTS PRATIQUES
Accès : *Transcanadienne (route 1), route 1A et autoroute 93.*
Accueil : *villages de Banff et de Lake Louise.*
Installations : *14 campings, dont 2 sont ouverts toute l'année et les autres de mai ou juin à septembre ; pas de réservations ; camping de groupe. Hôtels, auberges.*
Activités estivales : *promenade, randonnée, spéléologie (avec permis), descente en radeau, nautisme (embarcations à moteur sur le lac Minnewanka seulement), canot, kayak, golf, équitation, pêche (avec permis), baignade.*
Activités hivernales : *Camping, ski de fond et ski alpin.*

Le glacier Victoria (extrême gauche) et les monts enneigés au nord se mirent dans les eaux étales du lac Louise.

L'ÉBOULEMENT DE FRANK

Le 29 avril 1903, vers 4 heures du matin, le flanc est du mont Turtle décrocha et 90 millions de tonnes de calcaire s'abattirent sur le village minier de Frank. Les édifices, la route principale et le chemin de fer furent ensevelis sous des blocs gigantesques. Les maisons qui se trouvaient dans le couloir de l'éboulement furent détruites et 70 personnes périrent. Les blessés durent être extraits des amas de blocs et de débris. Dix-sept mineurs, emprisonnés dans la mine obstruée, réussirent à s'échapper après avoir creusé un tunnel.

Il fallut près de deux mois pour déblayer la mine mais, comme la plupart des commerces n'avaient pas été endommagés, les affaires reprirent. Cinq cents personnes continuèrent d'habiter le village car tous dépendaient de la mine pour leur subsistance. Ce n'est qu'en 1912, après qu'on eut constaté le risque d'un nouvel éboulement, que le village fut déplacé de l'autre côté de l'actuelle route 3.

L'origine de l'éboulement demeure toujours obscure. On a mis en cause la structure de la montagne, les activités minières, un tremblement de terre, les pressions exercées par le gel. La montagne est maintenant sous surveillance constante, à l'aide de rayons laser et de sismographes.

Les lieux de l'éboulement (3 km^2) sont un site historique provincial depuis 1977. Au centre d'interprétation, le visiteur a d'abord une vue saisissante sur le mont Turtle, la vallée du Crowsnest et l'éboulement. Une exposition et un audiovisuel décrivent ensuite le développement des cinq villages du col du Crowsnest de même que les techniques d'extraction du charbon. Diverses hypothèses sont illustrées pour expliquer les causes de l'éboulement de 1903. Un sentier de 1 500 m, ponctué de 17 haltes intéressantes sur les plans géologique, historique et photographique, circule parmi des blocs éboulés, riches en fossiles.

3 Frank

✻

L'actuel village de Frank (pop. 194), paisiblement niché dans le col du Crowsnest, succède au village historique du même nom qui fut, en 1903, le site d'un des plus importants éboulements jamais rapportés. Il avait été fondé deux ans plus tôt par H. L. Frank, un homme d'affaires du Montana, propriétaire des riches terrains houillers au pied du mont Turtle.

La mine fut exploitée jusqu'en 1918. Mais le village lui-même dut être déplacé en 1912 quand des études eurent révélé qu'un autre éboulement risquait à tout moment de se produire.

On trouve aujourd'hui à Frank des constructions datant des deux villages. L'actuelle galerie d'art Crowsnest Art Association abritait à l'origine l'école et la salle communautaire du nouveau village ; l'édifice voisin, à deux étages, était un magasin dans l'ancien.

Un sentier de 500 m, à l'ouest du village, mène aux sources froides et sulfureuses qui alimentaient les bains censément curatifs de deux sanatoriums. Old Frank Road, une route de terre ouverte en 1906, décrit une boucle au sud du village et passe sur les lieux de l'éboulement. Elle permet de contempler le site du premier village dont il ne reste plus que le carré des maisons et une borne-fontaine rouillée.

Événements spéciaux
Harvest Festival (septembre)

4 Fort Macleod

Fort Macleod (pop. 3 110) plonge le visiteur dans l'ère des pionniers. C'est le plus vieux village du sud de l'Alberta. Son musée local est la reconstitution du fort original (1874), qui fut le premier avant-poste de la Police montée du Nord-Ouest, l'ancêtre de la Gendarmerie royale actuelle.

Le col du Crowsnest ou la route des rêves perdus

Distance : environ 142 km

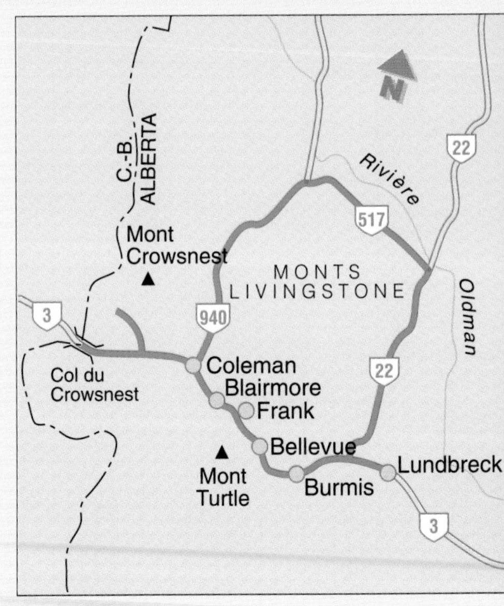

Un corneille et son nid : l'emblème du col qui porte ce nom.

À l'ouest de Lundbreck, alors que les Rocheuses semblent infranchissables, on peut entrer en Colombie-Britannique à 1 350 m d'altitude par la route 3, en passant par le col du Crowsnest. Découvert en 1873, le col vit arriver le chemin de fer en 1898 et, dans son sillage, les compagnies minières attirées par les riches gisements houillers.

- À Lundbreck, prenez la 3 vers l'ouest jusqu'aux ruines solitaires de la Leitch Collieries, seule mine (1907-1915) du col qui ait été propriété de Canadiens.
- À 3 km à l'ouest, une halte offre une vue magnifique des monts Turtle et Crowsnest que fréquentaient déjà les Amérindiens il y a 10 000 ans.
- En entrant dans Bellevue par l'est, on aboutit, sur Main Street, au point de départ d'une visite guidée à 366 m sous terre. Au café de la ville, une fameuse bataille entre brigands et policiers fit trois morts en 1920.
- Au cimetière Hillcrest, au sud de Bellevue, la fosse commune contient les corps de 150 des 189 victimes du pire accident minier survenu au Canada, en

1914, à la suite d'une formidable explosion souterraine. Des installations de surface, il reste des ruines accessibles par un raidillon à l'ouest du parc de roulottes.

• En passant par Frank, vous verrez les gigantesques blocs, vestiges de l'éboulement. Poursuivez jusqu'à Blairmore.

• En entrant à Blairmore par l'est, on aboutit à la 20e avenue, bordée de maisons des années 20. Le village, devenu le principal centre d'affaires du col, était à l'origine, en 1893, une modeste voie de garage ferroviaire. Le kiosque à musique de son parc servit de lieu de réunion aux mineurs en grève dans les années 20 et 30.

• Sortez du village par l'ouest pour aller à Coleman, fondé en 1903 par des Américains en même temps que la mine International. Tournez à gauche, à l'entrée est, et faites 1,4 km jusqu'à la rue Main où les studios Disney tournèrent *The Journey of Natty Gann*.

L'édifice derrière le Grand Union Hostel abrita le *Coleman Journal*, de 1921 à 1970. En face se trouve le musée du Crowsnest. Au 7809 de la 18e avenue il y a une ancienne caserne où, en 1933, au temps de la prohibition, un policier fut tué par un trafiquant de rhum, Emilio Picarellio.

Au sud de la rue Main se trouvent quelques fours à coke abandonnés depuis les années 50 ; en 1905, plus de 200 fours de ce type fonctionnaient nuit et jour. Rendez-vous, au nord, au parc Flummerfelt et empruntez le sentier Miner's Path qui conduit à la charmante chute de la rivière Nez Percé. Pour se rendre à la mine McGillivray (1909), les mineurs franchissaient la rivière par un escalier de bois que l'on voit encore dans les broussailles.

• Faites 16 km jusqu'à la frontière de la Colombie-Britannique, au-delà du lac Crowsnest. Au fond de la vallée, un hôtel chevauchant la frontière et quelques maisons sont les seuls vestiges du village de Crowsnest, propriété du CP.

• Revenez à Coleman et faites le plein avant d'aller prendre, au nord, la route 940, chemin forestier qui serpente à travers une épaisse forêt de conifères que hantent l'orignal, le wapiti et l'ours.

• À 35 km , à la fourche, prenez à droite la route qui mène à la 517 en passant par le Gap, profond canyon où la rivière Oldman plonge dans la prairie. Le sinueux chemin autrefois utilisé par les autochtones, puis par les voitures à chevaux, monte vers Maycroft, petit village agricole né au tournant du siècle.

• En tournant vers le sud sur la route 22 pour aller prendre la 3 à l'ouest de Lundbreck, ne ratez pas la chute, qui se déverse 12 m en dessous de la rivière Crowsnest.

Lieu de culte miniature dans un camping, près de Bellevue.

À Fort Macleod, on reconstitue la vie des agents de la Police montée en 1874.

Des chariots bâchés et des tentes indiennes servent de mise en scène. À l'intérieur du musée sont exposées des armes ayant appartenu aux agents de police qui pourchassaient les trafiquants et les brigands dans le sud des Prairies. On visite une forge et une clinique équipée d'un primitif appareil de radiographie (1910).

La rue Main est bordée d'une trentaine d'édifices dont certains, à charpente de bois, datent des années 1890. Le théâtre Empress (1910), en brique et en grès, a été restauré. C'est le plus vieux théâtre de l'Alberta.

5 Cardston

Charles Ora Card arriva sur ces lieux en 1887 en compagnie de 10 familles de l'Utah pour y fonder la première colonie de mormons au Canada. Sa maison en rondins a été restaurée et regarnie de meubles faits à la main. Elle est ouverte aux visites en juillet et en août.

Le tranquille village de Cardston (pop. 3 480) abrite aujourd'hui l'une des collections les plus impressionnantes que le visiteur puisse voir en Alberta. Il s'agit d'une collection de voitures à chevaux exposées au Remington Alberta Carriage Centre.

Dans les années 50, un résident de Cardston, Don Remington, se mit à collectionner et à restaurer de vieilles

Lacs-Waterton

Quand Thomas Blakiston découvrit les lacs Waterton à l'automne de 1858, il décrivit avec enthousiasme le « grandiose paysage » environnant, les sommets montagneux « aux formes uniques, les eaux blanches tombant en cascades dans d'étroits ravins et les magistrales falaises »... Le lieutenant Blakiston, ingénieur et naturaliste, faisait partie de l'expédition de Palliser qui étudiait la région en vue de la construction d'un chemin de fer qui franchirait les Rocheuses. Il fut si impressionné par la chaîne que formaient les trois lacs (que les Indiens appelaient lacs Kootenai) qu'il leur donna le nom de Waterton, en l'honneur du naturaliste anglais Charles Waterton, connu pour son excentricité. Le choix était bon. Le parc national des Lacs-Waterton est aussi différent des autres parcs des Rocheuses que Waterton l'était des hommes de son temps. Et une partie du parc ne se trouve pas dans les Rocheuses.

Pêche à la mouche au lac Cameron, au parc des Lacs-Waterton.

Créé en 1895, comme réserve forestière, il fut transformé en parc en 1911. Ses 525 km^2 abritent divers types de reliefs ainsi qu'une flore et une faune diversifiées, propres aux milieux intermédiaires entre la montagne et la prairie.

Entrez dans le parc par la route 6 qui longe le marais Maskinongé. Immédiatement après l'ancienne barrière, arrêtez-vous pour observer un couple de balbuzards. Leur nid de branchages surmonte un poteau qui domine le marais. Tous les jours, pendant l'été, on les voit planer au-dessus du marais à l'affût du poisson. Plus loin sur la route, le riche marais se transforme peu à peu en une prairie aride. Au début de la belle saison, on peut y admirer des tapis de lupins bleus, de liliacées et de balsamines .

Le parc des Lacs-Waterton, relativement petit, n'en renferme pas moins une plus grande variété de plantes que les parcs de Banff et de Jasper combinés. Il comprend plus de 800 espèces de fleurs sauvages. Les amateurs auront de belles surprises en faisant de brèves randonnées le long des sentiers qui bordent la route du canyon. Cette route se dirige vers l'ouest, en suivant la vallée de la Blakiston, limite naturelle entre la prairie et la montagne. Sur les versants exposés au sud poussent la fétuque, l'avoine, l'achillée millefeuille et le géranium visqueux, tous caractéristiques de la prairie. Parfois, on peut apercevoir, se restaurant, un ours noir ou un ours grizzly. À peu près à mi-chemin, sur cette route de 15 km, se trouve le chemin qui mène au camping du mont Crandell. De là, on pourra faire une randonnée au lac Crandell (environ 2 heures aller-retour).

Au canyon Red Rock, prenez le temps de vous promener pour observer l'action de l'eau sur la roche tendre, rouge et verte, caractéristique du secteur.

Le lac Upper Waterton, au cœur du parc, est le plus profond de l'Alberta et des Rocheuses canadiennes. Ses eaux limpides et froides atteignent 148 m de profondeur. Il fait à peine 500 m de largeur, mais il s'étend sur près de 11 km, du village de Waterton au Goat Haunt Landing, dans le parc national Glacier, au Montana. L'*International,* un bateau de croisière à coque de bois construit en 1927, emmène les passagers de Waterton jusqu'à l'extrémité méridionale du lac. Ceux qui désirent passer la nuit au parc national Glacier doivent s'enregistrer auprès des gardiens du parc, en débarquant aux États-Unis. La nature ne tient évidemment pas compte des frontières, et le loup, le couguar, l'orignal et l'ours hantent les vallées à la recherche de nourriture, transportant des graines suspendues à leur fourrure d'un pays à l'autre.

Les préposés des deux parcs mènent souvent des excursions transfrontalières. En 1932, pour encourager leur collaboration et reconnaître l'unité biophysique de la région, les deux parcs furent réunis pour constituer le premier parc international de la Paix. En 1970, ils furent classés au nombre des réserves de la Biosphère de l'ONU, qui serviront à évaluer l'impact de l'homme sur l'environnement.

RENSEIGNEMENTS PRATIQUES
Accès : par les *routes 5 et 6.*
Accueil : *village de Waterton ; service complet, de mai à septembre, réduit le reste de l'année.*
Installations : *3 campings dans le parc et 3 autres sur une terre voisine. Un seul est ouvert toute l'année. Hôtels et motels.*
Activités estivales : *marche, camping, escalade, canot, aviron (embarcations à moteur sur les lacs Waterton Middle et Upper seulement), golf, pêche (avec permis), tennis, équitation, bicyclette, planche à voile, plongée sous-marine.*
Activités hivernales : *ski de fond.*

calèches. Au bout d'une trentaine d'années, son passe-temps avait pris une telle ampleur qu'il manquait maintenant d'espace pour abriter sa collection. Il offrit donc d'en faire don à l'État à condition qu'elle reste dans son village. Remington mourut quelques années avant l'inauguration officielle du centre. Il eut toutefois le temps d'assister au début des travaux et de voir son projet se réaliser.

Le centre se trouve sur la rue principale de Cardston, rebaptisée Carriage Lane, et ramène les visiteurs au début du siècle. Le personnel porte des habits de cochers, de cantonniers, de garçons d'écuries et de riches personnages roulant carrosse.

Promenez-vous dans le village monté dans la salle principale pour connaître les bruits et même les odeurs d'une époque que n'avait pas encore marquée le règne de l'automobile.

Soixante-six des quelque 200 voitures de la collection font l'objet d'illustrations qui décrivent à quoi on les utilisait, comment on s'y prenait pour les vendre et comment fonctionnaient les ateliers de sellerie. Charrettes, diligences et voitures de pompiers côtoient d'élégantes voitures ornées de velours.

Le cabriolet Hansom, à deux roues, est du même type que celui que l'on voit rouler sur les pavés de Londres dans les films de Sherlock Holmes. Il y a aussi une voiture de type irlandais comme celle que l'on voit dans le film *L'Homme tranquille*, mettant en vedette John Wayne. Les carrosses royaux sont authentiques et servent effectivement à transporter les membres de la royauté lorsqu'ils sont en visite en Alberta.

À l'extérieur, on offre des tours de carrosses tirés par de robustes clydesdales ou des chevaux d'attelage canadiens. Des ouvriers reconstruisent des voitures dans la section réservée à la restauration et à la forge ; dans les écuries et les ateliers de sellerie, des palefreniers préparent les chevaux. Grâce à la simulation par ordinateur, les visiteurs peuvent même jouer au

LA FALAISE AUX BISONS : HEAD-SMASHED-IN

La culture et les croyances des Indiens des plaines marquent le site de la falaise Head-Smashed-in, à 18 km seulement à l'ouest du village historique de Fort Mcleod. Du belvédère, au sommet de la falaise, le paysage est spectaculaire. La vue embrasse, à l'est, la vallée de la rivière Oldman, au sud, le territoire des Piegans et des Gens-du-Sang et, au nord, la vaste plaine qui s'étend jusqu'aux contreforts des Rocheuses. Le site est l'un des plus importants de ce type en Amérique : pendant plus de 5 000 ans, les Indiens des plaines ont dirigé ici des troupeaux galopants de bisons dans des chemins qui, de plus en plus étroits, débouchaient sur le précipice.

La falaise fut classée par l'UNESCO en 1981 parmi les sites constituant le patrimoine mondial. À sa paroi a été intégré un centre d'interprétation ; le personnel se compose notamment de Piegans et de Gens-du-Sang qui se font un plaisir de répondre (en dialecte pied-noir, si désiré) à toutes les questions intéressant leur culture. Ils vous guideront dans les cinq étages du centre ou dans les sentiers.

Que vous optiez pour une visite guidée ou non, prenez d'abord l'ascenseur qui mène en haut du centre puis descendez à pied. Les trois niveaux supérieurs illustrent la vie des Indiens des plaines, la chasse au bison, clé de leurs activités traditionnelles, et leur mode de déplacement dans la Prairie. L'étage suivant montre les conséquences de l'avènement du cheval vers 1750 puis celles de l'arrivée des Européens et la disparition graduelle du bison. Le dernier niveau montre le résultat des fouilles effectuées sur les lieux.

Crânes et ossements s'entassent sur 10 m au pied de la falaise où se jetaient les bisons.

Des jeux de son et lumière évoquent de manière vivante les techniques de dépeçage et d'apprêt des bêtes. Outils, armes, tentes et vêtements donnent un aperçu sur la vie des Amérindiens. Un spectacle enregistré sur disque laser est présenté toutes les heures dans une salle de 80 places ; les visiteurs peuvent aussi mettre en marche à leur convenance des vidéos qui relatent l'histoire des premiers peuples de la région. Parmi les événements spéciaux qui ont lieu les fins de semaine, citons un pow wow en juillet où des centaines de danseurs autochtones exécutent des danses diverses (danse des herbes, danse du poulet, des clochettes, etc.). En d'autres occasions, les visiteurs apprendront à tailler des pointes de flèches et des têtes de lances, à préparer du pemmican ou à travailler avec des perles. Au pied de la falaise, des fouilles archéologiques ont lieu tout l'été. Sous la supervision des techniciens, vous pourrez tenir dans vos mains des pointes de flèches, des os de bisons et d'autres objets, dont certains remontent à 6 000 ans. Le centre est ouvert toute l'année, sauf les lundis, de septembre à mai.

cocher. Outre la collection Don Remington, le centre abrite des voitures du Glenbow Museum and Heritage Park, de Calgary. Le centre Remington est ouvert durant toute l'année.

6 Parc provincial Dry Island Buffalo Jump

Les habitants de Huxley ont lutté des années pour que soit préservé, 20 km à l'est du village, un fort beau canyon abritant une faune et une flore hautement diversifiées et témoin de l'histoire des Amérindiens. Et, en 1970, le gouvernement de l'Alberta se rendit à leur demande en créant un parc provincial voué à sa conservation.

La rivière Red Deer serpente au fond du canyon. Quelques-uns des plus beaux fossiles de poissons d'eau douce ont été découverts dans un ravin près du ruisseau Big Valley qui se jette à l'est dans la Red Deer.

Du côté ouest du parc se trouve la falaise de 45 m de hauteur d'où les bisons étaient amenés à se précipiter dans le vide. Sur la paroi, des fragments d'os blanchis témoignent des chasses anciennes. Au pied de la falaise, des outils, des restes de poterie, des sépultures et des foyers révèlent qu'une tribu au moins a tenu ici autrefois des rites cérémoniels.

Dry Island, à 3 km au nord de la falaise, désigne un sommet plat de 8 ha, une splendeur de la nature modelée par les vents et les pluies.

Le canyon de la Red Deer, à Dry Island, où se mêlent des plantes des badlands, de la prairie et de la forêt boréale.

Le bison des plaines et le cheval sauvage qui hantaient jadis le canyon sont depuis longtemps disparus. Il reste cependant 425 espèces de plantes florifères et 22 espèces de mammifères ; 150 espèces d'oiseaux, dont l'aigle royal et le hibou des marais, y nichent ou s'y arrêtent en cours de migration. Une variété de fétuque, haute et abondante, croît uniquement sur le sommet Dry Island. Le canyon est peuplé de buissons de petit merisier, d'argousier, d'aubépine, de chalef, de shepherdie argentée, de potentilles frutescentes et rampantes et de rosiers. Le genévrier abonde en altitude.

La laquaiche aux yeux d'or, le brochet et le suceur rouge abondent dans ce segment de la rivière. Le blaireau, le cerf de Virginie et le cerf mulet vivent ici à longueur d'année, de même que la chauve-souris pygmée et la chauve-souris à longues oreilles.

Une route tortueuse descend à 200 m au fond du canyon où l'on trouve plusieurs sentiers et aires de pique-nique.

7 Drumheller

La ville de Drumheller (pop. 6 277) est située dans une vallée inscrite dans les sinistres badlands de la région de Big Country, dans le sud de l'Alberta. Le premier homme blanc dans la vallée arriva en 1902 et la ville, nommée en l'honneur de l'entrepreneur Samuel Drumheller, fut fondée en 1910. Les mines de charbon et le chemin de fer (1913) les reliant à Calgary attirèrent les premiers immigrants. Puis, on découvrit dans la vallée du pétrole et du gaz naturel, et l'élevage et l'agriculture devinrent des activités florissantes. Aujourd'hui, la région de Drumheller, sise dans l'ancien royaume des di-

Deux promenades dans les mauvaises terres

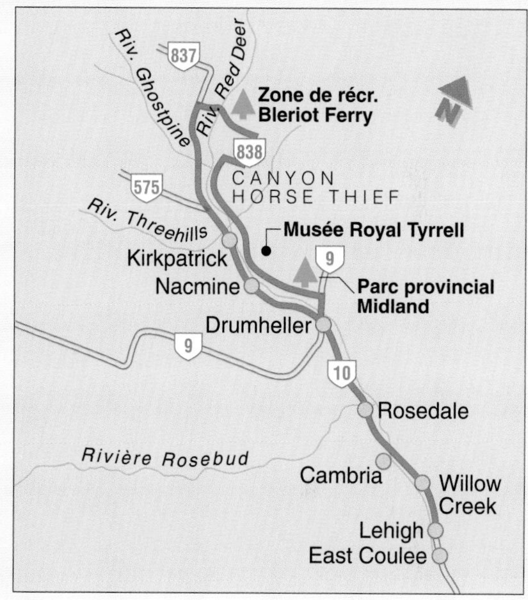

1. EAST COULEE

Distance : 25 km

Allez vers l'est en quittant Drumheller et suivez le chemin d'East Coulee pour voir ce qu'il reste des cheminées de fées et d'une époque marquée par le règne du charbon. La promenade commence à la jonction des routes 9 et 10.

- La première halte n'est pas pour ceux qui souffrent de vertige. Le pont suspendu de la mine Star, dans le hameau de Rosedale, permet aux visiteurs de savoir ce que ressentaient quotidiennement les mineurs. Le pont original (1931) de 117 m a été remplacé. Les mineurs durent le franchir à pied jusqu'à la fermeture de la mine, en 1957.
- Arrêtez-vous 7 km à l'est pour observer les cheminées de fées, colonnes de grès tendre façonnées par des siècles d'érosion. Elles ressemblent à des champignons géants. Les Indiens croyaient qu'il s'agissait d'ogres pétrifiés qui se déplaçaient la nuit. D'après les géologues, d'ici une centaine d'années les éléments naturels auront eu raison de ces cheminées.
- Faites encore 7 km vers l'est jusqu'au village d'East Coulee et allez au School Museum pour avoir un aperçu de la vie des élèves des années 30. Dans une salle de classe restaurée, on peut voir des cartes géographiques, des pupitres et des livres d'origine, de même que des photographies des adolescents qui fréquentaient alors l'école. Dans une autre salle, sont aussi exposés des vêtements et de l'équipement de mineurs.
- Toujours à East Coulee, visitez l'Atlas Coal Mine Museum. La mine (1936-1979) est dotée du seul vieux trieur de minerai qui reste au Canada.

2. ROUTE DU DINOSAURE

Distance : 48 km

Pour découvrir les splendeurs de la vallée de la Drumheller, empruntez la Route du Dinosaure (Dinosaur Trail ou route 838) vers l'ouest à partir de Drumheller.

- Arrêtez-vous au musée Homestead, seulement 1 km à l'ouest de la ville. Le Quonset ne paie pas de mine, mais il renferme une très belle exposition d'objets amérindiens et de vêtements et d'appareils datant du début du siècle.
- Faites 4 km vers l'ouest et découvrez au musée de paléontologie Royal Tyrrell des squelettes de dinosaures célèbres de par le monde.
- La plus grande des petites églises du monde, 1,5 km plus loin, fut construite dans les années 60 par Tig Seland, un habitant de Drumheller. L'action des vandales et les intempéries l'ayant endommagée, on l'a reconstruite à l'Institut correctionnel de Drumheller en respectant les moindres détails. Le travail fut terminé en 1991. Si vous voyagez à plusieurs, rappelez-vous qu'elle ne peut contenir que six personnes à la fois.
- Continuez vers l'ouest et voyez le Dinosaur Trail Golf and Country Club. Ce parcours de 9 trous, encadré par les austères badlands, au nord, et par la rivière Red Deer, au sud, offre un champ de pratique et un golf miniature.
- Faites, 8 km plus loin, une halte santé au canyon Horse Thief. Une promenade d'environ 45 minutes sur un sentier balisé vous fera voir des lits de coquillages et des fossiles. Vous pourrez vous reposer au retour à l'aire de pique-nique.
- Traversez la rivière sur le *Blériot*, un des derniers traversiers d'Alberta qui fonctionne encore avec un câble. Allez ensuite vers l'est sur la 837 pour revenir dans les limites de la ville.
- Découvrez d'autres secrets des badlands en vous rendant au Prehistoric Parks Walk et à la boutique Ollie's Rock and Fossil Shop. Des sentiers de schiste vous entraînent parmi des répliques grandeur nature de dinosaures ; à la boutique de fossiles, arrêtez-vous pour regarder les objets qui y sont exposés et prendre une boisson rafraîchissante.

Une fontaine au milieu d'un bassin, dans les jardins du Royal Tyrrell Museum.

LE TRÉSOR PRÉHISTORIQUE DE TYRRELL

Il faut visiter le seul musée du Canada uniquement consacré à l'étude de la paléontologie, pour contempler quatre milliards d'années dans l'évolution de la planète. Ouvert en 1985, le musée de paléontologie Royal Tyrrell, situé à 6 km au nord-ouest de Drumheller, dans le parc provincial Midland, est déjà l'un des plus connus du monde. Il est ouvert toute l'année.

Le géologue Joseph Burr Tyrrell mit au jour les premiers vestiges de dinosaure de la région en 1884. Le musée, qui porte son nom, abrite la collection de squelettes de dinosaures la plus importante du monde ; certains ont une hauteur de deux étages.

Le musée renferme 30 répliques grandeur nature de dinosaures, des centaines de fossiles et de dioramas, un jardin intérieur où croissent plus de 100 espèces végétales et des ordinateurs programmés pour mesurer vos connaissances en paléontologie.

Une vitrine vous permet d'observer, dans l'un des laboratoires principaux, le minutieux travail de reconstruction d'ossements fossilisés.

Squelette reconstruit, au musée Royal Tyrrell

nosaures, compte 50 attraits touristiques sur un territoire de 100 km^2. La réplique grandeur nature du *Tyrannosaurus rex* qui se dresse près d'une chute de 8 m, dans le parc municipal Centennial, fascine chaque année des milliers de visiteurs.

L'aéroglisseur, sur la rivière Red Deer, est une façon très agréable de découvrir la région. Pendant 45 minutes, il entraîne ses passagers là où régnaient les grands sauriens du Crétacé, il y a 75 millions d'années.

Événements spéciaux
Festival de musique (mars)
Broncosaurus Days (fin juin – début juillet)

8 Parc provincial Dinosaur

Il y a 75 millions d'années, de luxuriantes forêts tropicales couvraient ici une plaine littorale. Des crocodiles se prélassaient dans ses eaux, des dinosaures hantaient les basses terres et des reptiles ailés sillonnaient le ciel.

Aujourd'hui, à 48 km au nord-est de Brooks, là où la grande prairie s'interrompt pour révéler les 6 600 ha du parc provincial Dinosaur, un paysage érodé et raviné a préservé, sous forme de fossiles, les témoins de cette époque.

Vallées et colonnes de grès renferment des strates riches en fossiles (vertèbres, crânes et dents), vestiges du règne des grands reptiles qui dura 120 millions d'années. Depuis que le géologue Joseph B. Tyrrell découvrit, vers 1880, le premier squelette du secteur, au moins 35 espèces et 150 specimens complets ont été extraits du sol aride et exposés de par le monde. L'étude d'en-

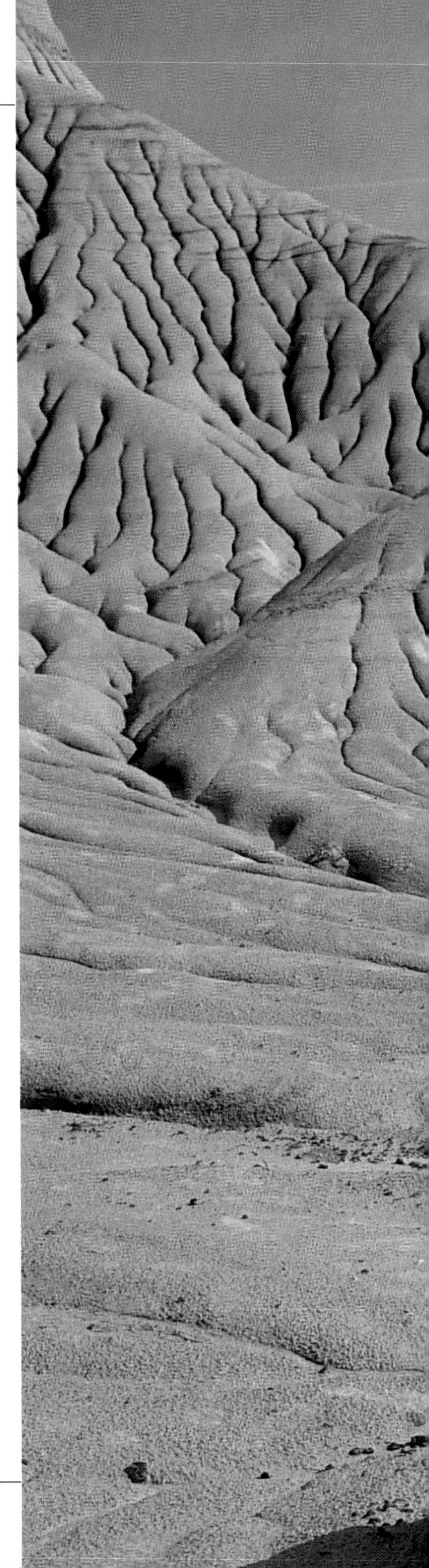

Autrefois domaine des grands sauriens, le parc provincial Dinosaur est une terre sèche et aride.

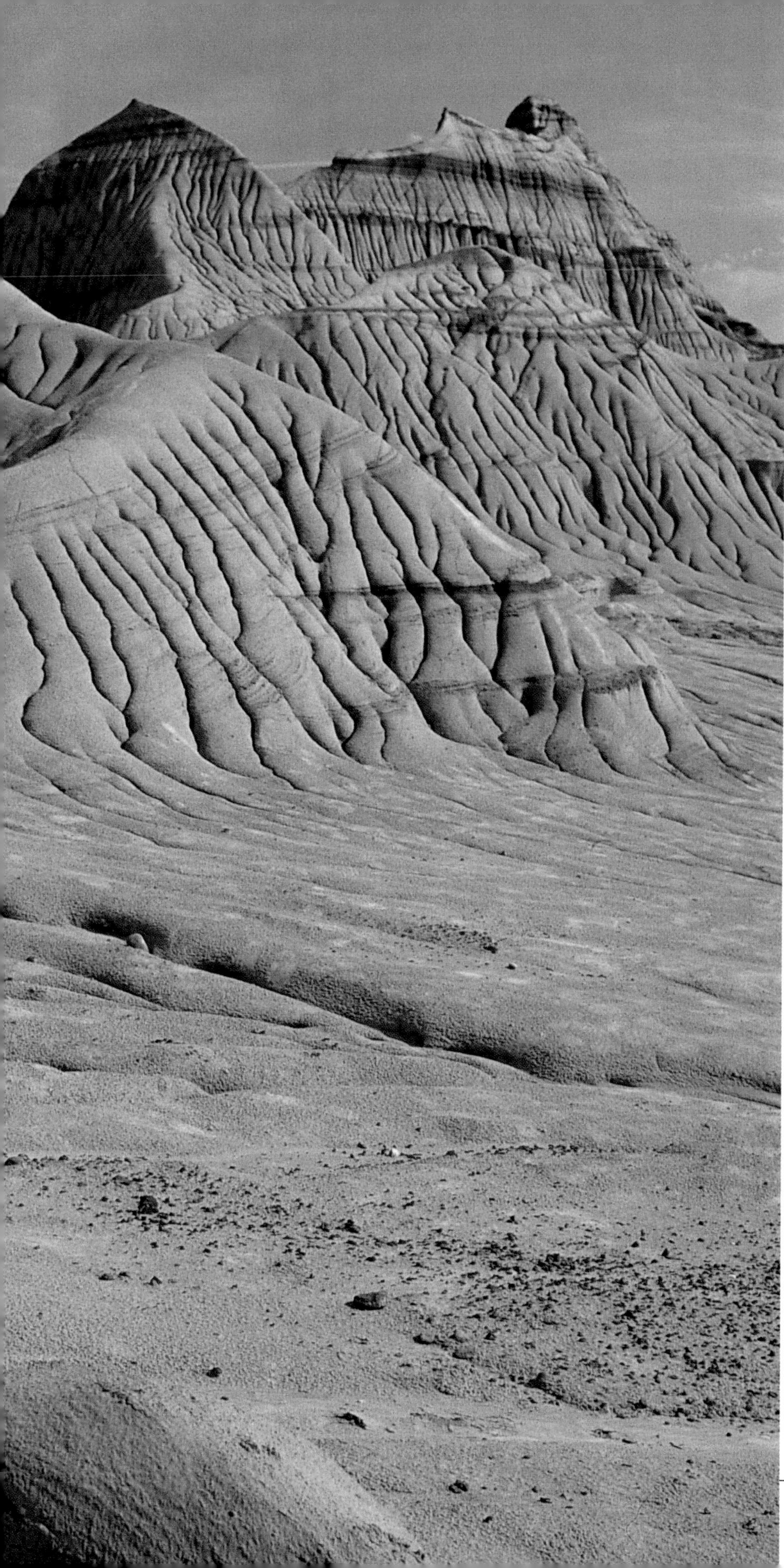

viron 80 centrosaures (dinosaures à trois cornes) confirma qu'ils étaient tous morts en même temps. Partout, sur les lieux, on trouve aussi des os et des dents de prédateurs carnivores.

Le parc, fondé en 1955, a été classé en 1979 par l'UNESCO site du patrimoine mondial. C'est l'un des endroits les plus riches du monde en fossiles de dinosaures datant de la fin du Crétacé.

Il se déroule pendant l'été des promenades guidées, des visites en autocar dans le parc, des programmes pour enfants, des présentations audiovisuelles et des excursions aux sites fossilifères. Des expositions de fossiles sont ouvertes aux visiteurs, ainsi que la cabane rustique (1900) de John Ware, un Noir, qui fut pionnier et cowboy. Construite au bord de la rivière Red Deer, la cabane fut déplacée dans le parc dans les années 50.

Des sentiers d'interprétation traversent les badlands et les berges couvertes d'une flore diversifiée. Les ornithologues amateurs verront peut-être des fauvettes jaunes, des aigles royaux, des faucons des prairies et des merles bleus des montagnes.

L'été, la chaleur embrase le sol à 40°C, pour le plus grand bonheur des scorpions et serpents à sonnette.

9 Parc provincial Writing-on-Stone

Buse à queue rousse, au parc Writing-on-Stone

Dans la vallée de la rivière Milk, au sud de l'Alberta, à 8 km environ de la frontière américaine, se dressent des falaises de grès rouge. Nous sommes au parc provincial Writing-on-Stone. Au-delà de la frontière, les collines Sweetgrass, vertes et luxuriantes même au cœur de l'été, donnent l'impression d'être dans un autre monde.

Un guide explique la signification présumée des pétroglyphes du parc Writing-on-Stone.

Les premiers habitants du continent choisirent cet étrange pays pour inscrire leur histoire sur les parois rocheuses. Au cours des siècles, les éléments naturels, notamment les grands vents du sud de l'Alberta, sculptèrent la roche tendre. Ensemble, creux et reliefs finirent par constituer un décor aux formes douces. Des blocs ronds coiffent de hautes colonnes ; de minuscules cavernes ont été dégagées dans le roc par le vent et la pluie.

Spermophiles, au parc provincial Writing-on-Stone

Le coyote et le cerf fréquentent le parc et les plantes vont du cactus aux fleurs sauvages les plus colorées. Le sentier Hoodoo Trail, bien entretenu, entraîne les randonneurs sur 4,4 km de reliefs uniques. Attention cependant aux serpents à sonnette.

Une halte d'observation le long du sentier permet de voir une réplique de l'avant-poste de la Police montée du Nord-Ouest, construit en 1889 pour surveiller le florissant trafic du whisky. Des visites guidées sont offertes pendant l'été.

10 Parc interprovincial Cypress Hills

Les collines du Cyprès, qui dominent de 600 m une prairie apparemment interminable, surprennent par leur présence. Elles se sont formées il y a quelque 50 millions d'années à partir d'une gigantesque accumulation de pierres et de cailloux déposés au fond d'un lac préhistorique. Les roches se transformèrent en conglomérat (fragments agglomérés par un ciment naturel) qui résista à mesure que le lac s'asséchait et que l'érosion usait les reliefs environnants. Un soulèvement géologique porta le tout en hauteur des millions d'années plus tard, puis le retrait des glaciers grava un profil austère. Aujourd'hui, ces impressionnantes collines sont peuplées d'une vé-

ESPRITS NOCTURNES ET VISIONS DE BATAILLES

Le parc provincial Writing-on-Stone renferme une merveille appartenant à l'art et à l'histoire des autochtones. Dans ce territoire sacré empreint de magie et de mystère, les Pieds-Noirs, les Assiniboines et les Gros-Ventres vinrent pendant des siècles inscrire leur histoire sur la pierre rouge des falaises, la représentant par des pétroglyphes (gravures) ou des pictogrammes (peintures). Le parc renferme l'un des plus grands ensembles de représentations de ce type en Amérique du Nord.

D'après les archéologues, toutes sont l'œuvre d'artistes autochtones. D'après les Amérindiens, quelques-unes furent réalisées par les esprits qui se manifestaient à la faveur de la nuit et dessinaient des signes révélant l'avenir à ceux qui savaient les interpréter.

Les sculpteurs se servaient d'os, de pierres ou de métaux pour travailler et illustraient des événements allant des pendaisons aux batailles. Les diverses représentations d'êtres humains (personnages ronds portant des lances, guerriers trapus et circulaires, personnages aux épaules carrées ou pointues) révèlent à peu près quand elles ont été réalisées. Nombre d'entre elles évoquent des éléments familiers, comme le soleil, des animaux sauvages ou des chevaux, ou encore des cérémonies ou des batailles. Certaines, comme une lance qui marche, relèvent de l'imaginaire ; d'autres, abstraites, illustrent des visions et des songes.

Un des pétroglyphes les plus connus et les plus complexes représente la bataille que se sont livrée les Piegans (Pieds-Noirs) et les Gros-Ventres dans la première moitié du XIXe siècle. Selon la légende, la veille de la bataille, un guerrier piegan avait vu en songe les détails de l'attaque des Gros-Ventres et avait sculpté sa vision dans la falaise, permettant ainsi à son peuple de défaire l'ennemi.

Seules des visites guidées permettent de voir ces œuvres fragiles, de la mi-mai à septembre.

gétation dense (la pluviosité y est supérieure à celle des environs) et constituent le parc interprovincial Cypress Hills, né en 1989 de la fusion des deux parcs albertain et saskatchewanais.

En Alberta, juste à l'ouest du village d'Irvine, prenez la route 41 qui mène au parc. Le village d'Elkwater se trouve à environ 40 km de là ; faites 5 km de plus et surveillez les affiches annonçant le lac Reesor qui se trouve sur le chemin Battle Creek Road reliant les deux parcs. Toutefois, n'empruntez ce chemin que par temps sec, car les pluies et la neige le rendent quasi impraticable. Le lac Reesor apparut dans les années 60 quand un barrage créé en amont, sur la rivière Battle, inonda deux petits lacs. Le lac Reesor est connu des pêcheurs pour son abondance en truite arc-en-ciel ; il offre un camping de 40 places et un paysage exceptionnel.

L'argynne, un papillon des collines du Cyprès

Il y a deux autres campings, également situés dans un très beau décor, entre le lac Reesor et la frontière de la Sakatchewan, au bord des rivières Graburn et Battle. De celui de la rivière Battle, on se rend à pied au cairn Graburn, jadis élevé par un détachement de la Police montée.

Le parc est aussi doté de motels, de restaurants, d'un golf, de plages et de kiosques de location d'embarcations. Des sentiers sillonnent le parc et permettent aux visiteurs d'admirer, à pied ou en vélo, une grande variété de fleurs sauvages, dont l'orchidée. Parmi les hôtes du parc, on compte le wapiti, le castor et l'orignal, ainsi que l'épervier brun, le moucherolle sombre et le roitelet à couronne rubis.

Chose étonnante, il n'y a dans ces collines aucun cyprès. Les explorateurs français, qui découvrirent la région, avaient tout simplement mal identifié le pin lodgepole.

Des vacanciers profitent du soleil au lac Elkwater dans le parc Cypress Hills.

6

Centre de l'Alberta

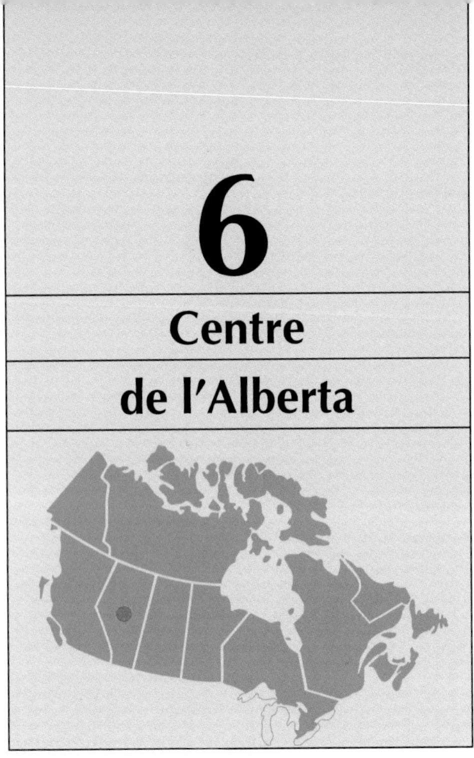

Sites
Réserve Willmore
Grande Cache
Parc provincial William A. Switzer
Rocky Mountain House
Markerville
Wetaskiwin
Chemin de fer Alberta Prairie
Stettler
Village historique ukrainien
Smoky Lake
Lac La Biche
Cold Lake

Circuits automobiles
Vallée de l'Athabasca :
de Hinton à Edson
Région des lacs :
de Cold Lake au lac Frog

Parcs nationaux
Jasper
Elk Island

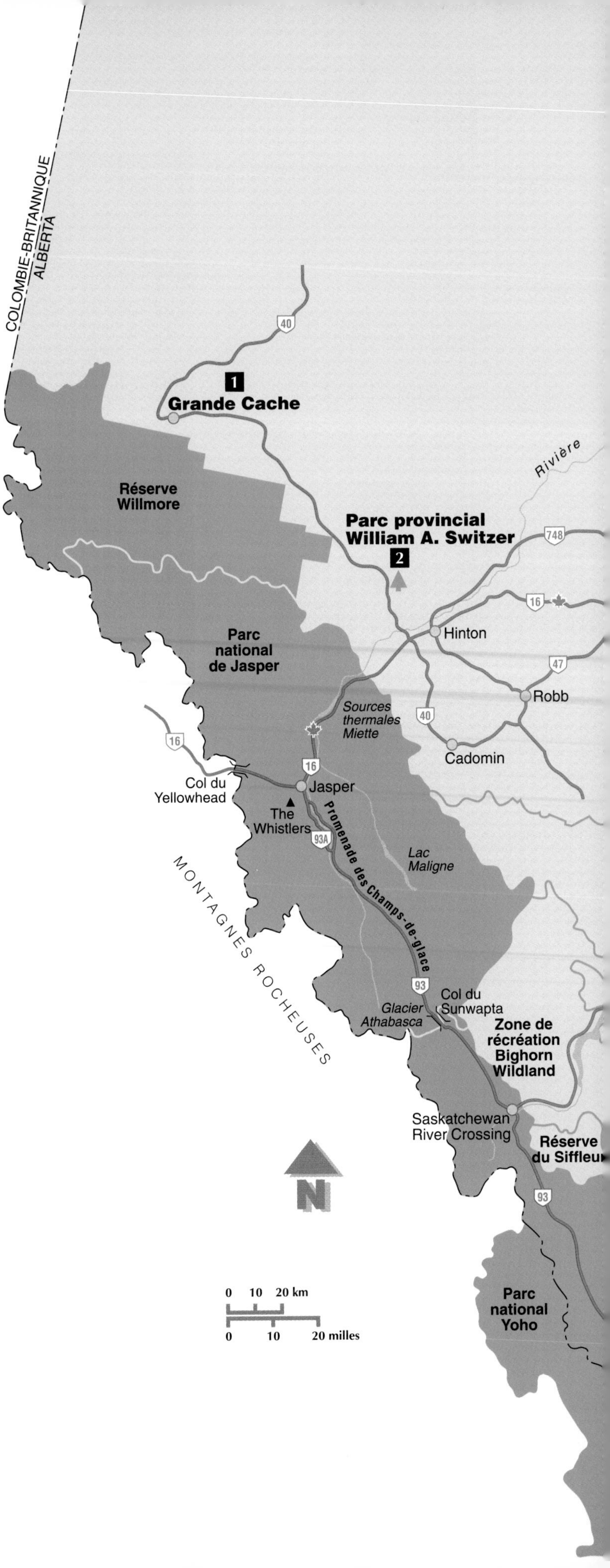

Pages précédentes :
La pointe Old Fort,
dans le parc national de Jasper

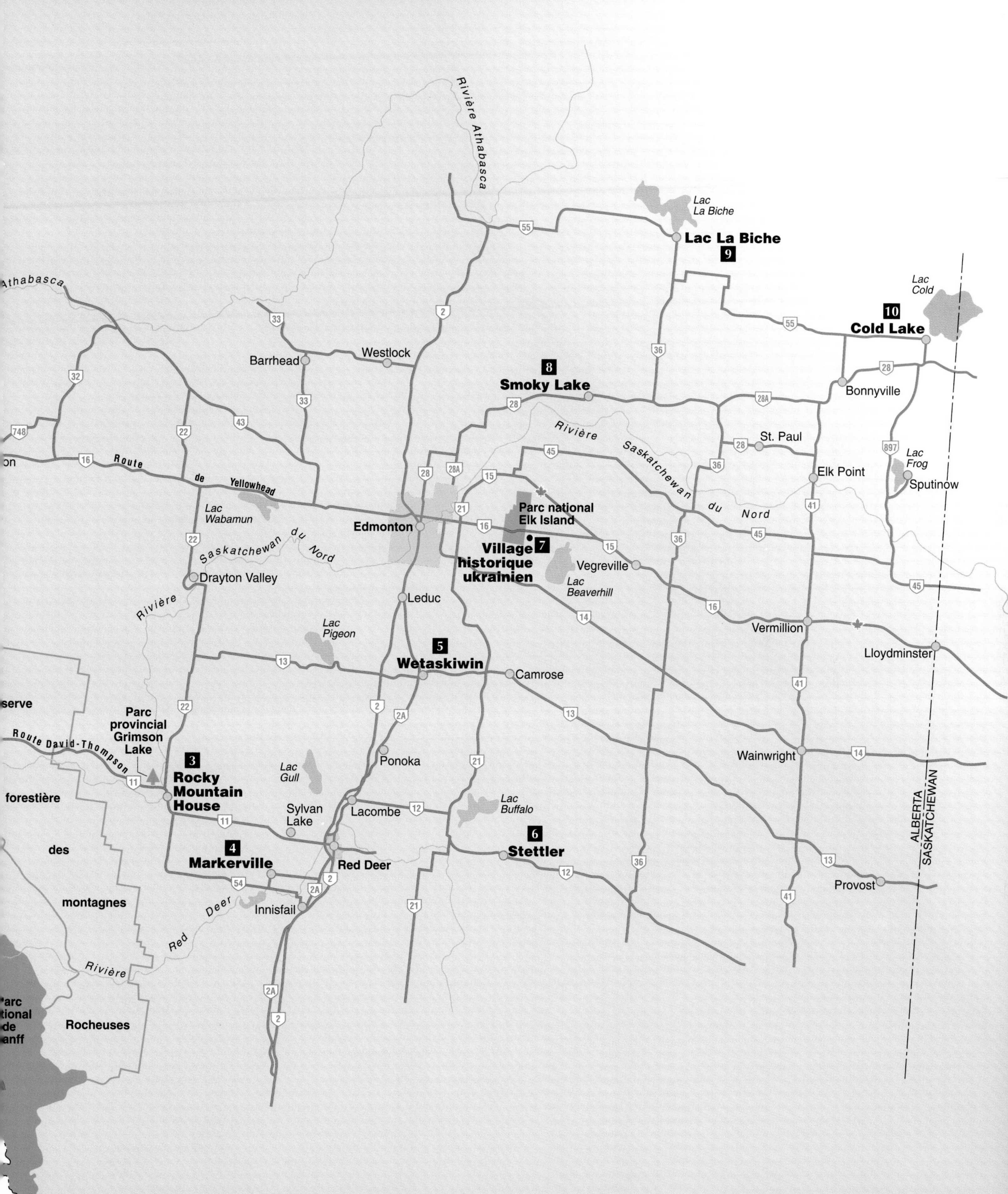

Rivière Athabasca
Athabasca
Lac La Biche
Lac La Biche
9
Lac Cold
10
Cold Lake
Barrhead
Westlock
8
Smoky Lake
Bonnyville
St. Paul
Elk Point
Lac Frog
Sputinow
Rivière Saskatchewan du Nord
Route de Yellowhead
Lac Wabamun
Parc national Elk Island
Edmonton
7
Village historique ukrainien
Vegreville
Lac Beaverhill
Saskatchewan du Nord
Drayton Valley
Rivière
Leduc
Lac Pigeon
Vermillion
Lloydminster
5
Wetaskiwin
Camrose
serve
Parc provincial Grimson Lake
Route David-Thompson
3
Rocky Mountain House
Ponoka
Lac Gull
Wainwright
forestière
Sylvan Lake
Lacombe
Lac Buffalo
des
4
Markerville
Red Deer
6
Stettler
Provost
ALBERTA
SASKATCHEWAN
montagnes
Innisfail
Red Deer
Rivière
arc
tional
de
anff
Rocheuses

UN PARC SAUVAGE À VOIR À PIED OU À CHEVAL

Avec ses 4 664 km², la réserve Willmore est l'un des plus grands parcs de l'Alberta. Au sud, elle jouxte le parc national de Jasper ; au nord, elle rejoint presque Grande Cache ; à l'est, la zone de récréation Rock Lake la sépare sur 42 km du parc provincial William A. Switzer. On a accès à la réserve par Grande Cache et Rock Lake.

La réserve Willmore est restée à l'état primitif. Sa richesse minière a été peu exploitée. Sa faune, qui a jadis fait vivre les Indiens puis enrichi les coureurs des bois, est maintenant protégée. Ses beautés naturelles sont variées : pics neigeux, forêts denses, prés alpins, vallées abruptes, lacs, rivières aux eaux vives et basses terres marécageuses.

Comme le parc est dépourvu de route, le visiteur laisse sa voiture à l'entrée. Tous les déplacements se font à pied ou à cheval. Un réseau de 750 km de sentiers longe les principales rivières — Smoky, Berland, Muskeg et Wildhay — et pénètre dans des forêts de sapins et d'épinettes. Les excursionnistes font en général appel à un guide ou à un pourvoyeur de Grande Cache pour l'organisation d'une randonnée, d'une expédition de pêche ou d'un séjour de camping.

Il y a toutefois, aux environs de Grande Cache, quelques sentiers qui permettent de passer une agréable journée dans cette nature sauvage. L'un des plus faciles (6 km aller-retour) part du poste Hell's Gate et mène à la chute Eaton. Pour arriver à ce poste, il faut rouler sur 6 km au nord de Grande Cache puis prendre à gauche un chemin de terre de 7,5 km. À proximité du poste même, on peut pique-niquer et cuisiner sur le gril. Le sentier offre des aperçus magnifiques sur les monts environnants.

Au même poste, un autre sentier, plus court (200 m), mène aux falaises de Hell's Gate. Il surplombe une gorge de 200 m où se rencontrent les rivières Sulphur et Smoky. Cette gorge forme la limite nord de la réserve Willmore.

1 Grande Cache

Au début du XIXᵉ siècle, les coureurs des bois entreposaient ici leurs fourrures, sur les flancs de la Grande Montagne, avant de les expédier dans l'est du Canada. Ce ne sont pas eux, toutefois, qui baptisèrent l'endroit Grande Cache (pop. 3 700), car il s'agit d'une ville moderne, bâtie vers 1960 pour accommoder les travailleurs embauchés aux mines de charbon. Les mines ont été fermées depuis et Grande Cache est désormais un centre récréatif à l'entrée de la réserve Willmore.

Le visiteur ne manque pas d'être saisi par le contraste qui règne entre la modernité de la ville et la proximité de la grande nature. Il n'est pas rare d'y rencontrer en pleine rue un wapiti, un cerf de Virginie, voire même un ours.

Cette nature omniprésente est une invitation constante au visiteur à profiter des sentiers pédestres, des pistes d'équitation, des lacs de pêche (en saison) et du très beau terrain de golf.

Le cours rapide des rivières Smoky, Kakwa, Sulphur, Wildhay et du torrent Sheep Creek attire les fervents du canot et du kayak qui peuvent louer de l'équipement sur place. D'autres se régalent d'excursions de rafting sur les eaux écumantes.

Mouflon des parcs de l'Alberta

Sur la route 40, à l'extérieur de la ville, de nombreux sites de camping et de pique-nique sont situés dans des décors spectaculaires. Au parc Fireman, sur les hautes berges de la rivière Sulphur, on peut cuisiner sur le gril et profiter des terrains de jeu. Au lac Pierre Grey, la municipalité de Grande Cache gère un camp de séjour et six chalets individuels.

Le lac Grande Cache, au nord-est de la ville, se prête bien à la planche à voile, à la navigation de plaisance et à la pêche ; le lac Victor, à l'est, est réservé au canot et à la pêche.

2 Parc provincial William A. Switzer

Le parc William A. Switzer (2 686 ha), situé dans les contreforts au centre de l'Alberta, marque le passage de la forêt boréale aux montagnes Rocheuses. On l'atteint par la route 40 qui traverse les beaux paysages de la vallée de l'Athabasca.

Il se caractérise par un enchaînement de cinq lacs, Jarvis, Blue, Cache, Graveyard et Gregg. Ses montagnes et ses forêts abritent des aigles, des éperviers, des sauvagines et des oiseaux chanteurs, ainsi que l'orignal, le wapiti, le cerf de Virginie, le cerf mulet et l'ours.

La dernière glaciation ainsi que la rivière Athabasca ont sculpté son relief, comme on peut le constater en fréquentant le réseau de sentiers qui fait 19 km. Le plus intéressant, le sentier Valley Trail (3,5 km), commence au camping du lac Gregg et traverse des zones d'intérêt géologique et faunique. Le sentier du lac Jarvis (10,6 km) et celui des lacs Cache-Gregg (4,7 km) sont ouverts au ski de randonnée en hiver.

Excursion dans la vallée de l'Athabasca

Distance : environ 258 km

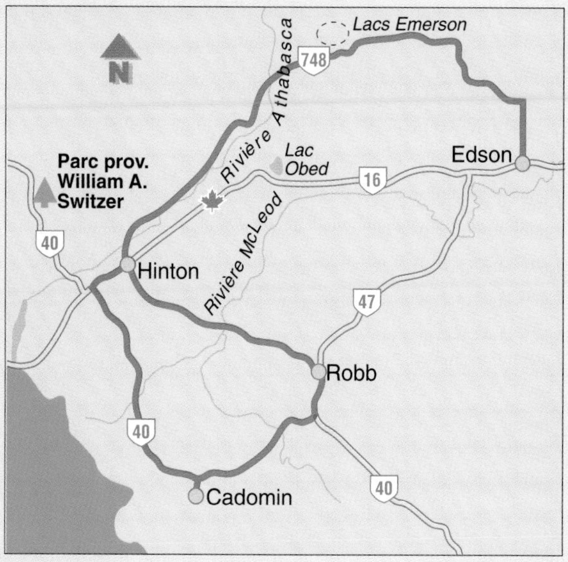

L'excursion adopte la forme d'un huit le long de l'ex-voie ferrée du Grand Tronc qui desservait jadis les petites villes charbonnières du Coal Branch.

• De Hinton, filez vers le sud sur la route 16 jusqu'à la route 40. Virez à gauche et roulez pendant 52 km pour atteindre Cadomin ; vous traversez une région densément boisée, coupée de rivières impétueuses.

• Jusqu'aux années 40, Cadomin vivait du charbon et comptait 2 500 âmes. Sa population est tombée depuis lors à 107 et il ne reste plus que deux mines en exploitation. Le magasin général Mountain Road et le café-restaurant Hole-in-the-Wall partagent un bâtiment avec une station d'essence et un bureau de poste. Le magasin a gardé un parfum d'autrefois avec des affiches publicitaires annonçant des produits aujourd'hui disparus. Sur les murs du restaurant, des photographies retracent l'histoire de la région.

C'est au restaurant qu'on se regroupe pour visiter la grotte de Cadomin, à 1,5 km au sud-ouest de la ville. (Personne ne devrait entrer dans cette caverne sans être accompagné d'un guide expérimenté.) Ses galeries font 3 km. Comme l'air est glacial et le sol boueux, il faut s'habiller chaudement et porter des bottes et un casque. (Réservations et renseignements : office des parcs à Jasper.)

• De Cadomin, prenez la route 40 vers l'est. Vous rencontrerez deux campings : Watson Creek (36 emplacements) et Coal Spur (8). La pêche y est bonne. Passé Coal Spur, la 40 croise la 47 que vous suivez vers le nord jusqu'à Robb où vous pourrez faire des provisions. Roulez ensuite vers le nord-ouest sur le chemin forestier qui mène à Hinton. Le camping de la rivière McLeod (22 emplacements) se trouve à mi-chemin sur cette route.

• Toujours sur le chemin forestier, après avoir roulé 42,5 km, virez à gauche sur une route de terre et faites environ 500 m pour atteindre le départ du sentier Bighorn, qui se trouve sur la gauche. Ce sentier de 20 km, un ancien chemin de hâlage, présente des vues inoubliables sur la vallée de l'Athabasca et sur les Rocheuses.

• Poursuivez votre périple vers le nord jusqu'à Hinton. Aux feux de circulation, au pied de la côte, tournez à doite et comptez 5 km avant de prendre la route 748, aussi appelée Forestry Road, qui mène aux lacs Emerson, à 56 km au nord-est de Hinton, et au terrain de camping Emerson Lakes (11 emplacements). Les lacs Emerson, d'origine glaciaire, attirent les amateurs de randonnée pédestre ; les sentiers contournent cinq petits lacs fréquentés par les orignaux, les cerfs mulets, les cerfs de Virginie, les wapitis et les ours noirs.

• Environ 8 km plus loin, sur le même chemin, commence le sentier Wild Sculpture. C'est une promenade facile de 9 km qui suit les berges du lac et mène aux sculptures « hoodoos », des rochers façonnés par le retrait des glaciers et qui se dressent à 15-20 m au-dessus du sentier. En hiver, celui-ci devient une piste de ski de fond.

• À partir d'ici et jusqu'à Edson, 31 km à l'est, la route 748 traverse une vaste région propice au ski de randonnée, à la raquette et à la pêche sur glace.

• Edson était considéré comme « la porte de l'Ouest » au temps du Pacifique-Grand Tronc. C'est maintenant un centre de chasse où ont lieu, pendant l'été, deux journées de grandes festivités, avec danse dans les rues, vente aux enchères et foire artisanale. À Edson, prenez la route Yellowhead en direction ouest pour revenir à Hinton.

Le parc Switzer offre cinq campings, les uns partiellement aménagés, les autres sauvages. La truite, le corégone et le brochet abondent dans les lacs et le cours d'eau tortueux du torrent Jarvis est idéal pour les amateurs de canot.

En hiver, les routes sont entretenues. On pêche sur la glace dans les lacs Jarvis, Cache et Gregg et on patine sur le lac Jarvis à Kelley's Bathtub ; dans ce dernier endroit, un coin a été prévu pour les barbecues et les feux de camp. Les skieurs de fond sont les bienvenus tout comme les raquetteurs, bien qu'il n'y ait pas de pistes spécifiques pour ceux-ci.

Le poste d'accueil est situé à Kelley's Bathtub, au nord du lac Jarvis.

3 Rocky Mountain House

Les bisons paissent paisiblement devant l'entrée du parc historique national de Rocky Mountain House, situé 7 km à l'ouest de la ville de Rocky Mountain House (pop. 5 400), sur la route 11A. De mai à octobre, on y organise des excursions centrées sur le rôle des explorateurs, des Indiens et de la traite des fourrures. Le visiteur n'a toutefois aucun mal à faire seul la découverte du parc historique, grâce à un excellent réseau de pistes et de sentiers d'auto-interprétation.

Tunique indienne, musée de Rocky Mountain House

Au poste d'accueil, une exposition regroupe des objets reliés aux Indiens et à la traite, ainsi que des pièces archéologiques. À partir du poste partent deux sentiers panoramiques qui longent la rivière Saskatchewan du Nord, l'un de 3,2 km, l'autre de 900 m. Ils mènent à l'emplacement de quatre forts

PARC NATIONAL

Jasper

Au milieu du XVIIIe siècle, les trafiquants européens de fourrures s'aventurèrent dans les Rocheuses à la recherche d'une route vers la côte ouest. Dès 1813, la compagnie du Nord-Ouest s'était dotée d'un poste (qui prendrait plus tard le nom de son commis, Jasper Hawse), situé dans ce qui allait être le parc national de Jasper. Pendant de nombreuses années, le troc — marchandises de l'Est contre fourrures de l'Ouest — se poursuivit autour d'un petit lac de la vallée de l'Athabasca appelé Committee's Punch Bowl. Les excursionnistes hardis qui s'aventurent aujourd'hui dans la voie des coureurs des bois et remontent la rivière Whirlpool découvriront une plaque qui rappelle cette époque.

Le parc national de Jasper a été créé en 1907, au moment où le chemin de fer transcontinental montait à l'assaut des Rocheuses. Avec ses 10 878 km², c'est le plus grand parc de cette chaîne de montagnes. Joint aux parcs nationaux de Banff, de Yoho et de Kootenay, il forme un site du patrimoine mondial. L'administration du parc se trouve dans la ville de Jasper située au point de rencontre de la route 16, qui traverse le parc, et de la route 93, aussi connue sous le nom de promenade des Champs-de-glace (Icefields Parkway), menant aux parcs de Banff et de Kootenay.

L'héritage des glaciers

La promenade des Champs-de-glace tire son nom du champ de glace Columbia, à cheval sur la ligne de partage des eaux entre Banff et Jasper. C'est la plus grande calotte glaciaire au sud du cercle arctique ; elle couvre 325 km² et l'épaisseur de la glace atteint 365 m. Six grands glaciers la composent. Le plus accessible est le glacier Athabasca ; pour se rendre jusqu'à sa pointe, on a un choix de plusieurs sentiers à partir de la promenade des Champs-de-glace ; chemin faisant, on traverse des moraines et on longe le lac glaciaire qu'il engendre. Depuis maintenant deux siècles, le glacier Athabasca recule en effet d'environ 1 à 3 m par an. En été, il s'allume du rouge des algues de neige et du bleu de la glace. Il faut porter des vêtements chauds, même en été, car, à son contact, le vent devient glacial. On a le plus bel aperçu du glacier à partir du sentier Wilcox Pass (4 km), qui grimpe au-dessus de la route et mène au col du Wilcox.

Spermophile à mante dorée, un habitué des parcs de l'Ouest

Un autre sentier intéressant est celui de Cavell Meadows, dans la zone sud-ouest du parc, près de la route 93A, au bout du chemin Mount Edith Cavell Road. Il permet de contempler le glacier Angel, qui recouvre le mont Edith Cavell (3 368 m) et semble replier ses « ailes » sur les rochers de la vallée. On entend parfois les craquements de la glace et l'écho des avalanches sur ses flancs.

Les glaciers de Jasper ont également laissé leurs marques dans les rivières et les lacs. Pulvérisée par les eaux des rivières, la moraine, mélange de glace et de particules de roc, a créé des dunes de sable qu'on aperçoit sur la rive est du lac Jasper et au-delà des limites du parc. Par temps sec et venteux, quand les eaux du lac sont basses, le vent soulève le sable qui remplit l'air d'une poussière grise. Les apports constants de débris et de vase ont rendu le lac Jasper stérile. En revanche, le lac Talbot, de l'autre côté des dunes, est riche en éléments nutritifs. Il attire la sauvagine, tandis que le wapiti et le cerf mulet broutent l'herbe des dunes.

On rencontre aussi ces animaux dans les nombreux sentiers qui entourent la ville de Jasper et dont quelques-uns se parcourent en moins d'une heure. C'est le

genre au Canada. On y expose des voitures et des avions anciens et les visiteurs sont invités à voir comment on en effectue la restauration. Les voitures, bicyclettes, machines agricoles et industrielles exposées au musée sont en si bon état qu'on les fait souvent défiler dans les rues.

Le musée Reynolds-Alberta loge également le Temple de la Renommée de l'Aviation du Canada qui présente chaque mois une exposition différente. Ouvert toute l'année, il se situe en face de l'aéroport de Wetaskiwin, 2 km à l'ouest de la ville, sur la route 13.

Un autre musée de l'aviation, le musée Reynolds, offre à l'admiration des visiteurs des centaines de véhicules de collection, comme un monoplan sport Reynolds de 1919, propulsé par un moteur Ford de modèle T, et une motocyclette rétractable de 1945 à l'usage des parachutistes.

La ville de Wetaskiwin se visite très bien à pied. On se rend ainsi à la gare de chemin de fer (1891), au palais de justice (1908), et l'on visite le Musée de la cité et du district de Wetaskiwin, dans l'édifice de l'électricité (1908), qui relate la vie des pionniers.

Dans les environs de la ville se trouve un refuge de sauvagines ainsi que la zone de récréation du lac Pigeon, à l'ouest de Wetaskiwin, où l'on peut s'adonner au golf, à la pêche et aux randonnées pédestres.

6 Stettler

Au début du siècle, un immigrant suisse du nom de Stettler persuada un groupe de compatriotes de venir défricher la terre dans la vallée de la rivière Red Deer. L'entreprise se révéla un tel succès que, par reconnaissance, ils voulurent donner son nom à la ville quand elle s'incorpora en 1906. Le musée de Stettler rend hommage à ses pionniers en entretenant un ensemble de bâtiments qui datent des années 1890 et 1900 : le palais de justice, le bureau de poste, une sellerie, une église (1908) et une gare (1911).

Autrefois, Stettler (pop. 5 000) se contentait de desservir les agriculteurs des environs. Quand, en 1949, on y découvrit du pétrole, sa vocation changea du jour au lendemain et quelque 6 700 puits firent leur apparition dans les fermes environnantes. Stettler demeure encore aujourd'hui un centre important de production pétrolière.

7 Village historique ukrainien

Une charrette à foin tirée par un cheval passe clopin-clopant devant une église à coupole bulbeuse, des granges à toit de chaume et de modestes maisonnettes en bois. Dans les rues poussiéreuses du village, les femmes, coiffées de foulards aux teintes éclatantes, vaquent à leurs tâches tandis que les hommes travaillent au champ ou au jardin. Nous sommes au Village historique ukrainien où l'on préserve avec amour tous

Avec son costume traditionnel, cette jeune fille au sourire éclatant perpétue le passé au Village historique ukrainien.

les symboles, les sons et les couleurs de 40 ans de présence ukrainienne dans l'Ouest canadien.

Le centre-est de l'Alberta, une région qui couvre environ 8 000 km² entre Fort Saskatchewan et Vermilion, constitue la terre d'élection des immigrants ukrainiens au Canada. Les premiers d'entre eux s'établirent en 1892 dans le district d'Edna, à 65 km au nord-est d'Edmonton, attirés par la promesse qu'on leur céderait 65 ha de terre pour la modique somme de 10 $. La vague d'immigrants qui suivit amena un quart de million d'Ukrainiens non seulement en Alberta, mais aussi dans le centre de la Saskatchewan et dans l'ouest du Manitoba.

Le Village historique ukrainien couvre 130 ha et se compose de 30 bâtiments qui racontent à leur manière la vie des immigrants, depuis l'indigence de leurs débuts jusqu'à leur relative prospérité dans les années 20 et 30.

L'une des plus touchantes restaurations est celle de maisons creusées dans le sol et appelées *burdei* (ou parfois *zemlianka*), qui furent le premier abri de milliers de nouveaux arrivants. Le *burdei* était à peine plus grand qu'une chambre normale dans un logement moderne. Les femmes et les enfants passaient dans cet espace restreint les longs et rigoureux hivers de la prairie canadienne, pendant que les maris partaient au loin assurer leur subsistance.

Au fil des ans, ils passèrent d'une agriculture domestique à une exploitation agricole commerciale ; cinq fermes racontent comment s'effectua cette promotion sociale. Au sortir du *burdei*, une maison comme celle des Slemko, qui date de 1919, devait paraître luxueuse ; pourtant une famille de sept enfants y vivait dans une seule pièce et tous dormaient dans le même lit.

Dans le village, des guides en costumes folkloriques interprètent l'histoire des pionniers. Aux champs, on travaille encore avec la machinerie et selon les méthodes d'autrefois. Dans les cuisines, les femmes préparent des mets traditionnels ukrainiens dont se délectent les visiteurs. Musique et jeux font revivre les rares moments de détente qui ponctuaient une vie austère.

Le Village historique ukrainien est ouvert au public tous les jours de mai à novembre et aux groupes le reste de l'année. Il offre des programmes variés et divers événements spéciaux. Les plus importants sont la fête des Ukrainiens et la foire d'automne (toutes deux en août) ainsi qu'un marché de produits maraîchers qui se tient toutes les fins de semaine.

Au Village historique ukrainien, la reconstitution d'une grange bâtie par les colons.

La petite église méthodiste (1906), au lieu historique de Victoria Settlement.

8 Smoky Lake

Il fut un temps où une brume tenace recouvrait le lac Smoky ; voilà pourquoi les Cris lui donnèrent le nom de « lac qui fume ». Cette brume a disparu, mais le lac a conservé son appellation. Des milliers de sauvagines viennent s'y poser deux fois par an, au printemps et à l'automne.

Les premiers immigrants ukrainiens cherchaient à s'établir près de la rivière Saskatchewan du Nord, en aval d'Edmonton. Le village de Smoky Lake (pop. 1 057) est typique des localités qu'ils fondèrent à l'époque. On aperçoit d'abord les églises, couronnées d'une grappe de coupoles et décorées à l'intérieur de riches icônes.

L'église Holy Trinity, de confession orthodoxe russe, la deuxième de Smoky Lake, a été construite en 1904 et affecte la forme d'une croix surmontée d'un dôme ouvert à la croisée du transept ; on lui ajouta un clocher en 1928. Près de l'église se trouve l'un des plus grands cimetières ukrainiens de l'Alberta. En face, sur la route principale, le musée de Smoky Lake expose, en été, des outils, des tapisseries et des vê-

La nuit tombe sur le lac La Biche, jadis sillonné de canots chargés de fourrures.

tements ayant appartenu aux premiers Ukrainiens.

Au sud de Smoky Lake se trouve le lieu historique provincial de Victoria Settlement dont la fondation remonte aux années 1860, ce qui en fait l'un des plus vieux villages de l'Alberta. Au tournant du siècle, Victoria troqua son nom pour celui de Pakan en hommage au chef indien qui dissuada ses sujets cris de participer à la seconde rébellion de Louis Riel.

En 1919, la voie ferrée passa à 15 km au nord de ce village, plus précisément à Smoky Lake, et la plus grande partie des bâtiments, dont l'hôpital, y furent déménagés. Des décennies plus tard, en 1974, le site original de Pakan fut reconnu pour son intérêt historique. Il ouvrit en 1981 sous le nom de Victoria Settlement.

La compagnie de la Baie d'Hudson avait construit ici un fort en 1864 ; il n'en subsiste plus que la maison d'un commis, le plus ancien bâtiment de l'Alberta sur son site d'origine, qu'on a restaurée dans son aspect d'origine. Le temple méthodiste est toujours debout, lui aussi ; il offre à ses visiteurs, l'été, un diaporama sur la vie dans les premiers temps du village.

La pépinière Pine Ridge, à 19 km à l'est de Smoky Lake, près de la route 28, est exploitée par le gouvernement provincial. On y cultive 35 millions de plants, et 15 millions de semences sont mises en terre chaque année. L'une des serres a les dimensions de deux terrains de football. On peut en faire la visite sur réservation.

À 10 km au sud de Smoky Lake, sur la petite route 857, se dresse l'église orthodoxe russe St. Peter and St. Paul à Dickiebush. Elle fut construite de mémoire par Stephen Rosichuk qui ne savait ni lire, ni écrire, mais qui n'avait pas oublié à quoi ressemblait l'église de son patelin natal.

Un enclos de bisons de 28 000 ha qui abrite l'un des plus grands troupeaux de propriété privée de l'Alberta se trouve à 8 km au nord de Smoky Lake. L'endroit, appelé Inn at the Ranch, offre la chambre et le petit déjeuner.

Événements spéciaux

Stampede, jours du souvenir, défilé et spectacle culturel de Smoky Lake (août)

Jours du Fort Victoria (août)

Pesée des citrouilles géantes (octobre)

9 Lac La Biche

L'histoire de la traite des fourrures imprègne ce petit village de l'Alberta (pop. 2 737) situé sur le lac du même nom ; tous deux ont conservé leur appellation française. Deux systèmes fluviaux émergent du lac La Biche, celui de l'Athabasca/Mackenzie au nord et celui du fleuve Churchill à l'est, pour aboutir dans l'océan Arctique par des voies différentes. Ils servirent autrefois au transport des fourrures et valurent au village de Lac La Biche, l'un des plus vieux de l'Alberta, une certaine prospérité.

Mystérieux et séduisant, un sentier dans le parc provincial Sir Winston Churchill.

Les colons y vinrent en 1915 dans le sillage du chemin de fer Alberta and Great Waterways. L'un des plus entreprenants, J.D. McArthur, ouvrit l'Auberge du Lac La Biche. Cet hôtel fut l'un des rares bâtiments à être épargné par le feu de forêt de 1919, un incendie si intense que la population de Lac La Biche dut se réfugier dans le lac.

Chaque année, Lac La Biche organise pendant quatre jours des défilés, des compétitions, des danses et un tournoi de baseball ; les Indiens et les Métis font la fête ensemble tandis que le tournoi de pêche attire les pêcheurs de partout dans la région.

Le parc historique provincial de Lac La Biche Mission est situé à 10 km à l'ouest de la ville. Établie en 1853, la mission mit sur pied la première imprimerie de l'Alberta et produisit des livres en anglais, en français et en cri. Le moulin, construit en 1862, et la scierie (1871), la première de la province, sont toujours debout. La mission est ouverte au public pendant l'été et aux visites de groupes le reste de l'année.

À 12 km à l'est de la ville, sur la route 881, se trouve le parc provincial Sir Winston Churchill (234 ha), situé sur la plus grande des 11 îles du lac La Biche. On peut y observer plus de 200 espèces d'oiseaux. Le parc offre deux sentiers pédestres bien balisés, des plages de sable et 72 emplacements de camping.

10 Cold Lake

Le pêcheur qui rêve de prises gigantesques voudra se rendre à Cold Lake (pop. 4 017). Ici, le lac de 373 km² est réputé pour ses truites aussi énormes qu'exquises — on y a enregistré des prises de 23,9 kg — de même que pour ses grands brochets et ses dorés.

Le lac Cold est l'endroit rêvé pour pêcher avec succès la truite et le brochet.

La ville fut fondée en 1905 comme site de pêche commerciale. En 1954, l'Aviation royale canadienne y ouvrit une base. Le pétrole devait par la suite décupler la prospérité de Cold Lake.

De partout dans la ville, on peut se rendre à pied à la promenade aménagée dans le port de plaisance. Celui-ci est en mesure d'accueillir 250 bateaux et on peut y louer des embarcations. Le magasin général Clark attire les visiteurs par son décor qui reproduit celui d'une crèmerie des années 20.

Les mâts totémiques dressés près du port sont l'œuvre du chef Ovide Jacko, de la réserve indienne de Cold Lake. Ils ont été érigés ici en 1966-1967 en signe d'amitié entre les Indiens et les habitants de la ville.

Le parc provincial de Cold Lake, qui s'étend sur 398 ha à 4 km au nord-est de la marina, offre 115 emplacements de camping pour groupes et familles, un réseau de 9 km de sentiers pour la randonnée pédestre en été et le ski de fond en hiver, de même que la possibi-

lité de faire du bateau. Le camping est ouvert surtout en été, mais quelques emplacements sont accessibles l'hiver.

On trouve dans la région deux sites importants pour l'observation des oiseaux. L'avifaune du lac Moose, 40 km au sud par la route 28, comprend plus de 40 espèces, de l'outarde au pélican blanc. Le lac Jessie, à Bonnyville, avec ses sentiers d'observation et ses plate-formes, permet d'approcher quelque 200 espèces : grue blanche d'Amérique, pygargue à tête blanche, râle jaune, aigle royal.

Pic flamboyant, comme on en observe souvent dans les boisés de l'Alberta

Événements spéciaux

Jours du rodéo, Grand Centre (début juin)

Aqua Days (fin juillet-début août)

Spectacle aérien de l'Alberta (une fois tous les deux ans en juillet)

La région des lacs, au nord-est de l'Alberta

Distance : environ 250 km

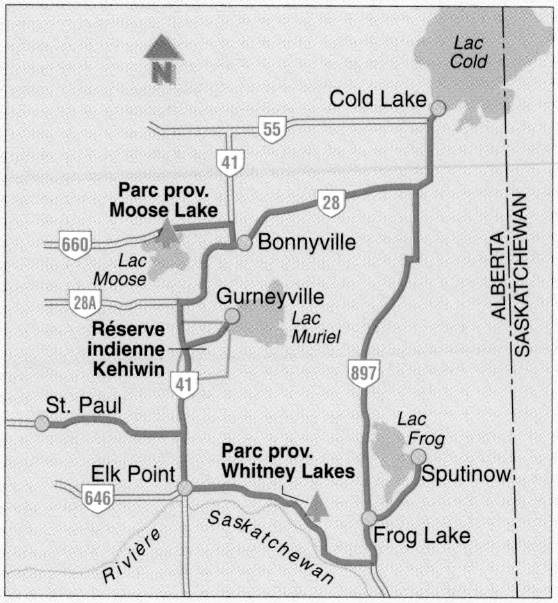

L'excursion débute à Cold Lake (voir ci-contre). On est ici à 300 km au nord-est d'Edmonton, à la jonction des routes 55 et 28, près de la frontière de l'Alberta et de la Saskatchewan.

- Premier arrêt, la localité agricole de Bonnyville (pop. 5 150) à 50 km au sud-ouest de Cold Lake, sur la route 28. La municipalité est entourée de lacs. Dans la ville même, le lac Jessie, à l'intersection de deux grandes voies migratoires, est idéal pour la randonnée et l'observation des oiseaux ; des espèces rares se posent souvent sur ses rivages marécageux.
- Un peu à l'ouest de Bonnyville, prenez la route 660 vers le parc provincial Moose Lake où vous trouverez une plage de sable, l'occasion de faire de la pêche et de la voile, et des sentiers à parcourir sur la pointe Deadman.
- Revenez à la route 28 d'où vous poursuivez vers le sud jusqu'à Gurneyville ; virez vers l'est pour vous rendre à la réserve indienne Kehiwin où vivent les descendants des grands chefs Poundmaker et Big Bear. On y visite l'aciérie locale ainsi qu'une fabrique artisanale de couvertures, de châles et de sacs ornés de symboles propres aux Indiens des Plaines.
- De retour sur la route 28, poursuivez vers le sud sur 10 km jusqu'au point où la route fait un virage abrupt vers l'ouest en direction de la ville de St. Paul (pop. 5 021), rendue célèbre par sa contribution originale aux fêtes du Centenaire au Canada (1967) : une plate-forme d'atterrissage pour soucoupes volantes, à 12 m du sol. Depuis 1993, on lui a ajouté un ovni (de fabrication bien terrienne) qui sert d'accueil aux visiteurs.
- De St. Paul, reprenez la route 28, cette fois en direction est, jusqu'à la route 41 que vous suivrez en direction sud sur 9 km pour atteindre Elk Point.
- Elk Point (pop. 1 400) se caractérise par une murale de 30 m dépeignant les événements de la rébellion du Nord-Ouest de 1885, qui se déroula tout près et laissa une forte empreinte.
- Sur la colline, au nord d'Elk Point, se dresse une statue de 10 m, sculptée à la scie mécanique. Elle représente l'arpenteur Peter Fidler qui, vers 1790, épousa la cause des Indiens.

À environ 11 km au sud-est de la ville se trouve le site historique provincial Fort George-Buckingham qui rappelle l'histoire de deux postes de traite rivaux en 1792, Fort George et Buckingham. Le centre d'interprétation est ouvert de la mi-mai à la fête du Travail.

- À 16 km de la ville, sur la route 646 en direction de l'est, on peut visiter l'usine de la Canadian Salt qui produit quelque 400 tonnes de sel par jour.
- Continuez encore 9 km sur la route 646 (27 km au total à partir d'Elk Point). Après Lindbergh, vous avez l'entrée du parc provincial Whitney Lakes (1 335 ha) où se trouvent quatre lacs, des sentiers d'intérêt naturel et des terrains de camping aux lacs Ross et Whitney.
- Poursuivez sur la route 646 jusqu'à son intersection avec la route 897 ; prenez cette dernière vers le nord jusqu'au lac Frog qu'on atteint par une petite route latérale, du côté est de la 897. Un monument et un sentier rappellent le massacre des Métis durant la Rébellion de 1885.
- Reprenez la 897 en direction du nord, pour retrouver la route 28 qui vous ramène à Cold Lake.

SASKATCHEWAN

7

Saskatchewan

Sites

Les grandes dunes de sable
Parc provincial Meadow Lake
Maple Creek
Parc interprovincial Cypress Hills
Lieu historique national de Batoche
Parc patrimonial Wanuskewin
Lac Diefenbaker
Parc provincial Buffalo Pound
Parc provincial Wood Mountain Post
Parc national des Prairies
Parc provincial historique
St.Victor's Petroglyphs
Fort Qu'Appelle
Ferme historique Motherwell
Canora
Parc provincial Moose Mountain
Cannington Manor

Circuits automobiles

En terre métis : de Batoche au fort Carlton
La route des bisons : de Willow Bunch à Ogema

Parc national

Prince-Albert

Pages précédentes : Parc provincial Saskatchewan Landing sur le lac Diefenbaker

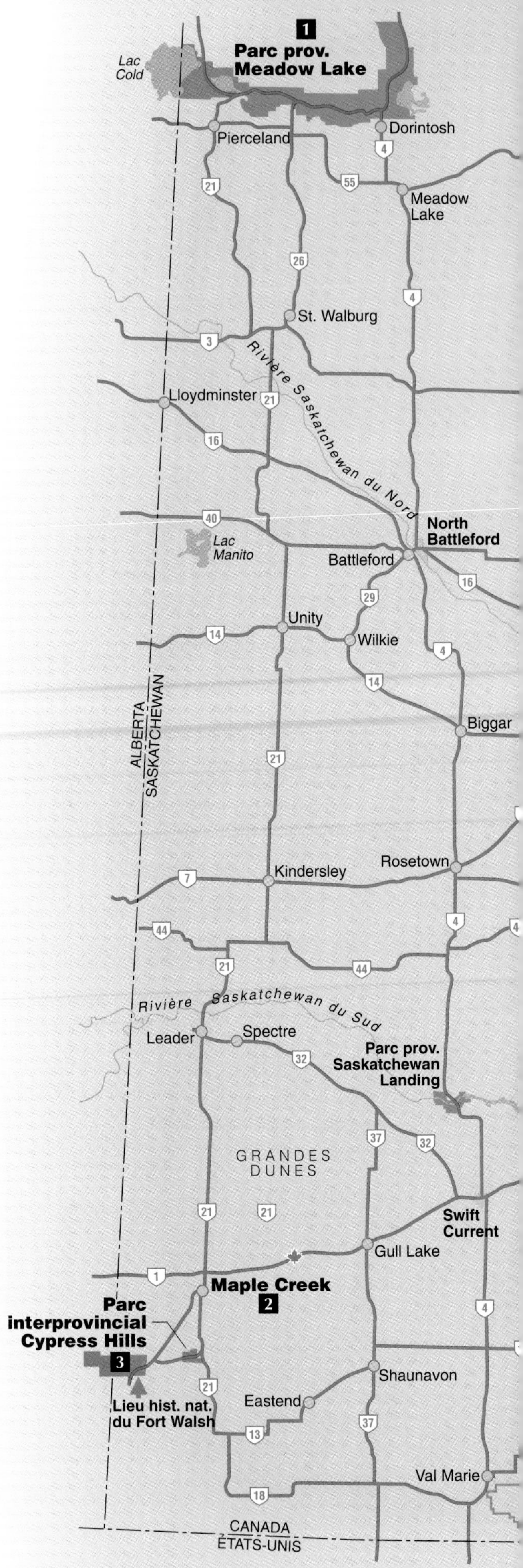

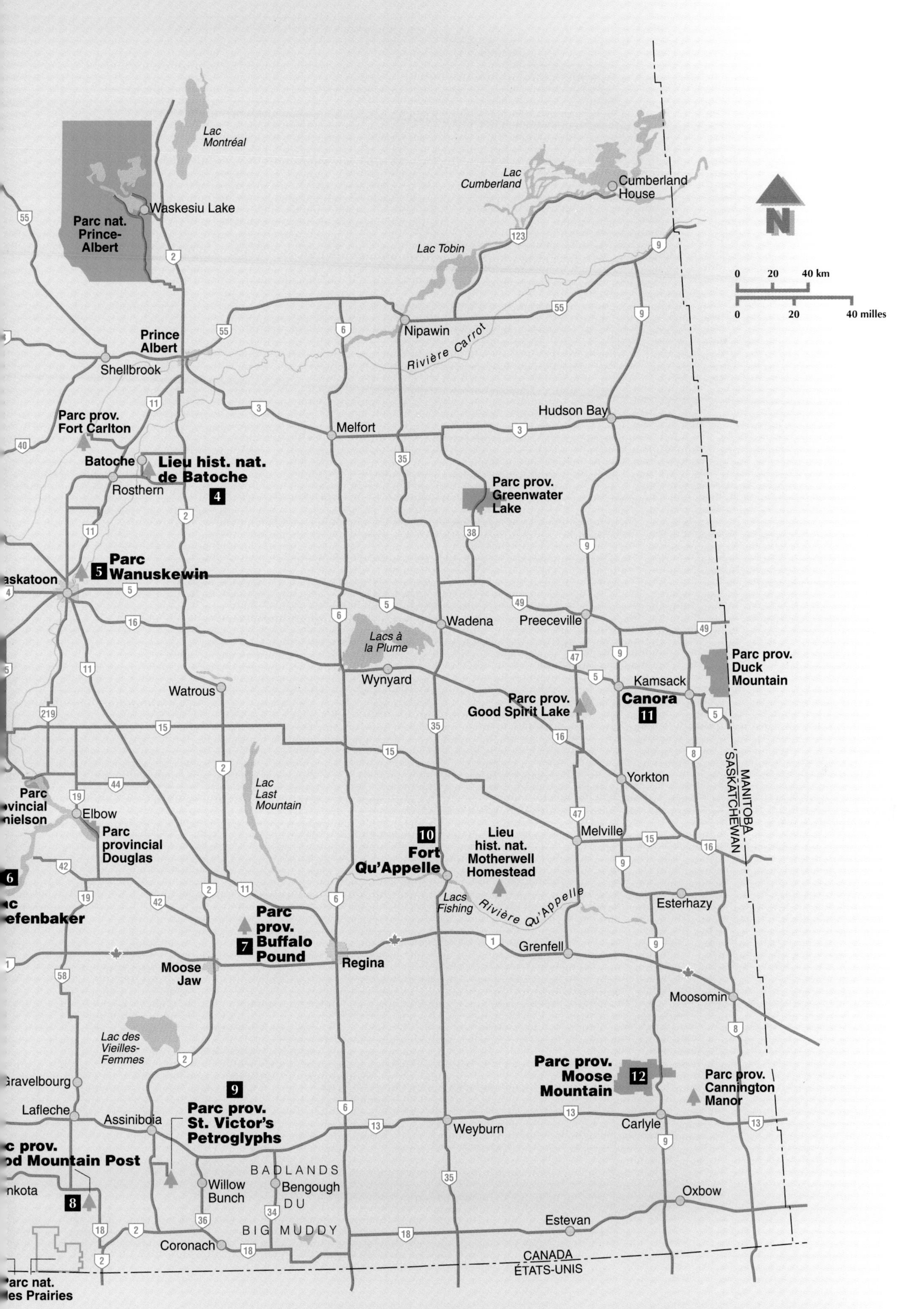

Lac Montréal
Parc nat. Prince-Albert
Waskesiu Lake
Lac Cumberland
Cumberland House
Lac Tobin
N
0 20 40 km
0 20 40 milles
Nipawin
Rivière Carrot
Prince Albert
Shellbrook
Parc prov. Fort Carlton
Hudson Bay
Melfort
Batoche
Lieu hist. nat. de Batoche
4
Rosthern
Parc prov. Greenwater Lake
Parc Wanuskewin
5
Wadena
Preeceville
Lacs à la Plume
Wynyard
Parc prov. Duck Mountain
Kamsack
Watrous
Parc prov. Good Spirit Lake
Canora
11
Yorkton
Lac Last Mountain
MANITOBA
SASKATCHEWAN
Elbow
Parc provincial Douglas
Melville
10
Fort Qu'Appelle
Lieu hist. nat. Motherwell Homestead
Lacs Fishing
Rivière Qu'Appelle
Esterhazy
Parc prov. Buffalo Pound
7
Grenfell
Moose Jaw
Regina
Moosomin
Lac des Vieilles-Femmes
Parc prov. Moose Mountain
12
Parc prov. Cannington Manor
Gravelbourg
9
Parc prov. St. Victor's Petroglyphs
Lafleche
Assiniboia
Weyburn
Carlyle
BADLANDS DU BIG MUDDY
Willow Bunch
Bengough
Oxbow
8
Estevan
Coronach
CANADA
ÉTATS-UNIS

DUNES ET ARMOISE

Antilopes dans la prairie, en Saskatchewan

Au nord de Maple Creek, entre la Transcanadienne et la route 132, s'étend un territoire de 1 900 km², les Great Sand Hills, où les grandes dunes sont continuellement en mouvement.

Ces dunes sont apparues il y a environ 14 000 ans au moment du retrait des glaciers qui laissèrent derrière eux des bancs de sable et de gravier. Les vents dominants continuant de façonner ces dunes, dont certaines atteignent près de 2 km de longueur et de 15 à 20 m de hauteur, les font avancer au rythme de 3 à 4 m par année.

Vous entrez dans les dunes par la Straw Road à Sceptre (pop. 167). Les gens vous indiqueront la route. Dans le village, arrêtez-vous un moment pour visiter le musée Great Sand Hills.

La région n'a absolument rien de désertique. Les dunes sont peuplées de bosquets de trembles, de bouleaux et de saules et de petits buissons comme le rosier sauvage, l'amélanchier, le cerisier et l'armoise argentée. L'aridité des lieux favorise la croissance de la raquette fragile et de la scabieuse des champs. Le roseau et la citronnelle y survivent grâce à des racines de 12 à 15 m de longueur que les pionniers utilisaient comme ficelle à lier.

Le territoire est aussi habité par le grand cerf mulet et la gélinotte à queue fine. Si vous êtes chanceux, en contournant les dunes, vous verrez des antilopes paître dans les champs.

1 Parc provincial Meadow Lake

Créé en 1959, Meadow Lake est l'un des parcs provinciaux les plus grands et les plus septentrionaux de la Saskatchewan. Il couvre près de 1 600 km² de forêt boréale mixte et renferme plus de 25 lacs. Il se prête au camping, au canot et à la pêche. Le soir, le campeur peut entendre l'appel du huart, du coyote ou du loup et voir danser dans le ciel les changeantes aurores boréales aux lueurs vertes et roses.

Ce vaste parc abrite des peuplements de trembles, qui atteignent des hauteurs impressionnantes (15 m ou plus). En été, leurs hautes futaies forment de magnifiques voûtes vert et blanc au-dessus de certains lacets de route. On rencontre aussi des peuplements de bouleaux blancs, d'épinettes et de pins gris. L'été, les mélèzes se fondent parmi les autres conifères, mais l'automne, ils forment avec eux un tableau contrasté, car leurs délicates aiguilles caduques, avant de tomber, prennent une belle couleur ocre. Les orignaux, les cerfs, les wapitis et les ours sont nombreux dans le parc.

Pour mieux apprécier la forêt boréale, parcourez à pied le sentier White Birch Nature Trail (2 km), près du lac Flotten. Il mène, au-delà de la rivière Flotten, dans une boulaie à pins gris avant d'aboutir à une tourbière par un trottoir de bois.

À l'autre extrémité du parc, au sud du lac Pierce, se trouve le sentier du lac Humphrey. Après une randonnée facile d'une demi-journée, il se termine sur un belvédère qui domine les environs.

On peut observer une phase du cycle forestier au nord du lac Kimball, dans un secteur détruit par l'incendie au début des années 80. Les troncs calcinés se dressent au milieu d'une végétation verdoyante composée d'arbustes et de jeunes arbres. La forêt renaît de ses cendres.

L'un des plus beaux paysages du parc est la vallée de la petite rivière Salt, au nord du lac Flotten. De la halte prévue, au bord de la route, la vue embrasse la vallée sauvage et densément boisée, dont le fond se trouve 120 m plus bas.

2 Maple Creek

En 1882, une dizaine d'hommes, qui travaillaient pour le Canadien Pacifique à la construction d'un chemin de fer dans la prairie, décidèrent de rester sur place pendant la relâche hivernale plutôt que de retourner chez eux. Ils construisirent une cabane en rondins au bord d'une petite rivière, là où, chose étonnante dans la plaine, poussaient des érables (maples, en anglais) et, comme eux, ils prirent racine.

Maple Creek (pop. 2 297) vit aujourd'hui d'élevage. Arrêtez-vous-y, ne serait-ce que pour connaître l'esprit d'un petit village de l'Ouest, avant de poursuivre vers le parc Cypress Hills ou les dunes de Great Sand Hills.

Le musée Old-Timers, sur la rue Main, expose, parmi une foule d'objets qui témoignent du passé turbulent de Maple Creek, des pointes de flèches indiennes, des carabines et des pistolets anciens et un assortiment d'attirails de cow-boys.

Le centre culturel et historique de Jasper occupe une ancienne école de brique à un coin de rue au sud du musée. On y verra, dans ses salles thématiques,

Prince-Albert

Le parc national Prince-Albert fait le pont entre deux mondes : au sud, celui des grands champs, des moissonneuses-batteuses et des élévateurs à grains ; au nord, celui des industries minière et forestière. On y accède par les routes 263 et 264, à l'est, près de Waskesiu Lake, et à l'intersection des routes 263 et 240, près du lac Sandy Halkett, au sud-est.

Les glaciers qui ont façonné le paysage boréal de la région y ont laissé de douces collines, de grands lacs et des rivières sinueuses serpentant dans des tourbières. Ce milieu favorise divers peuplements forestiers, chacun ayant ses caractéristiques. Le tremble croît dans les terrains élevés et bien drainés, le pin gris, le long des crêtes sableuses, tandis que l'épinette noire et le mélèze préfèrent les cuvettes et les marécages.

Les sentiers de randonnée du parc permettent d'observer la richesse de cette mosaïque. Le sentier Narrows Peninsula (3 km), du côté nord du lac Waskesiu, commence dans une forêt mixte de trembles, de bouleaux et d'épinettes blanches. Le soleil s'introduit sous les futaies et vient éclairer le rosier sauvage, la viorne trilobée, la salsepareille et le cornouiller. Le sentier descend ensuite vers le lac le long d'une crête de sable couverte de pins gris. Bientôt, vous marchez jusqu'à la taille parmi les frondes souples de la fougère à l'autruche qui dominent la prêle, la menthe sauvage et le groseillier. Vous êtes dans un peuplement de sapins baumiers où poussent des épinettes blanches de plus de 1 m de diamètre, taille exceptionnelle dans la forêt boréale. C'est l'un des peuplements les plus vieux du parc.

La diversité forestière du parc Prince-Albert est soutenue par celle des paysages lacustres. En fait, l'eau compte pour le tiers de la superficie du parc (3 875 km^2). Trois grands lacs d'origine glaciaire, les lacs Waskesiu, Kingsmere et Crean, occupent le cœur du parc où coulent aussi des cours d'eau au fond d'anciens chenaux glaciaires.

Figés dans les glaces pendant six ou sept mois par année, les lacs grouillent de vie pendant le bref été boréal. Le spectacle commence à l'étranglement du lac Waskesiu quand le pygargue à tête blanche, le balbuzard, le huart, le bec-scie et le grèbe viennent pêcher dans les premières eaux libres de glace. Après quelques jours de soleil et de chaleur, le pélican blanc revient du golfe du Mexique, où il tient ses quartiers d'hiver, vers le lac Lavallée, près de la limite nord du parc. Ils sont plus de 7 000 individus à nicher sur une toute petite île (le secteur est interdit aux visiteurs).

L'un des milieux les plus fascinants du parc est la tourbière. Dense tapis végétal imbibé d'eau, cernant des îlots d'épinettes noires et de mélèzes rabougris, la tourbière occupe de vastes étendues, mais seul est accessible le secteur qui borde le sentier Boundary Bog Nature Trail (1 km), à la limite est du parc. Un trottoir de bois permet d'explorer une portion de tourbière parsemée de sarracénie pourpre, de plaquebière, d'andromède glauque et de rossolis délicats qui capturent les insectes grâce à leurs petites feuilles rouges et poisseuses disposées en rosette.

Grey Owl, écrivain et écologiste avant l'heure, passa les sept dernières années de sa vie dans la forêt qui longe le petit lac Ajawaan, au nord de Kingsmere. Avec sa femme Anahareo, il éleva deux bébés castors, dont il raconte les facéties dans *Pilgrims of the Wild* et *Tales of an Empty Cabin*. Jusqu'à sa mort, en 1938, on croyait que Grey Owl était Indien. En réalité, il était Anglais et s'appelait Archibald Stansfeld Belaney ; il avait émigré au Canada en 1906. Sa tombe se trouve dans le parc et son camp est encore au bord du lac.

Bison, au parc national Prince-Albert

RENSEIGNEMENTS PRATIQUES
Accès : *routes 263, 264 et 240.*
Accueil : *Waskesiu Lake.*
Installations : *au village de Waskesiu Lake, cabines et motels ouverts toute l'année ; hébergement saisonnier au Waskesiu International Hostel ; 500 emplacements de camping sauvage ou organisé le long de la route 263 et aux lacs Sandy, Nanekus et Trappers ; camping rustique pour groupes aux lacs Trappers et Kingsmere.*
Activités estivales : *équitation, tennis, croquet, golf de 18 trous, baignade, pêche, pique-nique, randonnée, aviron, canotage. Location de barques et de canots ; rampes de mise à l'eau à trois marinas.*
Activités hivernales : *ski de fond et raquette.*

Le fort Walsh, avec sa palissade de bois, veille au pied des collines du Cyprès.

des trésors d'antan comme de vieux phonographes à cylindres et des fers à cheval de styles variés.

Événements spéciaux

Rodéo de Maple Creek (fin mai)

Rodéo Jasper Jamboree Ranchmen (début juillet)

Exposition de chevaux (mi-août)

Cowboy Poetry Gathering (fin septembre)

3 Parc interprovincial Cypress Hills

Les collines du Cyprès sont un plateau boisé de 2 600 km² qui domine, à 610 m, la plaine herbeuse de la Saskatchewan. Vestige de hautes terres plus vastes, elles constituent les sommets les plus élevés à cette latitude entre les Rocheuses et le Labrador et englobent un réseau complexe de ravins et de vallées. Chevauchant l'Alberta et la Saskatchewan, les collines ont longtemps été séparées en deux parcs provinciaux. En 1989, ceux-ci ont été réunis sous une même administration pour former le parc interprovincial Cypress Hills, premier du genre au Canada.

La partie saskatchewannaise du parc présente de nombreuses particularités. C'est, par exemple, le seul endroit en Saskatchewan où croît le pin lodgepole. S'y trouvent également associés les habitats caractéristiques de la prairie et de la montagne. Elle sert par ailleurs d'aire de nidification à des oiseaux qui ne vivent normalement que dans le nord des Rocheuses. Au moins 18 espèces et deux variétés distinctes d'orchidées y ont été repérées. Enfin, l'antilope fréquente ici l'une des dernières prairies de fétuque du Canada.

Le parc est divisé en deux par une vallée de 16 km de largeur, The Gap. Le secteur central, une portion de 44 km² au sud de Maple Creek, est accessible par la route 21. Après l'avoir visité, empruntez le chemin Gap Road qui franchit les collines en passant par Lookout Point et Bald Butte pour rejoindre le secteur ouest (176 km²) et le site historique de Fort Walsh. Cette route n'étant pas asphaltée, il vaut mieux, en cas de pluie, prendre la route 271, au sud-ouest de Maple Creek, qui contourne le secteur central du parc.

Le fort Walsh était, entre 1875 et 1883, un des principaux postes de la Police montée du Nord-Ouest et un important comptoir d'échanges commerciaux. Le poste original a été restauré, avec sa palissade, sa caserne, son poste de garde, sa poudrière, son étable et ses ateliers. Un comptoir d'accueil reçoit les visiteurs de la mi-mai à l'Action de grâces.

Jusqu'à la fête du Travail, un autobus fait la navette entre le fort et le poste de traite d'Abe Farwell. C'est là qu'eut lieu, en 1873, le massacre de plusieurs Assiniboines, abattus pour le vol présumé de quelques chevaux par des chasseurs américains en colère. Ce massacre fut à l'origine de la création de la Police montée du Nord-Ouest.

4 Lieu historique national de Batoche

Pendant quatre jours, en mai 1885, la bataille fit rage sur les bords de la rivière Saskatchewan du Sud. Une bande de 300 Métis et Indiens dirigés par Louis Riel et Gabriel Dumont affrontait une milice d'environ 900 hommes placés sous le commandement du major-général Frederick Middleton.

Le 12 mai 1885, les Métis furent mis en déroute. Le rideau était tombé sur la Rébellion du Nord-Ouest. Riel fut jugé pour trahison et pendu à Regina. Sa tombe se trouve à Saint-Boniface. Un parc national historique de 182 ha a été constitué sur les lieux de sa dernière bataille.

Au pavillon d'accueil, on explique ce qu'était la vie des Métis avant cette bataille et les conséquences historiques de leur défaite. Dans une salle d'exposition, on présente notamment des vêtements d'époque des Métis ainsi que des uniformes et du matériel des troupes gouvernementales. Des maquettes du champ de bataille et du camp métis décrivent les étapes du combat. Le personnel du parc, en costume métis, commente la visite du champ de bataille, encore ponctué de tranchées et de caches à fusils.

Les ruines de Batoche ainsi qu'une piste utilisée par les Métis se trouvent de l'autre côté de la rivière. On y accède par traversier. Cartes et panneaux explicatifs sont prévus sur le parcours.

À l'écart du champ de bataille s'élève la mission de Saint-Antoine-de-Padoue, toute en bardeaux blanchis, qui fut la capitale des Métis. L'église et

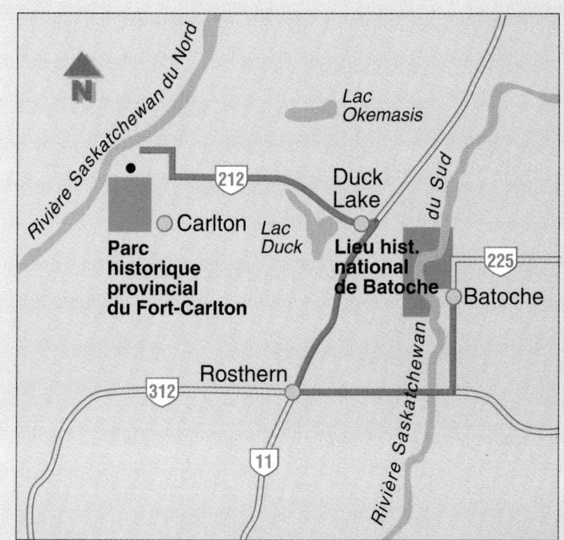

Promenade en terre métis

Distance : environ 60 km

De Batoche, filez en direction sud sur la route 225 qui longe la rivière Saskatchewan du Sud. À l'intersection de la route 312, prenez à l'ouest jusqu'au petit village de Rosthern (pop. 1 560), situé au cœur du pays du blé. Une énorme sculpture (13 m) représentant des gerbes de blé signale l'entrée du village.

Ouvert toute l'année du mardi au samedi, Seager Wheeler Place tient son nom de l'un des fondateurs du village. On y expose des variétés de céréales créées par Wheeler dans les années 1890.

L'histoire des mennonites allemands venus s'établir à Rosthern est illustrée au Mennonite Heritage Museum où l'on peut admirer des photographies, des meubles et des instruments médicaux. Le musée est ouvert, de mai à octobre, le vendredi toute la journée et les dimanches après-midi.

- Au nord de Rosthern, sur la route 11, se trouve le parc régional Valley où l'on peut camper en saison.
- À 30 km environ au nord de Rosthern, toujours sur la 11, se trouve le village de Duck Lake (pop. 517) dont l'histoire est peinte sur les murs des édifices. Les murales représentent sir John A. Macdonald et les chefs métis Louis Riel et Gabriel Dumont et décrivent la signature du 6e traité passé en 1816 entre les Amérindiens et les représentants du gouvernement. Dans le village, 37 bâtiments ayant une valeur historique ont été restaurés dans le style du XIXe siècle.
- Au centre régional d'interprétation de Duck Lake, à la sortie de la route 11, on présente plus de 2 000 objets, dont des costumes amérindiens, des objets de culte et des outils ayant servi aux colons. On y projette aussi des documentaires sur l'histoire de la région. Une tour de 24 m domine le champ de bataille où Indiens et Métis affrontèrent en 1885 la Police montée du Nord-Ouest.
- Du centre d'interprétation, prenez, en été, la route 212 vers l'ouest jusqu'au parc provincial Fort Carlton. Le fort, construit par la Compagnie de la Baie d'Hudson en 1810, renferme les vestiges d'un poste de traite. C'est aussi l'un des endroits où fut signé le 6e traité, qui amena la pacification de l'Ouest. Au magasin de fourrures sont exposés des pelleteries et, à l'entrepôt, des articles d'usage courant au XIXe siècle. Le sentier Carlton suit en serpentant le bord de la rivière, puis s'enfonce dans les bois et les collines.

Champs de blé au clair de lune

son presbytère sont meublés dans le style de la fin du XIXe siècle. L'église abrite des statues, des tableaux, des chandeliers de cristal, de même que le poêle ventru qui réchauffait les fidèles.

Le presbytère, à quelques mètres, porte encore la marque des boulets de canon. On y trouve le revolver de calibre .44 de Gabriel Dumont et sa selle en cuir et crin de cheval, ainsi que des effets personnels de Louis Riel.

Au cimetière, tout près du presbytère, Gabriel Dumont repose au milieu de nombreux autres combattants. Car après s'être enfui, Dumont revint à Batoche où il mourut en 1906.

5 Parc patrimonial Wanuskewin

Quelques-unes des découvertes archéologiques les plus extraordinaires en Amérique du Nord ont été faites dans le parc Wanuskewin, tout près de Saskatoon. Elles révèlent le mode de vie des tribus nomades qui parcouraient, dans la préhistoire, les plaines septentrionales. Wanuskewin est un mot cri signifiant à peu près « vivre en harmonie ». Le parc de 100 ha renferme 19 sites qui dateraient de quelque 5 000 à 8 000 ans.

Les installations du parc reconstituent la vie des premiers Amérindiens. Un centre d'interprétation permet de comprendre l'importance qu'avait le bison pour ces populations et comment chaque partie de l'animal était utilisée pour la viande, les vêtements, les ornements et les outils. Les visiteurs verront aussi des tas d'ossements de bisons, des fragments de poteries, ainsi que les outils ayant servi à les mettre au jour.

Le plus ancien objet qu'on ait découvert au parc Wanuskewin est une tête de lance qui remonterait à 8 000 ans. On ne sait pas quelle tribu fut la première à habiter le territoire, car on ne possède aucun indice à cet effet.

Le parc entretient des tentes thématiques. Dans celle du conteur, on écoute le récit de légendes anciennes. Dans la tente du fabricant d'outils, on voit des lances et d'autres armes faites en os de bison. Dans la tente familiale, on apprend où était la place de chacun : l'ancêtre, le père, la mère et les enfants.

Le centre abrite aussi un restaurant qui offre une cuisine autochtone composée de bison et de bannock (pain sans levain qui est encore aujourd'hui à la base du régime alimentaire de nombreux Amérindiens).

Dans le parc, 15 tertres de pierre indiquent encore la voie qu'on poussait les bisons à emprunter il y a 2 300 ans jusqu'à la falaise de la mort. Des sentiers balisés conduisent à d'autres vestiges comme le Medicine Wheel et les Sunburn Tepee Rings. Le premier, un cercle de pierres sacrées datant de quelque 1 500 ans, n'a pas encore été expliqué ; le second fait ressortir la forme circulaire des campements indiens.

6 Lac Diefenbaker

Ce lac, qui s'étend sur 200 km, n'atteint pourtant jamais plus de 2 ou 3 km en largeur. Il a été creusé, dans les années 60, dans le lit de la rivière Saskatchewan du Sud dans le but d'alimenter en eau et en électricité les terres semiarides de la région. Il porte le nom de John Diefenbaker, premier Saskatchewannais à devenir Premier ministre du Canada (1957-1963).

Les travaux entraînèrent la formation de 800 km de berges où sont aujourd'hui installés trois beaux parcs provinciaux. Le village d'Elbow et celui de Riverhurst sont les meilleurs points de départ pour découvrir cette vaste oasis de verdure.

Au parc provincial Douglas, au sud-est d'Elbow, le sentier Juniper Nature Trail traverse sur 2,5 km des bois de trembles et des prairies. Son principal attrait est une grande dune (Big Dune), paradis du cerf mulet et du coyote, qui fait plus de 1 km et se dresse à 30 m au-dessus de la prairie.

Au parc provincial Danielson, cinq tours à turbines dominent le barrage Gardiner qui a donné naissance au lac Diefenbaker.

Au nord-est d'Elbow s'étend le parc provincial Danielson, s'appuyant aux contreforts est et ouest du barrage Gardiner. Il est possible de visiter cet ouvrage en remblai qui, avec ses 5 km de longueur et ses 64 m de hauteur, est le plus important de ce type au Canada. Il a reçu le nom de J. C. Gardiner, ancien Premier ministre de la Saskatchewan et adversaire politique de Diefenbaker. On peut louer une péniche et passer quelques jours sur le lac.

À Riverhurst, un petit traversier, insolite dans cette région de prairies, permet de traverser le lac. Le village est doté d'un impressionnant monument de 2 m de hauteur où sont scellés des fusils datant de la guerre des Boers et de la Première Guerre mondiale ainsi que des armes remontant à la dernière bataille entre Cris et Pieds-Noirs. Au musée Fred T. Hill, ouvert tout l'été à partir de la mi-juin, sont exposées des armes ayant appartenu aux Amérindiens et aux pionniers.

Le parc provincial Saskatchewan Landing se trouve à l'extrémité ouest du lac. C'est par ce passage qu'on ravitaillait en 1885 les soldats chargés d'étouffer la rébellion des Métis à Batoche. Bâtie au début du siècle, la maison de pierre de Frank Goodwin, de la Police montée du Nord-Ouest, abrite le pavillon d'accueil des visiteurs.

7 Parc provincial Buffalo Pound

Un troupeau de bisons des plaines de pure race (28 individus au dernier relevé) habite dans ce parc, un refuge de 81 ha, sur les bords du lac Buffalo Pound. À Pound Cliffs, non loin de là, les Amérindiens, qui dépendaient des bisons pour se nourrir et se vêtir, amenaient ces bêtes à se précipiter du haut de la falaise vers une mort certaine. Les

lances et les massues ne menaçaient pourtant pas l'espèce. Mais l'avènement des armes à feu, vers 1750, entraîna un massacre qui lui fut fatal. Il n'y a plus de bisons que dans les parcs.

Un chemin de 7,5 km à l'entrée du parc mène à un charmant marais de 1 040 ha, le Nicolle Flats, à l'est du lac Buffalo Pound. Quelques minutes suffisent pour parcourir le trottoir de bois d'où l'on peut observer les 40 espèces d'oiseaux de la région et humer le parfum des fleurs sauvages de la prairie.

Le long du sentier Bison Trail (2 km), on peut observer les bisons, de préférence avec des jumelles.

Trois sentiers encerclent le marais. Le sentier Nicolle Flats (3 km) permet d'observer le grand héron bleu, le carouge à tête jaune, le butor d'Amérique, la grue blanche d'Amérique, le canard souchet et le grèbe qui sont ici chez eux. Au printemps et à l'automne, le marais est une halte pour les canards, les oies et d'autres espèces de sauvagine qui empruntent la route migratoire centrale pour se rendre du delta du Mackenzie au golfe du Mexique.

Un trottoir de bois enjambe le marais de Nicolle Flats, au parc Buffalo Pound.

Le même sentier contourne la ferme où s'établirent en 1881 Charles et Catherine Nicolle. Leur maison de pierre (1903) témoigne encore de la persévérance de ces courageux pionniers.

Le sentier Valley (1,5 km), qui prolonge celui du Nicolle Flats, offre une belle promenade le long de la rivière Moose Jaw.

Le troisième sentier, le sentier Dyke (8 km), destiné aux randonneurs plus ambitieux, longe les rivières Moose Jaw et Qu'Appelle.

Événements spéciaux

Concours de pêche de la South Saskatchewan Wildlife Association (fête de la Reine)

Festival de la nature de Nicolle Flats (début juin)

8 Parc provincial Wood Mountain Post

Dans le sud de la Saskatchewan, un replat de prairie interrompu par de hautes buttes et des vallées boisées forme les hautes terres du mont Wood dont

Les baraques restaurées à Wood Mountain Post rappellent le temps où la Police montée faisait régner l'ordre en Saskatchewan.

les points d'intérêt sont le parc provincial Wood Mountain Post et le parc régional Wood Mountain, limitrophe.

Le mont Wood abrita un poste de la Police montée du Nord-Ouest en 1874. Dans le parc, on a reconstruit les barraquements et le mess des officiers. Une exposition, qu'on visite durant la belle saison, explique comment 4 000 Sioux et leur chef Sitting Bull vinrent s'installer dans la région en 1877 après avoir défait le général américain George C. Custer à Little Bighorn.

Une route de 4 km relie le parc provincial au parc régional. On peut aussi parcourir la distance à pied par un sentier le long du ruisseau Wood Mountain. Les poteaux blancs qui le jalonnent servaient de repère, vers 1870 et 1880, à la Police montée qui circulait entre le fort Walsh et le mont Wood.

Au parc régional, on peut piqueniquer, camper, se baigner, cueillir des petits fruits ou faire de la randonnée. Une courte marche mène au sommet de la colline Sitting Bull et à un monument érigé à la mémoire du chef sioux qui campa dans la région pendant quatre ans au milieu de ses troupes.

De cette colline, on avait autrefois vue sur les campements circulaires des Sioux dans la plaine, sur les cabanes d'hiver des chasseurs métis et des trafi-

UN PARC POUR LA PRÉSERVATION DES PRAIRIES

Le parc national des Prairies, ouvert en 1989, est le seul parc en Amérique du Nord à être consacré à la préservation de l'écosystème de la prairie, avec ses herbacées et ses espèces animales rares, sinon menacées. Il est composé actuellement de deux sections d'une superficie totale de 450 km^2, mais il devrait, avec le temps, doubler en étendue. Les bureaux et le centre de formation (ouverts toute l'année) sont situés à Val Marie, à la jonction des routes 4 et 18.

Dans la section ouest du parc, on trouve un haut plateau qui s'incline vers la large vallée de la rivière Frenchman. Le retrait des glaciers et des siècles d'érosion ont façonné le paysage ondulé de même que les sillons herbeux et les raides ravins qui bordent cette vallée. Au fond, la rivière décrit de nombreux méandres, irriguant les terres arides.

Dans la section est, au sud du mont Wood, se trouvent les badlands (mauvaises terres) Killdeer dont les formes — pinacles, buttes, eskers et roches moutonnées — taillées dans le grès et le schiste sont aussi d'origine glaciaire. La végétation y étant rare, cette section est sensible à l'érosion. Les températures extrêmes, le vent et l'eau accentuent encore le phénomène et le moindre ruissellement contribue à modifier le relief austère des badlands.

La prairie est constituée de dizaines d'espèces de graminées indigènes. Au yeux des pionniers, la prairie était une mer d'herbes ; pourtant, il y pousse aussi des centaines de fleurs sauvages (chalef argenté, raquette jaune vif, scabieuse mauve, armoise piquante) qui égaient les collines et les plaines.

Autrefois, les bisons venaient gratter leurs flancs contre ces pierres des prairies.

Les sommets des collines et des plateaux du parc portent les vestiges de la culture amérindienne. De nombreux cercles de pierres, sacrés ou servant simplement à lester le bas des tentes, de même que des tumulus sont restés intacts.

Naguère encore, c'était ici le domaine des bisons. On reconnaît, parsemées dans la prairie, les grosses roches où l'animal aimait se frotter et, au bas des pentes, ces trous bourbeux où il venait se vautrer.

L'été, par temps clair, on peut voir dans le vaste ciel le faucon pèlerin se laisser porter par les courants ascendants. Cet oiseau fait partie des espèces en péril qu'abrite le parc et il vit au milieu d'autres espèces rares, telles que l'antilope, la buse rouilleuse et le lézard cornu. Tous ces animaux sont bien adaptés aux rigueurs du climat : il tombe rarement dans la région plus de 400 mm de pluie et les températures grimpent souvent à 40°C, ce qui favorise la croissance des cactus et autres plantes grasses, qui conservent leur eau. Parmi les autres espèces rares que protège le parc, on compte le chien de prairie à queue noire. Très grégaire, l'espèce vit en colonies dans de complexes galeries souterraines et celles qu'elle abandonne servent d'abri à d'autres espèces menacées comme la chouette des terriers et le serpent à sonnette. C'est dans la section ouest du parc que vit la plus grande colonie de chiens de prairie au Canada.

Le bureau du major Walsh, tel qu'il était en 1874, au poste de police du mont Wood.

quants de fourrure à l'abri dans les ravins et sur les bâtiments en rondins du poste de la Police montée ceinturés de palissades, le long du ruisseau. Là où il y avait autrefois des campements et des cabines, il y a aujourd'hui un terrain de rodéo, des ranchs, des granges et des corrals.

Au pied de la colline Sitting Bull, le Wood Mountain Rodeo and Ranching Museum documente l'histoire de l'élevage dans la région qui se poursuit ici depuis les années 1880.

Enfin, pour goûter pleinement l'atmosphère locale, on pourra prendre part à une promenade en voiture à chevaux ou en charrette à bœufs. Les renseignements sont fournis dans les gîtes touristiques de l'endroit.

Événements spéciaux

Wood Mountain Country Music Jamboree (début juin)

Wood Mountain Stampede (mi-juillet)

Wood Mountain Cowboy Poetry Gathering (début août)

9 Parc provincial historique St. Victor's Petroglyphs

St. Victor (pop. 41) est situé dans la vallée de la petite rivière Saint-Sylvain. C'est un village en tous points typique de la Saskatchewan, à un détail près : les collines avoisinantes recèlent des pétroglyphes, mystérieuses gravures réalisées dans le grès.

Le parc provincial St. Victor's Petroglyphs veille à leur conservation ; les pétroglyphes se trouvent au sommet d'une falaise de 123 m qui domine le village. On y accède par un escalier de 165 marches taillé dans la paroi. On a, de là, un point de vue magnifique qui embrasse la prairie à 40 km à la ronde.

Les pétroglyphes de St. Victor sont constitués d'une série de signes sculptés horizontalement dans le grès. Cette caractéristique ajoute encore au mystère de leur origine car les pétroglyphes sont généralement taillés à la verticale. Il n'y a au Canada que quatre autres endroits où l'on observe la même caractéristique.

On ignore à quelle époque ces pétroglyphes ont été réalisés, mais comme ils n'illustrent ni chevaux ni sabots, ils sont sans doute antérieurs à 1750, date à laquelle le cheval fut introduit dans les Prairies.

Quelques-uns d'entre eux représentent nettement des mains et des têtes humaines ainsi que des animaux : ours, grizzly, cerfs, wapitis, antilopes, tortues ; leur raison d'être reste toujours à élucider. Selon les archéologues, les sculpteurs auraient été les ancêtres des Sioux et des Assiniboines.

Pour mieux discerner leurs contours, il faut voir les pétroglyphes quand les

Buttes et précipices : sur la route des bisons

Distance : environ 270 km

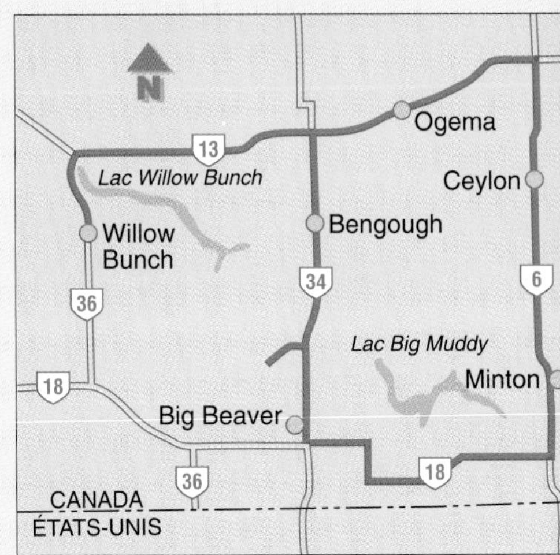

À Willow Bunch, prenez la route 36 vers le nord jusqu'à la route 13. Faites 40 km vers l'est jusqu'à la route 34. Allez vers le sud et traversez Bengough (pop. 516). Vous ferez 56 km dans une vallée ponctuée d'armoise et de buttes rocailleuses, la vallée de la rivière Big Muddy.

Au fond de la vallée, le ranch « 72 » se détache sur un fond de rudes collines. Juste avant le ranch, une route de gravier mène vers l'ouest à la butte Castle (60 m) qui servait autrefois de point de repère aux colons, aux Amérindiens et aux brigands qui traversaient la région. Soyez vigilant en cours de route : vous pouvez rencontrer des troupeaux.

La vallée porte encore les marques de la présence des Amérindiens (cercles des tentes, etc.). Les canyons et ravins fai-

Les pétroglyphes de St. Victor continuent de mystifier les experts.

saient de bonnes cachettes pour les brigands et pour les voleurs de chevaux et de bétail. À la fin du XIXe siècle, l'Outlaw Trail, route bien organisée qu'empruntaient les hors-la-loi, allait de la rivière Big Muddy au Nouveau-Mexique.

• Continuez jusqu'à l'intersection des routes 34 et 18 et allez vers l'ouest jusqu'au hameau de Big Beaver (pop. 10), blotti dans un ravin. Au magasin général, une pancarte annonce: « Si nous ne l'avons pas, c'est que vous n'en avez pas besoin. » Si vous poursuivez votre route, vous aurez besoin de vivres.

Le musée de Big Beaver abrite des curiosités anciennes. Il n'a pas d'horaire régulier : pour le visiter, il faut s'adresser au bureau municipal, à l'extrémité nord de la rue principale.

• De Big Beaver, prenez la route 18 vers l'est jusqu'à la route 6. Allez vers le nord au hameau de Minton (pop. 115). Pour explorer les cavernes ainsi que les falaises d'où se précipitaient les bisons, obtenez d'abord un permis au bureau municipal de Minton, sur la rue principale.

• Revenez camper pour la nuit à Big Beaver ou à Bengough ou continuez vers le nord jusqu'à la jonction des routes 13 et 6. Si c'est un dimanche, poussez vers l'ouest jusqu'à Ogema (pop. 397) pour visiter, entre mai et octobre, le Deep South Pioneer Museum, un village de pionniers dont on a reconstitué les 23 bâtiments.

Crépuscule sur les badlands du Big Muddy.

rayons du soleil sont obliques, c'est-à-dire le matin avant 10 heures et à la fin de l'après-midi ou tôt en soirée. En septembre et en octobre, des visites sont organisées en soirée, à la lumière des torches électriques.

Au parc régional Sylvain Valley, situé tout près, les visiteurs pourront camper, pique-niquer et se baigner. L'un des points d'intérêt de ce parc est la hutte en terre construite en 1889 par Angus « Catchoo » McGillis, premier colon à s'établir à St. Victor. Cette hutte historique est ouverte aux visiteurs tous les jours, de juillet à septembre.

10 Fort Qu'Appelle

Une légende amérindienne est à l'origine du nom de la rivière Qu'Appelle et de sa vallée. Elle raconte qu'un guerrier qui revenait chez lui après la chasse s'entendit appelé par son nom. Il répondit plusieurs fois « qui appelle ? » mais, comme il ne recevait aucune réponse, il se hâta de rentrer chez lui. Il y trouva sa bien-aimée morte : elle l'avait désespérément appelé avant de rendre son dernier soupir.

UNE FERME D'AUTREFOIS

Au milieu des grandes fermes modernes de la Saskatchewan se trouvent 3,5 ha de terres travaillées avec les machines et selon les techniques utilisées au tournant du siècle. C'est la ferme Motherwell. Aujourd'hui un lieu historique, elle fut construite en 1896 par William Richard Motherwell, premier ministre de l'Agriculture de la province (1905-1918). Il devint plus tard ministre de l'Agriculture au gouvernement fédéral.

Cuvette et broc victoriens, à la ferme Motherwell

Le domaine se divise en quatre parties distinctes : le Dugout Quadrant, qui contient le château d'eau ; le Garden Quadrant, où se trouve le potager ; le Barn Quadrant, centre des activités agricoles, dominé par la plus grosse grange en L du district ; et le House Quadrant, où a été érigée la grande maison de pierre familiale, entourée d'arbres d'ornement, de plates-bandes de fleurs et d'un court de tennis. C'est dans le salon du fond, meublé de grands fauteuils en cuir noir et de buffets renfermant des porcelaines et de l'argenterie, que le style victorien est le plus évident. Ce salon ne servait que dans les grandes occasions. Dans l'autre salon, un piano droit occupe la place de choix. Chaque dimanche après-midi, la famille Motherwell et ses engagés se réunissaient autour du piano pour chanter et prier.

Aujourd'hui, les travailleurs de la ferme continuent d'exécuter les travaux de l'époque comme le barattage de la crème et la cuisson du pain. Ils veillent aussi à l'entretien des animaux, dont des chevaux clydesdales et des poulets plymouth rocks, identiques aux races du début du siècle. Dans les champs, on peut les voir aux commandes de machines aratoires comme la charrue Oliver ou le tracteur Hart-Parr.

Fort Qu'Appelle (pop. 1 879) était à l'origine un comptoir de la Compagnie de la Baie d'Hudson. Fondé en 1864, à l'apogée des grandes battues aux bisons, l'établissement se développa rapidement et devint un important poste de traite de peaux de bison.

Fort Qu'Appelle et son musée prennent grand soin des objets et des sites qui rappellent les débuts dramatiques de la Saskatchewan. En juillet et en août, il est possible de visiter, sur les terrains du musée, un des vieux bâtiments de la Compagnie de la Baie d'Hudson qui servit temporairement de quartier général et de base d'opération au général Middleton lorsque, en 1885, il fut appelé à Batoche pour étouffer la rébellion des Métis.

Un parc de la ville baptisé Treaty Park marque l'endroit où fut signé, le 15 septembre 1874, le 4e traité. Ce traité est le plus important d'un ensemble de 10 autres négociés entre les Indiens et la Couronne britannique. Il prévoyait entre autres la cession de quelque 75 000 portions de territoire du sud de la Saskatchewan à la Couronne. Chaque année, dans le parc, on commémore ce traité au cours d'un rassemblement qui dure une semaine et qui a pour but de faire connaître la culture et les questions amérindiennes.

En 1876, la Police montée du Nord-Ouest établit à Fort Qu'Appelle un petit avant-poste là où se trouve de nos jours le club de golf Echo Ridge, à l'entrée de la ville. C'est ici que le chef Sitting Bull se présenta en 1881 et tâcha de convaincre la Police de donner asile au peuple sioux qui fuyait les États-Unis. Un cairn et un centre d'interprétation ont été érigés sur le site.

Fort Qu'Appelle est également un centre de villégiature qui donne accès à un chapelet de lacs, les lacs Pasqua, Echo, Mission et Katepwa, cachés dans la vallée de la rivière Qu'Appelle. On peut y faire de belles pêches mais aussi du ski nautique, du camping, de la randonnée, de la natation et d'agréables pique-niques.

Événements spéciaux

Standing Buffalo Pow Wow (début août)

Rassemblement du 4e traité (mi-septembre)

Coupe de pêche au doré de la vallée Qu'Appelle (mi-septembre)

Les quatre lacs à la Pêche près de Fort Qu'Appelle sont une invitation à la détente.

11 Canora

La statue d'une femme en costume ukrainien portant le pain et le sel, symboles traditionnels de l'hospitalité, accueille le visiteur à Canora (pop. 2 466). Elle proclame l'origine ukrainienne du village. En 1897, 180 familles venues de l'ouest de l'Ukraine s'établirent dans la région et nommèrent le village en se servant des lettres initiales du nom de la compagnie de chemin de fer qui les y avait emmenées, la Canadian Northern Railway. Encore aujourd'hui, 60 p. 100 de la population du district est d'origine ukrainienne.

L'église ukrainienne orthodoxe Holy Trinity (1928) de Canora est unique au Canada. Ses élégants dômes noirs contrastent avec ceux plus massifs des autres églises ukrainiennes orthodoxes qui ponctuent le territoire.

À Veregin, 20 km environ à l'est de Canora, le village historique doukhobor commémore les doukhobors de Russie qui, en 1897, après avoir brûlé leurs armes dans un geste symbolique de pacifisme, vinrent vivre au Canada pour préserver leur mode de vie.

Le village historique englobe un musée, la maison originale du chef des doukhobors, Peter Veregin, une boulangerie dotée d'un four à pain en argile en état de fonctionner, des granges, des maisons et des ateliers restaurés et un établissement de bain public. Une statue de Léon Tolstoï domine le village. On l'a érigée en hommage à l'écrivain russe qui avait fait don du produit de la vente de son roman *Résurrection* (1899) pour aider les doukhobors à s'établir dans un nouvel endroit.

12 Parc provincial Moose Mountain

Tout au sud-est de la Saskatchewan, une série de collines couvertes de bouleaux et de peupliers domine de 100 m

D'élégants dômes noirs couronnent l'église ukrainienne orthodoxe de Canora.

la prairie : les hautes terres de Moose Mountain. Le parc provincial du même nom en occupe 388 km^2.

Le paysage a été façonné au cours de la dernière glaciation. Les glaciers ont modelé les collines sur leur passage et laissé dans le sol plus de 400 lentilles de glace qui, une fois fondues, formèrent les petits lacs typiques de ce parc. Le lac Kenosee, le plus grand, se prête aux sports nautiques et à la baignade et, comme il abonde en perche, il est le rendez-vous des pêcheurs.

Un édifice en pierre de style élisabéthain, construit à l'ouverture du parc en 1931, accueille les visiteurs. On y présente la faune et la flore du parc où vivent environ 100 espèces d'animaux, d'oiseaux et de reptiles.

Ceux-ci peuvent souvent être aperçus des deux sentiers balisés, situés non loin du centre d'accueil. Le sentier Beaver Lake (4,5 km) et celui de Wuche Sakaw (2 km) permettent aux visiteurs de découvrir un milieu sauvage aussi fascinant que facile à explorer.

VIVRE À L'ANGLAISE AU MILIEU DE LA PLAINE

Quand Edward Mitchell Pierce perdit sa fortune en Angleterre au début des années 1880, il décida de partir au Canada pour la refaire. Son intention était de se tailler un domaine familial dans l'immensité de la Saskatchewan.

Les vestiges de son rêve constituent aujourd'hui le parc historique provincial Cannington Manor, créé en hommage aux pionniers qui luttèrent pour organiser une colonie anglaise raffinée dans un territoire qui ne s'y prêtait guère.

Pierce avait répondu à une annonce du gouvernement canadien qui offrait à vil prix, aux hommes de plus de 18 ans, des terres agricoles dans l'ouest du pays. En 1882, Pierce et sa famille arrivèrent à leur domaine dans la prairie et cédèrent des terres pour fonder le village de Cannington Manor et accueillir leurs compatriotes. Pendant 20 ans, les Pierce et leur entourage vécurent dans la meilleure tradition de la haute société anglaise avec courses de chevaux, matchs de cricket et de tennis, parties de chasse et de billard. Tout cela, hélas, au détriment des travaux d'agriculture pourtant essentiels à la survie.

En 1900, le village de Cannington Manor était déjà fermé. Quelques colons, rebutés par les difficultés, étaient retournés en Angleterre, d'autres avaient suivi le chemin de fer.

En 1965, ce qu'il restait du village devint le cœur de l'actuel parc provincial historique. En parcourant les 500 m de la rue principale, vous verrez un ensemble ancien de magasins et de commerces. La maison Maltby et d'autres demeures que font visiter des guides en costumes d'époque sont garnies de meubles de style victorien. L'église anglicane All Saints, consacrée en 1885, est le seul bâtiment à avoir conservé sa fonction originale. Dans le village, vous pourrez participer aux corvées quotidiennes (fabriquer de la corde et scier du bois) ou encore jouer au croquet ou au fer, comme le faisaient jadis les habitants.

MANITOBA

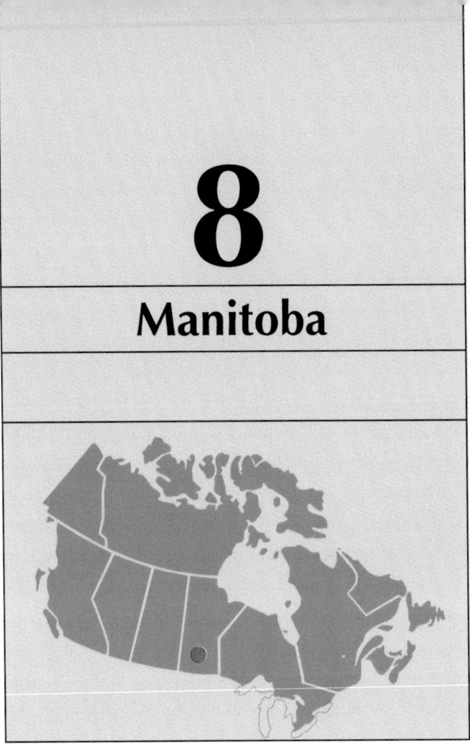

Sites
Parc provincial Duck Mountain
Parc provincial Turtle Mountain
Neepawa
Jardin international de la Paix
Parc provincial Spruce Woods
Morden
Marais Oak Hammock
Parc provincial Hecla
Parc provincial Grand Beach
Steinbach
Parc provincial Elk Island
Forêt provinciale Sandilands
Parc provincial Whiteshell

Circuits automobiles
Vallée de la Pembina
Environs de Winnipeg

Parc national
Mont-Riding

Pages précédentes : Champ de tournesols près de Holland, au sud-ouest du parc provincial Spruce Woods

Lac Winnipegosis
Swan River
Parc provincial Duck Mountain
1
Forêt provinciale Duck Mountain
Roblin
Lac Dauphin
Dauphin
Parc national du Mont-Riding
Lac Andy
Lac Clair
Wasagaming
Route de Yellowhead
Rivière Assiniboine
SASKATCHEWAN
MANITOBA
3
Neepawa
Minnedosa
Virden
Brandon
Carberry
Forêt provinciale Spruce Woods
Souris
Wawanesa
Melita
Deloraine
Boissevain
Killarney
Turtle Mountain
2
Jardin international de la paix
CANADA
ÉTATS-UNIS

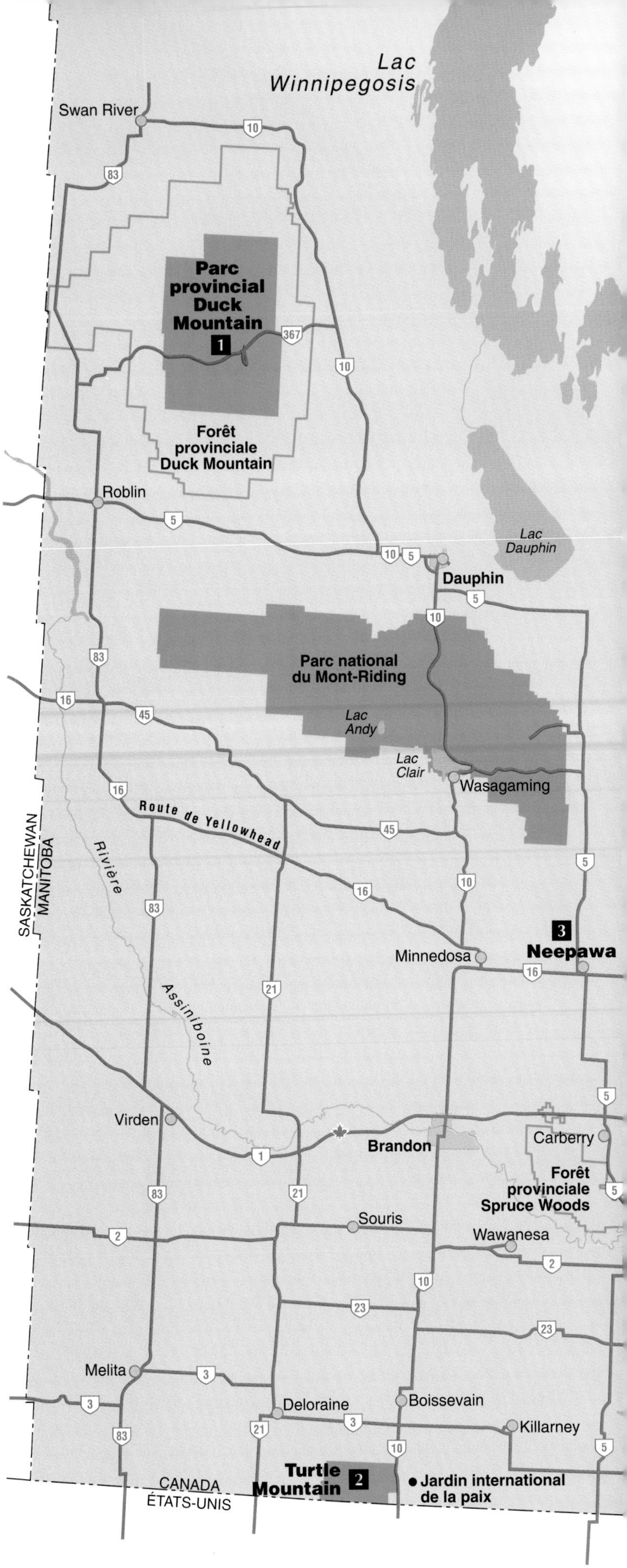

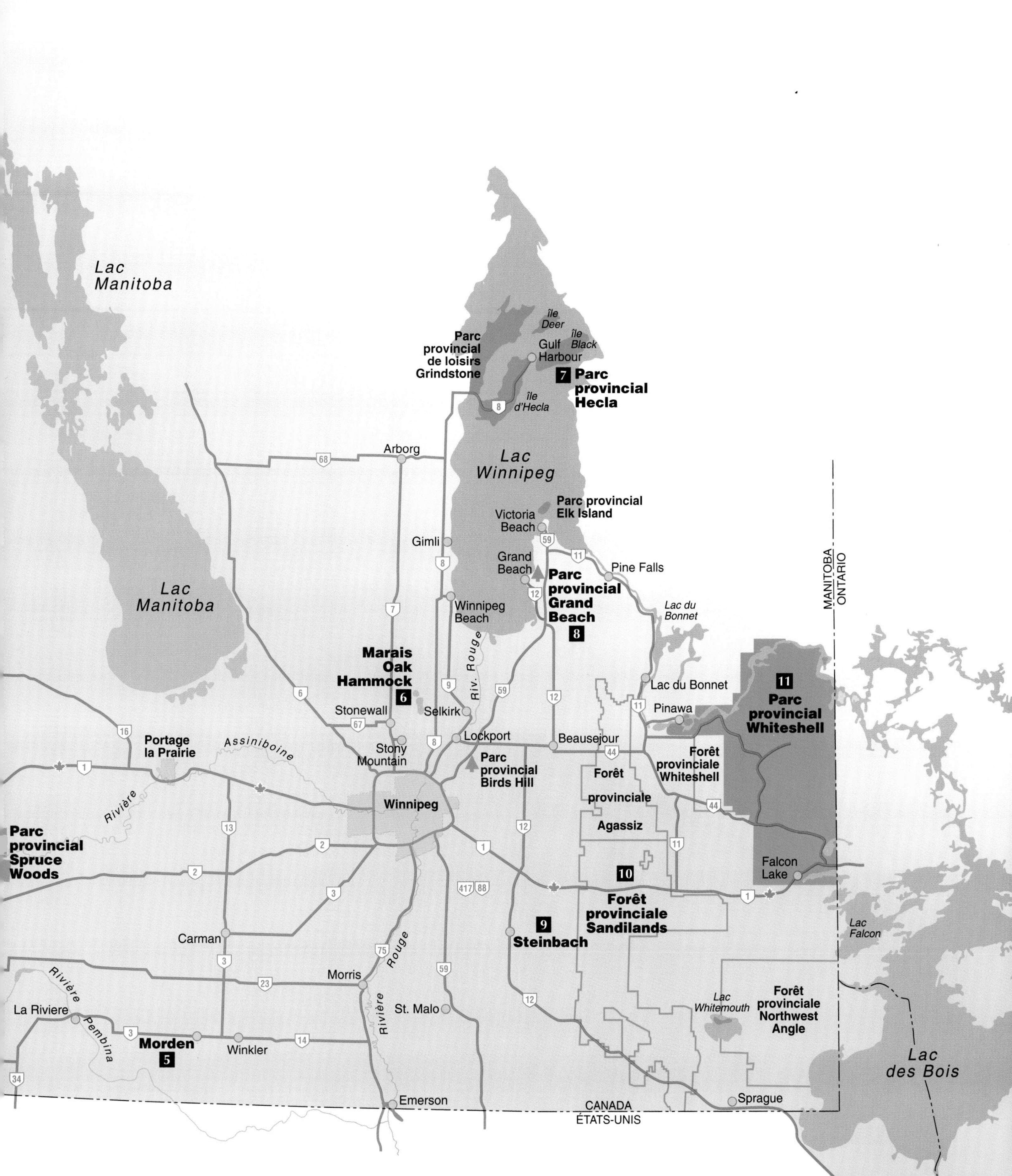

Lac Manitoba
Parc provincial de loisirs Grindstone
île Deer
île Black
Gulf Harbour
7 Parc provincial Hecla
île d'Hecla
Arborg
Lac Winnipeg
Parc provincial Elk Island
Victoria Beach
Gimli
Grand Beach
Pine Falls
Parc provincial Grand Beach
8
Lac du Bonnet
MANITOBA
ONTARIO
Lac Manitoba
Winnipeg Beach
Marais Oak Hammock
6
Riv. Rouge
Lac du Bonnet
11
Parc provincial Whiteshell
Pinawa
Stonewall
Selkirk
Portage la Prairie
Assiniboine
Lockport
Beausejour
Stony Mountain
Parc provincial Birds Hill
Forêt provinciale Whiteshell
Forêt provinciale Agassiz
Rivière
Winnipeg
Parc provincial Spruce Woods
Falcon Lake
10
Forêt provinciale Sandilands
9
Steinbach
Carman
Lac Falcon
Rivière Rouge
Morris
Rivière
Lac Whitemouth
Forêt provinciale Northwest Angle
La Riviere
St. Malo
Pembina
Morden
5
Winkler
Lac des Bois
Emerson
Sprague
CANADA
ÉTATS-UNIS

Les eaux tranquilles du parc provincial Duck Mountain se prêtent bien au canotage.

1 Parc provincial Duck Mountain

À l'intérieur de la réserve forestière Duck Mountain, le parc provincial du même nom est un véritable paradis pour les amateurs de plein air. Traversé par les routes 366 et 367, il couvre 1 274 km^2 et recèle des paysages parmi les plus beaux de l'Ouest canadien.

Dans le sud-est du parc, le mont Baldy, sommet le plus élevé du Manitoba, culmine à 831 m au-dessus du niveau de la mer. Une tour d'observation permet d'embrasser la vallée Grandview et de voir jusqu'aux limites septentrionales du parc national du Mont-Riding. L'endroit est idéal pour admirer les verts tendres de la forêt, au printemps, ou ses couleurs vives, à l'automne.

Plus de 70 lacs ponctuent la forêt dense, dont plusieurs se prêtent au canotage. Quinze de ces lacs sont accessibles par la route dans un rayon de 30 km des lacs Bleu, au centre du parc. Les lacs Bleu de l'Est et de l'Ouest et les lacs Childs conviennent à la plongée et à l'exploration sous-marine ; les lacs Childs, Bleu de l'Est et Wellman sont idéals pour la baignade. La truite arc-en-ciel, l'omble de fontaine, le touladi, la truite brune, le doré, la perchaude, le brochet et l'achigan à petite bouche se pêchent en plusieurs endroits du parc. Les naturalistes aimeront le sentier de randonnée Pine Meadows (2,2 km), pourvu de panneaux d'interprétation. Il commence près du centre forestier Duck Mountain, à l'intersection des routes 366 et 367. La promenade vous amènera peut-être à voir le cerf de Virginie, le wapiti, l'orignal, le porc-épic, le lapin, l'ours, l'écureuil, le renard ou la marmotte. Parmi les oiseaux qui fréquentent le parc, il y a la nyctale boréale, la chouette cendrée, l'aigle royal et le pygargue à tête blanche.

Les amateurs de sports d'hiver pourront s'adonner au ski de fond sur des pistes de difficultés variables ou à la motoneige sur 80 km de pistes balisées.

Événements spéciaux

Tournoi de pêche sportive de Swan Valley (fin mai)

2 Parc provincial Turtle Mountain

De loin, le mont Turtle ressemble à une tortue rentrée dans sa carapace. Cela lui a sans doute valu son nom. Mais il se pourrait aussi qu'il le doive aux tortues peintes, au plastron vivement coloré d'orange, de jaune et de vert qu'on y trouve en abondance. Le parc provincial Turtle Mountain, fondé en 1961, renferme 180 km^2 de forêts et de marécages que dominent des collines allant de 180 à 245 m d'altitude. Il compte près de 400 lacs et marais.

Le lac Adam, près de la route 10, offre la plage et le camping les plus facilement accessibles, bien qu'on trouve également à camper aux lacs Oskar et Max. Un parcours à obstacles, aménagé dans les bois, près de la plage du lac Adam, ravira les amateurs de conditionnement physique. Du haut d'un belvédère, tout près, on peut observer les orignaux qui déambulent au loin autour des marais et des lacs.

Bien que le parc soit sauvage, il n'en est pas moins accessible en voiture. Un chemin de terre, West Main Road, le traverse de part en part. On l'emprunte à partir de la route du lac Oskar, près du lax Max ; il contourne le lac Breadon et traverse un peuplement d'épinettes adultes avant d'aboutir à l'entrée ouest, à 1 km de Canada Corner, sur la route 450. Fort agréable par temps sec, ce chemin est nettement à éviter si le temps est à la pluie.

La forêt de décidus est constituée de chênes, de trembles, de frênes, de bouleaux et d'érables à Giguère. Elle abrite le porc-épic, le rat musqué, le renard, le coyote et la mouffette ainsi que le huart, le grand héron et l'original pélican blanc. L'été, il est rare de quitter le parc sans avoir vu au moins un cerf de Virginie. Les tortues peintes sont omniprésentes, déambulant dans le parc ou sommeillant sur une souche à la surface d'un des nombreux lacs peu profonds où les castors s'affairent. Le grand brochet, le brochet d'Amérique et la truite arc-en-ciel abondent au lac Bower et dans les lacs voisins.

Le pélican blanc, un habitué des parcs au Manitoba

3 Neepawa

Le monument Davidson, l'« Ange de pierre », de Margaret Laurence

Dans les contreforts au sud du parc national du Mont-Riding se trouve le village de Neepawa (pop. 3 600), fondé par des commerçants venus du sud de l'Ontario par le North Fort Ellice Trail, la route commerciale qui reliait Rivière-Rouge (Winnipeg) au fort Edmonton. Son nom cri signifie « abondance ». Les terres fertiles des environs ont été surnommées Beautiful Plains (belles plaines), mais ce nom est aujourd'hui omniprésent et identifie aussi bien l'école que la boulangerie.

L'arrivée, en 1883, du chemin de fer de la Manitoba and Northwestern amena la prospérité au village. D'élégants édifices virent le jour, notamment le palais de justice (1884), l'édifice J.A. Davidson (1889), l'église presbytérienne Knox (1892), la salle Odd Fellows (1903) et l'hôtel Hamilton (1904). L'église a été classée lieu historique provincial, tout comme le palais de justice, le plus vieux tribunal des Prairies, qui se range second parmi les vieux édifices publics du Manitoba.

C'est à Neepawa, au 312 de la First Avenue, que l'auteur Margaret Laurence (1926-1987) a grandi. La maison de brique, qui porte son nom, abrite une galerie d'art, des bureaux, des studios d'art et expose de nombreux objets lui ayant appartenu, dont sa fameuse machine à écrire verte.

Neepawa a plus ou moins servi de modèle au village fictif de Manawaka qu'évoquent ses romans. L'« ange de pierre », qui a donné son nom au second roman de la série Manawaka, est celui du monument Davidson, dans le cimetière Riverside. Appuyé sur une

JARDIN INTERNATIONAL DE LA PAIX UN OASIS AU CŒUR DE L'AMÉRIQUE DU NORD

Au Jardin international de la Paix, quatre tours hautes de 35 m s'élancent dans le vaste ciel des Prairies. Ces tours, dites de la paix, dominent un grand jardin fleuri, des étangs et de larges promenades qui chevauchent la frontière entre le Manitoba et le Dakota du Nord. Ce joyau de verdure a été constitué pour rappeler le caractère pacifique des relations du Canada et des États-Unis qui partagent la plus longue frontière non fortifiée au monde.

L'endroit est également à mi-chemin entre les côtes atlantique et pacifique et se trouve au milieu de la région du mont Turtle qui s'étend de part et d'autre du 49e parallèle. Le secteur canadien (586 ha) a été constitué à partir d'une ancienne réserve forestière. La partie étasunienne (360 ha) est située à 72 km directement au nord de Rugby (Dakota du Nord), centre géographique de l'Amérique du Nord.

Au coucher du soleil, les tours de la Paix se réfléchissent dans les étangs du Jardin international de la Paix qui chevauche la frontière canado-américaine.

Lors de l'inauguration du Jardin international de la Paix, le 14 juillet 1932, plus de 50 000 personnes s'étaient rassemblées sur les lieux pour célébrer l'événement, ce qui entraîna le plus grand embouteillage jamais vu dans la région. (La même année, un projet similaire vit le jour quand le parc national des Lacs-Waterton en Alberta et le parc national Glacier du Montana furent jumelés pour les mêmes objectifs.) Le Jardin de la Paix est devenu depuis un parc offrant des activités diverses. On peut visiter, par exemple, la chapelle de la Paix, le pavillon Errick F. Willis et la salle de 2 000 places de l'auditorium Masonic dont les trois murs de pierre portent les citations de grands pacifistes.

Mont-Riding

Au milieu des terres cultivées, le parc national du Mont-Riding préserve des habitats caractéristiques du nord, de l'ouest et de l'est du Canada : la forêt boréale, la prairie et la forêt de décidus. Il offre par ailleurs à la faune, notamment au pélican blanc, à la chouette grise et au couguar, une chance de survie. Riche en tourbières et en marais et encore densément boisée à l'époque des chariots à bœufs et des canots, cette portion de l'escarpement du Manitoba, qui domine la prairie de 320 m, constituait alors un obstacle naturel. Les audacieux la franchissaient à cheval, d'où son nom de Riding Mountain (la montagne où l'on passe à cheval).

Constitué de strates de schiste et de calcaire couvertes de débris glaciaires, le mont Riding est parcouru de nombreux cours d'eau qui coulent dans de profonds canyons. L'ancien lac Agassiz se forma à ses pieds, il y a 12 000 ans, lors de la fonte des glaciers. Des crêtes de sable successives, facilement repérables sous les chênes blancs le long de l'escarpement, marquent les étapes du retrait des eaux à mesure que le lac se vidait dans la baie d'Hudson, il y a quelque 8 000 ans.

Restaurant sous les arbres, au Mont-Riding.

Les trois ensembles écologiques du mont Riding abritent plus de 5 000 cervidés (orignal, wapiti, cerf de Virginie), quelque 10 000 castors, des centaines d'ours noirs, et plus de 150 espèces d'oiseaux y nichent. La forêt de décidus de l'Est domine près du pied de l'escarpement. Un sol fertile et une humidité suffisante favorisent la croissance de l'érable à Giguère, de l'orme d'Amérique et du frêne vert. La salsepareille et l'herbe à la puce y forment un tapis vert et uniforme. Au moment des migrations, la petite buse, la buse à queue rousse et la buse pattue se laissent paresseusement porter par les courants d'air ascendants.

La rivière Ochre s'écoule dans la vallée la plus large et la plus spectaculaire du secteur est du parc. Henry Youle Hind, membre de l'expédition qui explorait l'Assiniboine et la Saskatchewan, décrivit, en 1858, les dépôts d'argile ocre dont les Amérindiens se servaient pour fabriquer leurs pipes. Mais ceux-ci refusaient de franchir la vallée, craignant les démons qui vivaient, selon eux, de l'autre côté. De nos jours, les braconniers sont moins superstitieux.

À l'ouest, la petite rivière Birdtail décrit des méandres au fond d'une large vallée courbe, façonnée par un ancien cours d'eau glaciaire. Les collines exposées au nord sont peuplées de trembles, de peupliers baumiers et de bouleaux blancs ; celles qui sont exposées au sud sont couvertes de fétuque scabre, de pâturin des prés indigène et d'avoine sauvage.

Peu d'écosystèmes sont aussi fertiles que la prairie ; sur une superficie de 1 m^2, on peut trouver jusqu'à 30 espèces de graminées et de fleurs sauvages. Il n'est pas étonnant que des milliers de bisons aient pu vivre sur ces terres. Au début du XXe siècle, cependant, l'agriculture donna le signal de leur disparition. Il n'existe plus guère de bisons que dans des aires protégées comme celle du mont Riding où vit un troupeau de 30 individus, dans une enceinte au cœur du parc.

Une grande variété de fleurs sauvages se partagent l'été. L'anémone des prairies, emblème floral du Manitoba, ouvre le bal en déroulant brièvement ses pâles pétales lavande. Au début de l'été, l'hydraste du Canada met dans la prairie une note orange. Font ensuite irruption le rose de la benoîte à trois fleurs, les rouges du gaillet boréal et de la bergamote sauvage et le bleu de l'agastache fenouil.

Le secteur centre-sud du plateau du mont Riding est criblé de marmites des prairies. Ce sont de petits bassins peu profonds creusés dans un relief caillouteux tout en bosses et en creux ; ces points d'eau sont des lieux privilégiés des canards. Riches en substances nutritives, grouillant d'invertébrés aquatiques et de petits poissons et entourés de saules et de trembles, ils constituent en effet une aire de nidification idéale pour la sauvagine — bec-scie couronné, morillon à tête rouge et morillon à dos blanc.

Dans le même secteur se trouve le lac Whitewater, dont la faible profondeur est entretenue par le travail d'endiguement des castors. Le pygargue à tête blanche niche tout près et menace le pélican blanc qui y flâne en grand nombre pendant les chaudes journées de l'été. Au printemps, au moment des migrations, on pourra voir plus de 24 espèces d'oiseaux aquatiques en une seule journée et entendre les cris d'accouplement du huart à collier et du grèbe jougris se répercuter sur le lac. Une meute de loups fréquente les abords du lac, mais, en général, seules leurs traces ou une carcasse à moitié dévorée révèlent leur présence.

Partout, l'épinette blanche et le tremble, en peuplements purs ou mixtes, luttent pour aller chercher la lumière et l'humidité. Des pistes fréquemment utilisées par les animaux sillonnent les forêts de trembles. Tels des corridors dans une maison bien conçue, elles relient les prés, les aires d'alimen-

Le parc du Mont-Riding doit sa création à la splendeur du lac Clear.

tation et les points d'eau. Les plateaux ondulés du parc sont au faîte de leur splendeur à l'automne. Le peuplier baumier, le tremble et le mélèze couvrent les collines d'or et de safran. Le framboisier, le noisetier, la viorne trilobée, l'églantier, l'amélanchier à feuilles d'aune, le petit merisier et l'aubépine à pommes dorées satisfont les appétits de la nombreuse population d'ours noirs.

De fiers wapitis mâles brament sous la voûte des trembles, à la tête de leurs troupeaux de femelles. Dans le calme des petits matins froids, on entend parfois le choc des andouillers de deux mâles rivaux. Par milliers, les oies blanches et les outardes s'envolent vers le sud par la route migratoire continentale.

Les boisés de trembles font partie de ce que l'on appelle la section mixte de la forêt boréale. Divers types de peuplements s'y succèdent au fil du temps et celui qui domine à l'heure actuelle est la tremblaie. Des hivers extrêmement rigoureux avec des températures de -30°C, une couverture de neige six mois par année, des étés brefs et humides sont autant de facteurs propices à ce type de milieu.

Wasagaming, mot cri signifiant « lac à l'eau claire », désigne aussi un lieu de villégiature saisonnier sur la berge sud du lac Clear. C'est ce joyau qui poussa d'abord les Manitobains à exercer des pressions auprès du gouvernement pour la création d'un parc national. Durant la crise des années 30, un millier de personnes furent employées à l'édification de routes, de pavillons, d'édifices administratifs et d'un terrain de golf. Des immigrants scandinaves y bâtirent des maisons en rondins dans l'art traditionnel de leur pays que vinrent rehausser des jardins anglais. Une petite réserve amérindienne vit maintenant sur la rive ouest du lac.

Des prisonniers de guerre allemands détenus au lac Whitewater de 1943 à 1945 y ont laissé quelques vestiges : les fondations du camp, des plates-bandes de fleurs et des canots qu'ils taillaient pour tromper le temps. Grey Owl, le célèbre défenseur de la faune, séjourna ici en solitaire pendant six mois en 1931. Son camp se trouve sur le lac Beaver Lodge.

RENSEIGNEMENTS PRATIQUES

Accès : *à partir de la route 10 qui coupe le parc et de la route 19.*
Accueil : *Wasagaming.*
Installations : *800 places réparties dans 6 campings ; 14 aires de pique-nique.*
Activités estivales : *pêche, baignade, canotage (on loue des embarcations au quai principal du lac Clear), randonnée, équitation, cyclisme (on loue chevaux et bicyclettes) ; tennis, golf ; projection de films et de diapositives en divers endroits ; caravanes guidées par des naturalistes ; plus de 100 km de sentiers.*
Activités hivernales : *pêche sur la glace au lac Clear, raquette, ski de fond et ski alpin au mont Agassiz.*

Le parc Spruce Woods abrite des peuplements diversifiés dont celui-ci, d'épinettes blanches.

croix et portant une couronne, l'expressif personnage féminin rend hommage à la mémoire de John Davidson, un des fondateurs du village.

Le musée Beautiful Plains est situé dans l'ancienne gare du Canadien National. La plupart des éléments qui s'y trouvent, dont l'intérieur d'un magasin général du début du siècle, ont été obtenus quand les commerces locaux se sont modernisés. Le musée est uniquement ouvert durant la belle saison, mais on peut visiter la maison Laurence toute l'année.

Événements spéciaux

Foire annuelle d'été (début juin)

Festival des arts du Manitoba (début juillet)

Foire des antiquaires (début septembre)

4 Parc provincial Spruce Woods

Le parc sauvage du patrimoine provincial Spruce Woods est, comme un îlot, entouré de fermes, de champs de céréales et de petits villages. Dans les années 1880, le grand naturaliste Ernest Thompson Seton (1860-1946) disait de la région qu'elle recélait de précieux et abondants trésors. Cela s'applique toujours. Le parc renferme quelques-uns des milieux les plus spectaculaires du Manitoba : des dunes en constants mouvements, des vallées magnifiques, des sables mouvants, des prairies d'herbes hautes, des forêts de conifères et des tourbières.

Il y a 10 000 ans, la région qui s'étend aujourd'hui de Brandon à Portage-la-Prairie reposait sur les sables deltaïques du grand lac Agassiz, d'origine glaciaire. Des peuplements d'épinettes blanches se sont fixés sur les dunes, donnant leur nom au parc. En 1964, un territoire d'environ 250 km² fut constitué en parc et versé au patrimoine de la province.

On entre dans le parc par la route 5, qui mène au camping Kiche Manitou et à des installations de pique-nique. De nombreux sentiers parcourent le parc et traversent les différents milieux. Trois d'entre eux mènent aux sables Spirit Sands, l'un des attraits les plus fascinants du parc, mais aussi l'un des plus fragiles. Après avoir marché dans des forêts centenaires, les excursionnistes débouchent sans transition sur un authentique désert dont les dunes rappellent celles du Sahara.

Le sentier Isputinaw (1,4 km) remonte la rivière Assiniboine jusqu'à une crête aride après avoir traversé un marécage. De la crête, la vue embrasse des dunes et des forêts de conifères.

Des panneaux explicatifs guident les promeneurs dans l'exploration du sentier du lac Marsh (1,5 km), qui mène à un méandre où l'eau stagne. La grande diversité des espèces végétales réjouira les amateurs de botanique.

Les panneaux qui jalonnent le sentier Springridge (1,2 km) expliquent l'action de la rivière Assiniboine et des sources souterraines sur le paysage. Le réseau de sentiers de l'Épinette Trail est ouvert au camping sauvage. La longueur des parcours aller-retour des diverses randonnées de ce réseau se situe entre 4 km et 40 km. Les randonneurs pourront découvrir une faune unique au parc dont des scinques, qui ressemblent aux lézards, et des couleuvres au museau de cochon — qui leur sert à creuser le sol à la recherche de crapauds.

Le parc porte encore la marque des premiers explorateurs. Au confluent des rivières Pine et Assiniboine se trouvent les ruines du fort Pine, poste de traite construit en 1768 par deux marchands de fourrures de Montréal.

5 Morden

En 1882, le Canadien Pacifique décida de construire une ligne secondaire passant par Morden parce que l'endroit était situé près de la petite rivière Deadhorse, point d'eau vital dans la région. Les habitants des hameaux environnants de Nelsonville et Mountain City (et leurs habitations) y furent déménagés. Ainsi naquit Morden.

Nombreux sont les édifices d'origine qui bordent les rue Stephen, Mountain et Nelson. En 1984, la municipalité a orné les maisons historiques de la rue Stephen de boîtes à fleurs et aménagé des trottoirs de briques.

Morden est reconnu pour son musée qui renferme la plus vaste collection de reptiles marins fossilisés en Amérique du Nord. Il y a longtemps, les reptiles géants fréquentaient une mer intérieure peu profonde qui s'étendait entre le

La vallée de la Pembina

Distance : 110 km

De Morden, prenez vers l'ouest la route 3 et franchissez la vallée de la rivière Pembina, aux versants abrupts, jusqu'au village de Darlingford. À la jonction des routes 3 et 31 se trouve le parc LaVérendrye Wayside, qui marque la voie empruntée par l'explorateur français Pierre de La Vérendrye dans sa quête d'un passage menant, à l'ouest, à une vaste mer.
• Continuez sur la 3 jusqu'après Manitou. Un panneau, à droite, annonce le musée Archibald. Celui-ci rend hommage à la suffragette Nellie McClung, auteure et réformatrice renommée pour son franc-parler, qui lutta pour que les femmes obtiennent le droit de vote.

Au musée est exposée la maisonnette en rondins (1878) où vécut Nellie McClung à l'époque où elle enseignait à la petite école tout près. Elle est meublée exactement comme elle le décrivait dans son livre, *Clearing in the West*. Le musée abrite aussi une maison de ferme (1908), une grange de trois étages comprenant un vieux magasin général et des instruments aratoires. Il est ouvert au public de la mi-mai à la fête du Travail.

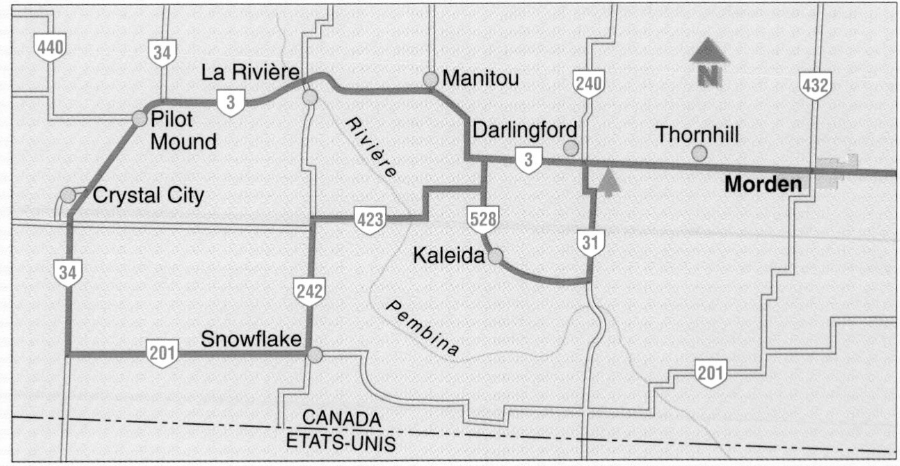

• La route 3, plus à l'ouest, descend dans la spectaculaire vallée de la Pembina et dans la région de La Rivière, paradis du cerf et du dindon sauvage.
• De La Rivière, suivez la route 3 jusqu'à la 34 et allez vers le sud jusqu'au Pilot Mound, butte de 35 m de haut que l'on voit à 25 km à la ronde et dont les Assiniboines se servaient comme point de repère dans leurs chasses aux bisons.
• À 7 km se trouve Crystal City et sa vieille imprimerie-musée dotée de l'équipement d'origine toujours en usage.
• Suivez la route 34 vers le sud jusqu'à la jonction annonçant Snowflake. Tournez à gauche sur la route de gravier et faites environ 15 km jusqu'au musée Star Mound, logé dans une ancienne école (1886), sur le site d'un cimetière amérindien.
• De Snowflake, prenez la route 242 vers le nord. Après la jonction de la route provinciale 423, la route suivante, qui indique Pembina Crossing, conduit vers l'est à un autre point d'observation sur la vallée de la Pembina. La route se dirige pendant quelques kilomètres vers le nord-est puis vire vers l'est pour mener à la route 528. Prenez la route 31 en direction du nord, puis la route 3 vers l'est pour rentrer à Morden.

Chênes dorés et grands conifères sur une route tranquille de la vallée de la Pembina.

Canada et le golfe du Mexique. Le musée est ouvert toute l'année (les fins de semaine seulement, de septembre à avril).

S'étendant à l'ombre des monts Pembina, la région jouit d'un climat doux et peu affecté par le gel, ce qui a favorisé l'installation d'une station de recherche d'Agriculture Canada. Cette station s'occupe d'améliorer les variétés de céréales, d'arbres, d'arbustes et de fleurs d'ornement cultivées dans la région. Les jardins, ouverts aux visiteurs, abritent plus de 3 000 espèces végétales, un étang et un arboretum.

Au lac Minnewasta, à l'ouest du village, on peut camper, se baigner et pratiquer des sports nautiques. Il y a aussi un golf de 18 trous.

Événements spéciaux

Semaine des arbres en fleurs (mai)

Festival de musique Cripple Creek (1er juillet)

Triathlon international de Morden (juillet)

Festival du maïs et de la pomme (août)

6 Marais Oak Hammock

Chaque année, des milliers de canards et de bernaches du Canada se rassemblent dans le marais Oak Hammock, une oasis dans la prairie, à 40 km seulement au nord de Winnipeg. De même que les pélicans, les grèbes, les faucons des prairies, les perdrix grises et quelque 260 autres espèces aquatiques s'y nourrissent et refont leurs forces à l'abri des hautes herbes. Les ornithologues amateurs et les photographes s'y rendent en mai et juin pour observer les parades des oiseaux. En août, de maladroits canetons s'essaient à voler au-dessus du marais. À la fin de septembre, c'est par dizaines de milliers que les bernaches, les oies blanches et les canards font halte dans le secteur.

Enseigne du marais Oak Hammock

Il y a un siècle, le marais, alors connu sous le nom de tourbière St. Andrews, couvrait 47 000 ha, de la rivière Rouge, juste au nord de Winnipeg, à la région de Teulon. C'était l'un des plus vastes marais du Manitoba en milieu de prairie. Mais, sauf pour les 250 ha qui en restent, les pionniers ont réussi à le drainer pour en faire une terre arable.

Le projet de reinstaurer les terres humides débuta à la fin des années 60. En 1973, le marais Oak Hammock était en mesure de justifier son nom officiel. Aujourd'hui, il compte une superficie de 36 km² de terres reconverties. On y a aménagé 28 km de digues et de trottoirs de bois, créant ainsi des petites îles qui favorisent la nidification. Le marais comprend aussi 225 ha d'une prairie d'herbes hautes indigène, la plus grande étendue de ce type au Manitoba. De juin à la fin août, les hautes herbes se parent des orangés du lis des champs et des multiples couleurs d'autres fleurs sauvages.

Un trottoir de bois de 300 m et des sentiers de terre mènent à un tertre d'observation. Ils côtoient un étang en forme de canard, ancienne carrière où l'on venait prélever la terre pour construire les digues. Les grands échassiers fréquentent les prés herbeux au nord du tertre. Tout près, des puits artésiens alimentent en eau la plus grande partie du marais.

Le centre de conservation de Oak Hammock a ouvert ses portes en 1993. On y trouve les bureaux nationaux de l'organisme Canards illimités et un centre d'interprétation du marais.

7 Parc provincial Hecla

Quelques îles du lac Winnipeg ont jadis formé une république : celle de Nouvelle-Islande. En 1875, l'éruption du mont Hekla, le plus gros volcan d'Islande, amena de nombreux habitants de la région sinistrée à émigrer au Canada. Afin de permettre aux pêcheurs et colons islandais de préserver

Autour de Winnipeg, l'histoire de la rivière Rouge

Distance : 85 km

À Winnipeg, empruntez vers le nord la rue Main qui devient la route 9. Environ 8 km après l'échangeur de la Perimeter, faites un virage vers l'est pour prendre la route River Road Heritage Parkway. • Cette belle route de 12 km, bordée de maisons de pierre, épouse les contours de la rivière Rouge qui va s'élargissant. Notez la modeste maison Scott construite par le batelier William Scott. Caractéristique de la région, elle est faite en calcaire du Manitoba selon des techniques écossaise et canadienne-francaise. Plus loin, on aperçoit Twin Oaks, un pensionnat pour filles des années 1850.
• Parcourez 6 km et suivez les flèches noires de l'église anglicane St. Andrews. Construite en 1832, c'est la plus ancienne église de pierre à l'ouest des Grands Lacs. Plusieurs éléments du mobilier original y sont encore, tels ces agenouilloirs recouverts de peaux de bison. Elle accueille toujours les fidèles.

Le presbytère, en face, a été classé lieu historique national. Au rez-de-chaussée, une exposition relate les origines de la colonie.
• Quelques centaines de mètres plus loin, du côté droit de la route, le Captain Kennedy Museum and Teahouse (1866) surplombe la rivière et un joli jardin. Le musée, tout comme le presbytère, n'ouvre ses portes qu'en saison.
• La route prend fin à Lockport (pop. 1 500). Le village est construit autour du barrage et des écluses St. Andrews, qui domptent les rapides de la rivière Rouge depuis 1915. Le barrage régularise le débit inégal des eaux grâce à des rideaux de bois ajustables, uniques en Amérique du Nord.

De l'autre côté du pont Lockport, sur la rive est, les archéologues ont mis au jour des artefacts datant de 1 000 ans avant J.-C. Au musée Kenosewun, logé dans le centre d'accueil touristique (juillet-août), on interprète la culture des diverses tribus amérindiennes qui ont vécu jadis dans la région.
• Au nord de Lockport se trouve le lieu historique national de Lower Fort Garry. Le fort, érigé en 1831, était, vers 1880, le plus important poste de traite des fourrures de l'Ouest canadien. Vous y apprendrez comment se pratiquait la traite et comment s'organisait la vie quotidienne dans les dépendances du fort ; visitez la boulangerie et l'atelier du forgeron. L'été, le fort revit.
• Depuis le fort, faites 16 km jusqu'au marais Oak Hammock, étape importante dans la migration de centaines de milliers d'oiseaux aquatiques.
• Dans le village de Stonewall (pop. 3 000), 15 km plus loin, une carrière centenaire, le parc Quarry, offre une plage, un camping et des circuits pédestres. Faites une pause au salon de thé May House pour en admirer le décor.
• De Stonewall, rebroussez chemin sur 5 km et prenez la route 7 vers le sud jusqu'à la route North Perimeter pour rentrer à Winnipeg.

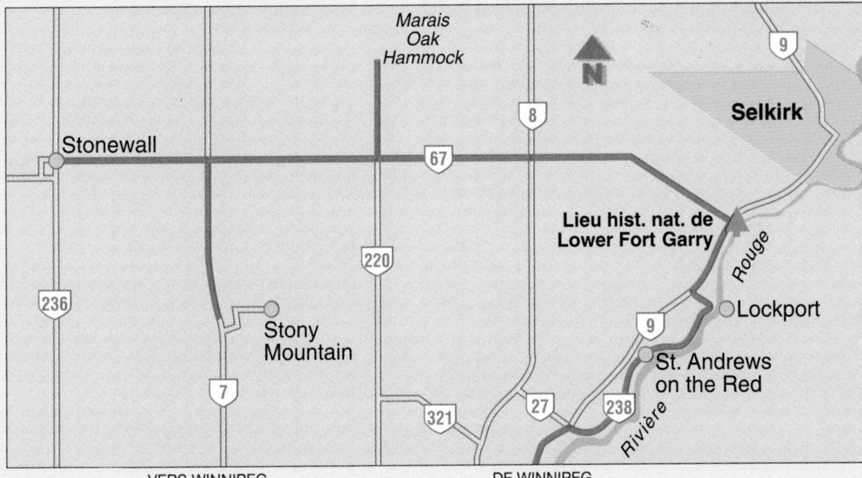

Les flèches de St. Andrews, depuis le jardin du musée Captain Kennedy.

On aperçoit, d'une véranda, le village historique d'Hecla, fondé au siècle dernier.

leur langue et leur culture, le gouvernement canadien mit à leur disposition un territoire ayant statut de colonie autonome. L'île d'Hecla (172 km²) était l'une des quatre régions de cette république de Nouvelle-Islande.

En 1969, l'île d'Hecla fut adjointe au parc provincial du même nom, un territoire de 865 km² qui fut inauguré en 1975. De rares descendants d'Islandais y vivent encore, mais l'héritage des colons a été conservé grâce à la restauration du village de pêche d'Hecla, situé à 26 km de la chaussée Grassy Narrows qui relie l'île à la route 8 sur la rive ouest du lac Winnipeg.

La route qui mène au village rappelle davantage la côte atlantique que la prairie. Elle offre une vue extraordinaire au loin sur la sombre île Black qui occupait une place importante dans la vie spirituelle des Saulteux et des Ojibways. Les sorciers y étaient sacrés au cours de la cérémonie du *midewiwin*, cérémonie qui se tient encore en juillet chaque année.

Près de l'entrée du parc, s'étend le marais Grassy Narrows où des sentiers pédestres et une tour d'observation ont été aménagés. C'est l'un des meilleurs endroits de la province pour observer les oiseaux et les orignaux.

Au village d'Hecla, à la suite de leur restauration, l'école, l'église, la glacière, la salle communautaire et une maison ont retrouvé leur aspect des années 20 et 30. En été, on explique aux visiteurs les techniques de la pêche islandaise traditionnelle, de la préparation des filets jusqu'au fumage et au séchage du poisson.

Le centre récréatif de Gull Harbor, à l'extrémité nord de l'île, offre une plage, des courts de tennis, un golf de 18 trous, des circuits pédestres et des pistes de ski de fond. La piste qui part du phare (3 km) suit la flèche littorale qui forme le port ; celle de West Quarry (12 km) permet parfois d'entrevoir des orignaux qui courent à travers les bois et les marécages.

8 Parc provincial Grand Beach

Le parc provincial Grand Beach comprend, outre une plage de sable blanc et fin, une lagune peuplée d'oiseaux, dont quelques rares espèces de rivage, et des dunes atteignant parfois 8 m. La plage Grand Beach (4 km), qui borde la rive orientale du lac Winnipeg, est l'une des mieux cotées d'Amérique du Nord. Il y a dans le parc de vastes campings, un terrain de golf, des sentiers

Gull Harbor, au parc Hecla, offre hébergement et activités récréatives.

pédestres, ainsi que des installations pour la pratique de la pêche et de la planche à voile.

Grand Beach a connu son essor avec l'arrivée du chemin de fer Canadian Northern en 1914. Le centre de villégiature a été officiellement inauguré en 1916. Le soir, les lumières de l'hôtel, du carrousel, du trottoir de bois et de l'immense salle de danse (apparemment l'une des plus vastes dans le Commonwealth) conféraient à la plage une atmosphère de carnaval. Les liaisons par train ayant été interrompues en 1961, c'est désormais en voiture que des milliers de vacanciers accèdent au parc en fin de semaine pendant l'été.

L'atmosphère continue néanmoins d'être paisible le long des sentiers. Celui d'Ancient Beach débouche, après une heure de marche, sur les rives de l'ancien lac Agassiz, né de la fusion des glaciers, qui recouvrait jadis la quasi-totalité du Manitoba. À mesure que vous grimpez, des panneaux explicatifs attirent votre attention sur les différents niveaux de rives dont le plus ancien remonte à quelque 10 000 ans.

9 Steinbach

En 1874, 18 familles d'une secte mennonite quittèrent leurs villages du sud de la Russie pour venir fonder Steinbach, aux limites orientales de la Prairie. Depuis lors, Steinbach (pop. 9 000) s'est transformé en ville industrieuse et prospère.

Situé dans le nord de la ville, le village mennonite historique (16 ha) rend hommage à son histoire laïque et religieuse. Son aménagement est conforme aux plans des villages mennonites traditionnels : maisons et bâtiments font face à la rue principale ; les champs s'étendent derrière. L'ensemble est dominé par une réplique du premier moulin à vent du village, construit en 1877. C'est le seul moulin de ce type au Canada à fonctionner encore à des fins commerciales.

Le moulin à blé de Steinbach, une réplique de l'original, est toujours en usage.

Les habitations typiques de la colonisation des prairies, dont un abri fait de terre, d'herbe et de bois (*semlin*), une maison-grange mennonite caractéristique des steppes de Russie et une cabane en rondins jalonnent la rue Heritage Village.

Il y a également un magasin général, les ateliers du forgeron et de l'imprimeur et un petit zoo où les enfants peuvent caresser les animaux. Deux monuments érigés à la mémoire de Johann Bartsch et de Jakob Hoeppner proviennent de Russie. Le monument de Bartsch porte les traces de balles de la révolution russe. Ce sont ces deux hommes qui dirigèrent un mouvement de migration de la Prusse à la Russie à la fin des années 1780.

Le Village Centre and Artifacts Building abrite une exposition illustrant l'histoire des mennonites depuis le XVIe siècle. Plusieurs restaurants, dont le Livery Barn, servent des plats traditionnels comme le potage bortsch, le *pluma moos* (potage froid aux fruits) et les *pirogis* (petits pâtés de viande).

Événements spéciaux
Journées des pionniers (début août)

UNE ÎLE SAUVAGE

L'atmosphère paisible de Victoria Beach contraste vivement avec l'exubérance de Grand Beach, sa voisine, plus au sud sur le lac Winnipeg. Ici, la circulation automobile est interdite pendant l'été. On a voulu ainsi préserver la tranquillité à laquelle sont habitués les villégiateurs depuis le début du siècle. Les visiteurs qui viennent passer la journée à Victoria Beach par la route 59 laissent leurs voitures au stationnement municipal pour se rendre ensuite à pied à la plage ou se promener dans le village.

En face de Victoria Beach, à 2 km de la rive, se trouve le parc provincial Elk Island, petit paradis de nature sauvage. Pour s'y rendre, il faut emprunter la route provinciale 504 qui prolonge la 59, à l'est de Victoria Beach. On gare sa voiture au bout de la route et on traverse à la rame. Quand les eaux sont basses, un adulte peut se risquer à gué.

Des forêts de pins gris hauts de 9 à 12 m couvrent l'île et dominent ses falaises qui surplombent de 30 m le lac Winnipeg. Le sous-bois clairsemé facilite les randonnées. Plusieurs sentiers non balisés traversent l'île, mais la plage et la route des crêtes font des circuits incomparables. On peut facilement faire le tour de l'île sans risque de se perdre, du moment que l'on reste près de l'eau.

Chardonnerets jaunes

Les ornithologues amateurs profitent ici d'un des meilleurs endroits au Manitoba pour observer les chardonnerets et autres oiseaux typiques de la région. De mars à septembre, des hirondelles troglodytes, une espèce rare, se rassemblent du côté est de l'île où elles se creusent des nids dans la falaise.

10 Forêt provinciale Sandilands

La forêt provinciale Sandilands, qui occupe 2 772 km², fut créée en 1923 afin de préserver un patrimoine forestier pour les générations futures. La coupe du bois était naguère une activité vitale pour Piney, Sprague et les autres hameaux qui vivent en bordure de la forêt. (À l'extrémité sud de celle-ci, les habitants de Piney ont créé une réserve de 712 ha, la Spurwoods Heritage Reserve, pour rendre hommage à leurs ancêtres bûcherons.)

La forêt provinciale Sandilands couvre quelque 90 km entre la frontière américaine et la route transcanadienne. Celle-ci permet d'en parcourir le secteur nord ; elle traverse entre autres sept crêtes de sable qui formèrent à l'époque préhistorique les rives du lac Agassiz. Des sentiers pédestres sont accessibles de la route. Le randonneur y découvrira d'immenses pins gris ainsi que des marécages abritant des cèdres arbustifs et des mélèzes.

Au Centre d'interprétation de la forêt, qui occupe 120 ha près de Hadashville, à 2,5 km au sud de la jonction entre la 11 et la Transcanadienne, un musée initie le visiteur à la forêt et aux techniques sylvicoles. On y apprend à identifier les différentes essences de la région : aune, sapin baumier, cèdre, pin gris, pin rouge, chêne, peuplier, frêne. On peut visiter la tour de surveillance des incendies ainsi qu'un wagon du Canadien Pacifique que des forestiers avaient autrefois transformé en « centre éducatif de la forêt » pour sensibiliser les gens aux bienfaits potentiels du boisement des prairies.

Deux circuits de randonnée rayonnent depuis le centre d'interprétation, le sentier du vieux barrage des castors (800 m) et le sentier Sagimay (750 m). Le premier mène à la passerelle Beaven qui enjambe la superbe rivière Whitemouth. C'est l'un des rares ponts suspendus du Manitoba.

Les routes secondaires du Manitoba quadrillent les prairies cultivées.

La pépinière Pineland Forest Nursery, 5 km plus loin, produit des millions de plants de conifères par an. On en distribue parfois aux visiteurs.

11 Parc provincial Whiteshell

Le parc Whiteshell, constitué en 1962, est le premier parc provincial du Manitoba. Ses 2 590 km² englobent quelque 200 lacs. Son nom s'inspire d'une légende amérindienne selon laquelle le Créateur, pour faire le premier homme, utilisa un petit coquillage blanc comme ceux qu'on trouve dans la région. On a trouvé sur les lieux des vestiges de peuplements indiens remontant à 4 000 ans. Les pétroformes de la pointe Bannock, sur la route 307, à l'est de la rivière Rennie, sont des pierres à l'effigie de serpents, de poissons, de tortues et d'oiseaux, placées là il y a des siècles par les Saulteux et les Ojibways.

La bicyclette est un bon moyen pour découvrir plusieurs parcs du Manitoba.

Les forêts de pins gris, juchées au sommet des falaises de roc, sont caractéristiques de la région de Whiteshell. Les îles et les rochers en pente douce du bord des lacs invitent au pique-nique sur la grève. À la fin de l'été, les Amérindiens récoltent, dans des embarcations spécialement conçues, le précieux riz sauvage qui pousse dans les eaux abritées.

On pratique abondamment la pêche sportive dans le parc : près du quart des chalets de pêche du Manitoba se concentrent ici.

La route 307 traverse le secteur ouest du parc en contournant les lacs Nutimik et Brereton. Dans le secteur sud, les routes 1 et 44 mènent au lac Falcon, le principal centre de villégiature du parc. Un autre endroit recherché est le lac West Hawk, un peu plus au nord. Ce lac de 110 m, le plus profond au Manitoba, aurait apparemment été formé par la chute d'un météore.

Parmi les sentiers de randonnée les plus accessibles, on note le sentier Picket Creek (1,5 km) au lac Nutimik ; celui d'Amisk (4 km) au lac Brereton ; celui de Falcon Creek (2 km), juste avant d'entrer dans Falcon Lake ; et celui des chutes McGillivray (4 km), au lac Caddy. Le musée d'histoire naturelle de Whiteshell, logé dans une cabane de rondins au lac Nutimik, abrite des objets amérindiens et une exposition portant sur l'écologie du parc.

Au refuge Alf Hole, à proximité du village de Rennie, sur la route 44, on peut observer les oies aussi bien sur le terrain que des galeries du centre d'accueil. Mai, juin et septembre sont les meilleurs moments où visiter ce refuge. On peut également admirer les oiseaux le long du sentier d'interprétation Alf Hole (1,5 km) qui fait le tour de l'étang Goose Pond.

Le canotage est le meilleur moyen de découvrir les lacs du parc. L'un des circuits les plus accessibles, le Whiteshell, commence au quai du lac Caddy, à 8 km au nord du lac West Hawk, sur la route 44. Le circuit de 20 km suit la route empruntée en 1733 par Pierre de la Vérendrye lors de l'expédition qui le mena à la rivière Rouge.

NORD-OUEST DE L'ONTARIO

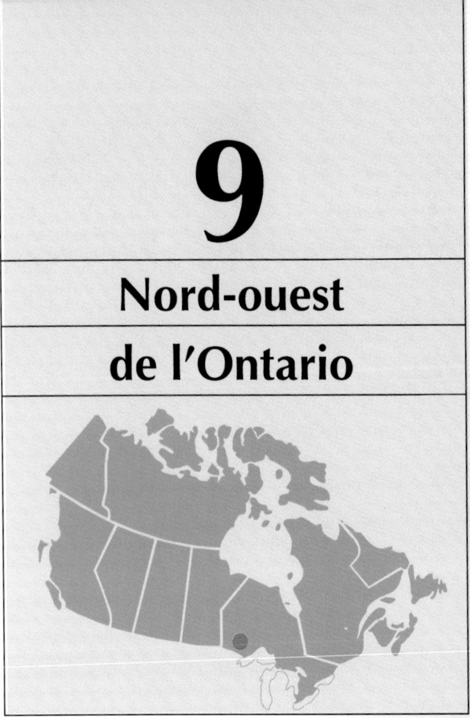

9

Nord-ouest de l'Ontario

Sites

Red Lake
Kenora
Keewatin
Parc provincial Woodland Caribou
Rainy River
Sioux Lookout
Ignace
Lac White Otter :
Le château de McOuat
Parc provincial Quetico
Parc provincial Kakabeka Falls
Parc provincial Sleeping Giant
Parc provincial Ouimet Canyon
Nipigon
Parc provincial du Lac-Nipigon
Archipel Nirivia
Longlac

Circuits automobiles

Vallée de la rivière à la Pluie
Lac Supérieur : Kakabeka Falls
à Thunder Bay

Parc national

Pukaskwa

Pages précédentes :
Nénuphars, près de Fort Frances

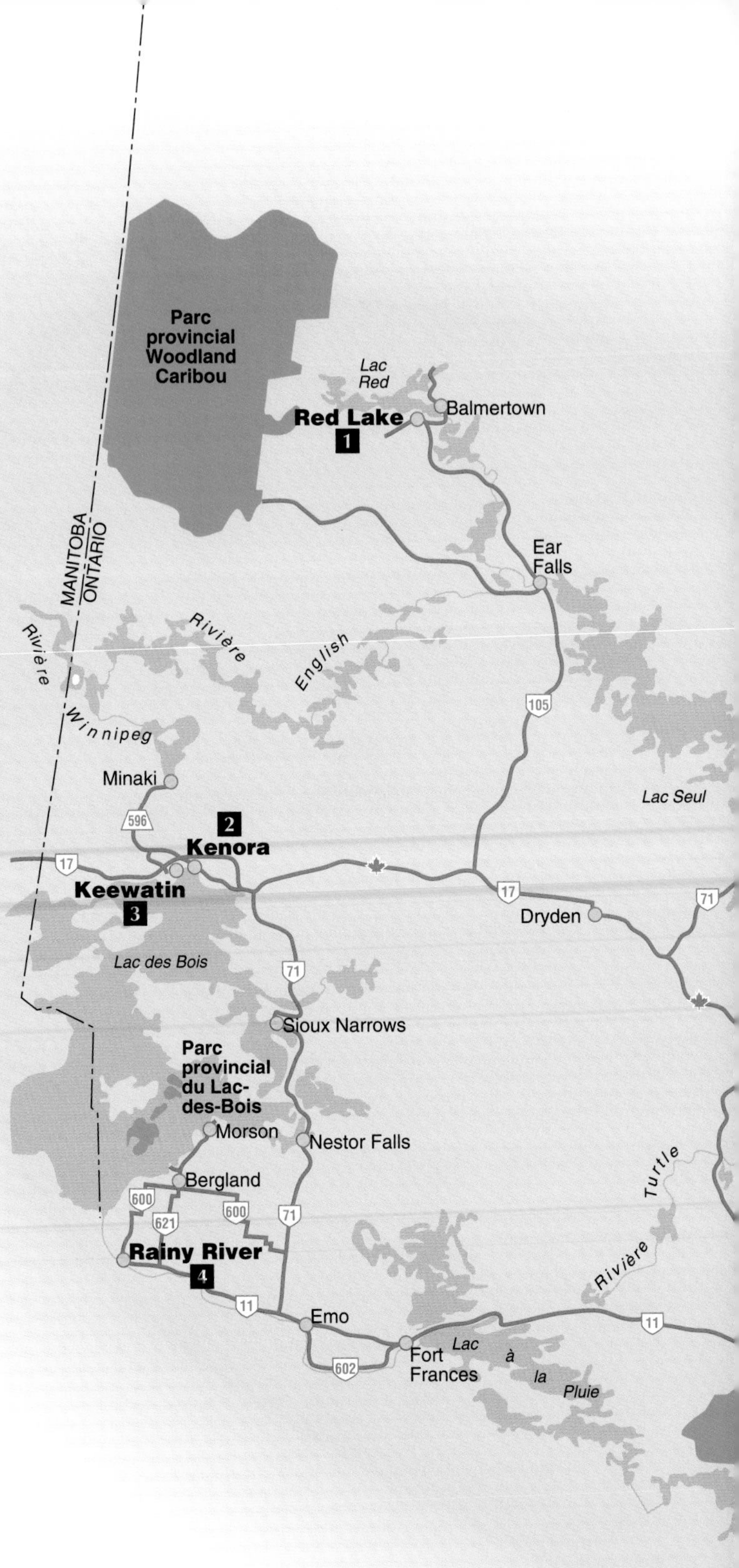

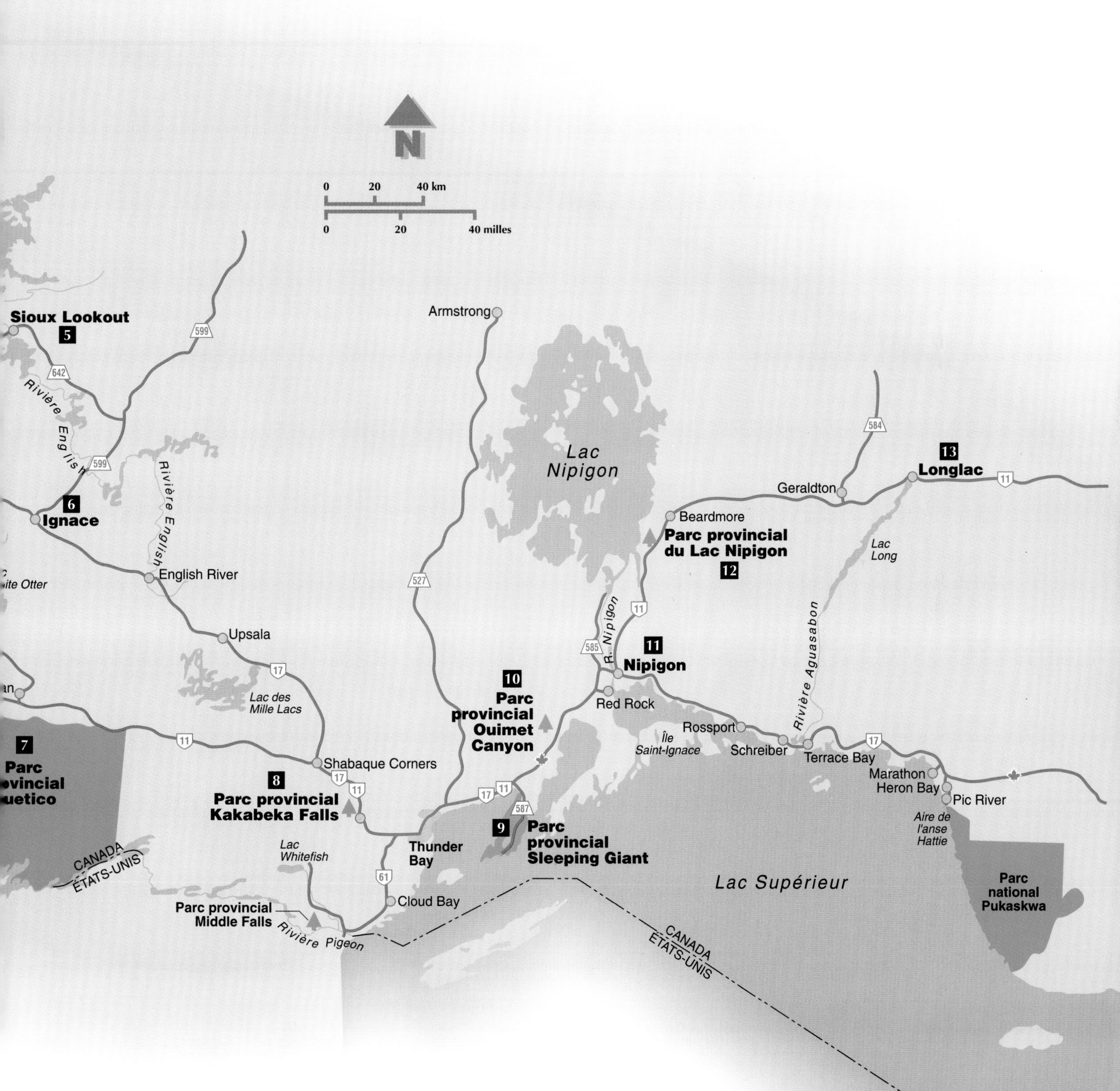

N
0 20 40 km
0 20 40 milles
Sioux Lookout
5
599
642
Rivière English
Armstrong
6
Ignace
Rivière English
English River
Upsala
527
Lac Nipigon
Beardmore
Parc provincial du Lac Nipigon
12
Geraldton
584
13
Longlac
11
Lac Long
Rivière Aguasabon
R. Nipigon
585
11
Nipigon
Red Rock
10
Parc provincial Ouimet Canyon
17
Lac des Mille Lacs
11
7
Parc provincial Quetico
Shabaque Corners
8
Parc provincial Kakabeka Falls
17
11
587
9
Parc provincial Sleeping Giant
Thunder Bay
Rossport
Île Saint-Ignace
Schreiber
Terrace Bay
17
Marathon
Heron Bay
Pic River
Aire de l'anse Hattie
Lac Whitefish
CANADA
ÉTATS-UNIS
61
Cloud Bay
Parc provincial Middle Falls
Rivière Pigeon
Lac Supérieur
Parc national Pukaskwa
CANADA
ÉTATS-UNIS

1 Red Lake

Selon une légende indienne, deux chasseurs tuèrent un orignal dans lequel s'était incarné un mauvais esprit ; son sang souilla le lac qui prit le nom de *Misque Saigon,* ou « lac rouge de sang », plus tard abrégé en lac Rouge.

Red Lake (pop. 5 000) fut habitée d'abord par les Sioux, puis par les Ojibways. En 1790, la bourgade était un poste de traite. Il fut un temps où elle s'appelait « le bout de la route », car elle était effectivement la localité la plus septentrionale de l'Ontario accessible par la route. Mais elle devint encore plus accessible le 25 juillet 1925, le jour où les frères Howey, guidés par des relevés géologiques, frappèrent un riche gisement aurifère. Ce fut le signal d'une ruée vers l'or dont la production s'éleva à quelque 400 millions de dollars. La mine produit encore aujourd'hui près de 10 millions de grammes (350 000 oz) d'or par an.

Le musée local, logé dans deux maisons anciennes, raconte l'histoire de cette période épique. Il est ouvert tous les jours pendant la saison estivale. On peut aussi visiter la mine avec un guide tous les jeudis, de juin à août. Les sites abandonnés se prêtent à une belle cueillette de pierres.

Red Lake constitue un centre de villégiature aux nombreuses attractions.

Un hydravion Norseman transformé en monument, dans la ville de Red Lake.

Le parc thématique Norseman, sur les bords du lac, rend hommage aux avions de la Norseman qu'on a surnommés « les chevaux de trait du Canada ». Ils ont été le mode de transport de la plupart des prospecteurs et mineurs de Red Lake. Sur la baie de Howey, l'un de ces appareils, monté sur socle, semble prêt à s'envoler.

Le lac Red se prête à la pêche sportive et à la navigation de plaisance ; ses nombreuses plages surveillées sont idéales pour jeunes et moins jeunes baigneurs. En hiver, l'endroit devient le rendez-vous des skieurs de fond et des motoneigistes.

Événements spéciaux

Festival Red Lake and Golden Trappers (fin février)

2 Kenora

La frontière entre le Manitoba et l'Ontario traversait autrefois un village d'exploitation forestière, Rat Portage, établi sur la rive nord du lac des Bois. Le chemin de fer reliant la bourgade à Winnipeg venait d'être terminé lorsque, en 1881, on découvrit des gisements d'or dans la région. Il n'en fallait pas plus pour susciter une querelle de frontière qui dura quatre ans. Le Conseil privé de Londres trancha la question en 1884, décrétant que la frontière devait être repoussée d'environ 48 km à l'ouest.

Rat Portage reçut en 1905 le nom de Kenora, acronyme formé des deux premières lettres des villages de Keewatin, Norman et Rat Portage. La ville (pop. 9 800) est maintenant un centre de pâtes et papiers et un lieu de villégiature.

À l'est de Main Street, Hennepen Lane marque l'emplacement de l'ancienne frontière interprovinciale. Le musée du Lac-des-Bois, sur Main Street South, présente des objets de la culture amérindienne et rappelle l'histoire de Rat Portage. En été, il expose aussi des œuvres d'artisans locaux.

Dans le parc McLeod se dresse la fameuse statue de *Huskie le Muskie*, qui représente un maskinongé géant de 13 m. Le poisson, en bois, en acier et en fibre de verre, symbolise les prises records qui ont fait la réputation de la région auprès des pêcheurs.

Le bureau régional d'archéologie, sur Second Street, expose des objets d'origine amérindienne et européenne. Sur Lakeview Drive, un musée consacré au chemin de fer a été aménagé dans un ancien wagon de queue. À Jaffray Melick, sur la route de l'aéroport, le Centre culturel du Lac-des-Bois expose une collection d'objets ojibways.

La papetière Boise Cascade fait visiter les locaux de sa papeterie et explique les différentes phases reliées à la coupe du bois. (Les enfants de moins de 12 ans ne sont pas admis.)

À 20 minutes au nord de Kenora, sur la route 658, Redditt se signale par une maison entièrement faite de bouteilles. Frank Deverall la fit construire en 1973 pour abriter la collection de poupées de sa femme.

Avec ses 14 000 îles et ses 6 000 km de périphérie, le lac des Bois, où logent quatre parcs provinciaux (celui de Rushing River, situé à peine 21 km à l'est de Kenora, renferme une belle cascade), ne manque pas d'activités : natation, voile, canot, pêche au maskinongé et au doré, golf et excursions à pied. À Sioux Narrows, il faut voir les rochers de peintures rupestres décorés autrefois par les Indiens.

Le lac est réputé pour ses péniches ; certaines sont en service depuis plus de

Huskie le Muskie, l'emblème fétiche de Kenora

80 ans. Il n'y a pas façon plus reposante de visiter les affluents du lac et d'observer, depuis le large, l'orignal, l'ours, le cerf, l'aigrette bleue, le pyguarge à tête blanche et le pélican blanc qui fréquentent la région.

Événements spéciaux

Pow-wows traditionnels des Premières nations de Rat Portage (fin mai et fin juillet)

Festival multiculturel du lac des Bois (début juin)

Festival Harbourfest (juillet-août)

Tournoi international de pêche à l'achigan de Kenora (début août)

Régates internationales de l'Association de voile du lac des Bois (début août)

3 Keewatin

Keewatin (pop. 2 000), la ville la plus à l'ouest de l'Ontario, est située sur la rive nord du lac des Bois. Une maison historique fait sa renommée: Mather-Walls, 1116 Ottawa Street. Érigée en 1889, elle constitue un exemple magnifique du style Queen Ann.

La famille Mather fonda la compagnie de bois Keewatin en 1879 pour fournir des traverses de chemins de fer au CP (le petit-fils du fondateur, David Mather, devint plus tard président de cette compagnie). La maison était l'un des trois bâtiments (les deux autres existent toujours) construits par cette famille. John Walls, surveillant à la Keewatin, l'acheta en 1906. Sa fille la conserva dans son état original jusqu'à ce que la Fondation du patrimoine de l'Ontario en fasse l'acquisition en 1975. Restaurée à grands frais, elle est un intéressant témoignage du passé.

Du haut du balcon, vous apercevez l'élévateur à bateaux de Keewatin, sur le site de l'ancien déversoir de la Keewatin Milling. Une plateforme en bois actionnée par des treuils électriques soulève les embarcations légères pour les faire passer du lac des Bois à la rivière Winnipeg, ce qui représente une différence de niveaux de 7-9 m.

Peu de rapides viennent interrompre la voie canotable dans le parc Woodland Caribou.

DES VOIES DE CANOTAGE ANCESTRALES

Sur le plateau de la rivière Berens, à la frontière de l'Ontario et du Manitoba, se trouve le parc provincial Woodland Caribou. Ses 4 500 km² renferment plus de 1 800 km de voies navigables en canot, le mode de transport le plus populaire et le plus pratique dans ces parages. Le parc n'offre en effet aucune route. On y a accès en faisant du portage à partir de l'un des chemins forestiers qui le ceinturent ou par avion depuis Ear Falls ou Red Lake. On obtient des renseignements et des permis au Bureau des parcs du district de Red Lake. Des pourvoyeurs locaux louent des canots.

La topographie du parc est typique du Bouclier canadien : lacs allongés et affleurements massifs de roche. Ce qui rend ce parc spectaculaire, c'est que six grandes rivières y prennent leur source et qu'on y observe la présence simultanée d'une flore boréale, forestière et de prairie. Des peuplements de pins gris de 60 à 100 ans côtoient des marécages chargés d'épinettes noires et des petits îlots de trembles et de bouleaux blancs. Parmi les plantes de la prairie, rares en Ontario, on remarque une espèce d'anémone, la cryptogramme faux-acrostic, la populage, la sélaginelle apode et la verge d'or des bois.

Des étés secs et chauds, une fine couche de terre sablonneuse favorisent les feux de forêt. Mais ceux-ci ont un effet positif car l'action du feu libère de leurs graines les cônes des pins gris. Plusieurs plantes prolifèrent aussi dans les brûlis, entre les jeunes pousses d'arbres : épilobes, bleuets, géraniums de Bicknell, liserons à clochettes ourlées de mauve et d'écarlate.

La flore extrêmement variée du parc entretient une faune intéressante et diversifiée. Le pin gris accueille des touffes denses de lichens *Cladina*, base de l'alimentation du caribou des bois. Une harde de 120 têtes vit dans le parc et lui a donné son nom. Des animaux rares comme le spermophile de Franklin, le serpent-jarretière commun à flancs rouges, la chélydre et la tortue peinte côtoient l'ours noir et l'orignal. Le parc accueille aussi le pélican blanc et le pygargue à tête blanche.

Utilisées depuis des millénaires, les voies d'eau sont jalonnées de peintures rupestres anciennes et bien préservées. L'ensemble le plus important se trouve au lac Artery, mais on en voit aussi le long des rivières Bloodvein, Gammon et Oiseau.

Jadis, la Compagnie de la Baie d'Hudson et la Compagnie du Nord-Ouest avaient ici des territoires de trappage et les rivières leur servaient à acheminer les fourrures. Aujourd'hui, elles ne servent plus qu'au bon plaisir des fervents de la nature.

Les eaux de la cascade, au parc provincial Rushing River, près de Kenora.

Autre curiosité de Keewatin, sur la Sixth Street, à un coin de rue au sud de la route 17 : des marmites de géants, quatre dépressions sphériques d'un diamètre de 75 cm à 1 m et d'une profondeur d'au moins 1 m, creusées dans le roc. Un belvédère permet de contempler ces marmites dont l'origine demeure un mystère.

L'aire de récréation Portage Bay de Keewatin offre plusieurs activités au grand air, dont la pêche et la chasse.

4 Rainy River

Au siècle dernier, Rainy River (pop. 1 000) desservait les bateaux naviguant sur la rivière et accueillait les trains de marchandises. Avec le déclin de la navigation, la petite ville perdit de son importance.

Aujourd'hui, Rainy River connaît un regain de vie grâce à la construction d'un port de plaisance, de terrains de camping en bordure de rivière et d'installations à pique-nique. La vieille gare du CN qui a été rénovée s'enorgueillit de posséder une locomotive à vapeur 4008 restaurée. Une fois par an, la ville rend hommage à son passé au Festival Railroad Daze .

Située sur la frontière américaine, en face de Baudette, dans le Minnesota, Rainy River est au cœur d'un riche territoire de chasse et de pêche, renommé en particulier pour ses dorés.

Événements spéciaux
Festival Railroad Daze (mi-juillet)

5 Sioux Lookout

Si la route 72 qui mène à Sioux Lookout offre peu d'intérêt, le voyageur est assuré de recevoir un chaleureux accueil quand il arrive à destination.

De loin en loin, quais et hangars à bateaux ponctuent la rive du lac des Bois, près de Keewatin.

Située sur la rive nord du lac Pelican, la petite localité de 3 311 habitants marque l'entrée du nord-ouest de l'Ontario, une région ponctuée de 22 000 lacs. Le nom de l'endroit fait allusion à une colline sur laquelle se cachaient les Ojibways pour surprendre l'arrivée de leurs ennemis, les Sioux. La légende veut que cette ruse ait vaincu les futés Sioux dont les crânes, dit-on, tapissent la rivière, près de Pelican Narrows.

Welcome to Sioux Lookout
GATEWAY to the NORTH

L'enseigne de bienvenue à Sioux Lookout : on est ici aux portes du nord-ouest ontarien.

Les pourvoyeurs locaux offrent des vacances sur mesure pour ce qui représente la principale attraction de la région : le système formé par la rivière English et le lac Seul. Cette voie navigable, qui débute à l'est d'Ignace et s'étend jusqu'à la frontière du Manitoba, fut autrefois le chemin des découvreurs et des trafiquants de fourrures.

Les routes n'abondent pas ici. L'avion est le mode de transport le plus utilisé pour rejoindre son camp de chasse ou de pêche ou, le cas échéant, le lac ou l'île que le visiteur a choisi de louer. En ville, dorés, grands brochets, maskinongés et touladis meublent les histoires de pêche, tandis que les chasseurs, montrant une tête d'orignal posée au mur, vous racontent qu'ils ont tué la bête à deux pas d'ici.

Le musée local fait remonter les origines de la ville à 1906, quand elle servait aux repérages du chemin de fer Grand Tronc, et illustre la fièvre de l'or qui s'empara d'elle dans les années 20. Quand on eut découvert de l'or, les prospecteurs se mirent à sillonner la région en avion. C'est ainsi que dans les années 30, Sioux Loukout devint un aéroport si important qu'il occupait le

Locomotive et voiture de queue, dans le parc Drew P. Jeffries, à Sioux Lookout.

deuxième rang en Amérique du Nord pour le trafic aérien.

On trouve 50 emplacements de camping, une plage et 11 km de sentiers balisés au parc provincial Ojibway, qui est situé à 25 km au sud-ouest de Sioux Lookout sur le lac Little Vermilion.

Événements spéciaux

Festival des bleuets
(fin juillet – début août)

6 Ignace

Sur les rives du lac Agimak se trouve la petite ville minière d'Ignace (pop. 2 300). Au XVIIIe siècle, les Ojibways y passaient l'été pour cueillir le bleuet et le riz sauvage. Au siècle suivant, les équipes de construction du Canadien Pacifique occupaient les lieux pour y construire une ligne reliant Kenora et Thunder Bay. La ville porte le nom de l'Iroquois Ignace Mentour, homme reconnu pour son courage et son endurance qui servit de guide à l'équipe de géomètres du CP, dirigée par Sandford Flemming. La légende veut qu'il ait couvert plus de 6 km en 29 minutes, chaussé de raquettes.

L'abandon de la ligne ferroviaire, vers 1960, fut un dur coup pour la ville. Mais elle connut un nouvel essor grâce aux mines, à la forêt et au tourisme. La vieille gare du CP est devenue monument historique.

De mai à octobre, Ignace Regional Travel Centre sur Main Street présente une exposition sur l'histoire de la ville et de diverses activités qui ont assuré sa survie : les mines, la forêt, la gestion des incendies en forêt. Des équipements d'exploitation forestière et minière seront exposés à côté dans un musée du patrimoine, dont l'ouverture est imminente.

Comme la ville est située au cœur d'une région sauvage, orignaux et cerfs viennent rôder sur les routes à l'aube et au crépuscule et les ours noirs se laissent surprendre en automne. Les chasseurs sont attirés ici par la richesse de la forêt tandis que les touladis, dorés, grands brochets et achigans à petite bouche séduisent le pêcheur.

La vallée de la rivière à la Pluie

Distance : environ 120 km

La vallée de la rivière à la Pluie s'étend depuis le plat pays de la prairie agricole jusqu'aux affleurements rocheux du Bouclier canadien, vestiges de la dernière glaciation.

L'excursion commence à Oak Grove, là où la rivière à la Pluie se jette dans le lac des Bois. Le Oak Grove Camp appartenait autrefois à la Compagnie de la Baie d'Hudson sous le nom de Hungry Hall. Les tumulus et les objets découverts sur le site sont antérieurs de 600 ans à l'arrivée des Blancs. Plusieurs de ces objets sont exposés à Oak Grove Camp.

• À 1,6 km sur la route qui longe la rivière, un enclos regroupe quelque 200 bisons sauvages qu'on peut apercevoir pendant les 10 km qui suivent. Virez à droite sur la route 600, puis à gauche sur la 11 pour traverser la ville de Rainy River.

• Poursuivez sur la route 11 vers l'est jusqu'à Sleeman. Ici, vous pouvez prolonger votre excursion de 35 km en prenant vers le nord la route 621 pour vous rendre au parc provincial du Lac-des-Bois ou au village de villégiature de Morson.

• Si vous préférez la route directe, suivez la vallée sur 50 km pour aboutir à Emo après avoir traversé plusieurs hameaux agricoles. C'est à Emo que se tient chaque mois d'août une foire agricole.

La ville d'Emo se vante d'avoir la plus petite église du monde : elle ne peut accueillir que huit fidèles à la fois. Le musée Women's Institute, ouvert de la mi-mai au début octobre, expose divers objets datant du début du siècle, comme des instruments de musique, des souvenirs de guerre, des vêtements.

• À 30 km de là se trouve Fort Frances, autrefois le fort Saint-Pierre. Au musée du Centre culturel, on se familiarise avec la vie des Indiens de l'endroit de même qu'avec celle des trafiquants de fourrures et des pionniers d'autrefois. (Le musée est ouvert toute l'année.) À Fort Frances, on peut visiter aussi, sur rendez-vous, l'usine de papiers fins Boise Cascade.

• Dans le parc Pithers Point, 2,5 km à l'est de la ville, se trouvent une reconstitution du fort Saint-Pierre, celle d'un remorqueur, le *Hallett*, et le musée Lookout Tower qui surplombe à la fois Fort Frances et, du côté américain de la rivière à la Pluie, International Falls, au Minnesota.

• La route 11 débouche sur le chemin Noden qui traverse, à l'est de Fort Frances, une ribambelle d'îles pittoresques.

Fin d'une belle journée de pêche sur le lac des Bois.

LE CHÂTEAU DE McOUAT

Le trappeur Jimmy McOuat (prononcez *Maqueouit*) était quadragénaire quand il arriva au lac White Otter en 1903 après s'être ruiné à chercher de l'or. Il s'attela à la tâche de bâtir, de ses propres mains, rien moins qu'un château de bois surmontée d'une véritable tour. Cet homme de modeste carrure finit par accomplir des prouesses. Il abattit des pins rouges, les traîna à la force du bras, les équarrit et les assembla par queue d'aronde. Il soigna la finition : l'arrondi était à l'extérieur, la face plane, lambrissée de cèdre, à l'intérieur.

En 1914, la demeure était terminée ; elle avait trois étages et s'élevait à 30 m du lac. Sa façade rustique était percée de 26 fenêtres à guillotine. Une tour de quatre étages, surmontée d'un toit en croupe, lui donnait l'allure d'un château.

Pourquoi McOuat avait-il choisi de réaliser ses rêves dans un endroit aussi isolé ? Mystère ! Son secret disparut avec lui lorsque, en 1918, il se prit dans ses filets de pêche et se noya. Il avait néanmoins coutume de raconter une histoire de son enfance : il avait jeté un épi de maïs à la tête du boucher et celui-ci, courroucé, lui avait crié : « Jimmy McOuat, tu ne feras jamais rien de bon ; tu mourras dans une cabane ! » Peut-être McOuat voulut-il conjurer le sort ?

Dans les années 80, les citoyens d'Ignace et d'Atikokan décidèrent de restaurer le château de McOuat qui tombait en ruines. Il est toujours tout aussi isolé, mais on peut s'y rendre, l'été, en bateau depuis Atikokan, ou en hydravion à partir d'Ignace, d'Atikokan ou de Fort Frances.

Le château de McOuat, au clair de lune.

Un lac entouré de rochers : un paysage typique du nord-ouest de l'Ontario.

Le lac Agimak est le point de départ d'une excursion en canot de 37 km — avec 15 portages — vers le lac White Otter. Les excursionnistes aperçoivent des dunes qui furent formées par des lacs glaciaires il y a 11 000 ans. Autre sujet d'intérêt, des peintures rupestres de couleur ocre qui dateraient d'il y a 600 et même 1 000 ans. On y discerne des figures humaines, des canots, des orignaux et des tortues. Ces pictogrammes marquaient, selon toute vraisemblance, des territoires de chasse. Ils auraient été exécutés par les ancêtres des Cris et des Ojibways.

Événements spéciaux
Journées de White Otter (août)

7 Parc provincial Quetico

Falaises de granit, rapides écumants, cours d'eau enserrés par des plantes odoriférantes et une véritable dentelle de lacs, voilà décrit à grands traits le parc provincial Quetico, dont le nom signifie, dit-on, « esprit bénéfique au pays de la beauté ».

Sur une superficie de 4 750 km², ce parc offre plus de 1 500 km de voies de canotage. Les points d'entrée ne sont accessibles qu'en canot, à l'exception du sentier Dawson sur le lac French. Les lacs sont reliés par des portages d'environ 400 m.

La forêt est remarquable par la diversité de ses essences : épinette noire, pin blanc, érable rouge, chêne, orme et bouleau. Plus de 90 espèces d'oiseaux occupent la région : balbuzards, pygargues à tête blanche, chouettes rayées, en font partie. Tamias, castors, écureuils roux sont visibles partout. En début de juillet, on aperçoit les orignaux qui broutent les baies, parmi les scirpes et les lis d'eau. Les loups sont communs, mais difficiles à repérer, tout comme les ours noirs et les lynx.

Le long des voies canotables, on rencontre çà et là des dessins de couleur ocre qui ornent les rochers. Ils remontent à plusieurs siècles et seraient l'oeuvre des ancêtres des Ojibways. Au total, une trentaine de pictogrammes dans le parc illustrent des orignaux, des caribous et des canots ou présentent des signes abstraits. Les plus beaux se trouvent près du lac LaCroix.

Le premier Européen à ouvrir cette région fut Jacques de Noyon en 1688, suivi par les trafiquants français de fourrures, le long des routes établies par les explorateurs LaVérendrye, Fraser et Mackenzie. Simon Dawson, en 1857, y fit le tracé d'une route pour les chariots, d'un passage pour remorqueurs à vapeur et d'une voie canotable vers l'ouest.

Le centre des visiteurs, au camping Dawson, offre des expositions, des diaporamas, des conférences, de la documentation et des guides spécialisés.

Il y a sept sentiers d'interprétation près du camping. Les plus aventureux peuvent entreprendre une excursion de 10 km aller-retour sur le sentier The Pines, du lac French au lac Pickerel où le camping est flanqué d'une belle plage et d'imposants pins rouges. Ce sentier est un prolongement du sentier Whiskey Jack, qui pénètre dans le parc.

Les installations ne sont pas ouvertes en hiver ; on peut néanmoins faire du ski de randonnée, de la raquette et du traîneau à chiens.

8 Parc provincial Kakabeka Falls

La chute Kakabeka enjambe des falaises d'ardoise pour plonger d'une hauteur de 39 m dans les gorges de la rivière Kaministiquia. On se rend au parc provincial Kakabeka Falls pour admirer ce paysage, spectaculaire en toutes saisons. En hiver, les vents glacés se chargent d'humidité et sculptent des formes étonnantes dans les parois

Vue du haut des airs de la chute Kakabeka, surnommée « la Niagara du Nord ».

du défilé. Au printemps et en été, le soleil, que l'embrun irise, dessine des jeux d'arcs-en-ciel sur la chute et les falaises. En automne, le flamboiement des feuilles rivalise de beauté avec les eaux grondantes.

Un stationnement en contrebas de la route 11-17 facilite l'accès à la chute. Des trottoirs et des plates-formes en bois garnis de panneaux explicatifs longent des deux côtés les gorges creusées par la fonte des glaciers en retrait et par l'érosion naturelle.

La chute obligeait les « anciens voyageurs » à portager leurs canots chargés de fourrures sur la montagne pour se rendre à Old Fort William, à l'embouchure de la rivière. Les soldats de l'expédition Wolseley firent de même pour aller mater la rébellion de Riel. Aujourd'hui, on peut suivre le sentier Mountain Portage sur 2 km et explorer le sentier Little Falls sur 3 km. On découvre alors le rocher qui surplombe la chute ; il renferme des sédiments marins et des fossiles vieux de 1,6 milliard d'années — parmi les plus anciens du monde.

Le parc comporte de bons terrains de camping et des plages de sable. Un barrage, en amont de la chute, présente néamoins des risques pour les nageurs qui ne restent pas à l'intérieur des câbles. Il y a lieu de surveiller les enfants.

En hiver, 13 km de pistes bien entretenues s'offrent aux amateurs de ski de randonnée. Par le sentier River Terrace de 10 km, ils accèdent à une falaise dominant la vallée environnante.

9 Parc provincial Sleeping Giant

Si de Thunder Bay vous regardez droit devant vous, vous apercevez le profil d'un « géant endormi » Il s'agit de la péninsule Sibley, qui s'étend sur 40 km, et du parc provincial Sleeping Giant. La péninsule est en réalité un promontoire de 244 m qui domine le lac Supérieur. Le nom du parc (*sleeping giant*

Circuit au nord-ouest du lac Supérieur

Distance : 190 km

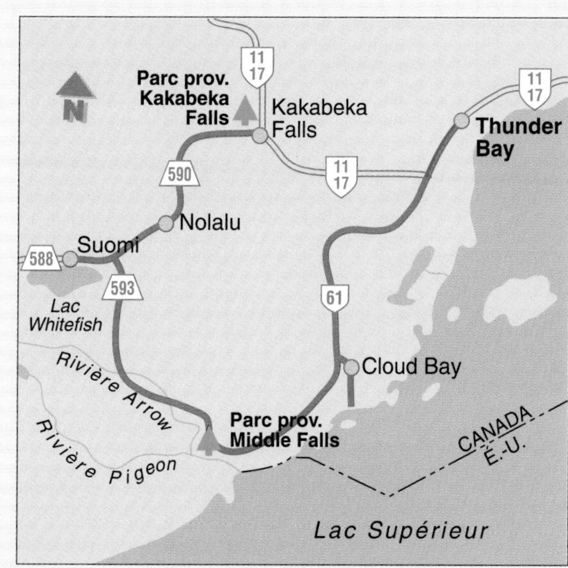

Du parc provincial Kakabeka Falls, prenez la route 11-17. À la croisée des chemins, virez à l'ouest sur la route 590 ; elle s'incurve bientôt vers le sud, en direction du ravissant village de Nolalu, sur les berges de la rivière Whitefish.

- Prenez la 588 vers l'ouest ; vous quittez la vallée à travers des terres agricoles fertiles et des collines moutonnantes. Quelque 17 km plus loin, vous atteignez Suomi. Ici, la plupart des champs de fermes ont été défrichés par des Finlandais et leur langue y est encore parlée. À proximité se trouve le beau lac Whitefish, idéal pour la pêche et la navigation. On dit que le lac est à double fond et que les poissons passent de l'un à l'autre.
- Revenez sur la 588 ; à la jonction de la 593, prenez à droite. Cette route de 52 km s'incurve vers le sud, puis vers l'est. Appelée Devon Road, elle longe les rivières Arrow et Pigeon. L'exploitation forestière florissait ici vers 1930 et sur les rivières flottaient de grands troncs de pin blanc et rouge. De chaque côté de la route, on en remarquera quelques-uns encore debout ainsi qu'un peuplement de bouleaux blancs.
- Poursuivez jusqu'au parc provincial Middle Falls, sur la rivière Pigeon, un bel endroit pour pique-niquer. Pour éviter la chute de 6 m, les voyageurs devaient portager leur canot d'écorce de 7 kg et leurs 40 kg de cargaison.
- Prenez la route 61 vers le nord. Plusieurs sentiers sont à la disposition des excursionnistes dans cette région, et notamment une piste qui mène à High Falls. La chute se trouve à 1,6 km à l'ouest de la route 61 ; elle tombe d'une hauteur de 28 m dans les gorges de la rivière Pigeon. La haute crête rocheuse qui suit la route est en réalité une mésa créée il y a 1,1 milliard d'années par l'irruption de roche volcanique dans du roc sédimentaire.
- Poursuivez sur la 61 jusqu'à Cloud Bay. Virez au sud sur Cloud Bay Road — une route de terre — et faites 4 km à travers une forêt luxuriante de peupliers et de conifères. À la première croisée, prenez à droite vers la zone de conservation Little Trout Bay. Ici, vous avez accès au lac Supérieur ; la vue sur la baie aigue-marine dans un cadre entouré de montagnes est exceptionnelle. Pique-niques, excursions pédestres, navigation ou pêche sont à l'ordre du jour.
- Revenez à Cloud Bay et poursuivez sur 35 km jusqu'à Thunder Bay. Avant d'y arriver, vous traversez une puissante rivière, la Kaministiquia, dans laquelle se déversent la plupart des eaux, calmes ou vives, qu'on rencontre au cours de cette excursion.

Au sommet du trafic des fourrures, cette rivière était une voie de passage importante vers l'ouest. Plusieurs kilomètres en amont du pont, sur Rosslyn Road, il y a une reconstitution du vieux fort William, le principal entrepôt de fourrures de la Compagnie du Nord-Ouest. Le fort rappelle les années 1820, quand les coureurs des bois et les marchands de fourrures se rencontraient ici pour parler d'affaires.

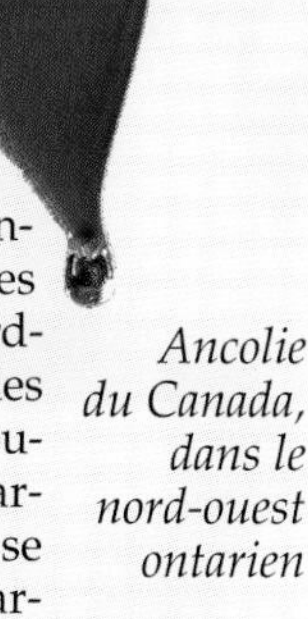
Ancolie du Canada, dans le nord-ouest ontarien

veut dire géant endormi) rappelle une vieille légende ojibway. Ce géant, Nanibijou, fut changé en pierre par le Grand Esprit pour avoir indiqué à des Blancs un gisement d'argent sur les rives du lac Supérieur.

C'est à pied qu'on visite le mieux le parc, grâce à ses 70 km de sentiers. Le plus important est le sentier Kabeyun, de 40 km, qui longe la rive ouest du parc à partir de l'observatoire de Thunder Bay (137 m au-dessus du lac) et mène au point culminant du promontoire avant de redescendre vers Tee Harbour. Au sommet de la poitrine du géant, à gauche d'une « cheminée » qui surplombe la baie de Lehtinen, se trouve un gouffre de 130 m d'où l'on a sans doute la plus belle vue de tout le nord-ouest de l'Ontario. Pour faire la randonnée au complet, il faut compter deux ou trois jours de marche, emporter des provisions et se munir de chaussures robustes.

Plusieurs sentiers, plus faciles, se parcourent en une journée ou une demi-journée. La promenade Capsule Tour, de 80 km, peut s'effectuer en voiture ou à bicyclette. En hiver, le parc offre 30 km de pistes de ski de fond bien entretenues.

Ayez l'œil ouvert : la faune variée est abondante dans le parc et on a relevé plus de 190 espèces d'oiseaux. La flore aussi est intéressante avec ses ronces faux mûrier, ses grassettes, ses anémones et deux espèces rares d'orchidées.

Le terrain de camping Marie-Louise comporte un centre d'interprétation doté d'expositions interactives sur la culture et l'histoire naturelle.

Dans le parc provincial Sleeping Giant, ce renard roux curieux ne craint pas les visiteurs.

10 Parc provincial Ouimet Canyon

L'air est tonifiant et le silence impressionnant quand, du haut de la falaise, vous regardez 100 m plus bas les sombres profondeurs du canyon Ouimet. Ce défilé, ainsi que le parc provincial où il se trouve, porte le nom d'un juge et homme politique du Québec, Joseph-Aldéric Ouimet. Le parc est une réserve naturelle qui sert à la recherche en histoire naturelle.

Des plates-formes de bois, en saillie sur la paroi rocheuse, donnent à celui qui s'y tient l'impression d'être suspendu dans le vide. Elles permettent d'observer, de l'autre côté des 150 m qui séparent les parois, la falaise nue qui monte vers le nord et, dans le lointain, le lac Supérieur encadré par l'orifice sud du canyon.

On atteint les plateformes par un sentier balisé de 1 km doté de panneaux explicatifs. Le sentier traverse une forêt boréale mixte — pins gris, sapins baumiers, bouleaux blancs, épinettes noires et épinettes blanches — perchée sur le rebord du défilé. Hautes falaises et crevasses profondes présentent des risques d'éboulis ; il est donc préférable de s'en tenir aux sentiers et aux observatoires du parc, et essentiel de surveiller les enfants.

Les traits géologiques abondent dans cette région. Dans les falaises verticales, la mésa (intrusion de roche éruptive dans de la roche sédimentaire plus ancienne) date de plus d'un milliard d'années. Les blocs de roc tombés au fond du canyon témoignent de la puissance du gel et du dégel saisonniers dans les fissures des falaises. Les cailloux qui jonchent le fond rendent compte de l'action lente de l'érosion tandis que des colonnes rocheuses, issues des profondeurs, ont résisté à l'œuvre du temps et de l'eau. L'une d'elles, qui rappelle un profil humain, a été surnommée Indian Head ; on l'aperçoit d'une des plates-formes.

Au printemps, la fonte des neiges et le manque de soleil rendent le canyon glacial. Seules des plantes arctiques poussent dans le fond du défilé où la glace peut subsister tout l'été sous les quartiers de roc. Ces plantes sont très fragiles ; voilà pourquoi le ravin est interdit aux visiteurs.

11 Nipigon

À l'extrémité nord du lac Supérieur, Nipigon (pop. 2 400) doit son nom à un mot ojibway, *annimigon*, qui veut dire « le lac dont on ne voit pas le bout ».

En arrivant par la route 11-17, arrêtez-vous au belvédère à l'ouest du pont pour admirer la petite ville, nichée entre le lac Supérieur, la baie de Nipigon et la rivière du même nom.

La plupart des boutiques de Nipigon sont situées de part et d'autre de la rue Front, au sud de la voie ferrée. Elles sont toujours fort achalandées, car il passe ici plus de 450 000 voyageurs par an. Des panneaux, sur la rue Front, conduisent au front de lac, récemment rénové. Les fervents de navigation sur les Grands Lacs s'y donnent rendez-vous, comme en font foi les bateaux de tout acabit qu'on peut admirer en se promenant sur la jetée.

En regardant vers l'est, on aperçoit une haute falaise nommée Palisades, en saillie sur le lac Supérieur. On peut aller en barque la voir de près ; elle porte plusieurs pictogrammes ojibways qui ont entre 400 et 1 000 ans et, entre autres, un personnage accroupi dénommé *Maymaygwayshi*, le « fantôme ». Les visiteurs lui laissent parfois un peu de tabac, en guise de porte-bonheur.

D'une plateforme accrochée à la paroi rocheuse, les visiteurs contemplent le cayon Ouimet.

Pour découvrir le cours supérieur de la rivière Nipigon, prenez la route 580 (Pine Portage Road), vers le nord. Vous traversez pendant 36 km un paysage de collines ondulantes marqué de trois barrages hydroélectriques. Dans les champs qui entourent les barrages Cameron et Pine Portage, on voit encore des vestiges des villages qu'occupaient les ouvriers des barrages. Les jardins, jadis bien entretenus, sont tombés à l'état sauvage, mais on a la surprise d'y apercevoir des plantes domestiques, fort étonnantes dans un tel contexte.

Plusieurs virages bien indiqués mènent, sur la berge ouest de la rivière, au bassin hydrographique de la Nipigon où se trouvent de beaux sites à pique-nique. Les nombreux chemins forestiers de part et d'autre de la route 580 constituent autant de sentiers pédestres pour les amateurs d'excursion, avec la chance de faire de la pêche si la piste aboutit à un lac.

Événements spéciaux

Festival de pêche de Nipigon Falls (septembre)

12 Parc provincial du Lac-Nipigon

Une plage de sable noir — derniers vestiges d'une roche volcanique — marque le site du parc provincial sur les bords du plus grand lac situé uniquement en Ontario.

Le parc occupe un ancien village ojibway ; dans le sable noir, on a exhumé un intéressant ensemble d'outils et de bijoux. L'artiste indien Norval Morrisseau, créateur du mouvement de l'« art indien des Bois », est né ici, dans un petit village qui n'existe plus.

Les eaux claires du lac Nipigon abondent en truites (il y a une rampe pour la mise à l'eau des bateaux dans le parc). Une truite mouchetée de 7 kg (le record mondial) a été capturée en 1916 dans la rivière Nipigon. Les camps de pêche se situent pour la plupart près de l'embouchure de la rivière, à Orient Bay. Un foyer en pierre, quelques chalets décrépits, une vieille glacière marquent l'emplacement du Royal Windsor Lodge, le fameux hôtel du CP, ouvert en 1913, qui fut détruit par le feu en 1974. Parmi ses clients les plus célèbres, l'hôtel se targuait d'avoir logé le prince de Galles, Édouard, qui vint pêcher dans la Nipigon en 1924.

Si vous n'avez pas de bateau, vous pouvez obtenir un forfait de pêche en vous adressant au magasin Hook Shop à Beardsmore (pop. 503), au nord du parc. Ce village naquit d'un gisement d'or découvert dans les collines, au tournant du siècle. Il reste peu de vestiges de cette époque, à part un hôtel-salle à manger, le Miner's Inn. Vers 1960, c'était le siège social de la mine Leitch, la plus vieille et la plus riche du Canada. Quand le gisement aurifère s'épuisa, les exploitants et la plupart des habitants s'en allèrent.

Pour avoir une vue spectaculaire du lac Nipigon, prenez la route 11 vers le nord à partir de Beardmore et roulez vers l'ouest sur la 580 jusqu'au terrain de camping Poplar Point. Côté ouest, vous voyez un archipel dont la plus grande île est l'île Shakespeare. On en exploita la forêt du temps où les chevaux servaient encore au trait. La pointe Poplar est un endroit idéal pour camper, pique-niquer, observer les oiseaux et faire du bateau.

Événements spéciaux

Tournoi de pêche de Beardmore (juin)

L'ARCHIPEL NIRIVIA, AU NORD DU LAC SUPÉRIEUR

En octobre 1979, trois hommes plantèrent un drapeau dans l'île Saint-Ignace pour prendre possession des lieux qu'ils nommèrent la « nation » de Nirivia. Le territoire était revendiqué par des résidents de l'endroit et par des naturalistes dans l'intention de protéger sa sereine beauté ; il englobait 59 îles du lac Supérieur. La société Nirivian Islands Expedition Ltd., à Thunder Bay, est depuis lors la seule à organiser des visites systématiques dans les îles où elle entretient également des camps ; mais les visiteurs peuvent également s'y rendre d'eux-mêmes.

On a accès aux îles niriviennes uniquement par bateau, à partir de Nipigon et de Rossport. La plus grande des îles est Saint-Ignace (410 km²) ; elle fut ainsi nommée par des jésuites en l'honneur du fondateur de leur ordre, Ignace de Loyola, quand ils l'explorèrent au XVIIe siècle.

Le nom de l'archipel, Nirivia, est inspiré du mot cri désignant un endroit isolé et enchanteur. Jamais terme n'a mieux convenu à la réalité. Plusieurs îles sont couvertes d'épinettes noires qui vibrent aux trilles des oiseaux. La seule île de Saint-Ignace comporte une centaine de lacs, plusieurs chutes et le point culminant des Grands Lacs, la montagne Saint-Ignace (503 m). Parmi les points marquants de l'archipel, on note les ports Woodbine et Morn — qui sont presque des fjords — dans l'île Simpson, les falaises spectaculaires des îles Talbot et Agate, et l'Arc de roc de l'île Hope. L'île Paradise, qui émerge à peine à 15 m des eaux du lac, offre une ancienne plage de galets couverte de lichens, de petits bouleaux blancs rabougris et tordus et des masses de canneberges de montagne aussi appelées lingonnes.

Les îles comportent 125 km de sentiers, de difficulté variée. Le Mountain Trail (38 km aller-retour) part de Armour Harbour, sur la rive sud de l'île Saint-Ignace, et mène au sommet du mont Saint-Ignace. De là-haut, la vue s'étend jusqu'à la baie Black, 42 km au sud-ouest, et englobe la majeure partie des petites îles de Nirivia.

Orignaux, cerfs, écureuils et lièvres abondent dans les îles, ainsi que de nombreuses espèces d'oiseaux ; il y a même des ours dans les îles les plus grandes. Dans l'île Saint-Ignace, on pêche la truite, le grand brochet, l'achigan, la perche et le doré. Au sud du détroit de Moffat, St. Ignace Harbour est un endroit particulièrement recherché pour le camping.

Au crépuscule, les îles forment des taches sombres sur la surface argentée du lac Supérieur.

13 Longlac

À l'extrémité nord du lac Long se trouve la petite ville forestière de Longlac (pop. 2 073). Ses origines sont évidemment françaises, comme l'indique son nom, mais son présent l'est également : plus de la moitié de la population parle encore français.

Ce sont les coureurs des bois qui ont fondé Longlac avant 1750. Au siècle suivant, la Compagnie du Nord-Ouest établissait un poste pour la traite des fourrures sur la rive ouest du lac Long. On croit qu'il était situé sur la pointe Gauthier, dont les résidents pourront vous donner la direction.

Peu de temps après, en 1813, la Compagnie de la Baie d'Hudson ouvrait un poste rival, à l'extrémité nord du lac. (Les deux fusionnèrent en 1821.) Les Ojibways et les Cris venaient livrer leurs fourrures contre des couteaux, des ustensiles de cuisine et des perles. Leurs descendants vivent encore près de Longlac. Le poste servit de relais, au XIXe siècle, sur la route d'hiver entre Montréal et Red River.

L'arrivée du chemin de fer National Transcontinental, peu avant la Première Guerre mondiale, permit à Longlac de s'ouvrir au monde. La région fut exploitée pour son or et sa forêt.

Aujourd'hui, Longlac est renommée pour son gibier, son poisson et son canotage sauvage. On pêche le brochet et le touladi dans le lac Long et la rivière Kénogami. Le front de lac offre un port de plaisance, des plateformes de pêche et des jetées. Il y a une plage publique au parc commémoratif Jeff Gauthier ; on trouve aussi des terrains de camping, des courts de tennis, des installations à pique-nique et des sentiers pédestres. Enfin, Longlac offre 50 km de pistes entretenues pour le ski de fond et des centaines de kilomètres de pistes à motoneige.

Événements spéciaux

Festival Summerfest (juillet)

Pukaskwa

Avant que la route transcanadienne n'atteigne la rive nord du lac Supérieur, vers 1960, la région n'était accessible que par avion, bateau ou chemin de fer. Ce dernier épousait généralement la rive, tout comme le fait aujourd'hui la route. Mais entre Wawa et Marathon, il fallait — et il le faut encore — piquer à travers une péninsule trapue. Le territoire de plus de 1 800 km² qui s'étend entre la route et les rives du lac Supérieur constitue, avec son rivage spectaculaire et son arrière-pays de type boréal, un monde à part. Il est encore aussi sauvage qu'il l'était à l'arrivée des premiers Européens il y a 300 ans.

Il n'y a jamais eu, et il n'y a toujours pas de lieux habités. Mais depuis 1983, le parc Pukaskwa occupe un espace complètement sauvage entre les rivières Pic et Pukaskwa.

Le paysage est typique du Bouclier canadien, formation rocheuse massive issue des convulsions de volcans éteints depuis un milliard d'années. Le mont Tip Top, point culminant du parc et deuxième en Ontario, atteint 640 m au-dessus du niveau de la mer, 457 m au-dessus des eaux du lac Supérieur.

À la fin de la dernière période glaciaire, la fonte des glaces provoqua des inondations terribles. L'évacuation fut lente et laissa dans son sillon des quartiers de roc et des plages de sable dont certaines sont à 130 m audessus du niveau de la mer. On y rencontre une centaine de curieuses structures rocheuses, circulaires ou ovales, appelées « Pukaskwa Pits ». Les Amérindiens de la région les considèrent comme des sites sacrés, s'ouvrant sur le monde des esprits. Des fouilles menées dans quelques-unes de ces dépressions n'ont exposé que de rares fragments de poterie, des arêtes de poisson et des morceaux de cuivre.

Un ours noir, à Pukaskwa

Les bouleaux et les trembles aux larges feuilles et à l'écorce blanche bordent souvent les vallées et les lacs à l'intérieur des terres, tandis que l'épinette blanche, le sapin baumier et le pin gris prédominent sur les hauteurs et les versants. Au début de l'été, le cornouiller du Canada et le maïanthème éclairent le sous-bois de leurs blanches corolles. Mais leur triomphe est de courte durée. Bientôt les inflorescences jaunes de la clintonie, les pétales bleus de la pulmonaire et les fleurs rouges du sabot de la Vierge leur volent la vedette. À la mi-juin, les corralhorizes et les linnées ont déjà fleuri. Les asters et les gaillets sont venus et partis avant le mois d'août ; c'est maintenant l'heure de gloire des monotropes uniflores.

Les hauteurs de l'arrière-pays et les îles côtières ont un peuplement d'épinettes rabougries par les vents violents, et les terrains plats sont envahis par les raisins d'ours et les bleuets. Les baissières abritent une espèce arctique de saxifrage pour laquelle vents frais d'été et brumes humides créent un microclimat approprié.

De façon spectaculaire, la rivière Pukaskwa dévale 260 m entre sa source, au lac Gibson, et la chute Schist, dernière gorge de son périple de 80 km vers le lac Supérieur. Au moment de la fonte des neiges, la rivière attire les mordus du canot ; mais le passage de la gorge Ringham n'est conseillé qu'aux plus expérimentés d'entre eux. Les autres devraient utiliser le portage Two Pants, de 2 km.

La rivière a aussi ses passages calmes, ses eaux tranquilles où viennent pêcher le bec-scie et le huart et que fréquentent le malard, la sarcelle et le canard noir. Le martin-pêcheur et la grive nordique picorent sur les berges où le grand héron surveille l'épinoche et le mulet.

Au tournant du siècle, des bûcherons pénétrèrent dans le territoire et en firent l'exploitation. Ce fut la chute des prix du bois, vers 1930, qui mit un terme à cette activité.

Aujourd'hui, la forêt a repris ses droits et le caribou hante de nouveau les collines de la rivière Cascade. Le loup et l'orignal, le lynx et le lièvre variable, le hibou gris et l'hermine, bien à l'abri des déprédations humaines, ont repris possession du territoire et se livrent au grand jeu sauvage de la proie et du prédateur.

RENSEIGNEMENTS PRATIQUES
Accès : *la route 627 au sud de Marathon.*
Accueil : *Hattie Cove. Terrain de pique-nique et stationnement.*
Installations : *67 sites de camping, trois plages de sable sur le lac Supérieur.*
Activités estivales : *randonnées dans l'arrière-pays ; courtes excursions près de Hattie Cove ; navigation sur le lac Supérieur ; canotage sauvage ; pêche.*
Activités hivernales : *raquettes et ski de randonnée sur une piste de 6 km près de Hattie Cove.*

NORD DE L'ONTARIO ET DU QUÉBEC

Lac Abitibi
Iroquois Falls
Timmins
Kirkland Lake
Rivière Missinabi
0 10 20 km
0 10 20 milles
N
Parc prov. Missinaibi Lake
Rivière
Elk Lake
13
Rivière Magpie
4
Chapleau
Wawa
1
Michipicoten River
5
Parc prov. The Shoals
Sultan
6
Parc prov. Wakami Lake
2
Parc prov. Lake Superior
Rivière Spanish
Lac Wanapitei
Lac Supérieur
Sudbury
Montreal River
Parc prov. Pancake Bay
3
Parc prov. Batchawana Bay
Rivière aux Sables
CANADA
ÉTATS-UNIS
Espanola
Parc prov. Killarney
12
Elliot Lake
Massey
Sault Ste. Marie
Echo Bay
8
Bruce Mines
Iron Bridge
9
Thessalon
Blind River
Little Current
Hilton Beach
7
Île Saint-Joseph
Chenal du Nord
10
Gore Bay
West Bay
11
Île Cockburn
Île Manitoulin
South Baymouth
Lac Huron

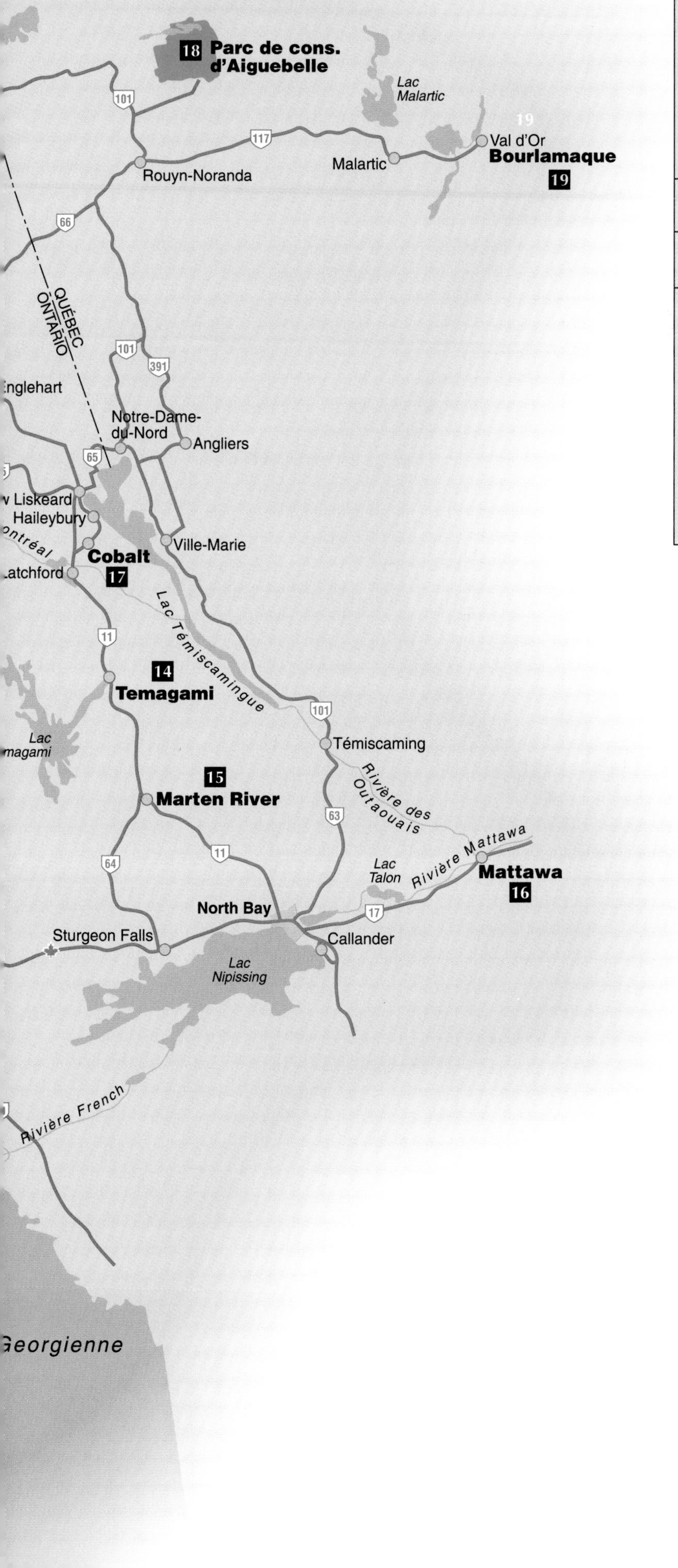

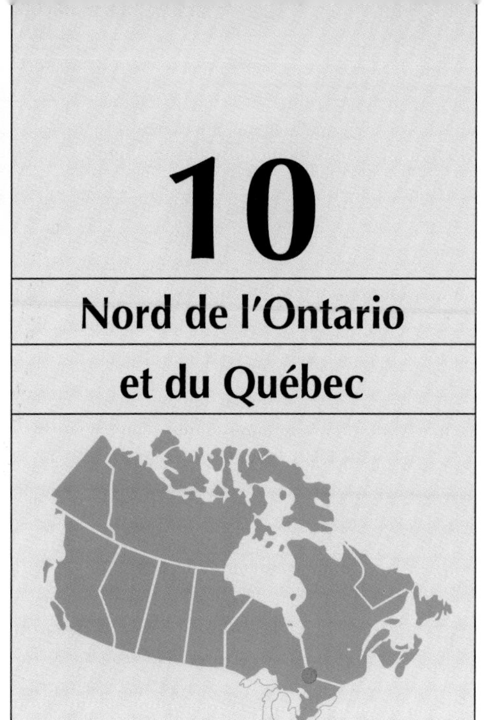

10

Nord de l'Ontario et du Québec

Sites

Wawa
Parc provincial Lake Superior
Parcs provinciaux Pancake Bay et Batchawana Bay
Chapleau
Parc provincial The Shoals
Parc provincial Wakami Lake
Île Saint-Joseph
Bruce Mines
Thessalon
Gore Bay
West Bay
Parc provincial Killarney
Elk Lake
Temagami
Parc provincial de Marten River
Mattawa
Cobalt
Parc d'Aiguebelle
Bourlamaque

Circuits automobiles

Île Manitoulin
Tour du lac Témiscamingue

Pages précédentes :
Lac George, dans le parc provincial Killarney

1 Wawa

Une sculpture d'acier de 8,5 m, au croisement des routes 17 et 101, représente une oie sauvage prenant son envol. L'oiseau, en dialecte ojibway, se nomme *wawa* ; il a donné son nom à la localité (pop. 5 000) située sur un lac, petit mais pittoresque, appelé lui aussi Wawa. Bien que fondée autour de 1890, la municipalité garde des allures de ville frontalière. L'hôtel Lakeview, remplacé par un nouveau bâtiment dans les années 40, est toujours au même endroit depuis au-delà d'un siècle.

Au moment de la construction du chemin de fer dans les années 1880, Wawa fut tout d'abord un centre de transbordement. Les rails, expédiés par bateau à Michipicoten Harbour sur le lac Supérieur, arrivaient par voie de terre à Wawa ; à l'autre bout du lac (8 km), on les acheminait de nouveau par voie de terre au chantier de construction, dans la région de Missanaibi.

Mosaïque de cailloux, parc provincial Lake Superior

Un jour, en 1898, une Indienne de l'endroit ramassa quelques cailloux jaunes dans le lac et les emporta chez elle. Son mari, William Teddy, avait entendu dire que les Blancs s'intéressaient à ces cailloux… Et c'est ainsi que commença la ruée vers l'or à Wawa.

L'or joua temporairement un rôle dans le développement de Wawa, mais ce fut plus prosaïquement le minerai de fer qui fit la prospérité de la région. La petite colline au nord de Wawa s'avéra être une véritable « montagne » de fer ; on en commença l'exploitation au tournant du siècle. Aujourd'hui, Wawa alimente ses propres fours de frittage, mais aussi les aciéries de Sault Ste. Marie. On peut visiter l'usine de frittage, ainsi qu'une mine à ciel ouvert désaffectée.

À quelque 8 km au sud de Wawa, sur la route 17, un panneau indique en direction ouest le village de Michipicoten River, que les habitants appellent « La Mission ». Il s'agit sans doute du site original de Wawa, un poste de traite ouvert par des coureurs des bois au XVIIe siècle. À cette époque, la rivière Michipicoten était une grande voie de navigation entre les Grands Lacs et la baie d'Hudson.

Au croisement près du village, on aboutit, à droite, à un pont de bois et à deux chutes sur la rivière Silver. La route mène à Michipicoten Harbour, un petit port qui accueillait autrefois, avec ses 90 m d'installations portuaires, les navires des Grands Lacs.

En tournant à gauche, à ce même croisement, on débouche sur le port de plaisance. Pour un montant forfaitaire, un voilier s'offre à mener les touristes visiter l'île Michipicoten. Les Indiens refusaient autrefois de s'y aventurer car elle abritait, croyaient-ils, des esprits maléfiques. L'île est toujours inhabitée, mais les chasseurs d'agates ne craignent pas, pour leur part, de passer ses plages au peigne fin.

À 5 km au sud de Wawa, sur la route 17, la rivière Magpie se déverse dans une gorge rocheuse par une impressionnante cascade de 23,5 m. Le site, qui vaut pleinement le détour, est doté d'une plateforme d'observation, de sentiers de randonnée et d'installations de pique-nique.

Des vagues gigantesques martèlent la plage de la baie d'Agawa dans le parc provincial Lake Superior.

2 Parc provincial Lake Superior

Avec ses 96 km de rivage, ses montagnes couvertes de forêts, ses promontoires granitiques, ses canyons aux parois abruptes et ses 500 lacs, le parc provincial Lake Superior est l'un des plus splendides de l'Ontario.

Dès l'an 9 000 av. J.-C, ce fut un territoire de chasse, de pêche et de cueillette pour les Indiens, comme le révèlent des peintures sur le roc. On y remarque l'obsédante présence des animaux totémiques de trois clans ojibways, le caribou, le lynx et le brochet. Quelques-unes de ces peintures évoquent des intentions magiques ; d'autres immortalisent des événements. Celle du rocher d'Agawa, par exemple, illustre le voyage de quatre ou cinq canots depuis la rivière Carp, sur la rive sud du lac Supérieur, jusqu'à la baie de l'Agawa, sous la direction du chef Myeengun et la protection de Misshepezhieu, le grand lynx totémique du lac.

Il y avait sans doute des dépôts d'ocre — dont les Indiens se servaient pour peindre leurs dessins sur le roc — dans l'île Devil's Chair, au nord du cap Gargantua. Le nom de cette île lui vient d'une légende selon laquelle Nanabush, le dieu tutélaire des Ojibways, se serait reposé dans l'île après avoir sauté par-dessus le lac.

Au XVIIIe siècle et au début du XIXe, des postes de traite s'installèrent dans ce qui allait devenir le parc. Vers 1840, il ne restait pratiquement plus de castors : les coureurs des bois s'en allèrent, les Indiens aussi. Aujourd'hui, ce vaste parc de 1 540 km^2 appartient aux amateurs de randonnée, de canot, de pêche et de camping. Ses forêts sont habitées par plus de 250 espèces d'oiseau et par de nombreux mammifères. Le caribou a été réintroduit dans l'île Montréal, au sud du parc.

3 Parcs provinciaux Pancake Bay et Batchawana Bay

La légende veut que, une fois par an, les coureurs des bois en rentrant au pays aient eu l'habitude de s'arrêter près de la baie de Pancake avant d'entreprendre la dernière étape vers Sault Ste. Marie. Les vivres étaient au plus bas. Avec ce qui leur restait de farine, ils se préparaient des crêpes. D'où le nom du parc (*pancake* veut dire crêpe).

L'action des vents dominants, celle des vagues et l'effet de deux promontoires ont créé une plage de sable fin de 3,2 km là où, normalement, il devrait y avoir des rochers. L'endroit est idéal pour ceux qui ne redoutent pas la baignade dans des eaux de 15-20°C.

Le sentier Journey Through the Past (voyage dans le passé) permet d'explorer les ressources écologiques, géologiques et historiques du parc. Il présente 12 postes d'information dispersés sur 3,6 km. On rencontre par exemple un rocher, dit erratique parce qu'il fut abandonné par un glacier ; on apprend la triste histoire du *Edmund Fitzgerald*, ce grand bateau marchand qui coula à 24 km au sud-ouest de la baie en 1975 ; et on observe le va-et-vient divertissant des castors du haut d'une passerelle de 224 m qui surplombe la tourbière de cèdre Black Bog et le ruisseau Black.

Ce sentier, comme tous les autres du parc, permet d'observer un agrégat particulier de végétaux dont certains atteignent ici leur limite septentrionale. Le bouleau jaune et l'érable à sucre prédominent dans la forêt, tandis que le pin abonde près du rivage. Tamias, écureuils, castors, rats musqués et grues se laissent entrevoir pendant que résonne le cri des merles, des geais bleus et des pics chevelus. Noisettes et petits fruits abondent.

Le parc Pancake Bay offre la pêche et le cyclisme comme activités, et un grand terrain de jeux pour les enfants.

À 12 km au sud de Pancake Bay se trouve le parc provincial Batchawana Bay, 170 ha de forêt mixte et une plage de sable de 2 km de long sur le lac Supérieur. Le terme *batchawana* désigne en

Le renard roux, un habitué des parcs

ojibway un chenal aux eaux bondissantes, celles qui s'engouffrent dans l'étranglement de la baie, poussées par les vents violents du lac Supérieur.

La baie, peu profonde et bien abritée par des monts qui culminent à 632 m (parmi les plus hauts de l'Ontario), est idéale pour la baignade.

Des pourvoyeurs organisent dans le parc des excursions de pêche et des chasses à l'orignal, à l'ours, à la gélinotte, à l'oie et au canard.

Au poste d'accueil à l'entrée du parc, demandez les indications de la chute Chippewa (36,5 m) où un trottoir et une plateforme permettent d'observer les poissons. On vous signalera aussi d'autres points d'intérêt : mines à l'abandon, sites pour l'observation des oiseaux et la cueillette des agates et points de vue admirables.

4 Chapleau

La petite ville de Chapleau fut un poste de la Compagnie de la Baie d'Hudson avant de prendre sa forme actuelle en 1882-83 avec l'arrivée du Canadien Pacifique. Le chemin de fer seul la reliait à la civilisation avant le parachèvement de la route 129 en 1950. Chapleau (pop. 3 400) porte le nom de sir Joseph-Adolphe Chapleau, Premier ministre du Québec de 1879 à 1882.

Le Musée du centenaire et le centre d'information touristique se trouvent sur la rue Monk. Le musée, ouvert en été, fait revivre l'histoire de la région ; on peut y voir un loup gris empaillé, des souvenirs du chemin de fer, des meubles du début du siècle, un canot d'écorce et une réplique des camps dans lesquels vivaient les trappeurs. À l'extérieur, la sculpture de bois et d'acier évoque les cultures qui ont façonné la ville ainsi que ses industries du bois et du chemin de fer.

Rue Young, le superbe édifice victorien maintenant occupé par la Harry Searle Branch 5 de la Légion royale canadienne a été construit en 1919 par un des magnats du bois en mémoire de son fils tué au cours de la Première Guerre mondiale. Également dans la rue Young, on peut admirer un temple anglican de 1905 dont l'arrière donne sur la rivière Chapleau.

Près de la rivière Nebskwashi se trouvent deux vieux cimetières, l'un protestant, l'autre catholique. C'est dans ce dernier qu'est enterré Louis Hémon, célèbre auteur de *Maria Chapdelaine*, qui mourut ici en 1913 après avoit été happé par un train.

Dans la région de Chapleau, les forêts ainsi que les nombreux lacs et rivières se prêtent à la chasse, à la pêche et aux activités récréatives.

Événements spéciaux
Festival Summerfest
(1er juillet)
Carnaval d'hiver (fin février)

À côté de la locomotive nº 5433 du CP, une plaque rappelle la mémoire de Louis Hémon au musée du Centenaire de Chapleau.

5 Parc provincial The Shoals

Le parc provincial The Shoals est situé dans un pays de conifères et de tourbières, au cœur de la forêt boréale de l'Ontario. Ses lacs tranquilles aux campings admirables sont renommés pour la pêche et le canot. Ses sentiers traversent quelque 28 habitats végétaux.

Les 10 644 ha du parc ont été sculptés en grande partie par le retrait des glaciers. On y trouve quatre eskers, ainsi que des bancs de sable et de gravier. Deux de ces bancs forment les hauts-fonds (*shoals* en anglais) du lac Little Wawa, d'où le nom du parc.

En 1885, le CP atteignit les rives du lac Windermere et le déboisement débuta. La ville de Nicholson devenait, en 1916, le plus grand fournisseur de traverses de chemin de fer au Canada. Mais la forêt s'épuisa et survint la grande dépression de 1929, puis un incendie qui détruisit la scierie en 1931. Il ne reste plus de cette ville de 350 habitants que quelques bâtiments désuets que l'on découvre dans le parc.

Deux excursions s'offrent aux amateurs de canot : la South Loop qui traverse sept petits lacs en une journée, la North Loop qui demande deux jours et se termine au lac Prairie Bee.

Sur la terre ferme, les sentiers de randonnée donnent accès à la vie sauvage typique des régions marécageuses ; on y rencontre le loup gris, le renard roux, le lynx ou la martre. Les lacs regorgent de grands brochets, de corégones, de dorés et de truites.

Événements spéciaux
Journées de Nicholson (août)

C'est en hydravion que les fervents de chasse et de pêche se rendent dans le nord de l'Ontario.

6 Parc provincial Wakami Lake

Les Ojibways qui venaient pêcher en été dans le lac Wakami l'appelaient *Wakamagaming*, « clair et tranquille ». Le magnifique parc de 8 762 ha est entouré de montagnes escarpées recouvertes de pins gris qu'interrompent des îlots de décidus comme le bouleau jaune, l'érable à sucre et le pin blanc.

Le lac Wakami se situe sur la ligne de partage des eaux entre les affluents de l'Arctique et ceux des Grands Lacs et de l'océan Atlantique.

Au début du siècle, on érigea des barrages sur le lac et l'industrie du bois s'installa dans les forêts alentour. Les vestiges de cette époque sont réunis au Historic Lumbering Exhibit. En suivant le sentier de 1 km, on fait le tour du site qui présente de l'équipement forestier et des cabanes de bûcherons.

Natation, pique-nique, navigation de plaisance, canot, pêche et randonnée sont au nombre des activités estivales. Une voie de canotage de 65 km, le Wakami Loop, se parcourt en trois jours, tandis que celle de la rivière Wakami représente neuf jours de canot. Un sentier de randonnée appelé Height of Land fait le tour du lac Wakami (78 km), mais il y a d'autres sentiers plus courts tels que le Beaver Meadow, qui contourne un esker et un étang à castors déserté, ou le Transition Trail, qui traverse des îlots de feuillus.

Le lac Wakami est abondamment peuplé de dorés jaunes et de grands brochets. Il y a un fumoir à poisson entre la baie de Brown et le camping Maple Ridge. Le parc est ouvert du début de mai à la fin de septembre.

Événements spéciaux

Journées des forestiers (juillet)

Déjeuner de crêpes (août)

7 Île Saint-Joseph

Au début du XIXe siècle, le poste le plus occidental de l'Amérique du Nord britannique était le fort Saint-Joseph, dans l'île du même nom. On s'y rend de nos jours par un pont sur la route 17. Si vous tournez à droite sur la route 548, dans l'île, vous arrivez au village de Richard's Landing and Sailor's Encampment, un bon endroit d'où surveiller le passage des cargos sur le lac Supérieur. Attention en voiture : l'orignal et le cerf circulent ici librement.

Dans le sud de l'île se trouvent les ruines du fort Saint-Joseph, construit entre 1798 et 1803 pour protéger la route commerciale reliant Montréal et le nord des Grands Lacs, et pour entretenir l'alliance britannique avec diverses nations autochtones. Un village prit naissance autour du fort et prospéra grâce au commerce et à la construction de canots. La place forte fut rasée par les Américains en 1814, deux ans après avoir été désertée par les Britanniques.

Des panneaux d'interprétation mènent aux principaux points d'intérêt. Le centre d'accueil expose divers objets exhumés lors de fouilles archéologiques — outils, fourrures, uniformes militaires — et rappelle ce qu'était la vie quotidienne dans le fort. Des films sur le commerce des fourrures et l'histoire du site sont projetés pendant l'été.

Des sentiers permettent de visiter la vaste érablière qui entoure le fort ainsi qu'un refuge d'oiseaux de 324 ha. Les visiteurs désireux de faire une excursion dans l'île doivent demander la permission, car cette île appartient presque entièrement à des particuliers.

Malard fréquentant les eaux ontariennes

Au croisement de la route 548 et de la 5th Sideroad se trouvent les jardins Adcock's Woodland. La route 548 traverse également Hilton Beach, dotée d'un port de plaisance, de restaurants et de boutiques. À 6 km avant le pont, une cabane de rondins de 1880, une école de 1878 et d'autres bâtiments historiques constituent le musée de l'Île Saint-Joseph que l'on visite en été.

L'île est renommée pour la pêche et pour ses trésors minéralogiques.

Événements spéciaux

Festival du sirop d'érable (avril)

Festival du maïs (fin août)

8 Bruce Mines

Les premières mines de cuivre au Canada à être exploitées avec succès furent celles de Bruce Mines, sur la rive nord du lac Huron. Elles sont depuis lors tombées à l'abandon, mais la petite ville (pop. 565), fondée en 1847, tient toujours ; ses premiers habitants furent des mineurs d'étain venus surtout de Cornwall, en Angleterre.

Au sud de la route et à l'est du centre-ville se trouve le musée de Bruce Mines, logé dans un ancien temple presbytérien qui date de 1892. On y apprend comment la localité est reliée au marquis de Queensbury, l'homme qui formula les règles de la boxe : son fils, marquis du même nom, occupa pendant un temps le poste de directeur aux mines. Parmi les autres exhibits, on remarque un *yakaboo*, un type de voilier monoplace répandu dans la mer des Caraïbes entre 1908 et 1918.

En face du musée, le puits de mine à ciel ouvert ne sert plus maintenant qu'à accueillir les touristes durant l'été. Une reconstitution historique y met en vedette la technologie des années 1840.

Le village de Bruce Mines offre un port de plaisance et des installations de pêche. Il propose, en automne, des foires, des randonnées scéniques et des excursions de chasse et, en hiver, la motoneige, la pêche sous la glace et le ski de randonnée.

Événements spéciaux
Exposition d'art Four and Friends (mi-juillet)

9 Thessalon

Située à l'embouchure de la rivière du même nom, Thessalon (pop. 1 444) est entourée d'eau sur trois côtés. Cette petite ville forestière est le rendez-vous des chasseurs, des pêcheurs et des amateurs de sports nautiques. Plusieurs de ses maisons sont encore aujourd'hui celles de ses premiers habitants, des bûcherons qui, vers la fin du XIXe siècle, firent flotter bien des troncs d'arbres sur la rivière.

Dans le parc Lakeside, une plaque commémore la capture de deux goélettes américaines durant la guerre de 1812. On trouve aussi dans ce parc une belle plage de sable.

À 2 km au nord de Thessalon sont situés le hameau de Little Rapids et le parc Thessalon Township qui renferme un musée dont les bâtiments relatent l'histoire de Thessalon au plus fort de ses activités forestières.

À mi-chemin entre Thessalon et Chapleau, sur la rivière Mississagi, un détour de 1,6 km sur la route 129 mène à la chute Aubrey. De mai à novembre, les eaux de la chute se précipitent du haut de 39 m au cœur d'un paysage sauvage et admirable ; le reste de l'année, elles sont détournées vers un barrage hydroélectrique.

10 Gore Bay

La petite ville de Gore Bay (pop. 800), dans l'île Manitoulin, nichée entre deux falaises couvertes d'arbres, fait face au chenal du Nord dans le lac Huron. Les Indiens de l'Outaouais l'appelaient au début *Pushk-dinong* (la colline nue), car elle avait été décimée par un incendie de forêt un siècle plus tôt. On ne sait plus trop à quoi tient son nom actuel. La tradition veut qu'un bateau, prisonnier des glaces dans la baie en 1850, ait dû y passer l'hiver ; il s'appelait le *Gore*.

En 1870, quelques immigrants écossais vinrent s'établir dans la région. La localité se développa et devint avec le temps un port fort actif. Depuis 1889, elle est le centre administratif de l'île Manitoulin.

Le musée de la Western Manitoulin Historical Society, aménagé dans une prison restaurée et dans la maison du gardien de prison, expose des objets reliés à l'activité maritime.

Il faut se promener dans le village où des maisons de style victorien et des temples religieux bâtis dans le calcaire rappellent le riche passé de Gore Bay. Son quartier des affaires, fort achalandé, et son front de lac, très développé, lui valent un avenir très prometteur.

Au pavillon sur la promenade, les visiteurs peuvent trouver de l'information, prendre une bouchée dans le salon de thé, regarder des artisans locaux à l'œuvre ou gravir l'escalier en colimaçon qui mène à un observatoire d'où la vue est superbe. Pour piqueniquer devant un beau paysage, on suit la rue Hall jusqu'au chemin East Bluff menant en haut de l'escarpement.

Le sentier Cup and Saucer offre des aperçus admirables sur l'île Manitoulin.

Au-delà du village, à la sortie de la baie, se trouve le phare Janet Head, construit en 1880 et qui porterait le nom d'une fille du lieutenant Bayfield, ingénieur topographe du lac Huron.

Les eaux qui entourent Gore Bay regorgent d'achigans, de brochets, de touladis et de maskinongés.

Événements spéciaux

Concours annuel de carpes (troisième fin de semaine de juin)

Festival Lions' Fest (juillet)

Tournoi Blooper Ball (août)

11 West Bay

La fondation de West Bay (pop. 800), autrefois *M'Chigeeng* (lieu du harpon à poisson), remonte à 1848, dans le cadre d'un projet expérimental du gouvernement canadien pour accueillir les Ojibways du Minnesota qui demandaient à vivre sur l'île Manitoulin. Le village constitue le cœur de la réserve n° 22 des Premières Nations.

West Bay attire un grand nombre d'artistes indiens dont les œuvres sont exposées au studio Kasheese, au croisement des routes 540 et 551.

Le point d'attraction de la localité est l'église dodécagonale de l'Immaculée-Conception, construite en forme de tipi sur la route 551. Détruite par un incendie et reconstruite en 1972, l'église présente des œuvres de Leland Bell et de plusieurs autres artistes indiens. Près de l'église, un centre culturel offre formation et assistance aux Ojibways et leur sert de point de vente.

Deux réseaux de sentiers sont facilement accessibles. Le réseau M'Chigeeng couvre 8 km ; le sentier Cup and Saucer, qui débute 5 km à l'est de West Bay, sur la route 540, en couvre 10. L'un et l'autre sont ponctués d'ascensions éprouvantes qui mènent à un belvédère situé à 351 m de hauteur, le plus haut de l'île.

Événements spéciaux

Pow-wow de West Bay (mi-juillet)

12 Parc provincial Killarney

Les falaises de quartzite blanc et les lacs cristallins du parc provincial Killarney (345 km^2), sur la rive nord de la baie Georgienne, dans le lac Huron, ont inspiré plusieurs paysagistes célèbres, dont A.Y. Jackson, Frank Carmichael, Arthur Lismer et A.J. Casson du Groupe des Sept. Jackson avait une telle passion pour cet endroit qu'il fit des démarches, appuyé par la Société des artistes de l'Ontario (O.S.A.), pour que soit protégé le caractère exceptionnel du site avec ses vieux grands pins. En 1964, le gouvernement ontarien créait ce qui allait devenir le joyau des parcs de l'Ontario.

Deux sentiers d'excursion, qui figurent parmi les plus beaux de l'Ontario, sont celui du pic Silver (35 km) et celui de la baie Fine (13 km) ; ils font partie d'un réseau de 100 km appelé La Cloche Silhouette. Plus court mais fort attrayant, le Cranberry Bog Trail (4 km aller et retour) offre lui aussi des aperçus sur la forêt de bois durs autour du lac George, les rivages rocailleux de la baie Georgienne et la blanche silhouette des monts La Cloche — l'une des formations alpines les plus curieuses à l'est des Rocheuses.

On y voit des érables à sucre, des bouleaux jaunes et, essences rares sous cette latitude, le merisier et le hêtre d'Amérique. Le sous-bois est émaillé d'épigées rampantes, de trilles à fleurs rouges ou blanches et de mignonnes orchidées. L'orignal, le cerf, la loutre et l'ours le fréquentent.

La plupart des visiteurs parcourent le parc en canot en utilisant les portages qui relient les quelque 280 lacs du parc. Du camping du lac George, ils découvrent les criques et les îles boisées du lac Killarney, les eaux cristallines du lac O.S.A. et d'innombrables barrages

À proximité du parc Killarney, l'auberge Sportsman's Inn sert de base pour découvrir les merveilles d'une nature sauvage.

Manitoulin : la plus grande île du monde en eau douce

Distance : environ 220 km

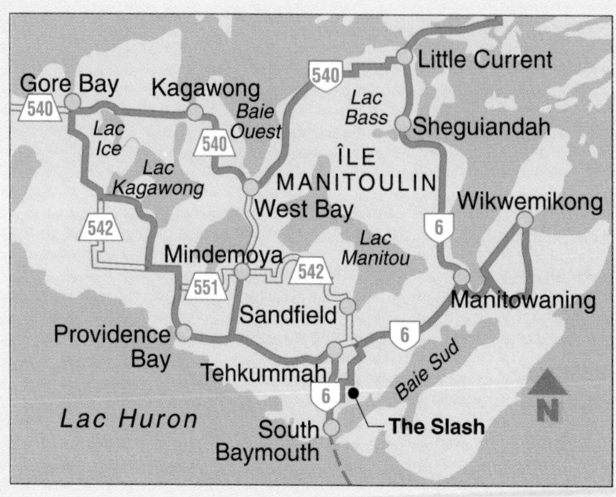

Pour explorer l'île Manitoulin en une journée, prenez la route 542 à Gore Bay en direction sud. Passé Long Bay, suivez Perivale Road vers l'est et reprenez ensuite la 542 à Spring Bay.

• Un peu plus loin, quittez la 542 pour la 551 en direction est jusqu'à Providence Bay ; allez voir l'exposition historique, archéologique et environnementale sur le port ou réservez un forfait de pêche.

• Poursuivez vers l'est sur Government Road, jusqu'à Tehkummah pour visiter le magasin général Ward. Voyez ensuite la station de pisciculture Blue Jay Creek, au croisement des routes 542 et Government Road. Un léger détour vers le nord sur la 542 permet de visiter l'alevinière provinciale de Sandfield.

• Sur la 542, tournez à droite sur la 6 pour prendre le traversier de Tobermory ; ou bien revenez sur 2 km jusqu'à Lakeshore Road. Le Centre de recherche des pêcheries situé là accueille les visiteurs. Suivez Lakeshore jusqu'au bout, un point nommé The Slash. (Cette route panoramique est très agréable s'il fait beau.) Revenez à la 6 par la Slash Road.

Chute Bridal Veil, île Manitoulin.

• Tournez à droite et roulez jusqu'à Manitowaning où vous visiterez le musée Assiginack, l'église anglicane St. Paul et le parc historique où mouille le *Norisle*. Il se tient des courses de chevaux dans la première fin de semaine de juillet.

• Prenez maintenant la route qui mène à la réserve indienne de Wikwemikong, patrie traditionnelle de la nation Odawa et siège de la mission Holy Cross, fondée par les jésuites au XVIIe siècle. Le Centre de santé du village affecte la forme d'un aigle. Un pow-wow, au début d'août, met en vedette des danses et des chants indiens. Un théâtre professionnel, De-ba-jeh-mu-jig, donne des spectacles en été. Revenez à Manitowaning en passant par Kaboni.

• Dans la ville, tournez à gauche pour retrouver la route 6 ; 4 km plus loin, virez à gauche sur Bidwell Road. À Green Bay, prenez la route panoramique de gravier qui surplombe le lac Bass et roulez jusqu'à Sheguiandah, patrie de la nation indienne du même nom. Au musée local, on peut voir des fossiles, des objets indiens et d'anciens outils.

• Roulez vers le nord sur la route 6 ; à Little Current (10 km), la route — la seule de l'île à rejoindre la terre ferme — emprunte un pont pivotant à une seule voie. Les boutiques de la ville valent un arrêt, tout comme le festival Haweater qui a lieu au début d'août.

• De Little Curent, suivez la route 540 vers l'ouest ; après avoir passé la baie Ouest, vous arrivez à Kagawong où vous pouvez faire une halte à la chute Bridal Veil avant de rentrer à Gore Bay en contournant le lac Ice.

de castors. Il leur arrive parfois d'entendre le glapissement solitaire du pygargue à tête blanche ou d'apercevoir l'urubu à tête rouge qui plane en déployant ses ailes noires.

13 Elk Lake

Petite municipalité située au confluent des rivières Montreal et Makobe, Elk Lake (pop. 524) est un village tranquille et satisfait.

Des siècles avant l'entrée en scène des Européens, les lacs et les rivières de la région étaient fréquentés par les Indiens. Le long de leurs voies de canotage, ils laissèrent sur les rochers des pictogrammes comme ceux qu'on peut voir au lac Beaver House.

Les Cris donnèrent au lac le nom de l'animal — le wapiti — qui aimait paître sur ses rives (*elk* en anglais). Avec l'arrivée des coureurs des bois, suivie de celle des bûcherons vers 1870

La beauté sauvage du parc provincial de Killarney a inspiré de nombreux peintres.

et du chemin de fer au tournant du siècle, le wapiti se réfugia dans le nord.

En 1907, on découvrit de l'argent à Gowganda, à 45 km d'Elk Lake. Un village de tentes apparut aussitôt des deux côtés de la rivière Montreal et Elk Lake devint un village-dortoir. Sa population fluctua entre 5 000 et 10 000 habitants. Hôtels et auberges poussèrent comme des champignons ; en moins de deux ans, la ville avait ses banques, son hôpital, son journal, son bureau de poste et sa compagnie d'électricité. Son maire était Jack Monroe (1875-1942), boxeur, prospecteur, footballeur, héros de guerre et écrivain.

La plupart des anciens bâtiments d'Elk Lake ont disparu, mais le passé revit au musée historique de la ville, logé dans une église catholique (1909) bâtie à l'ère prospère. Parmi les intérieurs meublés dans le style de l'époque, on note un saloon, une salle de classe, un atelier de forgeron, un magasin général et une cuisine familiale. L'exposition comprend de l'équipement et des vêtements utilisés par les mineurs et les trappeurs, des photographies anciennes et des antiquités.

Attirés par les eaux riches en poissons — grands brochets, brochets maillés, touladis, ombles de fontaine, corégones, achigans et perchaudes — les pêcheurs affluent maintenant à Elk Lake, et les chasseurs poursuivent en saison l'orignal, l'ours et le gibier à plume. L'été, la campagne regorge d'activités : camping, navigation de plaisance, ski nautique, natation et cueillette de roches ; l'hiver accueille la motoneige, le ski de randonnée et la pêche sous la glace.

Les mines de Gowganda (pop. 139) sont presque toutes fermées ; les bâtiments sont vides et les chevalements grincent dans le vent. Le musée de Gowganda, dans la salle Old Union, expose des souvenirs des Indiens et des pionniers, une belle collection de photographies anciennes et, à l'extérieur, des équipements miniers et un camp de bois rond.

Gowganda est aussi un paradis de pêcheurs. Son nom signifie, en langue ojibway, « dent de brochet » ; qui donc s'étonnera de voir le lac Gowganda regorger de brochets ? Navigation, camping et natation complètent les plaisirs.

14 Temagami

Le lac Temagami a la forme d'une pieuvre à six tentacules ; au bout du tentacule nord-est se trouve la ville du même nom (pop. 1 100). La dernière glaciation a laissé dans la région d'innombrables lacs, entourés des derniers vestiges de la forêt domaniale de pins blancs et rouges et ponctués d'îles où dominent le cèdre et le pin.

Le lac Temagami (son nom en dialecte ojibway veut dire « eaux profondes près du rivage ») fait plus de 77 m en profondeur et 50 km en longueur, mais sa largeur maximale n'est que de 8 km.

Sa vocation de centre de villégiature, qui semblait aller de soi, se matérialisa avec l'arrivée du chemin de fer en 1905 et l'ouverture de la route de North Bay en 1920.

La gare de Temagami, avec sa façade de stuc, de pierre et de bois.

Les vapeurs de plaisance se promenaient autrefois sur le lac. C'est au tour des canots de circuler dans son réseau compliqué fait d'une vingtaine de bras ramifiés et de centaines de passages. Sur la terre ferme, le sentier du mont Caribou (1 km) offre un point de vue sensationnel du lac Temagami. De vieilles routes forestières bien entretenues permettent de découvrir les beautés secrètes de la région.

Vu des airs, le lac Temagami forme un univers complexe d'eau, d'îles et de forêts.

En hiver, skieurs alpins et de randonnée fréquentent les pistes James Lake, Wanapitei et Jumping Caribou.

Au sud de la ville se trouve le parc provincial Finlayson Point où l'on peut camper et profiter de belles plages. Une plaque rappelle la mémoire de Grey Owl, écrivain et naturaliste.

Événements spéciaux

Festival de Grey Owl (début juillet)

Concours de touladis du lac Temagami (début septembre)

15 Parc provincial de Marten River

Autrefois, la province de l'Ontario était presque entièrement couverte d'une vaste forêt de pins. La civilisation et l'industrie du bois y ont fait des ravages. Mais de cette antique forêt domaniale, il reste encore, ici et là, quelques peuplements. C'est ainsi que, dans le parc provincial de Marten River, on peut voir des pins blancs qui ont plus de 300 ans.

Le parc s'étend dans une zone de transition entre la forêt du nord et celle du sud : l'épinette noire y côtoie le bouleau jaune. Un sentier de randonnée qui pénètre sur 5 km en forêt permet de les découvrir, ainsi que les pins blancs, témoins majestueux du passé.

On apprend comment vivaient les hommes qui ont entaillé la forêt dans la reconstitution d'un village de bûcherons de 1915-20, le Logging Camp Exhibit, situé dans le parc. Le tour guidé fait voir la cuisine, le dortoir, le garde-viande, la cabane du mesureur de bois — c'est lui qui établissait le diamètre des troncs coupés et calculait le volume de la production —, le bureau, les écuries et l'atelier du maréchal-ferrant.

Le parc offre aux visiteurs la possibilité de faire du canot, de la baignade, de la navigation de plaisance, du cyclisme et de la pêche au doré, à l'achigan, au touladi et au brochet. En hiver, des pistes bien entretenues font la joie des skieurs de fond, des raquetteurs et des motoneigistes.

16 Mattawa

La flèche de l'église Sainte-Anne domine du haut de ses 23 m les avenues bordées d'arbres de Mattawa (pop. 2 413), au confluent de la rivière des Outaouais et de la Mattawa.

Si ces rivières parlaient, elles en auraient long à dire, car pendant 200 ans, explorateurs, missionnaires, coureurs des bois et trafiquants de fourrure les ont empruntées. La Compagnie de la Baie d'Hudson s'y installa au début du XIXe siècle, amenant à sa suite bûcherons et pionniers. Enfin, le chemin de fer Canadien Pacifique rejoignait la région vers 1890. Aujourd'hui, Mattawa (mélange des eaux de deux rivières, comme le dit son nom en langue indienne) combine deux cultures, la française et l'anglaise, et deux époques, le présent et le passé. Sur la rive nord, le Musée du district de Mattawa ouvre ses portes de juin à août : la cabane en rondins de pin rouge se dresse à l'endroit exact ou se trouvait le poste de la Baie d'Hudson.

Les trafiquants et les bûcherons ont été remplacés par des visiteurs qui explorent la gorge Eau Claire, le cratère Bent — sans doute le plus grand cratère creusé par un météorite au Canada — et le parc Algonquin. Les canots suivent la route des anciens explorateurs et les pêcheurs s'en donnent à cœur joie dans des eaux remarquablement poissonneuses. En hiver, le mont Antoine accueille les skieurs.

Un port de plaisance accueille les bateaux qui circulent dans le bassin de 260 km formé par le lac Témiscamingue et la rivière des Outaouais.

À proximité de Mattawa se trouve le parc provincial Samuel-de-Champlain dont le poste d'accueil présente des films et une exposition sur la vie des trafiquants de fourrure de la région.

Événements spéciaux

Championnat de violon et de danse à claquettes du nord-est de l'Ontario (mi-août)

Course de canots North Bay-Mattawa (mi-août)

17 Cobalt

La légende veut que, en 1903, un forgeron courroucé, Fred LaRose, ait lancé un marteau à la tête d'un renard trop curieux. Le marteau épargna le renard mais frappa une roche, faisant apparaître le filon d'argent le plus riche du monde. Ainsi serait née Cobalt.

Willet Gren Miller, le géologue qui baptisa la ville, prétend avoir vu des morceaux d'argent aussi gros que des ronds de poêle ou des boulets de canon. Prospecteurs, coureurs de fortune, usurpateurs de concessions arrivèrent en foule. On vit surgir de terre des hôtels, des magasins, des restaurants, un opéra et une salle de théâtre. Entre 1908 et 1910, quelque 10 000 personnes affluèrent à Cobalt. La ville se targue d'avoir eu le premier système électrifié de transport public au nord de Toronto (1910) de même que la première bourse du nord du pays.

Les mines produisent toujours de l'argent, mais la valeur précaire de ce métal a forcé la ville à se trouver une autre vocation. C'est donc avec ses rues pittoresques, son camp de mineurs du début du siècle et ses trois musées que Cobalt (pop. 1 481) attire et retient ses visiteurs.

Au Musée minier du nord de l'Ontario, on peut voir d'anciennes photos, de l'équipement minier et l'une des plus belles collections au monde de spécimens d'argent extraits sur place.

Le Musée militaire du Bunker est situé dans une gare de 1910 et sa collection comprend des objets militaires remontant aux années 1880.

Le musée du feu Cobalt-Coleman porte sur les divers incendies qui affligèrent la ville au début du siècle, ainsi que sur celui de 1977 qui détruisit environ le tiers de la municipalité.

Les services municipaux de la ville occupent le premier « préfabriqué » de Cobalt. Ce bâtiment de bois fut construit en Colombie-Britannique et assemblé ici en 1905 pour abriter la Banque canadienne de commerce ; il devint le prototype des succursales de la banque dans les localités minières.

Un vieil élévateur, sur le sentier Silver, à Cobalt, rappelle le passé minier de la ville.

Le Heritage Silver Trail, près de la route 11B, attire de nombreux touristes. Cet itinéraire de 6 km, qui se fait à pied et en voiture, permet de visiter cinq mines des environs de 1900. Grâce à des panneaux documentaires et des kiosques d'information, le visiteur peut retrouver le passé de Cobalt. Chaque halte explique un certain aspect de l'activité minière et comporte des tables à pique-nique, un observatoire et quelques sentiers.

Événements spéciaux

Festival des mineurs (début d'août)

18 Parc d'Aiguebelle

Réserve faunique et parc de conservation depuis 1985, le parc d'Aiguebelle est un vaste territoire vierge de 243 km² au relief accentué. Le passage de la dernière glaciation a mis à nu des formations géologiques qui remontent à 2,5 milliards d'années en même temps qu'il donnait naissance aux quelque 80 lacs du parc. Au lac Sault et au lac La Haie, on peut contempler des failles qui livrent, en différentes strates rocheuses, l'histoire de la croûte terrestre.

C'est au cœur du parc d'Aiguebelle que le mot *abitibi,* qui signifie en langue algonquine « lieu où les eaux se séparent », prend tout son sens. C'est en effet sur son territoire que se situe la ligne de partage des eaux qui s'écoulent vers le Saint-Laurent, d'une part, et vers la baie James, d'autre part.

La végétation du parc est représentative de la région boréale. L'épinette noire, le sapin baumier, le pin gris, le thuya et le bouleau à papier sont les espèces dominantes, mais on y surprend aussi des essences plus rares, notamment le bouleau jaune, le frêne noir, le mélèze et l'érable rouge. Des arbustes fruitiers font la joie des amateurs de bleuets, de framboises, de merises ou de noisettes.

L'interprétation de la nature et de ses nombreux phénomènes est l'activité principale du parc d'Aiguebelle. On peut solliciter les services de guides-naturalistes pour des excursions thématiques ou consulter des documents écrits et audiovisuels au centre d'interprétation. Celui-ci se situe, comme le poste d'accueil, à Mont-Brun, au sud du parc, sur la route 117. Il existe deux autres accès au parc : Destor, à l'ouest, accessible par la route 101, et Taschereau, au nord, que l'on rejoint par la route 111.

La meilleure façon de profiter des beautés du parc est sans doute d'y faire un séjour en camping. Le camping Abijévis, près du lac Matissard, comprend 47 emplacements aménagés de manière à conserver tout le cachet naturel du lieu. Les plus aventuriers pourraient préférer faire du camping sauvage au lac de la Muraille et au lac du Sablon.

Un barrage de castors interrompt le cours d'un ruisseau placide près du lac La Haie, dans le parc d'Aiguebelle.

Outre les campings, la majorité des aménagements qu'offre le parc se situent le long du lac Sault et autour du lac La Haie. Ainsi, on trouve dans le secteur un réseau de sentiers totalisant un peu plus de 30 km, propice à la randonnée pédestre et au ski de fond. Plusieurs parcours, présentant des degrés divers de difficulté, permettent d'admirer une nature parfois austère mais toujours grandiose, avec ses marmites, ses failles rocheuses, ses nombreux lacs et ses cascades. Plusieurs

Autour du lac Témiscamingue

Distance : environ 90 km

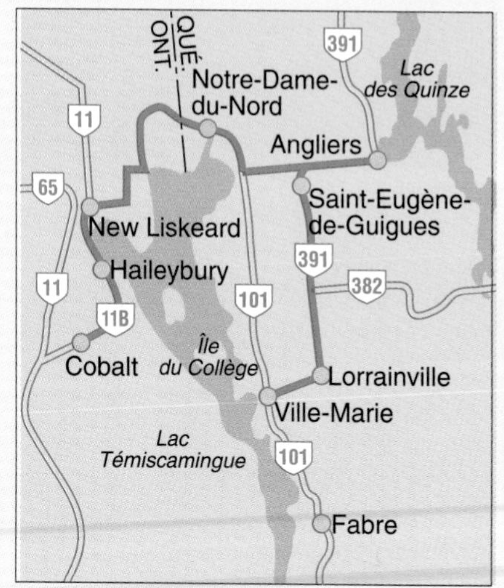

Une excursion sur les deux rives du magnifique lac Témiscamingue vous fait passer d'une ambiance ontarienne à l'ambiance québécoise. Ainsi ressortent les caractéristiques propres à chacune des deux cultures.

• De Cobalt, la route 11B mène au nord à Haileybury (pop. 4 900) et à ses magnifiques résidences au bord du lac.

• À 3 km au nord, on a une vue spectaculaire du lac avec, au nord-est, l'île Chief et au sud-est, l'île Burnt ; on dit que la pêche au brochet est excellente.

• La route 11B mène ensuite à New Liskeard (pop. 5 500). Dans l'avenue Whitewood, on remarque un beau bâtiment de calcaire, la bibliothèque publique. Le chemin Fleming Drive suit le bord de l'eau. En été, on peut faire une excursion en bateau ; il y a deux départs par jour.

• La 11B traverse la rivière Wabi et devient la 65E qui mène au Québec. Faites une halte à la boutique d'artisanat algonquin Saugeen. Avant de prendre la route 101, arrêtez-vous pour contempler l'embouchure de la rivière des Quinze et le vaste panorama lacustre avec son horizon d'îles et de collines douces.

• Sur la 101, vous verrez indiquée la route de campagne qui mène à la route 391 et à la charmante municipalité d'Angliers, sur le lac des Quinze. Vous y visiterez un remorqueur de bois classé bien culturel, le *T.E. Draper*, et un centre d'interprétation sur la vie des bûcherons.

• Suivez la route 391 vers le sud ; vous roulez vers Saint-Eugène-de-Guigues à travers une plaine douce piquetée de fermes prospères ; poursuivez vers Lorrainville où vous prenez la route 382 vers Ville-Marie (pop. 2 700).

Fondée par les pères oblats en 1886, c'est la plus ancienne ville de l'Abitibi-Témiscamingue. Grimpez l'escalier au bout de la rue Notre-Dame-de-Lourdes ; vous apercevez le plan en damier de la ville devant les eaux calmes de la baie des Pères et un horizon de collines. L'hôtel de ville est logé dans une ancienne école d'agriculture à l'architecture pittoresque ; il abrite un théâtre d'été, la salle Augustin-Chénier. À côté se trouve la Maison du colon construite en 1881 en bois pièces sur pièces. Terminez la promenade sur la rue Notre-Dame avec ses belles maisons (la plus ancienne date de 1886) et son parc du Centenaire.

Non loin, vous pouvez voir Fort-Témiscamingue, un site historique qui conserve les vestiges d'un poste de traite de 1720, avec un centre d'interprétation, une plage et par-dessus tout la Forêt enchantée, un boisé merveilleux avec des pins aux formes mystérieuses.

• Au nord de la ville, un petit pont donne accès à l'île du Collège avec son paysage apaisant de collines douces, de baies tranquilles et de fermes discrètes.

• Passé Ville-Marie, la route 101 suit le rivage vers Fabre, Laniel et le lac Kipawa, paradis des pêcheurs. Quelque 40 km plus loin se trouve la ville de Témiskaming, avec ses maisons de brique à flanc de colline, d'influence anglaise.

La Forêt enchantée, Fort-Témiscamingue.

belvédères et un pont suspendu facilitent la contemplation de paysages.

Les amateurs de pêche seront servis à souhait avec de belles prises de dorés et de brochets qui abondent, entre autres, aux lacs Loïs, Matissard et Patrice. Ils pourront aussi capturer de la truite mouchetée et de la truite grise dans plusieurs lacs d'eau claire, tels que les lacs Sault et La Haie. La plupart des lacs se prêtent aussi à la baignade, en particulier les lacs Loïs et Matissard où, par ailleurs, la voile légère et la planche à voile sont autorisées.

19 Bourlamaque

❀⌂

À l'entrée de l'Abitibi, sur la route 117, les chevalements de mines qui se dressent dans le ciel rappellent la ruée vers l'or qui eut lieu dans les années 30 et qui attira ici presque autant d'aventuriers qu'au Klondike.

Huit mines sont toujours en production dans la région de Val-d'Or (pop. 35 000). Au cœur de la ville, le belvédère, qui offre une vue panoramique sur cette splendide « région des 100 000 lacs », donne en outre une bonne idée de l'ampleur de la faille de Cadillac. C'est dans le sillon de cette formation géologique qui s'étend jusqu'à la frontière ontarienne que sont nées les mines valdoriennes.

Une visite s'impose au village minier de Bourlamaque. Reconnu site historique en 1979, le village comprend 85 maisonnettes de bois rond érigées en 1933 pour loger les travailleurs de la mine Lamaque. Fait unique au Québec, ce site historique est encore habité. Durant la période estivale, des visites guidées d'environ une heure permettent de voir le « bunk house » (où logeaient les célibataires), la cafétéria, le dispensaire, les résidences des directeurs de la mine et celle du policier, avec une prison à l'arrière. Une maison de la rue Perreault, meublée d'objets authentiques, recrée la vie de famille d'un mineur.

Bien que reconnu monument historique, le village minier de Bourlamaque est toujours actif.

La mine Lamaque, découverte en 1923, fut exploitée de 1933 à 1985. À son apogée, le village de Bourlamaque comptait plus de 2 000 habitants. Il est maintenant un quartier de Val-d'Or.

Encore en exploitation, la mine Sigma, située à l'entrée de Val-d'Or sur la 3e avenue, a été surnommée « la reine de la vallée de l'or ». La mine n'est pas ouverte au public, mais on organise des visites de groupes dans l'usine de traitement du minerai.

Le Musée minier de Malartic, 30 km à l'ouest de Val-d'Or, constitue une occasion... en or de se familiariser avec le monde minier d'hier et d'aujourd'hui. On y trouve une collection de minéraux, de fossiles et d'échantillons d'or uniques au Canada, de même que des équipements miniers rappelant les rudes conditions de travail d'autrefois. Mais le clou de la visite demeure sans contredit la descente simulée dans une mine à travers des galeries souterraines.

CENTRE DE L'ONTARIO

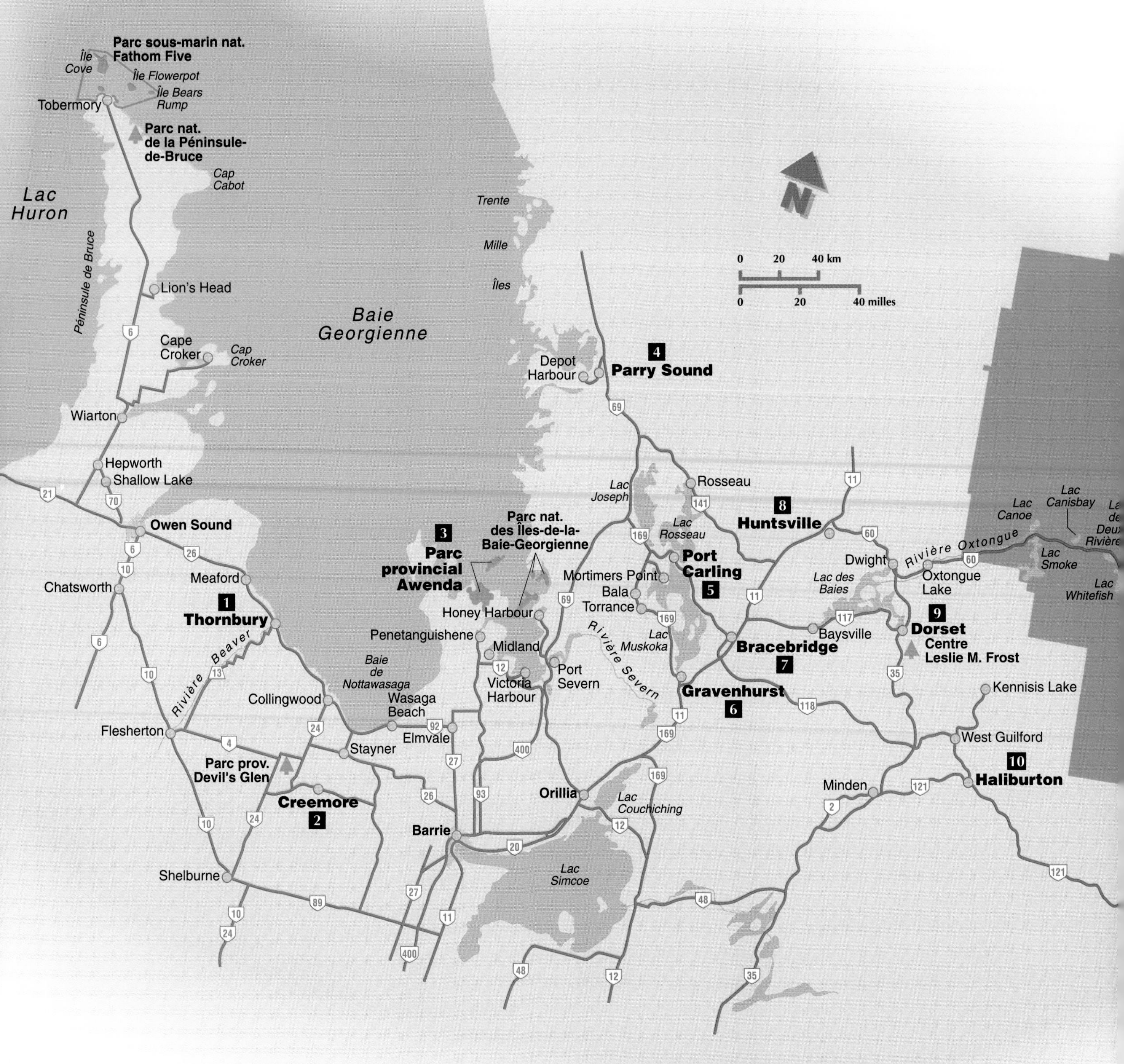

Parc sous-marin nat.
Fathom Five
Île Cove
Île Flowerpot
Île Bears Rump
Tobermory
Parc nat. de la Péninsule-de-Bruce
Cap Cabot
Lac Huron
Péninsule de Bruce
Lion's Head
Baie Georgienne
Trente Mille Îles
Cape Croker
Cap Croker
Wiarton
Hepworth
Shallow Lake
Owen Sound
Chatsworth
Meaford
1 Thornbury
Rivière Beaver
Collingwood
Flesherton
Parc prov. Devil's Glen
2 Creemore
Shelburne
Stayner
Wasaga Beach
Elmvale
Baie de Nottawasaga
3 Parc provincial Awenda
Parc nat. des Îles-de-la-Baie-Georgienne
Honey Harbour
Penetanguishene
Midland
Victoria Harbour
Port Severn
Barrie
Orillia
Lac Simcoe
Lac Couchiching
Rivière Severn
Depot Harbour
4 Parry Sound
Lac Joseph
Rosseau
Lac Rosseau
5 Port Carling
Mortimers Point
Bala
Torrance
Lac Muskoka
Gravenhurst 6
Bracebridge 7
8 Huntsville
Dwight
Lac des Baies
Baysville
Rivière Oxtongue
Oxtongue Lake
9 Dorset
Centre Leslie M. Frost
Lac Canoe
Lac Canisbay
Lac Smoke
Lac Whitefish
Kennisis Lake
West Guilford
10 Haliburton
Minden
0 20 40 km
0 20 40 milles
N

11

Centre de l'Ontario

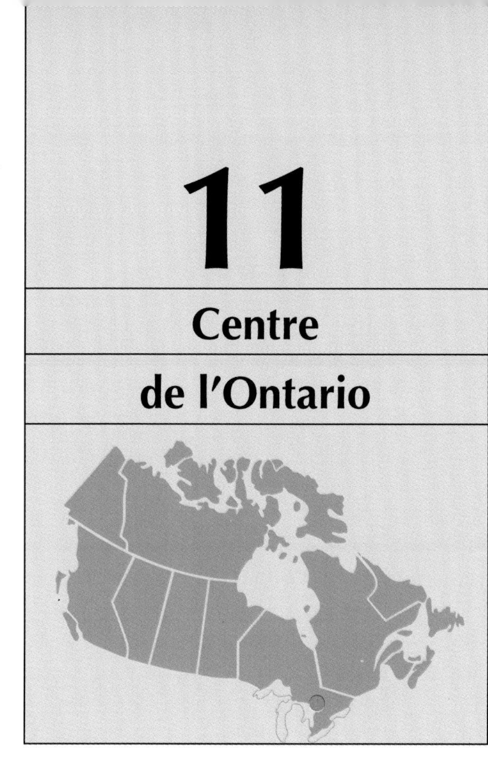

Sites

Thornbury
Creemore
Parc provincial Awenda
Parry Sound
Excursion en bateau dans la baie Georgienne
Port Carling
Gravenhurst
Bracebridge
Huntsville
Dorset
Haliburton
Parc provincial Algonquin
Bancroft
Eganville
Les pionniers de l'Opeongo Line
Renfrew

Circuits automobiles

Vallée de la Beaver
Lac des Baies
Route de l'Opeongo

Parcs nationaux

Fathom Five
Péninsule-de-Bruce
Îles-de-la-Baie-Georgienne

Pages précédentes :
Chutes Hogs dans la vallée de la rivière Beaver, près de Flesherton

1 Thornbury

Située dans un décor exquis, entre la baie Georgienne et l'escarpement du Niagara, Thornbury (pop. 1 500) était vouée à la villégiature.

Ce fut d'abord un port pour les vapeurs des Grands Lacs, tandis que s'élevaient de nombreux moulins le long de la rivière Beaver. Mais l'avènement du chemin de fer et de l'automobile mit un terme à ces activités. Les installations portuaires servent désormais à la navigation de plaisance, tandis que la voie du CN, qui traverse la rivière sur un pont à chevalets en bois, fait partie des 32 km de la piste de vélo et de ski Georgian Trail.

Fondée en 1833, la ville de Thornbury était déjà en 1837 un centre agricole et commercial florissant.

Vue aérienne des riches vergers qui entourent la ville de Thornbury.

La résidence pour personnes âgées qui occupe l'ancienne maison d'un magnat du bois, Henry Pedwell, fournit un bon exemple de sa prospérité d'antan. Bâtie en 1900, elle était flanquée d'un moulin qui pompait l'eau d'un cours d'eau voisin et l'entreposait dans un réservoir au grenier : elle avait donc l'eau courante. Le manoir victorien en brique qui se dresse sur le bassin de retenue date lui aussi de 1900. C'était la demeure du premier président du conseil municipal, Thomas Andrews.

Thornbury est renommée pour son « écluse à poissons » qui hisse les poissons pour leur permettre de rejoindre, 7 m plus haut, le cours supérieur de la rivière Beaver. Au printemps et en automne, la multitude de saumons et de truites en fait un paradis des pêcheurs.

Grâce à la douceur du microclimat qui règne entre la baie Georgienne et l'escarpement du Niagara, la vallée de la Beaver est l'un des meilleurs vergers naturels de l'Ontario. On y trouve plus de 175 pommiculteurs. Au marché des agriculteurs, sur la route 26, on peut acheter des tartes aux pommes, des pommes au sucre et du cidre frais.

En été, quelques résidences de Thornbury offrent le gîte et le petit déjeuner.

Événements spéciaux

Repas annuel Southern Georgian Bay Chili Cook-off (mi-juillet)

Régates de la baie Georgienne (fin juillet)

Tournoi de pêche à la truite Georgian Triangle (mi-avril)

Fathom Five

Un collier de 19 îles, réparties sur 130 km dans les eaux froides et cristallines du lac Huron, constitue le premier parc sous-marin national au Canada, Fathom Five. De l'île Cove à l'île Bear's Rump, les affleurements rocheux qui le composent sont le prolongement de l'escarpement du Niagara, une gigantesque arête de roche calcaire qui se déploie en arc de cercle depuis l'État de New York jusqu'à celui du Wisconsin.

En 1990, le parc Fathom Five et son voisin, le parc de la Péninsule-Bruce, furent choisis par l'Unesco pour constituer, avec l'escarpement du Niagara, une des réserves mondiales de la biosphère.

Fathom Five est également la capitale mondiale de la plongée en eau douce. Les épaves de 21 bateaux échoués au large de la péninsule de Bruce, à la fin du XIXe siècle et au début du XXe, ont fait des eaux du parc un impressionnant musée sous-marin. Parmi ces épaves, il y a, par exemple, le *Philo Scoville* qui fit naufrage sur la rive nord de l'île Russel en 1889.

Le poste d'accueil et le bureau où s'inscrivent les plongeurs sont à Tobermory, petit village de pêche niché entre les deux ports de Big Tub et de Little Tub. De Tobermory part le bateau qui amène les visiteurs explorer les eaux peu profondes de Big Tub. On distingue clairement sous la surface le *Sweepstakes*, un voilier de 36 m qui coula en 1885, et le vapeur *City of Grand Rapids* qui eut le même sort en 1907 après avoir passé au feu.

Un plongeur explore les épaves du parc Fathom Five.

L'excursion comporte également un arrêt à l'île Flowerpot, petite étendue de 2,2 km de largeur qui tient son nom de deux piliers rocheux en forme de pots de fleurs, qui se dressent sur sa rive est. On dit que les Algonquins évitaient l'île, convaincus que ses grottes mystérieuses et ses formations rocheuses ne pouvaient être que l'œuvre d'un esprit malin. Aujourd'hui, c'est la seule île du parc à offrir des services : six campings sur plateformes à Beachy Cove et deux mouillages pour les embarcations de plaisance.

Un sentier permet de visiter l'île en deux heures. Il y a d'abord les pots de fleurs, dont l'origine remonte à plus de 8 000 ans, quand se formèrent deux piles de roches au pied de l'escarpement. L'eau et le gel façonnèrent à la longue les majestueux piliers couronnés de verdure qui se dressent aujourd'hui, l'un à 11,5 m, l'autre à 6 m. Un escalier dans la falaise mène ensuite à une grotte suspendue, creusée par le travail incessant des vagues à l'époque où la fonte des derniers glaciers fit monter de façon spectaculaire le niveau du lac.

À Castle Bluff, à la pointe est de l'île, le phare de Flowerpot signale depuis 1896 le chenal navigable qui va de la baie Georgienne au lac Huron. Sur la rive nord, les falaises dissimulent un lacis de grottes où les gardiens du phare entreposaient jadis les aliments périssables.

Sur la pente douce, côté ouest, pousse l'orchidée calypso qui prospère dans la terre calcaire près de la corallorhize maculée et de la rare orchidée de l'Alaska.

On visite aussi Fathom Five à bord du traversier géant, le *Chi-Cheemaun* (grand canot), qui fait la navette plusieurs fois par jour entre Tobermory et l'île Manitoulin, et passe près du phare de l'île Cove. Achevé en 1858, ce phare est le plus vieux des Grands Lacs.

RENSEIGNEMENTS PRATIQUES

Accès : *Tobermory ou le traversier* Ontario Northland *au printemps, en été et en automne ; aussi par embarcation privée.*
Accueil : *à Tobermory.*
Installations : *camping (6 emplacements dans l'île Flowerpot) ; hébergement sur la terre ferme.*
Activités : *excursions en bateau à fond de verre, forfaits de pêche et de plongée, promenades guidées dans l'île Flowerpot, programmes d'interprétation quotidiens, baignade, camping, randonnée, plongée en apnée, plongée autonome, pêche, navigation, photographie.*

Les paysages splendides de la vallée de la Beaver

Distance : environ 90 km

La route qui longe la rivière Beaver de Thornbury à Flesherton est une petite route de campagne pittoresque et peu fréquentée. De Thornbury, roulez vers l'ouest sur la 26 jusqu'aux limites de la municipalité de Collingwood-St.Vincent. Sur la gauche, une côte abrupte vous mène au sommet de l'escarpement du Niagara.

- Une fois sur le sommet, arrêtez-vous sur la gauche pour admirer le paysage formé par les vergers de Thornbury et le bleu profond de la baie Georgienne. Derrière la vallée de la Beaver, les monts Blue Mountains s'élèvent à 219 m pour fermer l'horizon.
- Poursuivez votre route jusqu'au second panneau d'arrêt et prenez à droite la route de Clarksburg qui descend vers le village. Avant d'y arriver, repérez une petite route de gravier sur la droite, au milieu de la descente. Elle mène, 500 m plus loin, au barrage de Clendenan.
- Revenez sur la route de Clarksburg et virez à droite. Juste avant le pont se trouve le parc Firemen qui renferme les vestiges du barrage Haines Mill. Dans les rapides, en aval du barrage, se déroulent souvent des courses de kayak et de canot.
- Traversez le pont et entrez dans le village. Tournez à gauche sur la régionale 13 pour visiter le Musée militaire de Beaver Valley qui expose des armes et des objets datant de 1880 à aujourd'hui.
- Reprenez la route 13 (Beaver Valley Road) vers le sud pour circuler au cœur de la vallée entre Heathcote et Kimberley. À l'ouest de Kimberley se trouvent le complexe hôtelier Talisman Mountain Resort et la falaise Bowles et, à l'est, Old Baldy, un affleurement rocheux qui s'élève à 180 m.

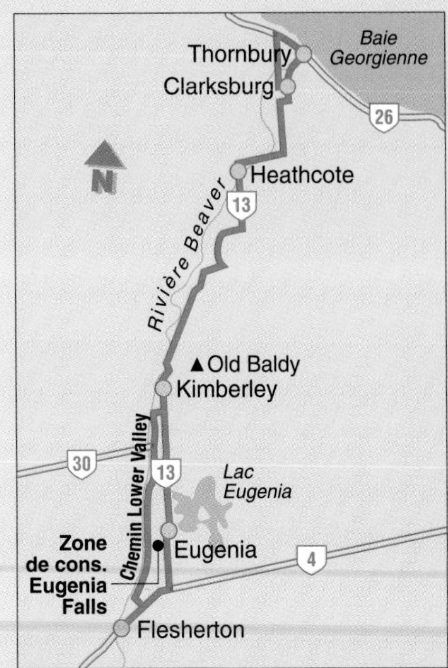

- Pour voir Old Baldy de plus près et jouir d'une vue panoramique de Kimberley, garez votre voiture au stationnement sur la route 6-7 et engagez-vous dans le tronçon du sentier de Bruce qui mène au sud le long des falaises, descend dans la vallée et remonte de l'autre côté avant de virer vers le nord pour retrouver la route 6-7. De là, vous revenez au terrain de stationnement.
- Reprenez la régionale 13 vers le sud. À la sortie de Kimberley, un site à piquenique surplombe la vallée.
- Au sud de Kimberley se trouve Eugenia. Traversez la rivière Beaver et tournez à droite en suivant les panneaux indicateurs qui mènent à la zone de conservation Eugenia Falls. La rivière dévale sur 30 m l'escarpement du Niagara et tombe dans une gorge sauvage appelée Cuckoo Valley. En 1852, on crut y trouver de l'or ; c'était de la pyrite !
- Poursuivez vers le sud sur la 13 jusqu'au croisement avec la route 4 qui mène, vers l'ouest, à Flesherton, petite ville renommée pour ses nombreux magasins d'antiquités.
- Pour revenir à Thornbury, roulez sur la 4 vers l'est pour rejoindre la route Lower Valley en direction nord. Vous croiserez la centrale hydroélectrique d'Eugenia et retrouverez la route régionale 13 près de Kimberley.

La chute Eugenia fait un plongeon de 30 m sur l'escarpement du Niagara.

2 Creemore

Une micro-brasserie et la plus petite prison en Amérique du Nord, voilà ce qui signale le village de Creemore (pop. 1 200) à l'attention des voyageurs.

Enseigne de bienvenue à Creemore

Faite avec de l'eau de source et brassée à feu ouvert en petites quantités, selon les normes établies en Bavière en 1516, la bière que l'on fabrique à la Creemore Springs Brewery (138, Mill) reste fidèle aux critères qui lui ont valu sa renommée il y a cent ans. La brasserie offre des visites guidées sur réservation .

La petite prison, bâtie en 1882 et rénovée en 1971, est une structure de pierre de 3,5 m sur 6 m. En dépit de ses dimensions restreintes, on y trouve trois cellules et un corridor. Elle a servi, jusque dans les années 40, à recueillir les fêtards.

Chaudière de cuivre et vieille recette bavaroise : la bière de la brasserie de Creemore donne envie d'avoir soif.

L'une des boutiques pour collectionneurs, à Creemore, propose de belles horloges.

Les collines environnantes ont été, à l'origine, défrichées par les loyalistes ; en 1842, ils furent rejoints par d'autres colons qui s'installèrent plus bas dans les terres de la vallée.

Le village a gardé un charme suranné. Des artisans locaux — potiers, horlogers, sculpteurs sur bois — exercent toujours leur art dans les vieilles maisons de la rue Mill. Plus loin dans la même rue se dressent, à l'ombre des érables majestueux, d'imposantes demeures construites au tournant du siècle. En face du 232 de la rue Mill, un poteau date du temps où on y attachait les chevaux.

Ouvert dans les années 1870, l'hôtel Sovereign est resté fidèle à sa vocation jusqu'en 1979 quand il a été converti en restaurant. L'église anglicane, dans la rue Louisa, date de 1887.

À pied ou en automobile, la campagne environnante mérite une visite. Le sentier Ganaraska suit la rivière Mad à partir d'Avening, 3 km au sud-est de Creemore. Il traverse Creemore et mène à Glen Huron où il rejoint le sentier de Bruce devant un observatoire dominant une chute.

On peut explorer la région à partir du parc provincial Devil's Glen, sur l'escarpement du Niagara. Au fond d'un ravin abrupt, la rivière Mad dégringole de 300 m avant de se perdre dans la rivière Nottawasaga. Le sentier Mad River, un tronçon de 2,5 km du sentier de Bruce, fait une descente vertigineuse à flanc d'escarpement.

Événements spéciaux

Exposition de voitures classiques (début juin)

3 Parc provincial Awenda

Le parc provincial Awenda (1 935 ha) se trouve à l'extrémité de la péninsule de Penetanguishene qui s'avance dans la baie Georgienne. On y trouve un paysage serein mais varié, avec des plages de galets, des dunes, des lacs en forme de marmite, et une forêt de feuillus. En été, quelque 200 emplacements de camping accueillent les visiteurs à l'ombre de grands arbres.

Plus de 30 km de sentiers se faufilent sous les hautes frondaisons, contournent les terres marécageuses et grimpent à l'assaut de la falaise Nipissing qui dégringole de 60 m pour rejoindre le rivage de la baie. En hiver, les sentiers accueillent les skieurs de randonnée. En été, quatre plages se prêtent au pique-nique, à la baignade et au repos.

Le parc est habité par des oiseaux aux couleurs merveilleuses, comme le colibri à gorge rubis, le viréo à gorge jaune et la paruline azurée. On y voit aussi des castors et des cerfs.

À Penetanguishene (pop. 5 300), au sud du parc, se trouvent les quartiers historiques de la Marine et de l'Armée, vestiges de l'unique base qu'aient occupée ensemble les deux forces.

Plus au sud, tout près de Midland (pop. 12 100), on visite Sainte-Marie-au-pays-des-Hurons, la reconstitution d'une mission que les jésuites ouvrirent en 1639 et qui dura 10 ans. De l'autre côté de la route, le sanctuaire des Martyrs rappelle la mémoire des missionnaires massacrés par les Indiens entre 1642 et 1649.

À côté de la mission se trouve la réserve faunique Wye Marsh avec plusieurs sentiers, un trottoir flottant et des programmes d'interprétation.

À Midland même, un village huron, reconstitution à l'échelle d'un établissement du XVIe siècle, et le musée de la Huronie exposent des objets des Indiens et des pionniers.

4 Parry Sound

Des collines couronnées de pins qui montent la garde sur une étendue d'eau constellée d'îles font la beauté de cette ville qui figure dans un grand nombre de toiles du Groupe des Sept.

Parry Sound (pop. 6 052) se dresse face à la baie Georgienne, parsemée ici de 30 000 îles. Elle se situe au croisement de plusieurs routes navigables utilisées autrefois par les Indiens, puis

La plage du parc Waubuno, près de Parry Sound, est une merveille de tranquillité.

Péninsule-de-Bruce

Au centre de l'étroite bande de terre qui sépare la baie Georgienne du lac Huron se trouve le parc national de la Péninsule-de-Bruce, site de plusieurs curiosités géologiques. Sur le flanc est de la péninsule, des falaises de calcaire blanc se dressent à 50 m au-dessus des eaux turquoise de la baie. À moins de 10 km de là, sur son versant ouest, de riches marécages et de luxuriants boisés se fondent en douceur aux rives plates et sablonneuses du lac Huron.

L'escarpement du Niagara, qui traverse sur 725 km le sud-ouest de l'Ontario, borde la limite orientale du parc, disparaît sous les eaux de la baie Georgienne et refait surface sous la forme d'îles dans le parc sous-marin national Fathom Five, à l'extrémité de la péninsule. Il y a plus de 400 millions d'années, la région entière était recouverte d'une mer tropicale peu profonde. Des récifs de roche sédimentaire se constituèrent peu à peu à partir d'anciennes créatures marines fossilisées. Quand la mer se fut retirée, les glaciers, le vent et l'eau sculptèrent les curieuses formations rocheuses qu'on admire aujourd'hui. En 1990, l'Unesco fit de l'escarpement et des deux parcs l'une des six réserves canadiennes de la biosphère mondiale.

Falaises de calcaire à l'est de la péninsule de Bruce.

On explore la péninsule de Bruce à partir du terrain de camping du lac Cyprus — le seul du parc — qui se trouve à 11,2 km au sud de Tobermory. Au nord du lac, on trouve le départ de trois sentiers, de 2 km chacun, qui mènent à la baie Georgienne. Ils recoupent tous trois le long sentier de Bruce qui passe au sommet des falaises pour aboutir à Tobermory.

L'un de ces trois sentiers, le Georgian Bay Trail, traverse les vestiges d'antiques récifs de corail et d'une rivière souterraine avant de déboucher sur une vue époustouflante de la baie Georgienne. À moins de 1 km au large, la baie atteint sa profondeur maximale qui est de 170 m. Le Georgian Bay Trail parcourt ensuite les rochers de la rive en direction ouest. Il rencontre une plage de galets parsemée de gros rochers, un endroit idéal pour la cueillette de fossiles marins. Un peu plus loin vers l'ouest se trouvent une arche naturelle ainsi qu'une grotte que les eaux ont creusée sur 20 m dans les entrailles de la falaise. Les randonneurs qui y descendent sont parfois surpris de se trouver en face d'un plongeur venu là de la baie à travers des passages souterrains.

Le sentier se dirige ensuite vers Overhanging Point où le calcaire, usé par l'érosion, a laissé une mince couche de roche dolomitique en surplomb. Les aventuriers peuvent explorer la corniche inférieure de l'escarpement en passant par la galerie Lord Hunt. Le long de la corniche, des cèdres blancs nanifiés s'accrochent obstinément au calcaire et témoignent d'une forêt ancestrale de nos jours presque disparue. On trouve ici certains des arbres les plus vieux du Canada : ils auraient, paraît-il, 1 000 ans. L'aridité des falaises les a protégés contre les incendies et l'abattage, deux fléaux qui ont durement entamé la réserve forestière de la péninsule de Bruce à la fin du siècle dernier.

Plus de 40 espèces d'orchidées, la plus importante concentration au nord de la Floride, s'épanouissent dans la péninsule au printemps et au début de l'été, attirant les naturalistes et les photographes. Pour découvrir la richesse florale de la péninsule, il faut prendre Dorcas Bay Road vers l'ouest à partir de la route 6, un peu au nord du camping de Cyprus Lake. Les 6 ha de terres marécageuses et de boisés qui bordent la baie sont habités par les cypripèdes, les gobe-mouches et les sarracénies insectivores. C'est aussi l'habitat du serpent massasauga, seul serpent venimeux de l'Ontario. Brun et maculé de noir, il mesure entre 45 et 99 cm. Mais cet animal timide fuit les sentiers fréquentés ; si d'aventure on le rencontre, il vaut mieux le laisser tout bonnement poursuivre son chemin.

Au sud de Cyprus Lake se trouve la route du lac Emmett. Au bout de la route, prenez à gauche le chemin du stationnement. Laissez-y votre voiture et promenez-vous sur le vieux chemin forestier balisé en bleu. Il fut ouvert par les bûcherons vers 1900 pour mener, 900 m plus loin, à une plage appelée Halfway Log Dump. C'est là qu'on empilait les billes de bois durant l'hiver pour les mettre à flotter, le printemps venu, jusqu'aux scieries locales.

Non loin de là se trouve la pointe Cave ; on dit que les contrebandiers y cachaient jadis le whisky fabriqué avec du blé et du maïs recueillis dans les bateaux échoués sur la grève.

RENSEIGNEMENTS PRATIQUES

Accès : *Tobermory ou le traversier* Ontario Northland *au printemps, en été et en automne ; aussi par embarcation ou avion privés.*

Accueil : *Tobermory*

Installations : *Camping à Cyprus Lake ; caravanes à Birches ; tentes à Poplars et Tamarack.*

Activités estivales : *Randonnées, camping, plongée sous-marine, plongée en apnée, pêche, baignade, pique-niques, navigation de plaisance, photographie, programme d'interprétation.*

Les anses rocailleuses de la baie Georgienne accueillent aujourd'hui les baigneurs, au lieu des contrebandiers d'autrefois.

D'ÎLE EN ÎLE DANS LA BAIE GEORGIENNE

En été, le bateau *Island Queen* quitte deux fois par jour le port de Parry Sound pour amener les visiteurs voir quelques-unes des 30 000 îles qui constellent l'est de la baie Georgienne. Le parcours de 64 km décrit un large cercle autour de l'île Parry, site de la réserve indienne des Wasauksings. Autour de cette grande île, plusieurs autres ne sont à proprement parler que de petits rochers à peine émergés de l'eau. D'autres sont assez grandes pour qu'y poussent des pins tordus par les vents et qu'on ait pu y bâtir des petits chalets. En fait, toutes ces îles représentent d'anciennes montagnes arrondies par les glaciers de la dernière glaciation.

En cours de route, le *Island Queen* contourne des sites curieux. Près de l'île Huckleberry, le bateau doit négocier son passage à travers une formation géologique baptisée Hole-in-the-Wall (le trou dans le mur). Il débouche ensuite sur une vaste étendue d'eau qu'il traverse pour rejoindre la péninsule qu'occupe le parc provincial Killbear Point, l'ancien territoire de chasse des Nipissings. Du bateau, on y aperçoit parfois des ours. Le bateau croise l'île Wall, ou île Skull, un ancien cimetière indien où on a mis au jour des restes humains, enveloppés d'écorce de bouleau, déposés dans des anfractuosités de rocher et recouverts de cailloux.

Après avoir fait le tour de l'île Parry, le *Island Queen* se faufile entre des îlots rocheux, croise Devil's Elbow, les ruines de Depot Harbour, la plus grande ville fantôme de l'Ontario (abandonnée à la fin des années 40) et contourne le pont tournant à Rose Point avant de revenir à Parry Sound.

En juillet et en août, le *Island Queen* se transforme, le soir, en bateau-théâtre, pendant que, sur la terre ferme, le théâtre Rainbow de Parry Sound Harbour présente une des pièces « meurtre et mystère » de sa série intitulée *Murder on the Island Queen* (Meurtre à bord du *Island Queen*).

La rivière Seguin tourbillonne au pied du pont historique du CP à Parry Sound.

par les trafiquants de fourrure quand ils se mirent à voyager vers le nord et l'ouest du Canada. Elle porte le nom de l'explorateur William Parry qui fit une incursion dans les parages en 1820. Quelque 30 ans plus tard, les Ojibways échangèrent le site de la ville contre l'île Parry.

Le musée West Parry Sound sur la colline Tower rappelle l'époque où la coupe du bois et le transport en bateau faisaient la prospérité de la ville. Les visiteurs qui monteront en haut de la tour de surveillance qui se dresse à proximité seront gratifiés d'une vue splendide sur toute la région.

Parmi les lieux historiques de la localité, on note le pont sur chevalets du CN, vieux de 86 ans, qui enjambe l'embouchure de la rivière Seguin ; le palais de justice, le premier du nord de l'Ontario, érigé en 1871 ; le bâtiment municipal des pompes (1892) ; et le pont tournant entre Rose Point et l'île Parry, dernier vestige du terminus du chemin de fer Ottawa-Arnprior-Parry Sound qui s'y trouvait naguère.

La région est parsemée de nombreux lacs et rivières engendrés par le retrait des glaciers ; autant d'occasions de faire de la navigation de plaisance, de la baignade et de la pêche. En hiver, huit clubs de motoneige offrent 800 km de pistes. La piste Séguin et la piste Rotary and Algonquin Regiment Fitness sont aussi ouvertes aux motoneigistes.

Événements spéciaux

Carnaval d'hiver (février)

Noël en juillet

Festival du Son (mi-juillet – début août)

Festival de jazz (août)

5 Port Carling

Un canal et des écluses ont fait jadis de Port Carling (pop. 5 498) un centre vital pour l'activité commerciale et industrielle de la région. Pour les mêmes raisons, la petite ville est devenue un centre touristique par où transitent les visiteurs de la région des Muskoka.

Les écluses fonctionnent pendant l'été pour permettre aux embarcations, petites et grandes, qui se dirigent vers les lacs Muskoka ou en reviennent, d'emprunter le canal et d'éviter ainsi les rapides de la rivière Indian.

L'endroit était autrefois renommé pour ses chantiers navals. À Port Carling, on se rappelle encore la compagnie Disappearing Propeller Boat qui lança, entre 1916 et 1924, des embarcations à hélices protégées, rétractables en eau peu profonde.

On traverse une passerelle pour se rendre au musée de Muskoka Lakes, situé dans l'île de Port Carling. Le musée expose des objets des pionniers, des souvenirs des chantiers navals et un bâtiment de rondins de 1875, la Maison Hall.

Sur les quais, on verra une structure ouverte sur les côtés avec un toit en bardeaux de bois et une arête faîtière en crête de coq. C'est le fameux pavillon de Port Carling, aussi appelé Freight Shed, qui servait d'entrepôt et d'abri à l'époque de la navigation à vapeur ; il est maintenant devenu un bâtiment historique, protégé par la Société historique de l'Ontario. Mais il demeure encore fidèle à l'une de ses missions car les visiteurs se réfugient sous son toit quand l'averse les surprend.

En été, des expositions d'art et d'artisanat attirent de nombreux visiteurs.

Événements spéciaux

Festival annuel Heart of Muskoka (début juillet)

Foire d'antiquités des Muskoka (fin juillet)

Festival Hub of the Lakes (mi-septembre)

Des roses trémières et des achillées égayent le musée de Muskoka Lakes à Port Carling.

6 Gravenhurst

Localité consacrée à l'industrie forestière, Gravenhurst (pop. 8 500), située dans une anse du lac Muskoka, se transforma en station de villégiature dès l'époque victorienne.

De cette époque, Gravenhurst a conservé son charme indéfinissable. Parmi ses bâtiments historiques, il y a l'opéra, datant de 1901, où se déroule de nos jours le Festival d'été des Muskoka.

La Maison historique Bethune, rue John, était le presbytère d'une église presbytérienne quand y naquit Norman Bethune (1890-1939), fils de pasteur. Devenu médecin, Bethune se rendit célèbre notamment durant la guerre civile espagnole, en créant la première clinique volante de transfusion sanguine sur les champs de bataille. Il alla ensuite en Chine organiser le service hospitalier du front et former les médecins de l'armée. C'est là qu'il mourut de septicémie en 1939.

La Maison Bethune est meublée comme elle devait l'être au moment de la naissance de Bethune. À l'étage, l'espace a été aménagé en musée.

Gravenhurst est une station de villégiature aux nombreuses attractions. Entre juin et octobre, on peut faire une croisière sur le lac à bord d'un vapeur restauré, le *Segwun*. Dans la baie de Muskoka se trouvent un parc public et une plage. Les grands hérons nichent en face dans l'île Eleanor. Sur les bords du lac Gull, on peut pique-niquer au pied des pins centenaires ou se baigner à l'ombre de leur feuillage. Le dimanche soir, en été, une barque diffuse au large de la musique douce.

7 Bracebridge

Située sur les rives de la rivière Muskoka, qui bondit d'une chute à l'autre pour aller se jeter dans le lac du même nom, Bracebridge (pop. 12 308) était

Îles-de-la-Baie-Georgienne

Au total 59 îles constituent ce parc national. Ce sont pour la plupart des monticules de granite disséminés entre les 30 000 îles qui se dressent près de la rive, à l'est de la baie Georgienne.

Il y a des milliards d'années, ces îles représentaient les sommets d'une chaîne de montagnes plus hautes que les Rocheuses. Arrondies par la fonte et la dérive des glaciers, elles revêtent les couleurs vives du quartz et du feldspath, et d'autres plus sombres de la biotite et de la hornblende. De gros rochers erratiques gisent çà et là, abandonnés dans son retrait par l'immense glacier qui recouvrait presque tout le Canada il y a 12 000 ans.

Le roc est lisse et plat. Mais les anfractuosités se sont remplies d'humus et il y pousse maintenant des buissons de genévriers et d'arctostaphyles, et des pins blancs, symboles du parc. Exposés aux vents dominants qui sont d'ouest, les pins s'inclinent tous vers l'est comme s'ils faisaient leur prière au soleil levant. Le paysage est fascinant et il n'est pas étonnant qu'il ait inspiré les membres du Groupe des Sept, et notamment A.Y. Jackson et Lawren Harris.

Les îles aux rives déchiquetées de la baie Georgienne ressemblent à un casse-tête.

Comme la plupart des îles de la baie Georgienne sont à un jet de pierre les unes des autres et de la terre ferme, plusieurs espèces d'animaux y circulent en toute liberté. En hiver, on voit fréquemment des hardes de cerfs traverser sur la glace pour aller brouter dans les cèdres.

Mais les habitants les plus fascinants du parc sont sans contredit les reptiles et les amphibiens. Plus de 33 espèces de grenouilles, de salamandres, de tortues, de crapauds, de serpents et de lézards ont été identifiées dans les îles ; à ce titre, c'est le parc national le plus riche du Canada. L'une des plus jolies tortues est la clemmyde à gouttelettes dont la carapace noire est maculée de jaune vif ou d'orange. Le parc est aussi l'un des derniers refuges de la couleuvre fauve et du crotale massasauga.

L'île Beausoleil porte certainement bien son nom puisqu'on y a recensé 29 espèces de serpents et d'amphibiens. C'est la plus grande île du parc ; elle est à quelques minutes de bateau de Honey Harbour. On y a découvert des traces d'occupation humaine qui remonteraient à 1 000 ans. Mais le fait le plus singulier dans cette île est la rencontre abrupte entre la forêt méridionale de feuillus et la forêt coniférienne septentrionale. La moitié sud de l'île est densément vêtue de hêtres et d'érables pendant que la moitié nord présente des affleurements nus de granite et des peuplements de pins blancs. C'est en bateau qu'on peut le mieux observer le phénomène.

RENSEIGNEMENTS PRATIQUES

Accès : *seulement par bateau. Appontements, bateaux à louer et bateaux-taxis se trouvent à Midland, Penetanguishene et Honey Harbour.*

Accueil : *Cedar Spring dans l'île Beausoleil. L'administration du parc se trouve à Honey Harbour.*

Installations : *15 campings, 13 dans l'île Beausoleil, soit 200 emplacements (sans réservation). Séjour limité à deux semaines ; mouillement ne pouvant dépasser 72 heures à chaque site. On peut s'ancrer pour la journée dans 9 sites.*

Activités estivales : *pêche, natation, plongée en apnée, pique-nique, randonnées pédestres.*

Activités hivernales : *camping, raquette, ski de randonnée, motoneige.*

appelée dès le départ à devenir un lieu de villégiature. En effet, la rivière et le lac se prêtent à merveille à la navigation de plaisance, à la pêche, à la baignade et au canotage. Le visiteur a la possibilité de faire une croisière agréable en été ou bien d'aller admirer le paysage d'un autre œil en visitant les galeries consacrées aux artistes qui ont puisé leur inspiration sur les lieux.

La villa Woodchester est l'un des centres d'intérêt les plus inusités de Bracebridge. Construite en 1882, elle fait partie d'une trentaine de maisons octogonales qui restent encore en Ontario. (Elles étaient, paraît-il, une centaine à l'époque.) Ce manoir de béton avait l'eau courante, le chauffage à air chaud et un système d'éclairage électrique, des commodités encore bien rares à la fin du XIXe siècle.

L'église presbytérienne de Bracebridge a été reconstituée sur son site original et transformée en galerie d'art.

8 Huntsville

La ville qui marque l'entrée du lac des Baies et du parc provincial Algonquin ne pouvait pas manquer d'être un centre de villégiature ; campeurs, chasseurs, pêcheurs et canoéistes y ont rendez-vous à la belle saison.

Mais Huntsville offre aussi d'autres intérêts, ceux-là d'ordre historique. À

Le lac des Baies et la région des Muskoka

Distance : 68 km

L'excursion d'une demi-journée autour du lac des Baies permet de découvrir les beautés de la région des Muskoka. L'excursion part de Huntsville.

• De la rue Main, prenez la rue King William puis la route 60. Faites 3 km vers l'est pour rejoindre, passé le lac Fairy, la route 23. Virez à droite et suivez Canal Road pendant 6 km jusqu'à North Portage Road. De 1903 à 1958, le chemin de fer le plus court du monde, le Portage Flyer, longeait cette route sur 2 km pour se rendre à South Portage.

• Prenez la route 9 jusqu'à South Portage. Sur la droite, vous croiserez la réserve naturelle de Westermain Woods, créée en 1979.

• En continuant vers le sud, vous longez la rive ouest du lac jusqu'à ce que la route 9 devienne la route 2 ; celle-ci vous amène à Baysville. Fondé à la fin du siècle dernier, le village conserve une petite touche européenne. Après en avoir fait le tour, traversez le pont et prenez à droite Heney Road qui mène à un barrage sur le bras nord de la rivière Muskoka ; l'endroit est idéal pour pique-niquer.

• Suivez la route 117 vers l'est en direction de Dorset. Surveillez un virage à gauche donnant accès à l'ancienne route 117 qui longe le lac. Vous apercevrez l'île Bigwin, nommée en l'honneur du chef indien Bigwin qui mourut en 1940 à l'âge vénérable de 101 ans.

• Prenez à gauche la route Glenmount jusqu'à la pointe Norway pour profiter d'un très beau point de vue sur le lac et sur ce qui reste de l'auberge Wigwin. Celle-ci fut très fréquentée dans les années 30 et 40. De la rive, on aperçoit le toit rouge de sa rotonde.

• Continuez sur la 117 jusqu'à Dorset puis sur la 35 jusqu'à Dwight. Avant d'arriver à Birkenhead, une route latérale mène à la baie de Ten Mile et à l'église Sea Breeze (1897).

• Poursuivez votre route jusqu'à Dwight où vous pourrez flâner dans le poste indien et les boutiques d'antiquités. Prenez à gauche la route de la plage si vous voulez faire un pique-nique.

• La route 60 ouest vous ramène à Huntsville en passant par les petits villages de Hillside et de Grassmere.

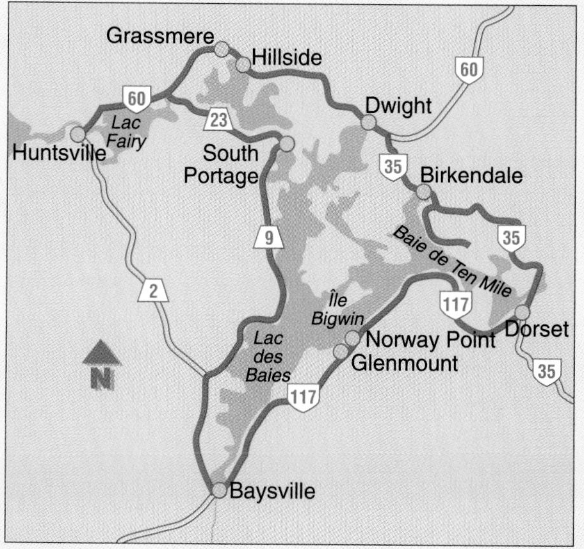

La brume du petit matin se lève sur le lac des Baies.

6 km au sud de la ville, par exemple, se trouve l'église Madill, construite de rondins. Au cours de l'année 1872-1873, un des premiers colons dans la région, un immigrant irlandais du nom de John Madill, fit don d'une petite part des terres qui lui avaient été concédées pour l'édification de l'église et du cimetière. Ses voisins, colons comme lui, l'aidèrent à abattre les arbres et à construire le temple. L'église Madill n'est pas l'unique église de rondins en Ontario, mais c'est certainement la mieux conservée. Elle est l'hôte, une fois par an, d'un rassemblement de l'Église unie du Canada.

Dans un joli boisé en plein cœur de Huntsville, sur Brunel Road, le Village des pionniers du district de Muskoka regroupe des maisons et des bâtiments qui datent tous de la période 1860-1910, ainsi qu'un musée où sont exposés des objets d'intérêt historique. Le village n'ouvre qu'en été, mais le musée reste ouvert toute l'année.

Près de Williamsport, à 11 km au nord-est de Huntsville, se trouve un jardin botanique qui couvre 4 ha au bord de la rivière East. Au centre du jardin se dresse un imposant monument de 13 m, élevé par un avocat américain, Clifton G. Dyer, à la mémoire de sa femme, Betsy.

Événements spéciaux

Jour du Marché, Muskoka Village (mi-août)

Un Noël victorien, Muskoka Village (début décembre)

Festival des fraises, Muskoka Village (début juillet)

9 Dorset

Un pont à une seule voie relie les deux quartiers du village de Dorset (pop. 500) qui se situe de part et d'autre de la baie de Trader, sur le bras oriental du lac des Baies. Sa fondation remonte à 1859 ; vers 1880, il avait commencé à prospérer grâce à la foresterie. Ce sont aujourd'hui les bateaux de plaisance qui assurent sa renommée. Si vous traversez le pont à pied, faites une pause pour les regarder arriver et jeter l'ancre là où autrefois mouillaient les bateaux à vapeur.

Ce joli restaurant près de la rivière invite les plaisanciers à faire escale à Dorset.

Vous aurez une vue spectaculaire du village et de ses environs du sommet de la tour d'observation de Dorset. Un peu au nord du village, des panneaux de signalisation vous indiquent le chemin de la tour sur la gauche. Vous trouverez à vous stationner 150 m plus loin, en haut de la colline.

La tour d'observation est une structure en acier de 30 m, construite à l'origine pour le garde forestier. Les plus hardis en gravviront les 118 marches, aidés d'une main courante. C'est de là qu'on peut le mieux admirer en automne le magnifique coloris des forêts qui tapissent les Hauteurs de Haliburton. Des tables à pique-nique agrémentent la halte près de la tour.

Au sud de Dorset, sur la route 35, se trouve le centre de ressources naturelles Leslie M. Frost (24 000 ha), au bord du lac St. Nora. Ce centre de formation en gestion des ressources naturelles présente un moulin modèle, des expositions, des expériences et des conférences sur la nature. Plus de 27 km de pistes attirent les amateurs de randonnée pédestre et de ski de fond et leur permettent d'explorer des paysages

Le village de Haliburton, sur le lac Head, est entouré d'une épaisse forêt.

typiques des Hauteurs de Haliburton. Le centre est ouvert toute l'année, du lundi au vendredi.

Événements spéciaux

Festival Dorset Snowball (février)

Feu d'artifice du 1er juillet

Course de canots Baysville-Dorset (août)

Marché de campagne (tous les dimanches en été)

10 Haliburton

Pour les amateurs de vie au grand air, Haliburton (pop. 1 800) est un pied-à-terre idéal. Entouré des hautes terres de Haliburton, le village, construit sur les rives du lac Head, est situé à l'orée d'une région de villégiature et de récréation où plus de 600 lacs se nichent dans une forêt dense.

En 1861, la société Canadian Land and Emigration se fixa la mission de coloniser l'endroit en faisant appel à des agriculteurs britanniques. Ce fut un échec. L'industrie du bois prit la relève et demeura le soutien économique de la région de 1870 à 1960. On peut revivre ce pan d'histoire en se rendant le mercredi matin à 10 heures, pendant l'été, au quai fédéral. C'est là qu'on se réunit pour une promenade, guidée par un résident de la ville, à travers les sites historiques.

La promenade commence à l'église anglicane St. George, érigée en 1922 sur l'emplacement de l'ancienne, qui datait de 1864. Au fil des ans, divers incendies ont détruit une grande partie des bâtiments historiques en bois du village ; parmi ceux qui restent, on note l'hôtel de ville Dysart, le magasin historique Bank et la Maison Lucas (1907) en brique jaune, la première du village à bénéficier de l'eau courante et de l'électricité.

La galerie Rail's End, qui expose des objets des premiers temps du village, a été logée dans la vieille gare. La Guilde des beaux-arts de Haliburton y a également élu domicile. Quant au centre touristique, il est installé dans une ancienne voiture de queue du CN.

Sur la rive nord du lac Head, le musée Haliburton Highlands expose divers objets qui retracent les étapes du développement de la ville. Dans les terrains du musée s'élèvent la Maison Reid, construite en 1870 et restaurée au tournant du siècle, ainsi qu'un atelier de maréchal-ferrant et une maison de rondins, qui faisait jadis partie d'une ferme appelée Rackety Ranch, sur la rivière Gull.

La voie ferrée de 17 km qui reliait autrefois Haliburton à Kinmount est de plus en plus fréquentée par les promeneurs, les cyclistes et les chevaux. On peut pique-niquer près de la chute Ritchie, à Lochlin.

La réserve forestière de Haliburton (20 235 ha), à 20 km au nord de West Guilford, est un domaine privé converti en parc modèle d'« autosuffisance ». On y pratique les méthodes traditionnelles de chasse et d'abattage, mais on y encourage aussi diverses activités récréatives : pêche, camping, randonnée et cyclisme de montagne.

Événements spéciaux

Jeux écossais du comté d'Haliburton (début juillet)

Fête du bon vieux temps, Wilberforce (mi-juillet)

Foire et exposition annuelle d'œuvres d'art (fin juillet-début août)

Carnaval Rotary de Haliburton (début août)

Festival sur l'herbe (début août)

Visite des studios du comté de Haliburton (début octobre)

11 Parc provincial Algonquin

Collines recouvertes d'érables, crêtes rocheuses, forêts de pins, tourbières de cèdres, des milliers de lacs et de cours d'eau : ainsi peut-on décrire le relief du parc provincial Algonquin (7 700 km^2). Fondé en 1893, il est le plus vieux parc provincial de l'Ontario. Le peintre Tom Thomson, qui mourut noyé dans un de ses lacs, le lac Canoe, en 1917, s'en est maintes fois inspiré dans son œuvre.

Le poste d'accueil, situé à 43 km de l'entrée ouest, se dresse sur une falaise rocheuse dominant la vallée du ruisseau Sunday. On y trouve un musée dont les 28 diaporamas décrivent les habitats du parc, ainsi que les étapes de sa fondation. Du poste d'accueil, on

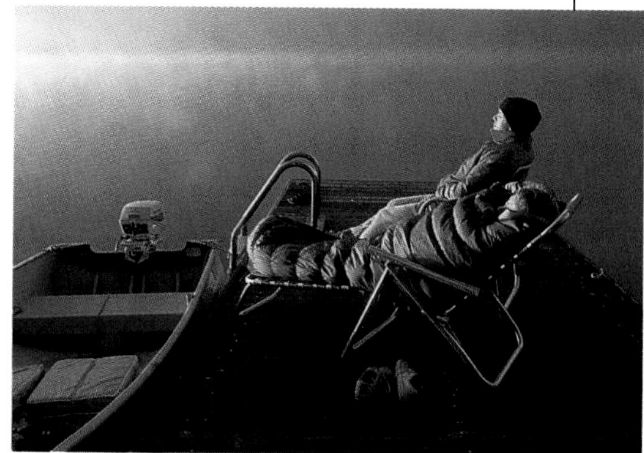

Des campeurs guettent le lever du soleil dans le parc provincial Algonquin.

aperçoit des forêts de feuillus et de conifères, ainsi que des tourbières peuplées de cèdres.

Un autre musée, le Logging Museum, ouvert uniquement en été, décrit les activités reliées à la foresterie. Situé près de l'entrée est, il présente un spectacle audiovisuel et des éléments d'exposition parmi lesquels on remarque un camp de bûcherons reconstitué, un remorqueur à vapeur pour les trains de bois, un barrage et une chute pour acheminer les rondins.

Pois de senteur sauvages, en Ontario

C'est en canot ou à pied qu'on est mieux à même d'apprécier les sauvages beautés du parc Algonquin. Les visiteurs ont à leur disposition 2 400 km de voies navigables ainsi que 16 sentiers d'interprétation. Plusieurs sentiers faciles sont accessibles à partir de la route 60 qui traverse le secteur sud du parc. Le sentier Beaver Pond (2 km) et le sentier Lookout (1,9 km) sont les plus populaires. Le sentier Mizzy Lake (11 km aller-retour) permet de voir de nombreux lacs et cours d'eau. Si l'on veut planter sa tente en forêt, les pistes Highland et Western Uplands offrent des ramifications allant de 19 à 71 km, toutes réservées aux excursionnistes aguerris.

Plus de 250 espèces d'animaux habitent le parc. On observe en particulier l'orignal, visible surtout le matin et le soir, le cerf de Virginie et l'ours noir.

Des guides sont à la disposition des visiteurs pour organiser des randonnées, des excursions en canot, des activités en soirée et des séances au musée pour les enfants. En août, une soirée appelée Wolf Howl remporte toujours un franc succès. Après une séance d'information sur les mœurs des loups, les visiteurs sont amenés en un endroit du parc où ils s'efforcent d'imiter le hurlement du loup. Celui-ci, parfois, daigne y répondre.

En hiver, le parc offre 80 km de pistes de ski de fond et de nombreux sentiers de raquette. Le camping est autorisé.

Événements spéciaux
Ski Loppet (février)
Appel du loup/Wolf Howl (août)

12 Bancroft

Le village de Bancroft (pop. 2 500) est situé dans une région où les phénomènes géologiques ont concentré plus de 300 espèces de pierres semi-précieuses et autres minerais, comme la sodalite bleue, la magnétite et la biotite. En août, la municipalité célèbre ses richesses naturelles au cours d'un festival de quatre jours, l'International Rockhound Gemboree.

Améthyste brute, à Bancroft

Les nombreuses mines à l'abandon, qui sont le vestige d'une industrie du passé, attirent les amateurs de gemmologie et les collectionneurs de pierres.

Bancroft fut fondé par des bûcherons vers 1860 sur les rives de la rivière York et s'appela d'abord York River. Mais quand tous les arbres furent coupés, les bûcherons s'en allèrent.

Le chemin de fer, lui aussi, est venu et reparti. Dans la gare abandonnée logent aujourd'hui le centre touristique,

Au Gemboree *de Bancroft, les amateurs de pierres semi-précieuses en ont plein les yeux.*

Armé de crampons, un alpiniste s'accroche à la paroi nue et verticale du Eagle's Nest, près de Bancroft.

la galerie d'art et le Musée minéralogique de Bancroft où l'on peut admirer plus de 500 spécimens de minerais et de gemmes.

Le Musée historique de Bancroft est logé au parc York River, dans une maison de rondins datant du milieu du siècle dernier. On y a réuni une collection d'objets du temps des pionniers et des pièces d'équipement ayant servi aux travaux de foresterie.

À 2 km au nord de la ville, sur la route 62, se trouve le belvédère Eagle's Nest, juché sur une éminence de 152 m. Une aire à pique-nique aménagée sur les lieux domine la vallée de la rivière York ; le spectacle y est fabuleux, surtout en automne. Les intrépides s'y rendent en escaladant la face lisse de la falaise avec des cordes et des crampons. Les autres prennent la route. L'endroit est propice à la cueillette de minerais de toutes sortes et à celle des bleuets en saison.

Dans la même direction, on accède au lac Baptiste, qui est l'hôte d'une course annuelle de canots, tandis qu'il faut aller au sud pour trouver le lac Paudash ; ces deux lacs sont des endroits favoris des pêcheurs et de tous les amateurs de sports nautiques.

En hiver, un vaste réseau de pistes de motoneige quadrille le village de Bancroft. Le Mineral Capital Luge Club offre une piste à luge de 750 m. On peut faire du ski de fond sur des sentiers bien entretenus près du lac Silent, et du ski alpin au centre de ski de Madawaska.

Événements spéciaux

Carnaval Frosty Frolics (février)

Courses de chiens de traîneau de Bancroft (mi-février)

Salon de l'habitation et des loisirs des Kinsmen (début juin)

Couse de canots Baptiste-Bancroft (juin)

Fête dans le parc (juillet)

Festival des métiers d'art (fin juillet)

Foire artisanale d'été (fin juillet)

Rockhound Gemboree (premier week-end d'août)

Foire de Coe Hill (week-end précédant la fête du Travail)

Maynooth Madness (fête du Travail)

13 Eganville

Le village tranquille d'Eganville (pop. 1 300) loge au creux de la vallée de la Bonnechère. Dans cette petite localité aux rues ombragées, le seul vacarme qui se fasse entendre est celui de la rivière Bonnechère. Ce vocable festif est celui d'un cours d'eau impétueux qui traverse la ville en rugissant et s'abîme dans la cinquième chute.

Cette chute amena John Egan à s'établir ici en 1837. Il y construisit une scierie qui attira sur les lieux les bûcherons irlandais. Les protestants parmi eux allèrent s'installer dans les collines au nord de la rivière, tandis que les catholiques s'aggloméraient au sud. Durant plus d'un siècle, la ville continua de tirer sa prospérité de la forêt.

Aujourd'hui, Eganville est surtout connue pour les grottes de la Bonnechère à 8 km au sud de la localité. Elles ont été formées par le travail patient de l'eau dans la couche calcaire du sol. Aujourd'hui, certaines de ces salles ont des centaines de mètres de profondeur. On y accède par un escalier en bois.

Des guides interprètent les formations géologiques visibles dans les grottes. Des stalactites pendent du plafond comme des glaçons géants, des stalagmites surgissent du sol et des plaques de travertin, formées par le calcaire déposé au fil des siècles par de minces nappes d'eau, couvrent les murs et le sol. Les guides signalent aussi la présence de fossiles marins datant de plus de 500 millions d'années, bien avant l'époque des dinosaures, du temps où les galeries de calcaire formaient le lit d'un vaste océan tropical.

On visite les grottes sans pour autant cesser d'entendre les rugissements de la Bonnechère. Car même dans ce monde souterrain, un bras de la rivière s'est tracé une voie au cœur des salles les plus profondes.

À Eganville, les bâtiments en pierre victoriens se mirent dans les eaux de la rivière Bonnechère.

ÉCHOS DU PASSÉ SUR LA ROUTE DE L'OPEONGO

La route connue sous le nom de *Opeongo Line* traverse une région agricole qui s'étend de la rivière des Outaouais jusqu'à Renfrew et à Dacre. Au-delà de Dacre, la route grimpe à pic et les points de vue sont splendides. Le mot *opeongo* vient de l'algonquin et signifie « détroit peu profond ». *Opeongo Line* désignait autrefois un vaste programme de colonisation conçu par le gouvernement ontarien de l'époque, le Canada West. Il offrait gratuitement des terres aux colons âgés d'au moins 18 ans à la condition qu'ils se construisent une maison et défrichent au moins 12 acres en quatre ans.

Les annonces promettaient une bonne terre arable, épaisse et sablonneuse. Les colons irlandais et écossais qui répondirent à l'appel la trouvèrent au contraire mince et rocailleuse, mais ils s'en contentèrent. Quelque 200 familles étaient établies dans la région quand la route s'ouvrit en 1858. Des Allemands et des Polonais vinrent bientôt les rejoindre : Wilno, le premier établissement polonais, date de 1864.

L'agriculture ne faisant pas vivre son homme, les colons se firent bûcherons en hiver. À partir de 1860, les industries forestières écumèrent la région à leur profit, raflant le beau et riche peuplement de pins blancs. Des attelages de chevaux tiraient d'énormes chargements de bois ; c'était à qui aurait le plus gros. Aux points de halte se multipliaient les ateliers de maréchaux-ferrants et les auberges où les bûcherons allaient boire, chanter et raconter de grasses plaisanteries. Certaines de ces haltes devinrent, comme Barry's Bay et Dacre, d'importantes localités.

En 1893, avec l'ouverture du chemin de fer entre Ottawa et Parry Sound, les magnats du bois se détournèrent de l'Opeongo, ayant d'ailleurs coupé tout le bois qu'il y avait à prendre. Aujourd'hui, l'Opeongo est une route charmante ponctuée de villages pittoresques et de fermes tranquilles.

On ne se lasse pas de contempler les flots turbulents de la rivière Bonnechère, près de Renfrew.

14 Renfrew

La rivière Bonnechère dégringole une série de chutes avant de se perdre dans la rivière des Outaouais. Près de la deuxième chute se fonda un village auquel des immigrants écossais donnèrent le nom de Renfrew, en souvenir de la demeure de leurs rois, les Stuart. Ils étaient venus ici attirés par le gouvernement canadien qui recrutait des fermiers pour coloniser la région.

Aujourd'hui Renfrew (pop. 8 300) est une ville industrielle moderne. Pour découvrir son passé agricole et artisanal, il faut aller au parc O'Brien, visiter le musée McDougall Mill. Celui-ci, logé dans un joli moulin en pierre de trois étages érigé en 1855, expose une collection de vêtements de pionniers, d'uniformes militaires, d'objets et d'outils provenant des fermes de la vallée des Outaouais au siècle dernier. Le vieux pont tournant, tout près du musée, ajoute une note pittoresque au paysage.

Au village fictif de Storyland, sur la route 17, à 13 km au nord de Renfrew, plus de 200 personnages de contes de fée ont été campés dans un décor sylvestre. Du haut de l'observatoire Champlain (122 m) situé dans le parc, on a une vue magnifique sur la vallée des Outaouais.

Événements spéciaux

Festival des barons du bois (fin juillet)

Foire d'automne de Renfrew (début septembre)

La route de l'Opeongo

Distance : 163 km

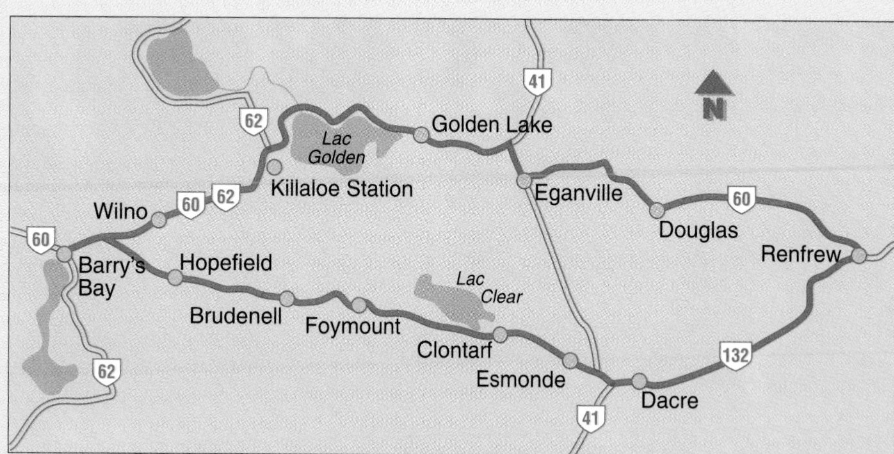

Au départ de Renfrew, prenez la route 132 et roulez 27 km vers le sud-ouest ; après avoir traversé Ferguslea et Shamrock, vous arrivez à Dacre. Une visite au centre d'exposition et de vente Two Island Marble vous fera voir la roche dolomitique qu'on exploite localement.

• Quelque 3 km après Dacre, la route 132 croise la route 41. À 1 km au sud de la jonction se trouve la côte magnétique : victimes d'une illusion d'optique, les automobilistes ont l'impression de remonter une pente au point mort. Revenez en sens inverse sur la 41 et, 250 m plus loin, vous verrez les indications pour la route de l'Opeongo.

• Prenez la gauche et préparez-vous à des montées abruptes car vous allez passer par les monts Black Donald avant d'atteindre, au bout de 25 km, Foymount.

• Le parc Opeongo Line est idéal pour un pique-nique ; un peu en amont, sur la droite, se trouve une source. Plus loin, l'église catholique St. Joseph on the Opeongo marque l'entrée d'Esmonde, autrefois appelé Curry Settlement en l'honneur de l'Irlandais Thomas Curry.

Clou de cette excursion, les grottes de la Bonnechère, près d'Eganville.

• La route fait le tour de la crête et suit la faille du mont St. Patrick. L'église anglicane vert et blanc de St. Clement annonce le village de Clontarf. Au-delà se trouve la fabrique Opeongo Maple Products où l'on peut goûter des produits de l'érable tout en examinant des objets indiens et des outils de pionniers.

• La route traverse une région de fermes prospères balisée par des clôtures à lattes et des chapelets de bâtiments. Après le temple luthérien St. John (1850), la route grimpe à l'assaut de la colline de Plaunt. C'est ici que Xavier Plaunt, sentant venir le commerce du bois, construisit un hôtel pour loger tous ceux que l'odeur de l'argent allait attirer dans la région. L'hôtel appartient maintenant à un particulier.

• Avant d'entrer dans Foymont, faites un bref détour sur la gauche pour gravir une éminence de 1 650 m qui domine la vallée de la Bonnechère : la vue y est spectaculaire. À l'ouest se trouve le lac Round, devant, le lac Golden et à droite, le lac Clear.

• Poursuivez jusqu'à Brudenell. De cette localité jadis animée, il ne reste que l'hôtel Costello, un bâtiment de bois avec une véranda finement ouvragée, l'église Our Lady of the Angels (1870) et son cimetière qui remonte à 1815.

• Après Hopefield, vous suivez un chemin de terre qui contourne des collines de granite sillonnées de ravins. À la route 60/62, prenez la gauche vers Barry's Bay. En face de la gare (1900), l'hôtel Balmoral était autrefois fréquenté par les magnats du bois.

• Faites demi-tour sur la 60/62 pour rejoindre, 10 km plus loin, Wilno, site du premier établissement polonais (1864). À la taverne Wilno, jadis un hôtel, l'accueil est toujours chaleureux et la cuisine polonaise, réconfortante. Faites une visite à la galerie d'artisanat. Les deux flèches qui dominent le paysage sont celles de l'église St. Mary (1936), dédiée en 1937 à Notre-Dame, Reine de Pologne.

• Allez jusqu'à Killaloe Station. Dans les années 70, Killaloe, avec son joli décor champêtre, attira beaucoup de ceux qui optaient pour le retour à la terre. Il reste encore plusieurs communes datant de cette époque. À Old Killaloe, on aperçoit les ruines d'un moulin du siècle dernier sur les rives du ruisseau Brennan.

Un éclairage révèle l'intérieur féeerique des grottes de la Bonnechère.

• Le musée de la réserve algonquine, au lac Golden, explique la construction d'un canot d'écorce.

• Poursuivez jusqu'à Eganville, localité construite sur la cinquième chute de la rivière Bonnechère. À 8 km au sud-est d'Eganville, il faut absolument visiter les grottes de la Bonnechère.

• Un trajet de 29 km sur la route 60 vous ramène à Renfrew.

ENVIRONS DE TORONTO

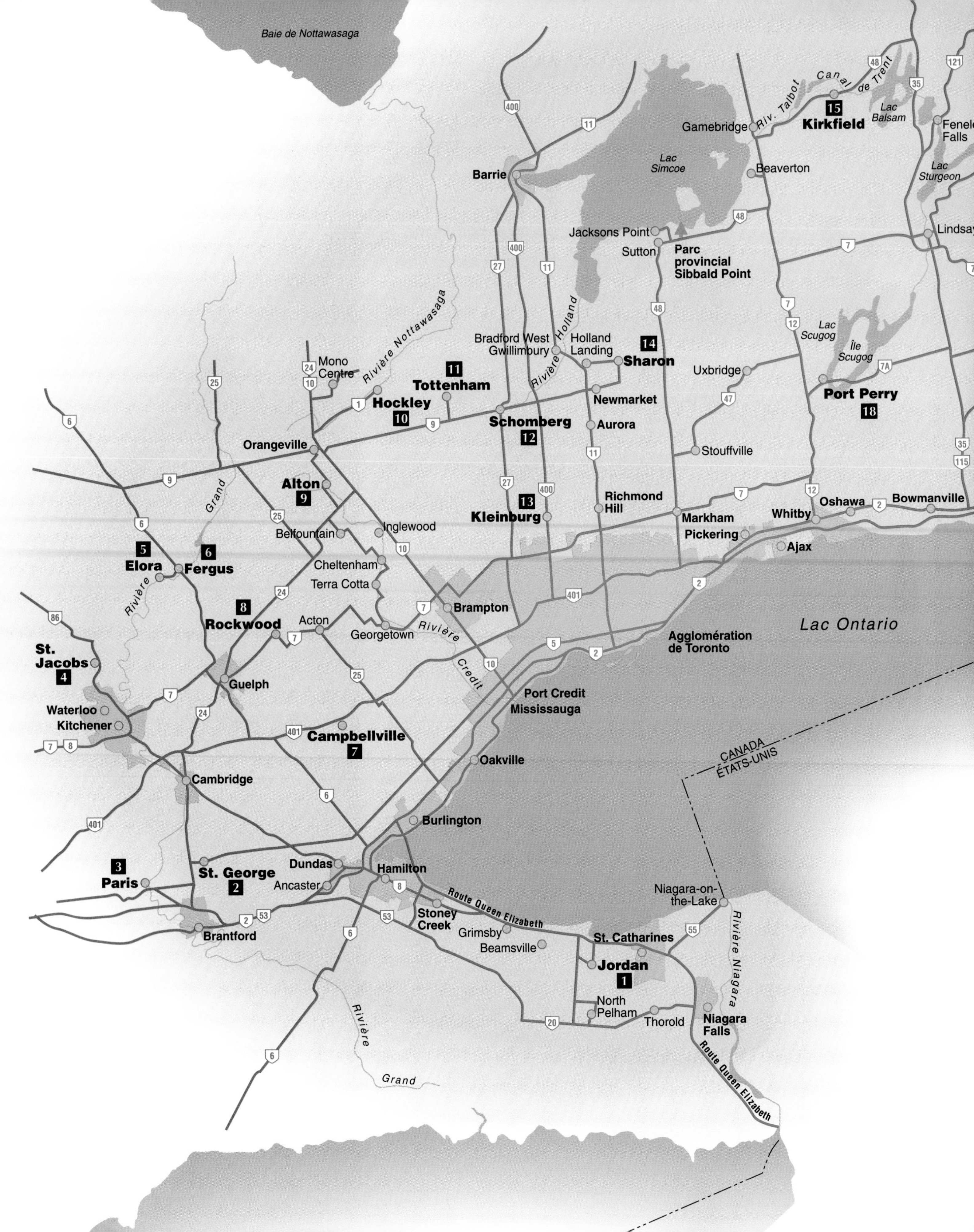
Baie de Nottawasaga
Lac Simcoe
Canal de Trent
Riv. Talbot
15 Kirkfield
Gamebridge
Lac Balsam
Fenelon Falls
Barrie
Beaverton
Lac Sturgeon
Jacksons Point
Sutton
Parc provincial Sibbald Point
Lindsay
Rivière Nottawasaga
Rivière Holland
Bradford West Gwillimbury
Holland Landing
14 Sharon
Lac Scugog
Île Scugog
Uxbridge
Mono Centre
11 Tottenham
Hockley 10
Newmarket
Port Perry 18
Schomberg 12
Aurora
Orangeville
Stouffville
Alton 9
Grand
13 Kleinburg
Richmond Hill
Oshawa
Bowmanville
Whitby
Markham
Pickering
Ajax
Inglewood
Belfountain
5 Elora
6 Fergus
Cheltenham
Terra Cotta
Rivière
8 Rockwood
Acton
Georgetown
Rivière Credit
Brampton
Lac Ontario
St. Jacobs 4
Agglomération de Toronto
Guelph
Port Credit
Mississauga
Waterloo
Kitchener
Campbellville 7
Cambridge
Oakville
CANADA
ÉTATS-UNIS
Burlington
3 Paris
St. George 2
Dundas
Hamilton
Ancaster
Niagara-on-the-Lake
Route Queen Elizabeth
Stoney Creek
Grimsby
Brantford
Beamsville
St. Catharines
Jordan 1
Rivière Niagara
North Pelham
Thorold
Niagara Falls
Rivière Grand

12

Environs de Toronto

Sites
Jordan
St. George
Paris
St. Jacobs
Elora
Fergus
Campbellville
Rockwood
Alton
Hockley
Tottenham
Schomberg
Kleinburg
La ferme de Puck
Sharon
Kirkfield
Bobcaygeon
Les roches parlantes
Parc provincial Petroglyphs
Port Perry
Port Hope
Tyrone Mill
Keene
Brighton
Parc provincial Serpent Mounds

Circuits automobiles
Péninsule du Niagara
Vallée de la rivière Credit
La campagne au nord de Toronto

Pages précédentes:
Vignoble Vineland Estates, près de Vineland, dans la péninsule du Niagara

La chute Ball qui a donné son nom à la réserve de Balls Falls.

1 Jordan

Vers la fin du XVIIIe siècle, un grand nombre de terres dans la péninsule du Niagara furent défrichées par des loyalistes. Il arriva souvent à ceux-ci de nommer leurs concessions d'après le nombre de milles les éloignant de la frontière qu'ils étaient fiers d'avoir franchie. La concession où fut fondé plus tard le village de Jordan (pop. 400) s'appelait The Twenty, pour les 20 milles de distance qui la séparaient des États-Unis.

Le ruisseau Twenty-Mile traverse le village. Le musée local se nomme Jordan Historical Museum of the Twenty. Ce musée réunit dans son enceinte la Maison Jacob Fry (1815), qui se rattache au style Pennsylvania Dutch, une école en pierre de 1859, un temple mennonite et un cimetière où des stèles identifient les tombes des premiers colons mennonites. La collection du musée comporte entre autres choses un objet rare : un pressoir à fruits de 9 m de longueur du début du XIXe siècle, fabriqué par la famille Fry. Le musée offre le thé tous les mardis après-midi.

À proximité, dans la rue principale, se dresse un vieil établissement vinicole rose et gris qui abrite maintenant un antiquaire et un producteur, Cave Spring Cellars, renommé pour l'excellence de ses vins. Dans le même bâtiment aux allures de forteresse se trouvent le restaurant On the Twenty et la boutique du musée de Jordan où l'on peut se procurer des étains, des bijoux, des jouets anciens, des vêtements d'enfant, ainsi que des confitures et des gelées faites maison.

À la jonction de la rue principale, de la route 81 et de la 19e rue, la maison de brique rouge, qui date des environs de 1850, était autrefois une forge ; c'est maintenant une boutique de lampes anciennes. La diligence qui faisait la navette entre St. Catharines et Toronto avait coutume de s'arrêter ici pour que le cocher remplace ses chevaux.

À faible distance de Jordan, la zone de conservation et le parc historique Balls Falls se situent sur l'emplacement d'un hameau industriel du XIXe siècle ; on y voit encore un moulin à farine, un chaufour et un hangar où l'on faisait sécher les fruits.

Le village est réputé depuis toujours pour la qualité de son artisanat. Les collectionneurs d'antiquités rechercheront en particulier les meubles Grobb, les couvre-lits tissés par la famille Fry et les céramiques d'argile rouge locale signées Orth and Moyer.

Événements spéciaux

Journée victorienne
(Victorian At Home Day)
(août)

Jour des pionniers (octobre)

Festival de l'Action de grâces de Balls Falls
(mi-octobre)

Péninsule du Niagara

Distance : 104 km

Fruits de Vineland

Au pied de l'escarpement du Niagara, la route entre Grimsby et Vineland est bordée de vergers et de vignobles. Chemin faisant, on croise d'autres routes qui mènent, 200 m plus haut, vers une région renommée pour ses fruits : c'est la « ceinture du Niagara ».

- Grimsby (pop. 16 996) est le point de départ de l'excursion. Il ne faut pas manquer de visiter le musée local, au croisement de la route 8 et des rues Elm et Murray. Son élégant portail était jadis celui de la taverne Marlatt, une auberge en vogue au milieu du siècle dernier. Le joyau du musée est une chaise Windsor ayant appartenu au colonel Robert Nelles, colon loyaliste de la région.
- En quittant le musée, faites un coin de rue sur la rue Elm avant de tourner à droite sur Mountain Road. Au bout de 3 km, engagez-vous sur Quarry Road et suivez les indications pour vous rendre à la zone de conservation Beamer Memorial au sommet de l'escarpement du Niagara. C'est un excellent endroit pour observer, en automne, le passage des buses et des éperviers.
- De retour à Grimsby, prenez la 81 vers l'est en direction de Vineland. Chemin faisant vous admirerez des vergers de pêches, de pommes, de cerises et de poires ; des panneaux encouragent les clients à faire leur propre cueillette.
- Quelque 9 km plus loin, juste après Beamsville, vous aurez à votre droite le chemin qui mène à la zone de conservation Cave Springs. Vous pouvez y explorer une grotte si fraîche qu'il s'y forme de la glace même en été.
- Revenez sur la 81 et roulez encore 5 km avant de prendre à droite l'avenue Cherry (direction sud) pour visiter

Lakeview Cellars, un des producteurs de vins de la région.
• Restez sur l'avenue Cherry. Avant d'entrer dans Vineland, prenez Moyer Road à gauche pour visiter un autre producteur, Vineland Estates Winery.
• De retour sur Cherry, continuez jusqu'au sommet de l'escarpement où vous croiserez Fly Road (route régionale 73). Au printemps, il faut s'arrêter à Sugar Bush pour se régaler de crêpes au sirop d'érable frais. De la route 73, virez à gauche sur la route régionale 24.
• Un kilomètre plus loin, tournez à gauche sur la 6e avenue pour vous rendre à la zone de conservation Balls Falls. Promenez-vous à pied jusqu'à la chute. Face au parc, faites la visite guidée d'un ensemble de bâtiments historiques comprenant un moulin de 1809, une belle grange patinée par le temps et une église de 130 ans où se célèbrent encore des mariages.

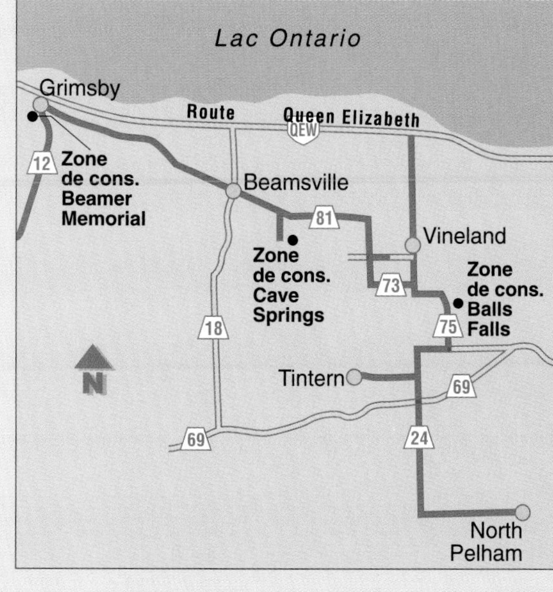

• Prenez la droite en sortant du parc, tournez à droite au croisement en T et de nouveau à droite sur la route régionale 75. Faites un virage à gauche sur la route régionale 24, et un autre à droite sur Spring Creek Road pour visiter le petit hameau de Tintern et son Tintern Not So General Store qui vend des vêtements et des accessoires décorés à la main.
• La route 24 vous mènera ensuite à la ferme d'Uncle Porky dont les saucisses sont un régal ; vous pouvez, selon la saison, y faire une promenade en charrette ou en traîneau tirés par des chevaux.
• Quelques kilomètres plus au sud, prenez sur la gauche Metler Road qui va au petit village de North Pelham. Sur la gauche, vous apercevrez la ferme avicole Little Lake où les propriétaires collectionnent les animaux exotiques et se font un plaisir de les montrer aux visiteurs.
• Plus loin, à droite, un panneau signale, au milieu d'un champ, un érable à sucre considéré comme le plus vieux du Canada. Âgé, croit-on, de 400 ans, il porte le nom de la famille Comfort. Une légende veut que si vous faites un vœu en étreignant l'arbre, qui mesure 27 m de hauteur et 26 m de circonférence, il se réalisera.
• À peine 4 km plus loin, à la ferme piscicole Short Hills, vous pouvez pêcher et faire cuire vos truites sur les lieux, ou les acheter et demander qu'on vous les apprête. Revenez à Vineland par la 24 pour rentrer par l'autoroute Queen Elizabeth.

La péninsule du Niagara est renommée avant tout pour ses vignobles.

2 St. George

De majestueuses demeures, des élevages de chevaux pur sang et de gigantesques fermes laitières composent les environs de St. George (pop. 1 000). La petite ville était autrefois essentiellement rurale. Aujourd'hui, les maisons victoriennes de sa rue principale sont occupées par des boutiques et des magasins d'antiquités.

Au centre de St. George, un joli bâtiment entouré de plates-bandes de roses et de pelouses ombragées, baptisé 1888 South Dumfries Township Hall, présente des concerts en été dans son petit kiosque victorien. Les amateurs de fleurs ne manqueront pas de visiter le jardin de lis Joseph Smith, l'un des plus grands de l'Ontario, où ils remarqueront quelques espèces de lis rares.

Cosmos rouges et roses, à St. George

La belle rivière Grand poursuit sa course sinueuse à l'ouest de la localité. Le long de ses rives, des sentiers empruntent l'ex-voie de chemin de fer et traversent des marécages et un rare boisé carolinien. On y trouve un peuplement mixte de chênes, de caryers, de réglisses sauvages, de platanes d'Occident et d'apocyn. Les basses terres à l'extrémité ouest de la forêt sont un secret bien gardé entre ornithophiles. Avec de bonnes jumelles, on peut y observer des espèces rares comme le moucherolle vert et la paruline hoche-queue.

Au nord de St. George, la route Howell est bordée de vergers qui approvisionnent le sud-ouest de l'Ontario. En automne, les vergers Farrow, Howell's et Orchard Home accueillent les visiteurs et les renseignent sur la culture de la pomme et la fabrication du cidre.

Sur Blue Lake Road, à l'ouest de la route 24, se dresse la maison d'enfance

Un flâneur admire les trésors d'un antiquaire de St. George.

restaurée d'Adelaide Hunter-Hoodless (1857-1910) qui fonda, en 1897, l'Institut des femmes. Ce regroupement de femmes d'agriculteurs, qui se répandit bientôt à travers le Canada, fit inscrire l'économie domestique dans les programmes scolaires de l'Ontario. À l'intérieur de la charmante petite maison blanche, on peut voir de vieux ustensiles de cuisine comme une cuiller taillée dans une corne de vache, des vêtements anciens et des antiquités.

Événements spéciaux

Festival des lis de St. George (début juillet)

Foire d'antiquités de St. George (week-end de la fête du Travail)

Récolte des pommes (fin septembre)

3 Paris

Au début du siècle dernier, un industriel américain du nom de Hiram Capron fonda une ville près de sa mine de gypse, dans la vallée de la rivière Grand. Il lui donna le nom de Paris, inspiré par le nom du plâtre de paris qui se fabrique à base de gypse.

Paris (pop. 7 907) se distingue par ses édifices à façade en cailloux. Ils sont l'œuvre du constructeur Levi Boughton, originaire de Rochester (New York), qui vint à Paris vers 1830. Ce même style se retrouve d'ailleurs dans l'État de New York. La technique en question remonterait aux Romains. On passe au crible des cailloux ronds — il y en a beaucoup autour de la ville — pour qu'ils soient sensiblement de même forme et de même taille. On les dresse ensuite par rangs superposés dans un lit de mortier de façon à donner à la façade l'allure d'un tricot.

À Paris, on trouve dans ce style 12 maisons, deux églises et plusieurs murs intégrés à des bâtiments plus modernes. L'un des plus beaux exemples en est sans doute l'église de Paris Plains (1845). On peut la repérer, de même que la maison de Levi Boughton, en suivant le circuit autoguidé à travers la ville.

C'est au magasin Robert White's Boot and Shoe Store qu'Alexander Graham Bell reçut son premier appel interurbain. L'appel venait de chez lui à Brantford, à 12 km de Paris. Une plaque dans cette ville marque le site de sa résidence au 94, Tutela Heights Road.

4 St. Jacobs

Le « village des nombreux Jacobs », ou Jakobstettel, fut fondé il y a plus d'un siècle par les mennonites. Cette communauté protestante, établie en Europe au XVIe siècle, se répandit un peu partout en Europe et en Amérique pour échapper aux persécutions.

St. Jacobs (pop. 1 300) est restée fidèle à ses traditions ancestrales. Aujourd'hui encore, on peut voir des représentants du « Vieil Ordre » — les plus conservateurs des mennonites — se promener placidement dans des carrioles tirées par des chevaux. Ils sont habillés de vêtements sombres dont la coupe remonte au siècle dernier ; les hommes et les garçons se coiffent de chapeaux noirs à large bord ; les femmes et les petites filles portent de longues jupes, des corsages montants, des bottes et des bonnets noirs. Ils refusent la cigarette, l'alcool, l'automobile, le téléphone, l'électricité et la télévision. Seules concessions au progrès, des lunettes de soleil et le triangle fluorescent orange qu'ils installent derrière leur carriole pour signaler aux automobilistes la présence d'un véhicule lent. Quand on aperçoit une ferme nantie d'un moulin à vent plutôt que de fils électriques, on est à coup sûr devant une famille du Vieil Ordre mennonite.

Les fermiers de cette confession vendent différents produits, comme de la saucisse et du sirop d'érable, dans l'entrée de leur maison, mais jamais le dimanche. Le marché de St. Jacobs se tient les jeudis et samedis toute l'année, en plus des mardis de juin à août. On y vend des produits de la ferme, des articles d'artisanat et des meubles fabriqués à la main.

Pour en savoir davantage sur les mennonites, il faut visiter The Meetingplace (33, rue King). Fait étonnant, il s'agit d'un musée multimédia moderne. Un documentaire de 30 minutes, *Mennonites of Ontario*, donne un bon compte rendu de leur histoire. On

Des silos se dressent comme des sentinelles près de St. Jacob, capitale des mennonites.

y apprend aussi ce qui distingue les divers sous-groupes entre lesquels se répartissent les 25 000 mennonites de l'Ontario, dont bien peu appartiennent au Vieil Ordre. On y voit aussi une réplique d'un temple mennonite et une grotte où les mennonites d'Europe se rassemblaient pour célébrer le culte.

Autre attraction de St. Jacobs : le Musée ontarien du sirop d'érable, situé dans une fabrique rénovée, sur Spring Street South. L'exposition comprend un vaste assortiment d'objets reliés à la fabrication du sirop d'érable ; il y a des démonstrations et divers produits de l'érable sont en vente.

Dans plusieurs boutiques du village, on peut se procurer de la céramique, du verre soufflé et des tissages. On peut également visiter la maréchalerie qui sert encore ici des clients.

Événements spéciaux

Foire des arts artisanaux (fin août)

5 Elora

Creusée dans le calcaire par les rivières Irvine et Grand, une gorge spectaculaire de 30 m de profondeur constitue la marque d'Elora. C'est un officier britannique à la retraite qui fonda la ville en 1832 et qui lui donna le nom des grottes d'Ellora, en Inde, qu'avait visitées son frère, capitaine au long cours. Le passé d'Elora (pop. 3 200) est encore visible dans les belles façades de pierre de la rue Mill, son artère principale.

Chat en trompe-l'œil, à Elora

À l'extrémité est de la gorge d'Elora, un îlot rocheux baptisé Tooth of Time (la dent du temps) se dresse, imperturbable, au milieu de la rivière Grand qui se déchaîne alentour. Les habitants de la ville tiennent beaucoup à ce rocher. Mais en 1903, les autorités municipales avaient envisagé de le faire sauter parce qu'il provoquait des embâcles et des inondations. Au lieu de quoi, les autorités actuelles en ont fait consolider la base avec du béton pour le protéger contre l'érosion. À l'hôtel Elora Mill Inn, aménagé dans un moulin de 1838, on en a une vue magnifique ; on y entend aussi le grondement constant de la chute en amont.

De multiples décorations enjolivent la façade d'une maison d'Elora.

Dans la zone de conservation à l'ouest de la ville, on peut pique-niquer, camper, se baigner, faire des randonnées pédestres et pratiquer le kayak en eau rapide. À l'est, sur la route 18, on se baigne dans une ancienne carrière, Elora Quarry, bordée de plages de sable et encerclée par de hautes falaises créées dans le calcaire par les travaux d'extraction.

Durant la saison de la truite (du troisième samedi d'avril à la fin de septembre), les pêcheurs viennent d'aussi loin que la Grande-Bretagne faire du lancer léger dans un segment de la rivière Grand réglementé à cette fin. Les hameçons à ardillon et les leurres vivants sont interdits.

En été, pendant deux semaines, la dernière de juillet et la première d'août, se déroule à Elora un festival de musique classique. Le clou de ce festival est un chœur dont le répertoire s'étend de la période baroque à aujourd'hui. Des concerts ont lieu à ciel ouvert dans la carrière ; les musiciens s'exécutent sur un radeau, au milieu de la pièce d'eau, tandis que l'auditoire s'installe dans les falaises de calcaire.

Événements spéciaux

I Love Country Show and Sale (début mai)

Gala des artistes d'Elora (fin juillet)

Le Festival d'Elora (fin juillet et début août)

Tournée des studios d'art (fin juillet et début août)

Foire annuelle de fleurs et de légumes (fin août)

Foire d'antiquités d'Elora (mi-septembre)

Des arbres s'accrochent aux parois nues de la spectaculaire gorge d'Elora et la parent d'une dentelle de verdure.

6 Fergus

Des bâtiments en calcaire datant du siècle dernier proclament l'héritage écossais de Fergus (pop. 6 757), petite ville située sur les bords de la rivière Grand. C'est un immigrant écossais, Adam Fergusson, qui la fonda vers 1830 et lui donna la moitié de son nom.

La rivière, en fournissant de l'énergie et un moyen de transport, donna naissance à un moulin et à une tannerie. Ces deux magnifiques édifices en calcaire, quoique vides, se dressent toujours au bord de l'eau, dans le nord de la ville, et rappellent les industries qui ont exploité la rivière et assuré la prospérité de Fergus. Plus de 200 bâtiments de la ville, dont la demeure de Fergusson, la fonderie Beatty et l'église presbytérienne St. Andrew, sont construits du même matériau.

La fabrique des frères Beatty bourdonne d'activité toutes les fins de semaine grâce à un marché où habitants et visiteurs viennent acheter des produits frais et des pièces d'artisanat.

On vient beaucoup à Fergus pour ses jeux écossais. Chaque année en août, des participants venus d'Écosse et de partout en Amérique du Nord prennent part à des concours de danse, de cornemuse et de lancer du mélèze.

En été, les amateurs de canot sportif descendent la rivière Grand et sautent ses rapides. Les visiteurs moins aventureux parcourent les jardins Templin, le long de la rivière, ou flânent dans les boutiques de la ville.

Entre Fergus et Elora, un autre bâtiment de calcaire abrite le Musée du comté de Wellington. C'était, au moment de sa construction en 1877, un refuge pour les pauvres. Pour illustrer l'histoire des pionniers de la région, on y a reconstitué des devantures de magasins et des pièces de maison où sont exposés des vêtements, des objets quotidiens, des outils de ferme et des photographies de notables.

Événements spéciaux
Marché de Fergus (samedis et dimanches)
Jeux écossais (mi-août)

7 Campbellville

À l'ombre de ses grands arbres, le village de Campbellville (pop. 741) fait le bonheur des amateurs d'antiquités et de beaux paysages. Dans le pittoresque ensemble de boutiques en brique ou à déclin des XIXe et XXe siècles qui bordent la rue principale, il se vend de tout : des antiquités, du verre coloré, des meubles faits main. La campagne environnante recèle plusieurs zones de conservation qui regorgent de points de vue admirables et de sentiers de randonnée.

Le décor impressionnant vient en grande partie de l'escarpement du Niagara, une crête massive riche en roches sédimentaires et en fossiles, qui s'étire sur 450 km entre Niagara et Tobermory et atteint une hauteur de 500 m.

Au sud de Campbellville se trouve la zone de conservation de Crawford Lake. Ses 12 km de pistes de ski de fond et de randonnée, exigeantes mais bien entretenues, serpentent à travers de calmes boisés et le long des falaises de l'escarpement. D'un trottoir élevé, on contemple les eaux claires du lac Crawford, une étendue d'eau protégée qui reflète en raccourci l'évolution géologique de la région. Du pollen de maïs, mis au jour dans différentes couches de sédiments, a permis aux archéologues d'établir que les Iroquois ont occupé la région de 1200 à 1645.

On a reconstitué ici un village iroquois du XVe siècle avec ses maisons longues et sa palissade. Des postes d'interprétation décrivent les jeux des Indiens de l'Amérique du Nord ainsi que leurs méthodes agricoles et leurs rites funéraires. La maison traditionnelle du clan du Loup comporte un minithéâtre, une exposition archéologique et une collection d'objets de la vie quotidienne des Indiens.

La zone de conservation de Rattlesnake Point se trouve à 7 km à l'est de Campbellville sur un segment isolé de l'escarpement du Niagara qui s'élève à 91 m au-dessus des terres environnantes. Des cèdres blancs de plus de 700 ans, rabougris et filiformes, découverts seulement en 1988, s'accrochent aux corniches de l'escarpement près de l'observatoire de Buffalo Crag. De cet endroit, on voit des bisons brouter à l'intérieur d'un champ clos dans le canyon de Nassagaweya.

À l'est de Campbellville, près de la ville de Milton (pop. 30 529), le musée de l'Agriculture de l'Ontario présente une des collections les plus complètes de machinerie agricole en Amérique du Nord. Le complexe de 32 ha comprend deux maisons de ferme, une grange octogonale, une école en pierre et divers vieux bâtiments. Les guides sont en costume d'époque.

Événements spéciaux
Foire annuelle Mohawk Raceway's
(fin septembre)

8 Rockwood

Le tintement aigre d'une cloche et le vacarme du roulement des roues sur les rails se répercutent dans les boisés de l'Ontario rural. Ces bruits signalent la présence de tramways électriques d'un autre âge, le trésor du Halton County Radial Railway Museum, situé à Rockwood (pop. 1 391).

La plupart des voitures ont plus de 60 ans ; des bénévoles les entretiennent avec des techniques traditionnelles. Procurez-vous votre passage à la boutique de cadeaux et montez à bord. Votre excursion en tramway vous fera voir des boisés, des ateliers, la gare du chemin fer de Rockwood construite au tournant du siècle et les remises pour les voitures de train.

Le village de Rockwood est, par ailleurs, tout à fait charmant. Fondé par les Quakers en 1821 sous le nom de Brotherstown, le village a plusieurs bâtiments anciens en pierre et des boutiques d'antiquités et d'artisanat.

À proximité, la zone de conservation Rockwood est une aire boisée au relief ondulé que traverse la rivière Eramosa. Elle renferme des grottes aux formes curieuses, des marmites de géants façonnées par les eaux tourbillonnantes des glaciers durant leur retrait, les ruines d'un moulin du siècle dernier et deux étangs où l'on peut se baigner et faire du bateau. On y trouve des installations de camping et de pêche.

9 Alton

Une colline boisée connue sous le nom de Pinnacle domine au nord la municipalité rurale d'Alton (pop. 1 086). Dans cette colline, les Indiens s'installaient pour surveiller les allées et venues des animaux sauvages. Les visiteurs de

L'auberge Millcroft d'Alton, un ancien moulin à laine, près d'une jolie chute.

Promenade en automobile dans la pittoresque vallée de la rivière Credit

Distance : 79 km

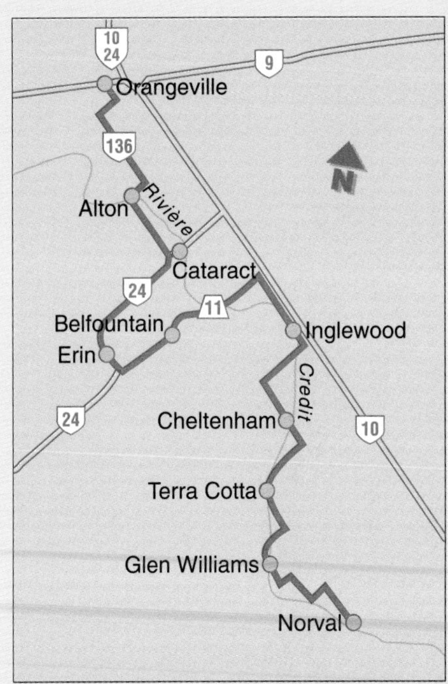

La route de Norval à Orangeville, dans la vallée de la rivière Credit, circule parmi des forêts de bois durs qui la rendent particulièrement spectaculaire en automne.

- Fondé en 1820 par le loyaliste James MacNab, le village de Norval (pop. 277) est à cheval sur la rivière Credit. Remarquez la maison où vécut Lucy Maud Montgomery, auteur de *Anne of Green Gables*. La maison était le presbytère de l'église presbytérienne, le temple Knox, construit en 1878.
- Prenez le boulevard Winston Churchill (route 19) vers le nord et traversez la rivière Credit. Dirigez-vous, en passant à gauche par Mayfield Road, et de nouveau à gauche par 20 Sideroad, vers la ville de Glen Williams (pop. 1 016), fondée en 1824. Allez prendre une bouchée au restaurant Copper Kettle Pub et vous détendre en visitant le complexe Clay Concepts Studio and Gallery.
- Suivez la rue principale vers le nord et tournez à gauche sur le boulevard Winston Churchill pour aller à Terra Cotta (pop. 196), jadis connu sous le nom de Salmonville pour l'abondance en saumons de la rivière Credit. Vous visiterez la zone de conservation de Terra Cotta (160 ha) avec ses boisés de feuillus, ses marécages et ses sources où l'on peut se baigner, se promener, pique-niquer et camper. Ou bien vous irez flâner dans les galeries et le magasin général du village. Au sud-ouest se trouve la zone de conservation de Silver Creek que traverse le sentier de Bruce.
- Filez vers l'est sur la rue King (route 9), traversez la rivière Credit et montez sur l'escarpement du Niagara pour rejoindre la route de Mississauga où se dressent, à gauche, les tours majestueuses de l'ancienne briqueterie de Cheltenham.

Cheltenham (pop. 467) fut fondé vers 1820 par le meunier Charles Haines qui donna à la localité le nom de son lieu natal en Angleterre. Plusieurs bâtiments du XIXe siècle — l'hôtel de ville, le magasin général et l'auberge — sont classés monuments historiques.

• Remontez vers le nord par le chemin Creditview et tournez à droite sur la route Olde Base Line. Admirez la ligne ondulante des collines couvertes d'une argile rouge qui prédomine dans la région.

• Peu après, la rue Dufferin (1st Line West) vous mène à Inglewood (pop. 572). Des carrières locales provenaient les pierres qui servirent à construire la célèbre maison Casa Loma à Toronto.

• Plus loin sur Dufferin, prenez à gauche le chemin du parc provincial Forks of the Credit (route 11), qui continue jusqu'à Belfountain (pop. 296). De nombreux sentiers rayonnent autour de ce petit village renommé pour la pêche. En 1910, la société White Mountain Spring Water — la future Canada Dry — embouteillait ici l'eau de source qu'elle employa plus tard pour fabriquer son fameux soda au gingembre. Visitez le magasin général centenaire, site de la première taverne du village. Dans la zone de conservation Belfountain, allez admirer de jolies chutes sur la Credit et plusieurs bâtiments historiques.

• Prenez la rue Bush vers l'ouest, et faites un virage à droite sur la route 24, qui traverse Erin, avec ses nombreuses boutiques d'antiquités et d'artisanat. Filez jusqu'à Cataract (pop. 103) où vous entrez par 3rd Line West ; dans ce hameau situé sur le rebord de la vallée, on peut admirer la rivière Credit et de magnifiques chutes.

L'eau cascade le long d'une fontaine enveloppée de mousse à Belfountain.

• Revenez sur la 3rd Line qui devient la route 136 et roulez vers le nord. Vous traverserez Coulterville et Alton avant d'arriver à Orangeville. C'est dans le bassin de retenue d'Orangeville que la rivière Credit prend sa source.

nos jours vont admirer de là-haut un paysage pastoral fait de maisons et de champs soigneusement entretenus.

Un cours d'eau tributaire de la rivière Credit, connu localement comme le ruisseau de Shaw, traverse le village. Son débit rapide fournissait autrefois l'énergie aux nombreux moulins qui ont fait d'Alton, au siècle dernier, la capitale canadienne du sous-vêtement. Les moulins se sont tus et le ruisseau, qui a retrouvé son calme, attire maintenant les amateurs de solitude et de silence qui viennent se détendre sur ses rives ombragées.

Le moulin Dod est devenu l'auberge Millcroft. On raconte que, vers 1920, un météorite de bonne taille, qui était tombé dans son réservoir, en avait fait bouillir l'eau. Les chambres et la salle à manger de l'auberge donnent sur une chute nimbée de brouillard qui dégringole d'une hauteur de 7 m. C'est en hiver que le paysage est le plus admirable, quand l'eau, partiellement gelée, prend une teinte noir d'encre contre la neige blanche.

À côté de l'auberge, le Balloonery invite les intrépides à faire une excursion dans les airs à bord d'une montgolfière pour aller admirer de haut le paysage environnant.

Les terrains de golf de la région se rangent parmi les meilleurs du pays, notamment celui d'Osprey Valley, à l'ouest d'Alton, sur la route 136.

10 Hockley

Une campagne boisée, truffée de sentiers d'équitation et de randonnée, des fermes où l'on cueille soi-même ses petits fruits et des studios d'artisanat entourent le petit village de Hockley (pop. 250). En automne, la vallée de la Hockley se pare d'une myriade de teintes fauves et elle n'a pas son pareil dans tout le sud de l'Ontario.

Dans le village, on remarque surtout un long bâtiment de bois sombre à deux étages, garni de volets de bois. Il a pour nom The Driveshed, et il date de 1837. C'était alors un hôtel ; c'est maintenant un magasin général doublé d'un salon de thé et d'une auberge. Dans la cour arrière ont pris place plusieurs petites boutiques offrant des articles faits main : dentelles, vêtements d'enfants, verre coloré...

À l'ouest du village de Hockley, sur la 7th Line, au sud de Hockley Road, le tout récent monastère cistercien de Notre-Dame a été érigé en 1983. Dix chambres accueillent ceux qui viennent y chercher le silence. La chapelle et un petit magasin sont ouverts au public. Par temps clair, la vue que l'on a du monastère est l'une des plus spectaculaires de la région ; au nord-ouest, on distingue le lac Simcoe pourtant éloigné de 65 km.

Anémomètre en forme de Cupidon dans une vitrine de Hockley

La région de Hockley est, en été, le paradis des amateurs de randonnée pédestre, en hiver, celui des skieurs de fond. Les amateurs s'engagent sur Hockley Road, à partir de la route 10, pour rejoindre le village de Hockley, 12 km plus loin. Les plus entreprenants

Une touche de rouge et de vert égaie une vieille grange dans la vallée de Hockley.

explorent les nombreux sentiers tracés au XVIIIe siècle par les Ojibways à travers la vallée de Hockley. Ces sentiers ne sont pas balisés mais on peut se procurer un plan de la région aux bureaux du canton de Mono, sur la route 8. Comme les sentiers traversent des propriétés privées, la courtoisie veut qu'on demande aux propriétaires l'autorisation de passer sur leur terrain.

Le sentier de Bruce (780 km) traverse Hockley Road à l'ouest de 2nd Line East. Des griffes blanches sur les arbres, les pieux de clôture et certaines roches en sont les balises. Une double griffe signale un changement de direction. Des griffes bleues ou jaunes identifient des pistes secondaires.

La zone de conservation Mono Cliffs, à 2 km au nord du village de Mono Centre, est un autre endroit favori des amateurs de randonnée et de ski de fond. Les falaises dolomitiques qui caractérisent le parc appartiennent à l'escarpement du Niagara. On y trouve de rares espèces de lichens et de fougères, ainsi que des cèdres rabougris de plus de 400 ans.

À l'ouest de Hockley, sur la route 7, on croise deux stations de ski, Cedar Highlands et Hockley Valley Resort ; cette dernière devient en été un parcours de golf de 18 trous parmi les plus accidentés des terrains de golf de l'Ontario. Entre les deux stations, à 6,5 km de Hockley, un rucher, Eagle's Nest Apiary, est ouvert aux visiteurs.

11 Tottenham

✻

De Tottenham (pop. 4 500), vous pouvez reculer dans le temps à bord d'un vieux train de 1920 aux fenêtres sans vitre, tiré par une locomotive à vapeur de la même époque. La vapeur chuinte et le sifflet laisse échapper ses plaintes lancinantes pendant que vous sillonnez la vallée de la Beeton, région d'élevage de vaches et de moutons. Vous rentrez à Tottenham en jouant à cache-cache avec la rivière Beeton qui n'apparaît que pour disparaître à nouveau. L'excursion dure 40 minutes. Il y a un départ toutes les heures les dimanches et les jours de fête, de la fin mai à l'Action de grâces.

12 Schomberg

À l'ouest du marais Holland, Schomberg (pop. 1 269) est une ville pittoresque où les boutiques d'antiquités et d'artisanat ont été aménagées pour refléter le passé. Dans la région alentour, on trouve une profusion de marchés

La campagne au nord de Toronto

Distance : environ 150 km

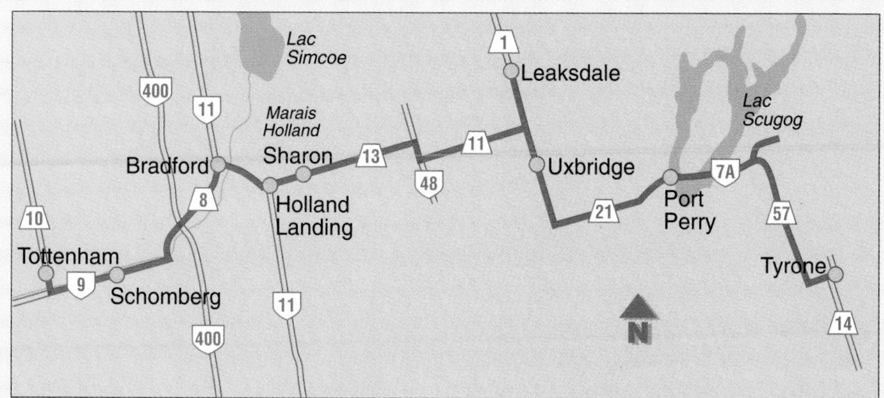

Une promenade automobile au nord de Toronto fera découvrir des sites et des monuments qui ont eu un rôle à jouer dans l'histoire de l'Ontario.

• De Tottenham, prenez la route 10 vers le sud et tournez à gauche sur la route 9. Traversez Schomberg et ses boutiques d'artisanat et d'antiquités et roulez pendant 17 km pour rejoindre la route 11. Continuez vers le nord jusqu'à la route 51. Virez à droite vers Holland Landing.

• Après avoir visité la localité, suivez la route 13 jusqu'à Sharon. Il faut voir ici le temple Quaker aux élégantes proportions. Prenez ensuite la route secondaire qui va à Mount Albert (route 13) ; 10 km plus loin, bifurquez sur la route 48 vers le sud et, 2 km plus loin, sur Herald Road (route 11) vers l'est. Faites 15 km sur cette route jusqu'à ce que vous rencontriez la route régionale 1, que vous prendrez en direction nord.

• Environ 1 km plus loin, vous apercevez le superbe dôme vert-de-gris du temple commémoratif Thomas Foster. Ayant grandi dans la ville voisine de Leaskdale, Thomas Foster avait d'abord appris le métier de boucher. Mais c'est dans l'immobilier qu'il fit fortune. Il fut député (1917-1921) puis maire de Toronto (1925-1927). C'est à la mémoire de sa femme et de sa fille qu'il fit construire ce temple qui s'inspire du Taj Mahal, en Inde. Son dôme en cuivre mesure 18 m de hauteur ; à l'intérieur, 16 piliers de marbre supportent quatre arcs éclairés par des vitraux.

Christ Church (1848), à Holland Landing

• Toujours sur la route régionale 1, vous arrivez à Leaskdale où Lucy Maud Montgomery, auteur de *Anne of Green Gables,* passa 15 ans de sa vie. Son mari, le révérend Ewan Macdonald, en était le ministre presbytérien. La maison ne peut être visitée, mais elle est identifiée par une plaque.

• Reprenez la route 1 et faites 10 km au sud jusqu'à Uxbridge (pop. 12 000). Le musée Uxbridge-Scott offre une belle collection reliée à la vie de Lucy Maud Montgomery. La municipalité, fondée par des Quakers en 1808, peut se vanter de réunir des terres agricoles parmi les plus fertiles de l'Ontario.

• Roulez vers le sud sur la rue principale d'Uxbridge ; vous rejoignez la route 21 sur laquelle vous vous engagerez vers l'est en direction de Port Perry, petite ville au bord d'un lac, renommée pour ses vieilles boutiques.

• De Port Perry, filez vers l'est sur la route 7A pendant 9,5 km ; virez vers le sud sur la route régionale 57. Au bout de 15,5 km, surveillez le petit panneau qui vous indiquera Tyrone Mill, 3 km à l'est. Ne manquez pas de visiter ce moulin du XIXe siècle (voir page 215).

• Suivez la régionale 14 vers le sud pour rejoindre la 2 puis la 401 au nord de Bowmanville.

fermiers. Il faut visiter le Schomberg Feed Mill, un moulin construit en 1844 et restauré. Il produisait la moulée pour les éleveurs de la région. Depuis le milieu des années 80, les machines se sont tues et la grosse balance ne sert plus à grand-chose. On continue néanmoins de tout garder en bon ordre, au bénéfice des visiteurs.

Le marais Holland, autrefois peuplé de mélèzes laricins, couvre quelques milliers d'hectares là où la rivière Holland se jette dans le lac Simcoe. Son nom lui vient du major S. Holland, arpenteur général du Canada en 1791. La région fut défrichée au milieu du siècle dernier, mais jugée impropre à l'agriculture. On moissonna toutefois les herbes sauvages pour en faire des cordages et rembourrer les matelas.

Cyclistes sur les chemins de Holland Landing

Un jeune fermier dynamique, David Watson, fut le premier à suggérer d'assécher le marais au moyen d'un canal. En 1934, c'était chose faite : les eaux du marais se déversaient dans le canal et dans la rivière Holland. Les maraîchers ne tardèrent pas à s'installer dans les terres récupérées. Aujourd'hui, la région est renommée pour la qualité de ses récoltes.

Événements spéciaux
Foire agricole (fin mai)

13 Kleinburg

Le village de Kleinburg (pop. 1 250) est peut-être de petite taille, mais sa réputation est de stature internationale. Il la doit à un musée qui abrite la collection McMichael d'art canadien. La plus importante collection de toiles du Groupe des Sept, de même que des

À LA FERME DE PUCK, LE DIABLE EST AUX VACHES

Avec sa vieille maison, sa grange rouge, ses clôtures de cèdre, ses dépendances, son chien, ses chats, ses chevaux et ses vaches, la ferme de Puck n'a rien qui la distingue des autres fermes de la région de Schomberg. Mais il suffit d'observer moutons, cochons, chèvres, béliers, lapins, canards, oies, coqs et poules pour comprendre en quoi elle est différente. La ferme de Puck se préoccupe d'initier les citadins aux joies de la campagne et va jusqu'à leur demander parfois un coup de main.

Les propriétaires ont fait de leurs 69 hectares une ferme récréative et ils lui ont donné le nom de Puck en souvenir de l'espiègle démon du *Songe d'une nuit d'été* de Shakespeare.

Selon la saison et l'heure, la ferme de Puck offre des balades en charrette à foin ou en traîneau, des promenades à dos de poney et l'occasion d'apprendre à tondre les moutons, à les nourrir (parfois au biberon) et à baratter du beurre. Si vous venez au moment des semailles, vous êtes invité à retrousser vos manches. Durant la saison du maïs, vous pouvez cueillir des épis, les parer, les jeter dans une immense marmite d'eau bouillante et les déguster sur place. D'ailleurs l'autocueillette est de règle et s'applique aux fraises, aux framboises, aux pois mange-tout, aux pommes, aux melons, aux citrouilles... et vous en mangez autant que vous voulez durant la cueillette.

Mais il n'y a pas que des travaux à la ferme. On y organise d'autres événements, comme une gigantesque course aux œufs de Pâques (30 000 œufs sont enveloppés de papier d'aluminium) et une chasse aux fantômes dans le foin, la dernière semaine d'octobre. Chaque fin de semaine, de mai à octobre, des groupes viennent jouer de la musique folklorique sur l'herbe.

La ferme de Puck est située dans la 11th Concession Road du canton de King, à quelque 2,5 km au sud de la route 9, près de Schomberg.

pièces majeures de peintres et de sculpteurs canadiens, est exposée au musée qui est situé dans un parc dominant la vallée de la rivière Humber. Le studio de Tom Thomson, l'un des plus grands peintres canadiens du début du XXe siècle, a été déménagé de Toronto et reconstitué sur le site.

Les visiteurs peuvent observer des artistes au travail, assister à des conférences, voir des films et participer à des ateliers pratiques.

Le village constitue en lui-même une invitation à flâner parmi ses nombreuses boutiques d'artisanat et d'antiquités. Un petit musée rassemble une collection de 165 poupées, parmi lesquelles on remarque des poupées en biscuit (une porcelaine non émaillée) et une marionnette de ventriloque.

Dans le voisinage, le centre de conservation Kortright a pour mission de renseigner le public sur la conservation de l'eau, de la faune, de la forêt, des sols et de l'énergie. On y assiste à des démonstrations portant, par exemple, sur la fabrication du sirop d'érable, les techniques de chasse, la construction de nichoirs à oiseaux, l'identification des fleurs sauvages et celle des plantes utiles à la faune. Installé dans un boisé de 325 ha, le centre comporte un trottoir dans les marécages, une éolienne et 10 km de sentiers de randonnée et de pistes de ski de fond.

Événements spéciaux

Festival de cerfs-volants Four Winds, Kortright Centre (mai)

Festival du cordage de Kleinburg (septembre)

Carnaval d'hiver Groundhog, Kortright Centre (janvier)

14 Sharon

Le temple de Sharon (pop. 2 500) est le point d'intérêt de la localité. Il fut construit entre 1825 et 1830 par David Willson et ses Enfants de la Paix, un groupe de Quakers ayant opté pour de nouvelles pratiques religieuses.

L'une des œuvres d'art qui font la gloire de Kleinburg, Loveseat, *de Lea Vivot, est exposée devant le studio de l'artiste.*

Le temple est construit selon un plan carré, symbole d'unité et de justice pour tous ; il est doté d'une porte sur chaque côté, pour indiquer que tous les participants sont égaux, peu importe d'où ils viennent ; ses trois étages symbolisent la Sainte Trinité ; et chacun de ses murs est percé d'un nombre égal de fenêtres (pour un total de 2 952 carreaux) car la lumière de l'Évangile doit éclairer également tous les fidèles.

En 1991, on découvrit une liasse de documents secrets écrits de la main de Willson et cachés dans un compartiment secret de l'autel depuis 160 ans. Les guides en dévoilent le contenu aux visiteurs.

Le temple, ouvert pendant l'été, est un musée national depuis 1992. La visite guidée comprend plusieurs autres bâtiments d'intérêt historique.

Événements spéciaux

La Journée de juin (début juin)

L'Illumination (début septembre)

Festival des moissons de l'Action de grâces (mi-octobre)

15 Kirkfield

Un magasin général et quelques maisons : voilà l'essentiel de Kirkfield (pop. 300). Mais c'est à 3 km au nord du village que se trouve sa principale attraction, un élévateur à bateaux construit en 1907 sur la voie navigable Trent-Severn. Destiné à la navigation commerciale, il sert aujourd'hui surtout aux embarcations de plaisance.

La différence de niveau en amont et en aval est de 15 m. Les sas sont côte à côte. Dans le premier sas, on élève le niveau d'eau de 30 cm de plus que le niveau de l'autre sas ; sous l'impulsion de ce poids additionnel, il descend, forçant le second sas à s'élever d'une hauteur équivalente. Les sas sont dotés d'immenses vannes ; ils renferment 1 700 tonnes d'eau et admettent des bateaux de 40 m. La durée de l'opération est de 10 minutes.

L'écluse-ascenseur permet aux bateaux de se rendre aux lacs Canal et Simcoe, vers l'ouest, aux lacs Mitchell et Cameron ainsi qu'à Fenelon Falls vers le sud-est.

Le point de partage du canal est le lac Balsam, 10 km à l'est de Kirkfield. Le parc provincial Balsam Lake offre une plage de sable de 500 m et des terrains de camping ombragés. Le calcaire, qui tapisse le lac, le protège contre la pollution, les pluies acides par exemple, et empêche les algues et les plantes marines d'y proliférer. Le lac se prête à la voile et on y pêche l'achigan et le maskinongé. Il y a des pistes cyclables partout dans le parc.

Le sentier Lookout (2,5 km) longe deux types de formations géologiques dues à la dernière glaciation : une crête de débris alluviaux, appelée esker, formée par un cours d'eau sous le glacier ; des monticules arrondis et abrupts appelés kames et constitués de couches superposées de sable et de gravier.

Événements spéciaux

Festival annuel d'été
(début septembre)

L'écluse-ascenseur de Kirkfield sur la voie navigable Trent-Severn.

16 Bobcaygeon

Au point de rencontre des lacs Sturgeon et Pigeon, le long de la voie navigable Trent-Severn, la petite ville de Bobcaygeon (pop. 2 200) était réputée pour la pêche au début du siècle. Elle est d'ailleurs toujours l'hôte du tournoi annuel canado-américain de pêche au doré, qui a lieu la fin de semaine de la fête de la Reine. Mais depuis quelques années, elle s'est constitué une nouvelle population composée surtout de gens à la retraite et d'artistes.

Le Village historique des pionniers du Kawartha est situé sur la rue Dunn, au nord de la ville. Des familles de la région lui ont fait don de camps de bois rond et d'une vieille remise à voitures. Il s'y tient, au cours de l'année, toute une série d'événements qui rappellent le passé : sorties en traîneau, ateliers de courtepointes, journées costumées, cours d'artisanat.

Sur la route 8, à l'ouest de Bobcaygeon, se dresse un important monument, la Maison Dunsford (1838). Elle est construite en rondins et comporte deux étages, avec une vue magnifique sur le lac Sturgeon. Ce serait le plus bel exemple qui reste de ce type d'architecture. Avant d'être restaurée, elle comportait 12 pièces et quatre foyers. C'est maintenant une auberge qui offre six grands appartements décorés en mobilier de style.

Bobcaygeon se trouve à proximité du Central Ontario Toptrails, un réseau de pistes de motoneige et de ski de randonnée qui s'étend sur 3 000 km depuis Peterborough et Lindsay au sud, jusqu'à Bancroft et Haliburton au nord.

Buckhorn (pop. 243) est également situé le long de la voie navigable Trent-Severn, entre les lacs Buckhorn et Lovesick. Outre la navigation de plaisance et des sentiers entretenus en hiver qui font sa réputation, ce village attire, avec plusieurs excellentes galeries d'art, tout un public de connaisseurs. La Gallery on the Lake, 2,5 km à

LES ROCHES PARLANTES

En mai 1954, trois géologues notèrent la présence de marques curieuses sur un affleurement rocheux et constatèrent bientôt qu'elles avaient été faites de main d'homme. Ils venaient de découvrir par hasard l'un des ensembles d'inscriptions rupestres les plus importants d'Amérique du Nord.

Ils identifièrent 300 symboles et 600 signes indéchiffrables inscrits dans le roc avec des racloirs de gneiss et des marteaux primitifs. Ces pétroglyphes sont vraisemblablement l'œuvre d'Algonquins qui visitèrent la région il y a 500 à 1 000 ans.

Le site est révéré par les Ojibways qui donnent au roc le nom de *Kinomagewapkong* — roches parlantes. On ignore encore à quoi servaient les inscriptions. Elles pourraient décrire le cycle de la vie. Les anciens auraient amené ici les jeunes adolescents pour les initier aux traditions spirituelles et mythologiques de la tribu. La roue indiquerait que la vie vient d'Orient, là où se lève le soleil. L'astre en son midi symboliserait la jeunesse. Le couchant évoquerait la vieillesse et le nord, l'après-vie.

Parmi les symboles, on trouve ceux qui identifient le manitou Kitchi, le créateur de la terre, et Nanabush, un filou à oreilles de lapin de qui les Indiens auraient appris l'art de survivre. Les trois images ci-dessus représentent (de haut en bas) un être aquatique légendaire, une figure mythique et un orignal.

Un abri et un trottoir sur le rocher permettent aux visiteurs d'examiner ce fabuleux témoignage du passé.

l'est de Buckhorn, présente une belle collection d'œuvres d'artistes canadiens, comme Edwin Matthews, Michael Dumas et Mary Lampman. Dans la réserve indienne de Curve Lake, tout près, on visitera la galerie d'art et d'artisanat de Whetung, propriété des Indiens Ojibways qui l'administrent.

Événements spéciaux

Tournoi de violon et de danses carrées de l'Ontario (mi-juillet)

Festival d'art naturaliste, Buckhorn (mi-août)

Foire d'automne (début octobre)

17 Parc provincial Petroglyphs

D'imposants boisés de pins rouges et blancs mélangés à des feuillus, des marécages et deux petits lacs composent le relief du parc provincial Petroglyphs, fondé en 1976 pour protéger l'un des plus beaux ensembles de pétroglyphes du Canada.

Les pistes qui y mènent sont jalonnés de tumulus de pierre érigés par les experts pour marquer les sites et les sentiers d'intérêt. La baignade n'est pas permise dans les deux lacs, mais il y a de spectaculaires emplacements à pique-nique près du lac McGinnis. Au printemps, les fleurs sauvages couvrent le sol du parc qui est habité par une grande variété de petits animaux et par des cerfs de Virginie.

18 Port Perry

Deux incendies désastreux, en novembre 1883 et en juillet 1884, détruisirent en grande partie la localité de Port Perry qui était, à l'époque, une halte de diligences située sur les rives du lac Scugog.

On s'empressa de reconstruire le village, ce qui fut fait dans le style « italianisant », particulièrement à la mode dans les années 1880. Il suffit de se promener rue Queen pour distinguer les caractéristiques de ce style d'architecture : fenêtres en saillie, tourelles, éléments en fer forgé. À l'intérieur des nombreuses boutiques d'art et d'artisanat qui bordent la rue principale, les parquets de bois et les hauts plafonds parlent eux aussi du passé.

Les façades contemporaines des magasins se fondent dans l'architecture italianisante de Settlement House à Port Perry.

On peut se procurer un itinéraire documenté de la ville.

Port Perry (pop. 5 000) est la patrie de Daniel David Palmer, le fondateur de la chiropractie. Une plaque identifie la maison (15238 Old Simcoe Road) où il naquit, en 1845. Sa statue décore le parc Palmer, en bordure du lac, qui a été nommé en son honneur. En été, le parc Palmer est un endroit idéal pour se baigner, se prélasser sur la pla-

On s'amuse ferme sur la plage du parc, à Port Perry

ge ou pêcher l'achigan et le maskinongé. En hiver, on peut pêcher sous la glace et patiner sur le lac. Une section consacrée à l'environnement et dotée de trottoirs pour l'interprétation est en voie d'aménagement dans le parc.

À cinq minutes de voiture de Port Perry, vers l'est, une chaussée donne accès à l'île Scugog. C'est ici, sur Island Road, que se trouve le Village historique de Scugog Shores. Construit autour d'une ancienne école et d'une église, le village fait revivre la vie quotidienne au XIXe siècle. Parmi les huit bâtiments, on remarque une imprimerie dotée d'une presse de 1865, qui fonctionne toujours, et une église de 1860 qu'on restaure actuellement avec les techniques et les outils de l'époque.

Le village est ouvert de mai à septembre. En fin de semaine, il y a des tours guidés.

Événements spéciaux

Descente de la Nonquon en canot (début juin)

Foire d'antiquités et d'œuvres d'artisanat (mi-juin)

Journées du festival (mi-juillet)

Foire de Blackstock (fin août)

Foire de Port Perry (fin de semaine de la fête du Travail)

Palais de glace (mi-janvier)

19 Port Hope

❀⌂

Un ensemble architectural de résidences et de bâtiments commerciaux datant du siècle dernier a été restauré avec beaucoup de soin à Port Hope (pop. 12 500), sur la rive nord du lac Ontario. Fondée par les loyalistes vers 1790, la ville devint un port prospère, comme en témoigne la qualité de ses bâtiments.

L'un des plus beaux, le manoir Penryn Park (1859), a servi de décor à une populaire série télévisée de langue anglaise, *The Road to Avonlea*, tandis que la principale artère commerciale de la ville, Walton Street, constitue fréquemment le décor victorien dans des films et des séries historiques.

Les fervents d'histoire et d'architecture n'auront pas trop d'une journée pour explorer ses rues. Pour une visite

Port Hope, vue à distance : la flèche de l'église et les maisons victoriennes laissent présager les beautés de son architecture.

UN VIEUX MOULIN ET SON CIDRE

Dans les années 1840, des immigrants irlandais et anglais fondèrent la localité de Tyrone Mill (pop. 250) en vue de desservir la région agricole qui se développait à vue d'œil entre Bowmanville et Oshawa.

Le moulin qui en reste fut construit en 1846 pour moudre les céréales. C'est le plus ancien moulin encore en activité dans le comté de Durham. Aujourd'hui, il sert à couper le bois et, de juin à septembre, à produire du cidre. On travaille actuellement à redonner vie à la vieille meule de pierre pour qu'elle se remette à moudre du blé.

À l'intérieur, un escalier de bois aux marches vermoulues mène à un atelier de menuiserie. Anciens outils, vieux sacs de farine, poutres et planchers de bois, tout ici évoque le passé. Dans le magasin, on vend du cidre frais pressé, des confitures, du fromage, de la pâtisserie, du fondant au chocolat et du sucre d'orge. Le moulin est ouvert au public toute l'année.

Phonographe et objets de collection dans une vitrine de Port Hope.

plus rapide, on peut déambuler sur Walton puis prendre Queen en direction sud. On s'arrêtera devant l'hôtel de ville, un bel immeuble à deux étages en brique rouge, véritable joyau des années 1890 avec sa tour à horloge couronnée d'un dôme. Une passerelle sur la rivière Ganaraska donne accès à la rue Mill où un escalier au nom évocateur de Jacob's Ladder (échelle de Jacob) mène à la rue King. Ce vieux boulevard recèle des découvertes. Le manoir Bluestone, au coin de Dorset East, construit en 1834 dans le style néo-classique, a été restauré avec amour par ses propriétaires. Plus loin, l'église anglicane St. Mark (1822) est l'une des plus vieilles églises en bois du Canada ; c'est là qu'est enterré Vincent Massey, le premier gouverneur général né au Canada.

La Société ontarienne pour la préservation de l'architecture organise chaque année une tournée des maisons historiques appartenant à des particuliers, le samedi qui précède l'Action de grâces.

Au début de décembre, Port Hope célèbre un Noël à l'ancienne. Les habitants revêtent des costumes victoriens et parcourent la rue principale à la lueur des bougies en chantant des cantiques de Noël. Après quoi, la coutume veut qu'on déguste des marrons rôtis arrosés de cidre chaud.

20 Keene

❋⌂

Des collines où broutent les moutons et des champs jonchés de ballots de foin entourent le village de Keene (pop. 207). Au milieu du XIXe siècle, les eaux de la rivière Indian y alimentaient de prospères entreprises. Le rythme n'est plus le même, mais l'astmosphère persiste au Village historique de Lang, reconstitué 1,5 km au nord de Keene.

Une vingtaine de bâtiments y ont été restaurés. Pendant l'été, des gens en costume d'époque vaquent aux occupations quotidiennes, comme jadis ; sur des routes de terre, des chevaux

Au nord de Keene, le moulin Lang, restauré et alimenté par la rivière Indian, continue à moudre le blé sur des meules de pierre, tout comme au XIXe siècle.

Jeune fille en costume local, au village historique de Lang

tirent des bogheis et font route vers le magasin général et le bureau de poste, tout comme en 1850. On entend le forgeron marteler le fer dans son atelier, le menuisier scier le bois et le travailler au tour. Des presses de l'imprimerie locale sort le journal hebdomadaire tandis que, dans les humbles maisons de ferme en rondins, on écrase les pommes pour en obtenir du cidre.

Tontes de mouton, épluchettes de blé d'Inde, fête des moissons, spectacles de folklore avec musiciens et danseurs ponctuent la vie des villageois, pour le plus grand bonheur des visiteurs.

Près du village historique se dresse le moulin à farine, construit en 1846, dont la production servait aux besoins locaux mais aussi à l'exportation. Restauré, il est toujours en usage et les visiteurs peuvent le regarder fonctionner. La maison du meunier est meublée comme elle l'était dans les années 1860.

21 Brighton

La petite ville de Brighton (pop. 4 300), à proximité du lac Ontario, fut fondée par des loyalistes à la fin du XVIIIe siècle. Le passé réapparaît dans toute sa réalité au musée de la Maison Proctor, située au bord du lac. Ce manoir restauré, qui fut érigé par un marchand, date de 1865 et présente l'histoire de cette époque dans la région.

Le front de lac de Brighton est fait pour la détente et le plaisir. On peut louer des bateaux pour aller à la pêche sur le lac Ontario où abondent le grand brochet, le doré, le saumon et la truite. La baignade, le camping et même la plongée sous-marine sont populaires. La ville se dresse à l'extrémité ouest du canal Murray qu'empruntent les navigateurs de plaisance pour rejoindre la voie navigable Trent-Severn.

Les amateurs de sports rudes seront intéressés par la chasse au dindon sauvage qui a lieu au mois de mai. Les participants doivent se procurer un permis — octroyé par tirage au sort — auprès du ministère des Ressources naturelles. Mais pour ceux qui préfèrent le délassement paisible, les rues de la ville offrent de nombreuses boutiques d'art, d'artisanat et d'antiquités.

Brighton se dresse à l'endroit où la péninsule Presqu'ile se projette dans le lac Ontario. Une grande partie de la péninsule est occupée par le parc provincial Presqu'ile, deux îles de calcaire dont la plus grande rejoint la terre ferme par une langue de gravier et de sable. Dans le parc se trouve une belle gamme d'habitats — forêts, marais, dunes, fermes abandonnées et plages de galets — où l'on trouve environ 700 espèces de plantes.

La péninsule constitue une halte naturelle pour les oiseaux qui empruntent les deux routes migratoires de l'Atlantique et du Mississippi. Au printemps et en automne, on peut y voir jusqu'à 300 espèces. Des séances d'observation de sauvagines ont lieu en fin de semaine. On peut également se rendre à une tour d'observation et explorer les marais sur des trottoirs. Au centre d'accueil, situé dans l'ancienne maison du gardien du phare, ont lieu des séances d'information sur les oiseaux, les sentiers de randonnée et la photographie.

Le parc offre une plage de sable blanc de 2 km où s'ébattent les amateurs de natation et de soleil. Ses eaux sont idéales pour la voile, la planche à voile et le canot.

Événements spéciaux

Chasse au dindon sauvage (deux premières fins de semaine de mai)

Chasse au trésor sous-marin (juin)

Festival de pommes de Brighton (fin septembre)

Un relief doucement vallonné marque le cimetière du parc provincial Serpent Mounds.

DES TERTRES FUNÉRAIRES VIEUX DE 2 000 ANS

Il y a 4 000 ans, les Indiens venaient sur la rive nord du lac Rice se nourrir de riz sauvage et de moules. Dans les collines qui entourent le lac, ils creusaient des fosses pour enterrer leurs morts, entourés d'objets hétéroclites.

Or, pendant une brève période, il y a 2 000 ans, ces mêmes Indiens se mirent au contraire à couvrir leurs morts d'un amas de terre, imitant en cela, estiment les spécialistes, les constructeurs de tertres funéraires qui, à cette époque, s'étaient multipliés dans l'est du continent.

Aujourd'hui, ces éminences herbeuses — les plus importantes et les mieux conservées du Canada — sont le point d'intérêt du parc provincial Serpent Mounds. Ce nom vient d'un chercheur du XIXe siècle qu'avait fasciné la forme serpentine d'un tumulus de 7 m de haut et de 2 m de large qui progresse sur 61 m, alors que les huit autres sont plus petits et affectent la forme d'un œuf. Pénétrant à l'intérieur de ces sépultures, les archéologues ont exhumé des restes humains, de la céramique, des colliers de coquillages, des épieux de cuivre et des becs de huarts. On peut voir certains de ces objets au centre d'accueil qui relate l'historique des découvertes.

SUD-OUEST DE L'ONTARIO

13

Sud-ouest de l'Ontario

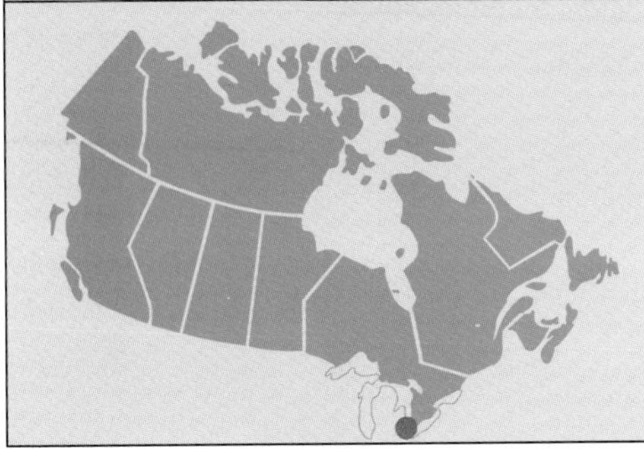

Sites
Kingsville
Île Pelée
Petrolia
Oil Springs
Dresden
Thamesville
Goderich
Festival de Blyth
Benmiller
Clinton
Bayfield
St. Marys
Port Stanley
Pointe Longue
Sparta
Port Dover

Circuits automobiles
Lac Érié : Port Stanley à Port Dover

Parc national
Pointe-Pelée

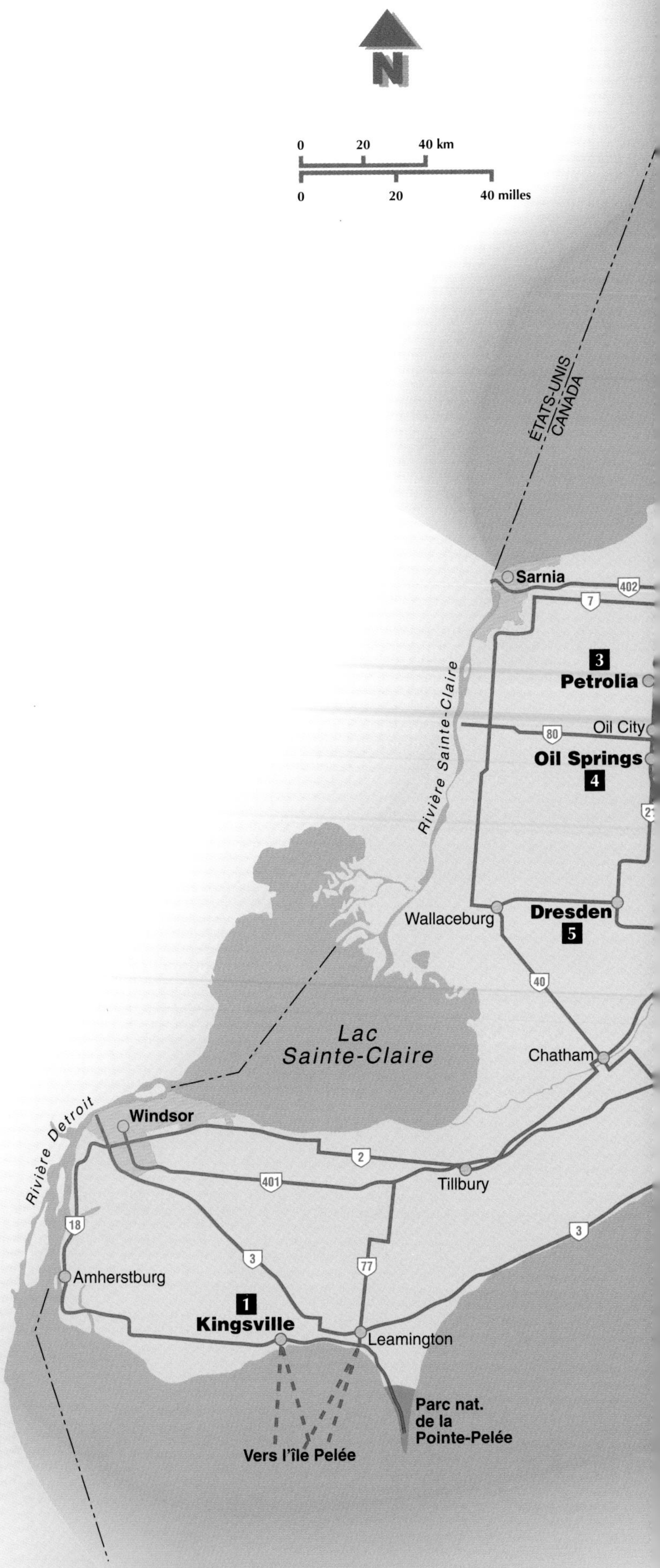

Pages précédentes :
Scène dans le parc, à Goderich

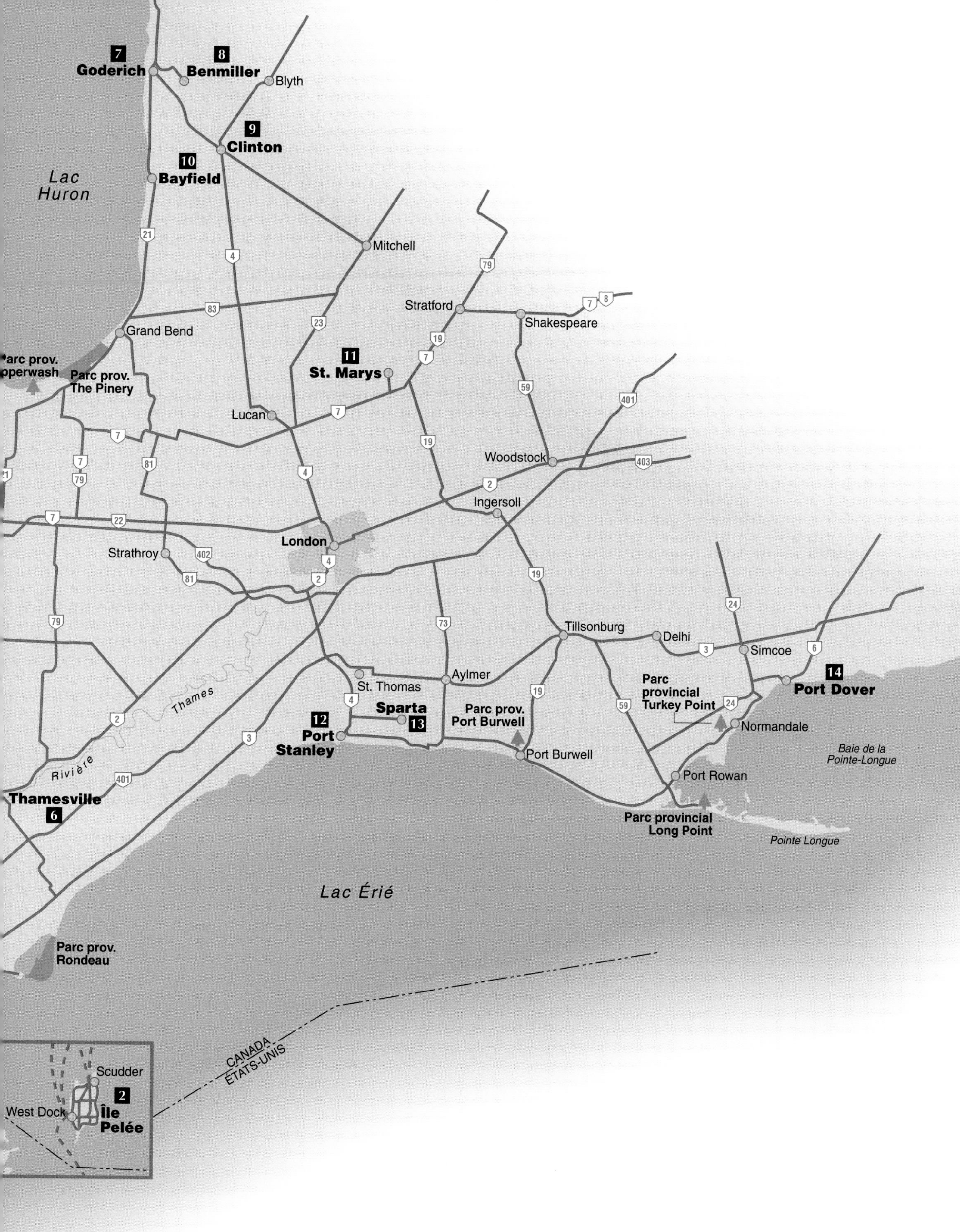

7
Goderich
8
Benmiller
Blyth
9
Clinton
10
Bayfield
Lac
Huron
Mitchell
Stratford
Shakespeare
Grand Bend
Parc prov.
Ipperwash
Parc prov.
The Pinery
11
St. Marys
Lucan
Woodstock
Ingersoll
London
Strathroy
Tillsonburg
Delhi
Simcoe
Aylmer
St. Thomas
Sparta
13
12
Port
Stanley
Parc prov.
Port Burwell
Port Burwell
Parc
provincial
Turkey Point
Normandale
14
Port Dover
Baie de la
Pointe-Longue
Port Rowan
Parc provincial
Long Point
Pointe Longue
Thames
Rivière
Thamesville
6
Lac Érié
Parc prov.
Rondeau
CANADA
ÉTATS-UNIS
Scudder
2
Île
Pelée
West Dock

1 Kingsville

Kingsville (pop. 6 000) est une charmante petite ville qui ne demande qu'à être explorée. Dotée de plages de sable où il fait bon se baigner, prendre du soleil et faire du véliplanchisme, elle possède aussi un passé riche en souvenirs historiques ; elle fut habitée, dans les années 1700, par les Français et, à la fin du XVIIIe siècle, par les loyalistes.

Pour découvrir comment vivait une famille prospère du Haut-Canada vers 1885, il faut dépasser Kingsville sur la route 18 vers l'ouest et visiter la maison de John R. Park, ouverte au public.

John Park, à la fois commerçant, agriculteur et exploitant d'un moulin à scie, était un loyaliste qui émigra au Haut-Canada vers 1820. Construite en 1842 dans le style classique, sa maison occupe un emplacement de rêve sur le bord du lac Érié. Il s'y tient plusieurs événements spéciaux au cours de l'année : Festival du sirop d'érable, Festival des bleuets, revues de troupes, célébrations de Noël et bien d'autres.

Mais Kingsville est surtout célèbre pour son refuge d'oiseaux Jack Miner, qui occupe 120 ha sur la route 29, à 5 km au nord de Kingsville.

John « Jack » Thomas Miner, un des grands naturalistes canadiens, naquit en Ohio en 1865 et déménagea à Kingsville avec ses parents en 1878. À l'âge de 13 ans, il travaillait déjà à l'entreprise familiale, mais montrait en même temps un penchant marqué pour la nature. Il devint excellent chasseur et acquit une solide connaissance de la forêt. Lorsque son frère fut victime d'un accident de chasse, Miner décida de se consacrer entièrement à la conservation de la faune et de la flore.

Vers 1904, il commença à attirer les oies et les canards dans les étangs de sa propriété. Ce furent les débuts d'un des tout premiers refuges d'oiseaux en Amérique du Nord. En 1917, sa propriété fut déclarée réserve gouvernementale. À la suite de cette démarche, la bernache en vint à être choisie comme emblème du Canada.

Au refuge Jack Miner, les oiseaux de passage bénéficient toute l'année d'un étang chauffé.

Miner, un autodidacte, écrivit deux livres sur la conservation de la nature et donna des cours et des conférences un peu partout. Il fut l'un des premiers à utiliser le baguage pour connaître les mœurs migratoires des oiseaux. Homme très religieux, Miner inscrivait une pensée de la Bible sur chaque bague ; il devint ainsi une sorte de « missionnaire à distance » auprès des chasseurs indiens et inuits des terres basses de la baie d'Hudson où les oiseaux émigraient en été. Il mourut en 1944.

Le roi George VI décerna à Miner la médaille de l'Ordre de l'Empire britannique ; la semaine de sa naissance, le 10 avril, est celle où se célèbre la Semaine nationale de la faune et de la flore.

Chaque année, en automne et au printemps, quelque 30 000 canards et oies trouvent refuge dans l'ancienne propriété de Miner au moment des migrations. Le moment le plus propice pour les observer se situe vers 16 heures, fin octobre et début novembre, mais aussi fin mars et début avril, quand les préposés, en marchant parmi les oiseaux, les font s'envoler tous à la fois dans un vacarme assourdissant de cris et de battements d'ailes. Le refuge est toutefois ouvert à longueur d'année du lundi au samedi et l'admission en est gratuite.

Événements spéciaux

Festival victorien (mai)

Festival de la migration (octobre)

Festival des lumières (novembre à janvier)

La demeure de John Park, un exemple de la renaissance néo-classique.

2 Île Pelée

Située à la même latitude (41° N) que Rome et le nord de la Californie, l'île Pelée (dont le nom remonte au Régime français) se dresse dans le lac Érié à mi-chemin entre l'Ontario et l'Ohio. Elle abrite 4 000 ha de terres agricoles et de vignes et s'entoure de plages calmes et sablonneuses. La population d'à peine 650 habitants ne fait guère plus que tripler durant la saison de la chasse au faisan, vers la fin de l'automne.

Deux bacs, le *Jiimaan* et le *Pelee Islander*, effectuent tous les jours la navette entre Leamington et Kingsville et les localités principales de l'île, West Dock et North Dock (Scudder Dock). Les horaires varient selon la saison. Les touristes avec voiture doivent réserver au moins deux semaines à l'avance en été. On se rend aussi dans l'île en avion.

L'île Pelée fait partie d'un archipel qui s'étend des deux côtés de la frontière canado-américaine et dont elle est la plus grande île. On dit couramment qu'elle est le point le plus méridional du Canada, mais c'est en réalité l'île Middle, de propriété privée, qui détient cet honneur.

L'archipel s'est formé il y a quelque 4 300 ans, quand les eaux du lac Érié ont recouvert la crête calcaire qui s'étend de la péninsule de Marblehead, dans l'Ohio, à la pointe Pelée, en Ontario. Cette crête sépare aujourd'hui le bassin occidental, peu profond, du bassin oriental, qui l'est beaucoup plus.

Les Indiens avaient coutume de traverser le lac en allant en canot d'une île à l'autre. L'île Pelée passa des Indiens à la couronne britannique en 1788. William McCormick l'acheta en 1823 pour 500 $ et s'y installa en 1834 dans le but d'en faire un domaine de famille. L'un de ses premiers gestes fut de construire le phare de pierre — aujourd'hui désaffecté — qui domine la pointe nord-est de l'île.

Les descendants de McCormick vendirent une partie de leur propriété à trois Américains originaires du Kentucky qui y plantèrent des vignes en 1866. Pour garder leur vin, ils creusèrent dans le roc un cellier souterrain de 18 m de longueur sur 12 m de largeur et près de 4 m de profondeur.

Au-dessus du cellier, ils construisirent un manoir de deux étages, baptisé « Vin Villa », qui fut détruit par le feu en 1963. De ce qui fut le premier vignoble commercial au Canada, il ne reste plus que les murs, ornés de grappes de raisin, et le cellier. On découvre le passé vinicole de l'île au pavillon du vin, que gèrent les producteurs de vin Pelee Island Winery and Vineyards.

Un autre musée, le Heritage Centre, situé dans l'hôtel de ville près de la localité de West Dock, raconte l'histoire de l'île. La collection comprend des objets indiens et des cartes de navigation précisant l'emplacement des épaves au fond du lac Érié. Ce musée est ouvert d'avril à novembre.

Située au carrefour de deux voies migratoires — celle du Mississippi et celle de l'Atlantique —, l'île Pelée est un paradis pour les ornithophiles. Deux points d'observation, le Pelee Island Nature Reserve, à la pointe sud-est, et le Fish Point, au sud de l'île, sont accessibles en tout temps. En septembre, les amateurs de papillons viennent ici observer la migration automnale de centaines de milliers de monarques.

Événements spéciaux
Week-end Héritage (septembre)

Le phare de pierre à la pointe nord-est de l'île Pelée a été en usage entre 1834 et 1909.

Pointe-Pelée

Quelques lagunes de sable dans les Grands Lacs sont devenues d'importantes voies de passages non seulement pour les hommes mais aussi pour les oiseaux en migration, les plantes colonisatrices et les mammifères chassés par l'urbanisation. L'une de ces lagunes est la pointe Pelée, une presqu'île de 17 km de long qui fait saillie dans le lac Érié. C'est le point le plus méridional du pays. Avec 15 km^2, c'est aussi l'un des plus petits parcs nationaux du Canada.

La pointe Pelée se situe à la même latitude que le nord de la Californie. Vingt-cinq États américains se trouvent plus au nord.

Elle fait partie d'une région qu'on nomme forêt carolinienne, un environnement distinctif comparable à celui de la Caroline. Bien qu'elle ne représente que 1 p. 100 de la superficie totale du pays, cette région renferme près d'un tiers de sa population. Une flore et une faune plus diversifiées ici que partout ailleurs au Canada se disputent un espace vital que restreint progressivement l'accroissement des villes. Le parc national de la Pointe-Pelée renseigne ses visiteurs sur les moyens de freiner la destruction du milieu naturel et encourage la plantation d'arbres indigènes.

Les visiteurs à Pointe-Pelée peuvent explorer le marais grâce à des promenades de bois.

La forêt de la pointe Pelée présente des marécages peuplés d'érables argentés, des savannes de cèdres rouges et des cathédrales de verdure aux hautes frondaisons et au sous-bois luxuriant ; 40 essences indigènes poussent dans le parc dont un grand nombre, comme le laurier-sassafras, le platane, le micocoulier, le frêne bleu et le noyer noir, sont aux limites septentrionales de leur aire. La multiplicité des plantes grimpantes donne à la forêt un air de jungle. La vigne sauvage pend sous la voûte verte, tandis que les feuilles et les lianes du grimpant de Virginie tapissent les troncs et les branches des arbres.

Certains endroits particulièrement arides abritent un cactus en forme de poire qui, en plein été, se couvre de fleurs jaune vif. Le plus grand peuplement d'acacias à trois épines, autre plante à piquants, se dresse près des cactus.

Les deux tiers du parc sont une mosaïque d'étangs et de marécages à nénuphars. Un tapis de quenouilles recouvre en grande partie cet espace incertain qui hésite entre la terre et l'eau, où prolifèrent également des plantes de sol humide comme la ketmie des marais à fleurs roses.

Un entrelacs de plantes délicates décore le sol tourbeux des lagunes. L'utriculaire, une plante carnivore, domine ; on la reconnaît aux petites vésicules de ses feuilles aquatiques, piège fatal pour l'insecte imprudent. Au pied des hautes quenouilles flottent les larges feuilles des nénuphars tandis que, sur un tapis de feuilles ovales, se dressent les fleurs colorées des lis d'eau blancs qui ne s'ouvrent que la nuit.

La pointe Pelée est le lieu de prédilection des ornithophiles et la capitale nord-américaine des parulines. L'invasion commence en février et mars par l'arrivée massive de canards, de carouges et de merles. Elle s'intensifie en avril. À la mi-mai, elle atteint son sommet. En automne, les oiseaux migrateurs, accompagnés de leur progéniture, sont encore plus nombreux. Leur plumage est sans doute moins spectaculaire qu'au printemps, mais les couleurs flamboyantes des monarques qui émigrent vers le Mexique le font vite oublier.

RENSEIGNEMENTS PRATIQUES

Accès : *route 401 de Toronto ou de Windsor jusqu'à la route 77 sud (sortie Leamington) ; de Leamington-Sud, suivre les panneaux indicateurs.*

Accueil : *dans le parc, à 8 km de l'entrée.*

Installations : *ouvert toute l'année, de jour ; d'avril à octobre, transport gratuit entre le centre d'accueil et le « Tip » ; camping de groupe sur réservation ; divers programmes d'interprétation et expositions ; location de bicyclettes et de canots.*

Activités estivales : *pêche (les poissons doivent être remis à l'eau ; permis national exigé, délivré dans le parc) ; observation d'oiseaux et de papillons ; baignade sans surveillance dans les lieux désignés ; randonnées pédestres (cinq sentiers) ; pique-nique ; cyclisme ; canotage.*

Activités hivernales : *patinage le long du Marsh Boardwalk ; ski ; randonnée.*

3 Petrolia

Vers la fin du XIXe siècle, Petrolia (pop. 4 600) joua un rôle important dans l'industrie canadienne du pétrole. Son premier puits entra en exploitation en 1860. Alors que la ville d'Oil Springs se mit à péricliter après une brève flambée éblouissante, Petrolia continua à prospérer grâce à une nappe de pétrole beaucoup plus abondante.

Puis, à compter de 1880, l'Imperial Oil et la Canadian Oil y installèrent des raffineries. Néanmoins, l'importance grandissante des transnationales eut un impact négatif sur la prospérité de la ville. Vers 1950, sa production devenait dérisoire face aux immenses réserves de l'Alberta.

Juste en dehors de la ville, le centre Petrolia Discovery accueille les visiteurs, de mai à octobre, dans un champ pétrolifère qui comporte 16 puits et dont la production, bien que faible — 230 barils par mois — est constante. L'équipement de pompage conçu par le prospecteur John Henry Fairbanks (1831-1914) est toujours en usage.

L'appareil de sondage Fitzgerald — du nom d'un pionnier local, Frederick Fitzgerald — est en activité de façon intermittente depuis 1903. C'est le plus grand du monde, dit-on. Le gisement pétrolifère présente toujours les nappes affleurantes qui attirèrent les premiers prospecteurs à Petrolia et à Oil Springs.

On a dit de Petrolia qu'elle était la ville canadienne la plus prospère à l'ouest de Toronto. Plusieurs beaux bâtiments publics et d'opulentes demeures en témoignent encore aujourd'hui. Le manoir Victoria Hall (1889) en brique blanche abrite des services municipaux en même temps qu'un théâtre de 440 places. Son architecte fut George F. Durand, de London, en Ontario, qui construisit également le temple maçonnique et l'église catholique St. Philip, l'un et l'autre en 1887, ainsi que le temple presbytérien St. Andrew (1890). L'hôpital de Petrolia, à l'angle des rues Dufferin et Greenfield, fut autrefois la résidence de Jake Englehart, l'un des 16 propriétaires locaux qui se réunirent pour former ensemble l'Imperial Oil.

Le centre Petrolia Discovery expose d'anciens appareils de forage comme cette tour mobile.

Événements spéciaux

Journée Discover Petrolia [juillet]

Tour de Petrolia (mi-septembre)

Foire d'automne Petrolia-Enniskillen (septembre)

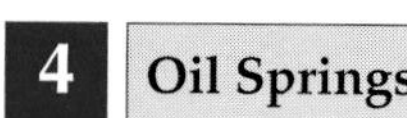

4 Oil Springs

L'industrie canadienne du pétrole est née à Oil Springs (pop. 693). On en raconte l'histoire au musée du Pétrole du Canada où l'on voit fonctionner des tours de forage employées au tout début de l'industrie. Mais ce qui fait l'intérêt du musée, c'est la reconstitution du premier puits de pétrole de

Chapelle (1860), un de six bâtiments historiques, à la Case de l'oncle Tom.

l'Amérique du Nord, celui de James Miller Williams, qui remonte à 1858. (Titusville, en Pennsylvanie, fut creusé un an plus tard.)

En 1850, un certain C.N. Tripp se mit à fabriquer de l'asphalte à partir des nappes affleurantes découvertes dans les forêts et les marais. (Avant lui, les Indiens s'étaient servi de l'huile pour en faire des médecines.) Il était en train de se creuser un puits à eau quand il fit jaillir du pétrole. Au lieu de poursuivre ses recherches, il vendit le tout à James Miller Williams qui fit de l'exploration systématique. En 1857, Williams avait trouvé du pétrole.

Une fois le puits bien installé, Williams construisit une raffinerie — encore une primeur — pour fabriquer du kérosène, matière qui servait alors à l'éclairage. En deux ans, Williams, qui s'était creusé quatre autres puits, put expédier 9 400 barils d'huile brute.

La nouvelle fit tache d'huile. Les prospecteurs affluèrent vers une petite ville des rives de la Black Creek qui allait devenir Oil Springs. Vers la fin de 1861, ils avaient creusé 400 puits avec de l'équipement rudimentaire.

En janvier 1862, l'explosion d'un puits jaillissant de 49 m, creusé par Hugh Nixon Shaw, entraîna l'écoulement de 3 000 barils par jour. Il fallut une semaine pour boucher le puits avec un sac de cuir rempli de graine de lin. Dans l'intervalle, le pétrole avait pollué les rivières Black Creek et Sydenham du Nord, le lac St. Clair et la rivière Detroit. C'était la première catastrophe mondiale du genre.

La fortune d'Oil Springs fut de courte durée : le pétrole ne tarda pas à tarir. Dès avant 1870, la première capitale pétrolière du Canada et du monde entier s'effaçait au profit de Petrolia.

Événements spéciaux

Spectacle de cerfs-volants (mai)
Exposition de courtepointes (juin)
Pique-nique d'Oil Springs (août)

5 Dresden

❋

À l'époque qui précéda la guerre américaine de Sécession, entre 1840 et 1860, les esclaves noirs cherchaient à se réfugier au Canada. Ils voyageaient vers le nord grâce à un réseau secret d'appuis qu'on appelait « le chemin de fer clandestin ». Ils traversaient en grand nombre la frontière dans le sud de l'Ontario et s'installaient alors dans des localités comme Dresden (pop. 2 600), qui était à l'époque ce qu'elle est aujourd'hui, un calme petit village de campagne sur les bords de la rivière Sydenham.

On estime que 60 000 réfugiés noirs atteignirent ainsi le « Canaan » du nord, comme ils avaient coutume de dire. Le plus connu d'entre eux est le révérend Josiah Henson (1789-1881) dont la vie inspira Harriet Beecher Stowe, l'auteur de *La Case de l'Oncle Tom* (1851).

Né esclave dans le Maryland, Henson fut ordonné pasteur de l'Église méthodiste en 1828. Deux ans plus tard, il traversait la frontière avec sa famille, entre Buffalo, dans l'État de New York, et Fort Erie, en Ontario.

En 1841, avec un groupe d'abolitionnistes, il acheta environ 80 ha de terre à Dresden et fonda l'Institut anglo-américain pour recueillir les esclaves fugitifs et leur dispenser une formation technique. Aujourd'hui, la maison de Henson, avec ses clous à tête carrée faits main et ses murs en bois de tulipier, est le point central du site historique de la Case de l'oncle Tom, à 2 km au sud-ouest de Dresden.

On peut aussi visiter une maison qui servit de dortoir aux fugitifs et l'église où prêchait Henson. Le musée expose divers instruments de répression employés contre les Noirs, fouets, gourdins et menottes, ainsi que des documents sur l'abolitionnisme et diverses éditions de *La Case de l'Oncle Tom*, un livre qui, à l'époque, ne le cédait en popularité qu'à la Bible. Le musée est ouvert de la mi-mai à la fin de septembre.

6 Thamesville

Sise sur les rives de la rivière Thames, la petite ville de Thamesville (pop. 1 000) fut fondée en 1797 par des loyalistes américains. Deux sites à proximité rappellent la bataille de la Thames qui eut lieu le 5 octobre 1813 au cours la guerre anglo-américaine.

À 10 km à l'est de la ville, sur la route 2, se trouve un monument élevé à la mémoire du chef shawnee Tecumseh (1768-1813). Il avait pris position du côté des Anglais et des Canadiens contre les Américains dès le début de la guerre de 1812. Le monument marque l'endroit où il fut tué le jour de la bataille de la Thames.

Durant la même bataille, les Américains détruisirent le village de Fairfield. La localité avait été fondée en 1792 par des missionnaires moraviens et leurs convertis, des Indiens Delawares, qui fuyaient ensemble les États-Unis. Trois ans après sa destruction, les missionnaires rebâtirent le village près de l'endroit où se trouve aujourd'hui la ville de Moraviantown, qui fait partie de la réserve des Indiens Delawares. L'église de 1848 accueille toujours les fidèles le dimanche matin.

Le musée Fairfield, aménagé sur le site de 1792, relate l'histoire des missionnaires moraviens et des Indiens Delawares. Il est situé à l'est de Thamesville, sur la route 2.

7 Goderich

Phare, à Goderich

Nichée sur une falaise dominant le lac Huron à l'embouchure de la rivière Maitland, la ville de Goderich (pop. 7 500) fait l'admiration des visiteurs. Certains prétendent que c'est la plus charmante des villes du Canada.

Elle fut fondée en 1827 par John Galt, directeur de la Canada Company, une compagnie de colonisation, avec son associé William Dunlop, dit le « Tigre », soldat, chirurgien, journaliste et politicien. Ils lui donnèrent le nom du vicomte Goderich, chancelier de l'Échiquier britannique, qui avait vendu à la Canada Company une superficie de 400 000 ha (de Guelph à Goderich) dans le Territoire huron.

L'un des premiers gestes des fondateurs fut d'exploiter le port de Goderich, qui demeure encore le plus grand port canadien sur le lac Huron. Le plan des rues, bordées d'arbres, serait l'œuvre de Dunlop ; il les fit rayonner autour d'un parc octogonal, le Court House Square, qui constitue le centre névralgique de la ville.

Dunlop a également surveillé la construction de la prison du lac Huron de 1839 à 1842. Cette structure octogonale de trois étages, dont les murs mesurent 1 m d'épaisseur, a changé de fonction en 1972 : c'est maintenant un musée, ouvert de mai à novembre. Son « pensionnaire » le plus fameux, au XIXe siècle, fut le meurtrier James Donnelly, emprisonné de 1859 à 1866 et assassiné en 1880 par des citoyens en colère. On peut aussi visiter, à côté, l'élégante résidence du gouverneur de la prison.

À un coin de rue vers l'ouest, le musée du comté de Huron est constitué de salles thématiques portant sur la vie quotidienne à l'époque victorienne. On

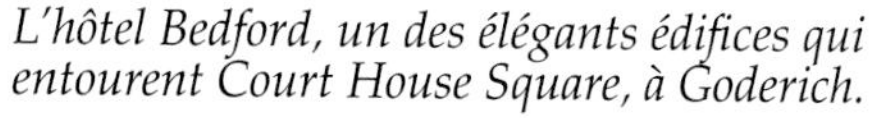
L'hôtel Bedford, un des élégants édifices qui entourent Court House Square, à Goderich.

LE FESTIVAL DE BLYTH

Une scène de Dreamland, *comédie musicale qui fit le succès, en 1989, du Festival de Blyth.*

La campagne ontarienne a donné naissance à une pléiade de petites troupes de théâtre et de groupes musicaux semi-professionnels. Le Festival de Blyth appartient à cette tradition, mais avec un net élément de distinction. Depuis sa fondation en 1975, le Festival de Blyth s'est en effet taillé une solide réputation à l'échelle nationale en présentant des pièces canadiennes originales. Fondé par son actuel directeur, James Roy, natif de Blyth, avec le concours de la dramaturge Anne Chislett et de l'éditeur Keith Roulston, il se poursuit tout l'été, de juin à septembre.

Les pièces mettent souvent en scène des situations empruntées à la vie rurale. L'une des premières créations a été *Mostly In Clover*, dramatisation des mémoires de Harry J. Boyles publiés en 1961. Une ferme isolée a servi de décor à *I'll Be Back Before Midnight*, de Peter Colley, pièce présentée en 1979. Un autre succès, celui-ci à l'échelle internationale, *Quiet in the Land* (1981), d'Anne Chislett, était un portrait de la vie de famille des mennonites en 1930 dans la campagne ontarienne.

Le festival se tient au Blyth Memorial Community Hall, construit en 1919-1920 pour rendre hommage aux villageois qui avaient combattu dans la Première Guerre mondiale. Il servait alors de salle de réunion du conseil, de cour d'assises et, à l'occasion, de salle de théâtre. En 1974, une faction de villageois s'opposa à la destruction de ce bâtiment jugé par certains désuet. Le festival y présentait, l'année suivante, une modeste première pièce.

Aujourd'hui, le Festival de Blyth met à l'affiche cinq nouvelles pièces par été. Parmi les dramaturges représentés, on remarque les noms de Carol Bolt, Colleen Curran, Gorden Pinsent, Lister Sinclair, Ted Johns et Michel Tremblay.

Blyth (pop. 1 000) se situe à 40 km à l'est de Goderich. Comme le prix d'entrée est modique, il est préférable de réserver d'avance. Les premières années, la chaleur accablante et les sièges en bois dur mettaient la patience des spectateurs à l'épreuve ; la salle est maintenant climatisée et les sièges sont modernes.

remarque notamment la reconstitution d'un bureau de dentiste.

Le musée de la Marine du comté de Huron, ouvert en été et les après-midi seulement, est logé dans la timonerie d'un cargo des Grands Lacs (1907), le *J.C. Morse* (plus tard rebaptisé *Shelter Bay*). Il expose des ancres, des bateaux de sauvetage et autres éléments reliés à la navigation. On peut y voir une série de photographies illustrant le rôle de Goderich dans la navigation commerciale des Grands Lacs.

Le centre d'information touristique et le bureau de conservation de l'architecture, à l'hôtel de ville, distribuent un itinéraire qui permet de faire la tournée des bâtiments historiques.

Événements spéciaux

Festival d'art et d'artisanat (juillet)

Foire annuelle et exposition de courtepointes (août)

8 Benmiller

✻⌂

Il existe un certain nombre de villages fantômes dans le sud-ouest de l'Ontario, comme St. Joseph et Wroxeter. Benmiller (pop. 50) aurait dû être du nombre. S'il a échappé à l'oubli, c'est à cause du complexe hôtelier Benmiller Inn qui, d'après les habitants, fait grimper la population à 150 « quand l'hôtel est plein ».

Niché dans une dépression boisée, Benmiller se développa au confluent de la rivière Maitland et du torrent Sharpes. Ce petit village porte le nom de Benjamin Miller qui y construisit un moulin à blé vers 1830. Il s'en édifia d'autres, tous utilisant la puissance hydraulique des chutes. Puis, vers 1970, le village sembla sur le point de s'éteindre comme ses moulins.

*De très beaux jardins rehaussent l'atmosphère unique qui règne au Benmiller Inn, un complexe de moulins du XIX*e *siècle transformés en hôtels.*

Le wagon-école qu'on peut voir à Clinton desservait les petites localités isolées de l'Ontario.

En 1974, les propriétaire du complexe hôtelier décidèrent de restaurer les moulins dans le style du XIXe siècle. L'entreprise donna finalement naissance à un centre de villégiature de 30 ha où les clients logent dans les moulins, confortablement aménagés.

Le moulin Woollen (1878) fut le premier à être restauré, suivi du moulin River, de la maison Gledhill (celle d'un ancien propriétaire du moulin) et de la maison Mill. L'enseigne du moulin River porte l'effigie de Jonathan Miller, fils du fondateur. Avec ses 220 kg et son 1,88 m de taille, il avait la réputation d'être « le plus grand homme du pays ». La dernière restauration fut celle de Cherrydale Farm (1829), une maison de pierre avec six chambres. C'est là que vécut un des premiers colons, Michael Fisher, avec sa femme, ses sept fils et ses trois filles. Fisher avait acheté, de la Canada Company de John Galt, pour l'équivalent de 10 000 $ d'aujourd'hui, une propriété de 2 225 ha à côté du site actuel de Benmiller.

Lustres, horloges, dessus de table et même sacs de farine d'époque composent le décor. Le parc du complexe hôtelier est un heureux mélange de boisés à l'état nature et de fleurs soigneusement cultivées.

9 Clinton

Cette jolie ville de 3 000 âmes est fière à juste titre de son passé. Sa rue principale est bordée d'élégantes maisons de brique, construites entre 1877 et 1884. L'hôtel de ville domine le paysage de sa tour imposante depuis 1870.

Durant la Deuxième Guerre, Clinton fut surnommée « la maison du radar ». Une antenne géante à l'angle des rues Mary et King rappelle le temps où la ville abritait la première école technique de radar en Amérique du Nord.

Le parc commémoratif Sloman abrite un autre souvenir du passé, l'école itinérante. Celle-ci servit, à compter de 1926 jusqu'aux années 60, à diffuser l'instruction dans les petites localités isolées du nord de l'Ontario grâce au chemin de fer.

C'était une voiture du CN comportant une salle de classe et une chambre pour l'instituteur. On la détachait du train et elle demeurait quatre jours dans la localité. Les enfants — et les adultes, le soir — y venaient à pied ou en traîneau. Avant de repartir, l'instituteur distribuait des devoirs qu'il recueillait au passage suivant.

Le programme fut un grand succès. En 1938, il y avait sept voitures de ce type dans tout le nord de l'Ontario. Fred Sloman (1894-1973), natif de Clinton et directeur du programme, enseigna depuis le tout début de sa carrière jusqu'à sa retraite en 1965. Sa femme et ses cinq enfants voyagaient avec lui. Tous ont fait leurs études — de la première à la douzième année — à bord de l'école itinérante.

Après la mort de Sloman, la ville de Clinton acheta le wagon où il avait enseigné et le transforma en musée. Celui-ci est ouvert tous les jours entre le 24 mai et la Fête du travail.

Événements spéciaux
Klompenfeest (mai)

10 Bayfield

Le village de villégiature de Bayfield (pop. 850) a été créé en 1832 par un ingénieur hydrographe de la Royal Navy, le capitaine Henry Wolsley Bayfield, sur un terrain de 600 ha, propriété de son employeur, le baron hollandais van Tuyll. C'est la seconde localité — après Goderich — fondée dans le Territoire huron. L'école, construite en 1836, qui fait maintenant partie de « La Hutte » sur le Clan Gregor Square, rappelle l'époque du capitaine Bayfield.

Au XIXe siècle, le village connut une certaine prospérité. Vers 1890, il comptait 595 habitants et 25 entreprises. Mais il ne devint jamais le port commercial dont rêvait son fondateur.

Bayfield tomba dans l'oubli jusque vers 1970 quand des citadins découvrirent la paisible beauté du lieu. Les nouveaux venus tenaient à conserver son ambiance vieillotte ; ils s'occupèrent de rénover les maisons et les boutiques abandonnées. Aujourd'hui, les belles résidences, qui se dissimulent derrière des noyers centenaires, affichent un air de jeunesse.

Bordée de charmantes boutiques d'artisanat qui vendent des céramiques, des dentelles et du bon « fudge » maison, la rue principale comporte deux hôtels historiques : l'hôtel Albion, un bâtiment de brique jaune de 1857, et le Little Inn, qui était autrefois un relais de diligence sur la route Goderich-London. Bayfield est surtout fière de ses deux entreprises qui rappellent l'époque victorienne : la Springbank Harness Company, au sud de la ville, qui se spécialise dans les attelages de chevaux (ouverte le jeudi au public), et la Penhale, au nord, qui fabrique des carrosses et des landaus pour Disney World et autres clients d'envergure (ouverte du lundi au vendredi).

Événements spéciaux

Foire de Bayfield (août)

Festival Zurich Bean (août)

Bayfield possède trois marinas dans l'un des meilleurs et des plus jolis ports du lac Huron.

11 St. Marys

Située au cœur d'une région intensément agricole, la ville de St. Marys (pop. 5 400) présente le plus grand ensemble de bâtiments en pierre de taille du XIXe siècle de l'Ontario. Les commerçants de la ville — George Carter, Willam et Joseph Hutton, entre autres — s'enrichirent dans le commerce des céréales et investirent dans des manoirs et des édifices publics. (Un autre commerçant, Timothy Eaton, ouvrit un magasin ici en 1860, avant de déménager à Toronto où il lança la vaste entreprise qui porte son nom.)

L'un des plus grandioses de ces bâtiments d'époque est l'opéra de style néo-gothique. Érigé en 1880, d'une capacité de 1 000 places, il a été sauvé de la démolition vers 1980 : les deux étages ont été transformés en copropriétés et le rez-de-chaussée, en boutiques et en bureaux.

L'hôtel de ville, construit en 1891 en calcaire décoré de grès rouge, est de style néo-roman ; le bâtiment est tout à fait caractéristique de l'architecture locale qui a donné à la ville le surnom de « ville de pierre ».

Il faut rendre hommage à l'architecte en chef de St. Marys, William Williams (décédé en 1918), qui conçut les premiers édifices commerciaux de la ville, l'ensemble MacPherson, vers 1850, et l'édifice Andrew en 1884.

Des carrières voisines fournissaient le calcaire destiné à la construction. L'une d'entre elles, au sud de la ville, a été convertie en piscine. On dit que c'est la plus grande du genre au Canada. La carrière, qui mesurait 250 m sur 75 m, fut abandonnée vers 1930 ; petit à petit, elle s'est remplie d'une eau froide et cristalline jaillie d'une source souterraine. Avec ses 12 m de profondeur, elle ne convient qu'aux personnes sachant nager.

Événements spéciaux

Foire de St. Marys (juillet)

Le joyeux petit train vert et jaune quitte la gare de Port Stanley en route pour une excursion à la campagne.

L'hôtel de ville de St. Marys (1891) reflète la tranquille prospérité de ses citoyens.

12 Port Stanley

Le pittoresque village de pêche et de villégiature de Port Stanley (pop. 2 100) est situé sur la rive nord du lac Érié, à l'embouchure de la rivière Kettle.

Les explorateurs français, qui vinrent ici au cours du XVIIe siècle, n'eurent que des éloges à faire sur l'endroit. La région, pourtant, demeura assoupie jusqu'à ce que le colonel Thomas Talbot (1771-1853), un homme autoritaire qui buvait sec, se fasse octroyer des terres (2 025 ha) sur les rives du lac Érié en 1803. L'année suivante, il cédait l'emplacement où se dresse aujourd'hui Port Stanley à son ami, le géomètre-arpenteur John Bostwick.

Le village porte le nom de lord Stanley, un Britannique qui rendit visite au colonel Talbot en 1823. La construction du port commença en 1827. À l'issue des travaux, en 1833, il put desservir la ville de London, sise 45 km au nord. Port Stanley demeure encore, de nos jours, le port le plus important sur la rive nord du lac.

Dès 1900, des visiteurs se mirent à emprunter le chemin de fer London-Port Stanley (L&PS) — construit en 1856 pour le transport des marchandises — pour venir se baigner, pique-niquer et, plus tard, danser sur la plage de Port Stanley dans le célèbre pavillon du L&PS. Celui-ci fut inauguré le 29 juillet 1926. Ce soir-là, 6 500 personnes déboursèrent 15¢ d'admission et 5¢ par danse pour évoluer aux sons de l'orchestre de Vincent Lopez, venu tout exprès du Ritz Carlton de New York.

La salle de danse de 1 200 m^{2}, au plancher fini en érable, était décorée de meubles en rotin et de lanternes chinoises. En été, les lourdes fenêtres étaient grandes ouvertes pour laisser entrer la brise fraîche venue du lac. Une vaste promenade faisait le tour du pavillon.

Sur les rives du lac Érié

Distance : environ 115 km

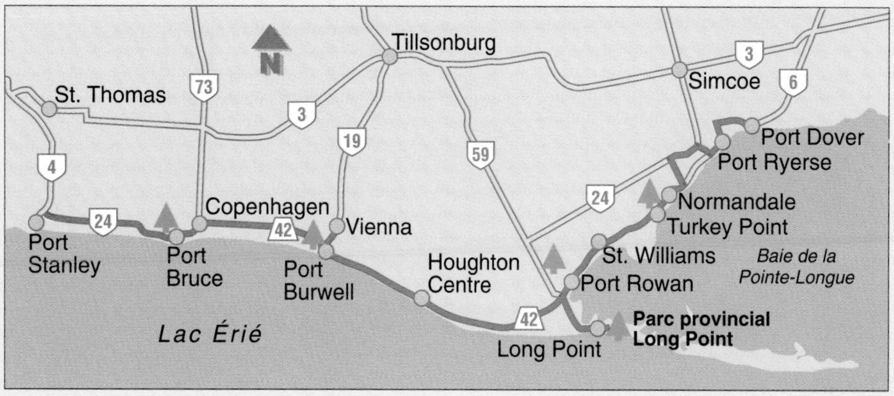

Le circuit commence au joli village de Port Stanley. Deux routes, la 24 et la 42, s'entrecroisent sur cette rive paisible du lac Érié.

• Prenez d'abord Elgin Road 23 au nord, et Elgin Road 24 à l'est jusqu'à Port Bruce ; ensuite la route 73 au nord jusqu'à Copenhagen et la route Elgin Road 42 à l'est jusqu'à Port Burwell. Les visiteurs peuvent monter ici au sommet d'un des plus vieux phares en bois du Canada (1840) ou se détendre sur 600 m de plage de sable blanc. Le parc provincial de Port Burwell surplombe ce pittoresque village.

• Prenez la route 19 vers le nord ; vous arrivez à Vienna où le jeune Thomas Edison passait ses étés. Un musée consacré au célèbre inventeur est ouvert au public en été, du mardi au vendredi.

• Poursuivez sur la 42 en passant par Houghton et le centre de villégiature privé *The Sandhills,* célèbre pour ses falaises de sable hautes de 135 m. À la fin du siècle dernier, on payait 10¢ pour les voir.

• La route 59 vous mène au sud à la péninsule de Pointe Longue qui regorge d'oiseaux et de poisson. On peut camper et se baigner au parc provincial.

• De retour sur la 42, traversez Port Rowan pour arriver à la zone de conservation Backus Heritage où se trouve le plus vieux moulin à eau de l'Ontario, toujours en exploitation. Construit vers 1798, le moulin a appartenu à la famille Backhouse pendant plus de 150 ans.

• Quittez la 42 à St. Williams aux limites de la ville et dirigez-vous au sud sur la route Haldimand-Norfolk 16. Prenez Lakeshore Road vers l'est et vous traverserez une région marécageuse avant d'atteindre le hameau de Turkey Point. La Haldimand-Norfolk 10 mène au village et aux plages vers le sud et au parc provincial Turkey Point vers le nord.

• De retour sur Lakeshore Road, poursuivez jusqu'à Normandale où la rue Mill vous conduira au site de Normandale Furnace, signalé par une plaque. Il s'agit d'une des plus vieilles fonderies du pays (1818). Les hauts fourneaux et les instruments aratoires qu'elle fabriquait étaient fort prisés du côté américain du lac Érié.

• Continuez sur Lakeshore Road jusqu'à Fishers Glen où vous prenez la direction nord sur County Road 10, puis est sur la route 24 et faites un virage à droite sur la route Haldimand-Norfolk 57.

• Filez au sud jusqu'à Port Ryerse dont le nom rend hommage à son fondateur, le lieutenant-colonel Samuel Ryerse, loyaliste (1752-1812). Faites un arrêt sur King Street, au temple anglican (1870), un bâtiment de planches à clin blanches avec une plaque résumant la vie de Ryerse. Le cimetière date de la fondation du village.

• À la sortie de Port Ryerse, un virage à 90 degrés sur Nanticoke Port Ryerse Road vous ramène à la route 24. En chemin, faites une halte à la zone de conservation Hay Creek, ouverte aux campeurs, aux pique-niqueurs et aux excursionnistes.

• Reprenez la 24 vers le nord, puis Radical Road vers l'est pour entrer à Port Dover, et la rue Main vers le sud pour rejoindre la plage.

Tous les grands du « Big Band » s'y produisirent de 1935 à 1945 : Louis Armstrong, Count Basie, Cab Calloway, Duke Ellington, Benny Goodman, Woody Herman, Harry James, Guy Lombardo et ses Royal Canadians, Les Brown et le Band of Renown, mettant en vedette la chanteuse Doris Day.

Le pavillon connut des années de vaches maigres lorsque le service ferroviaire cessa dans les années 50. Il survécut jusqu'en 1968 sous le nom de Stork Club, en offrant des banquets et des réceptions de noces. En 1974, on en fit la réfection complète pour accueillir des orchestres de jazz, mais il fut rasé par le feu cinq ans plus tard.

Un « architecte solitaire » s'affaire à ses châteaux de sable, au bord du lac Érié.

Pour retremper le visiteur dans le bon vieux temps, l'entreprise de Port Stanley Terminal Railway — une version revivifiée de l'ancien L&PS — offre des excursions de 40 minutes à travers la vallée de la Kettle jusqu'au village voisin de Union, et d'autres jusqu'à St. Thomas. Les excursions ont lieu l'après-midi, tous les jours en juillet et en août, le dimanche le reste de l'année et parfois aussi le samedi.

À l'angle des rues Main et Bridge, l'hôtel Kettle Creek, construit en 1849 par le sieur Samuel Price en guise de résidence secondaire, est en exploitation depuis les années 20. L'histoire nous apprend que Price était propriétaire du magasin général de la ville et « rendait justice » dans une « cour » tout à côté.

En traversant un des rares ponts-levis qui restent en Ontario, on atteint, en face sur la rivière Kettle, une vieille prison transformée en musée et un monument à la mémoire des pêcheurs.

Port Stanley a deux plages et cinq ports de plaisance, tous situés à l'embouchure de la rivière Kettle. En été, on peut faire une excursion d'une heure dans le port à bord d'un vapeur à aubes, le *Kettle Creek Queen*.

La falaise Hawk, à 8 km à l'est de la ville, est le paradis des ornithophiles. Fin septembre, plus de 20 000 petites buses y passent chaque jour. D'août à décembre, ce sont les engoulevents, les faucons pèlerins, les pygargues à tête blanche, les huarts et les bernaches du Canada. Au début d'octobre, le ciel est envahi par des vols de geais bleus.

Des enseignes de tous genres décorent les rues des petites villes de l'Ontario. Celle-ci, dans le style flamboyant, proclame la raison sociale de la taverne de Sparta.

POINTE LONGUE

L'UNESCO a identifié de par le monde 300 aires protégées constituant la réserve mondiale de la biosphère ; l'une des six zones canadiennes est la Pointe Longue qui s'avance sur 32 km dans le lac Érié. Ce croissant étroit (4 km de largeur au maximum) s'est formé sous l'action des vents dominants qui soufflent d'ouest en est et des vagues du lac Érié qui déportent le sable et le gravier. Certains experts prétendent qu'il a fallu 10 000 ans à dame nature pour façonner cette péninsule, mais tous s'accordent pour dire qu'elle n'a pas fini son œuvre. Le relief est fait de marécages, de dunes, de prés et de boisés. Au sud, du côté du lac, la péninsule est bordée sur toute sa longueur par une plage — en partie inaccessible aux visiteurs —, tandis que du côté nord, à l'abri des vents, la grève reste marécageuse.

En 1670, Dollier de Casson et Galinée furent les premiers Européens à poser pied sur la Pointe Longue. Les missionnaires la visitèrent de loin en loin, des marchands y établirent des postes de traite au début du XVIIIe siècle, mais la colonisation n'y commença vraiment qu'avec l'arrivée des loyalistes à la fin du XVIIIe siècle.

On a enregistré la présence sur la Pointe Longue de plus de 350 espèces d'oiseaux dont le tiers y viennent en période de nidification. Au printemps, les ornithophiles se donnent rendez-vous dans le parc provincial pour observer les vols d'oiseaux migrateurs. À l'observatoire de Long Point, à côté, des spécialistes baguent les oiseaux et étudient leurs mœurs migratoires.

Deux pêcheurs profitent des eaux calmes devant la rive marécageuse au nord de la pointe Longue.

La route 59 donne accès à la Pointe Longue. À l'entrée, un sentier de 2 km sur des digues permet d'observer les marécages. La péninsule se compose de trois sections : la première est occupée par un parc provincial ouvert au public où les visiteurs peuvent camper, pêcher ou prendre le soleil sur une plage de 4 km ; les deux autres sections ne sont accessibles que par bateau et l'accostage est restreint. La partie centrale appartient à la Long Point Company, qui gère la péninsule depuis 1866 mais en a cédé une partie au gouvernement canadien à la fin des années 70. Cette partie constitue la troisième section ; elle est administrée par le Service canadien de la faune et de la flore d'Environnement Canada.

13 Sparta

Pour atteindre Sparta (pop. 225), il faut prendre la route 4 vers le nord à Port Stanley, puis la route 27 vers l'est à Union.

Sparta fut fondée en 1815 par un Quaker de Pennsylvanie, Johathan Doan. Le village est resté pratiquement intact depuis les années 1800, avec ses boutiques d'antiquité et d'artisanat et ses salons de thé. L'artiste Peter Robson, bien connu pour ses aquarelles représentant de vieux villages du sud-ouest de l'Ontario, a ouvert un studio et une galerie dans un édifice appelé « The Abbey », qui était en 1840 une école pour filles.

Tous les commerçants de Sparta distribuent un itinéraire qui permet de visiter la vieille ville. On y dénombre plus de 25 attractions historiques : des maisons construites dans le style des Quakers de la Nouvelle-Angleterre et le cimetière de la Society of Friends, juste à l'ouest de la ville. C'est là que fut enterré Joshua Doan ; il avait participé à la rébellion de Mackenzie (1837).

Les boutiques sont ouvertes du mardi au dimanche en été, et seulement en fin de semaine pendant l'hiver.

14 Port Dover

Port Dover (pop. 4 500) fait penser aux Maritimes. L'endroit plut à ses premiers visiteurs, les moines français Dollier de Casson et Galinée, qui y séjournèrent en 1669 en explorant les Grands Lacs. Gallinée vanta sa beauté dans son journal. Les visiteurs d'aujourd'hui abondent dans le même sens.

Le village s'appelait d'abord Dover ou Dover Mills. Il se développa près d'un moulin sur la rivière Lynn, un peu en amont de la localité actuelle, au début du XIXe siècle. Durant la guerre de 1812, les Américains y mirent le feu sans rencontrer d'opposition, les sol-

Le passé maritime de Port Dover est exposé dans un musée sur le port.

dats britanniques et canadiens étant occupés ailleurs.

Tous les ans, le 1er juillet, on rappelle cet événement. Mais cette fois, les Canadiens sont là, fin prêts à combattre dans leurs beaux uniformes. Faisant fi de l'histoire, ils battent les Américains, au grand bonheur de l'assistance.

Après la guerre de 1812, le village fut reconstruit plus près du lac Érié et on le rebaptisa Port Dover. La décision fut opportune ; l'ouverture du canal Welland, en 1825-1830, devait en effet augmenter le trafic des marchandises. Le port nouvellement agrandi fut en mesure d'accueillir les chargements de céréales et de bois.

La localité connut la prospérité grâce à sa vocation transitaire, mais sa véritable occupation était, et est encore, la pêche. Elle possédait, à une époque, la plus grande flotte de bateaux de pêche intérieure du monde entier. Une quarantaine de ses bateaux sillonnent toujours les eaux du lac Érié.

Tous les jours, à 15 heures, la flotte rentre au port, chargée de bars, de brochets, de dorés, de corégones et surtout de la fameuse perchaude du lac Érié.

Les hôtels et les restaurants de la plage se spécialisent dans la cuisson du poisson. Les prises sont toujours fraîches ; en quelques minutes, elles sautent du port dans la poêle.

Au musée de Port Dover, un ex-abri à filets ouvert entre la mi-mai et la mi-octobre, la longue liste des naufrages et des sauvetages témoigne des rigueurs du lac Érié. On y voit aussi les agrès de pêche les plus récents en usage dans les Grands Lacs.

Événements spéciaux

Défilé Heritage (fête de la Reine)

Fête du Canada (célébrée depuis 1867)

Festival estival d'art et d'artisanat (août)

Exposition d'antiquités (septembre)

Attraction spéciale

Excursions sur le lac à bord du *Peggy Jane* (de mai à la fête du Travail)

SUD-EST DE L'ONTARIO

14 Sud-est de l'Ontario

Sites
Parc provincial Sandbanks
Picton
Adolphustown
Bath
Gananoque
Parc provincial Bon Echo
« Old Walt » à Bon Echo
Almonte
Perth
Parc provincial Charleston Lake
Athens
Merrickville
Le canal Rideau
Maxville
Williamstown

Circuits automobiles
Comté de Prince Edward : Picton à Point Traverse
Île Wolfe

Parc national
Îles-du-Saint-Laurent

*Pages précédentes :
La rivière Tay, à Perth*

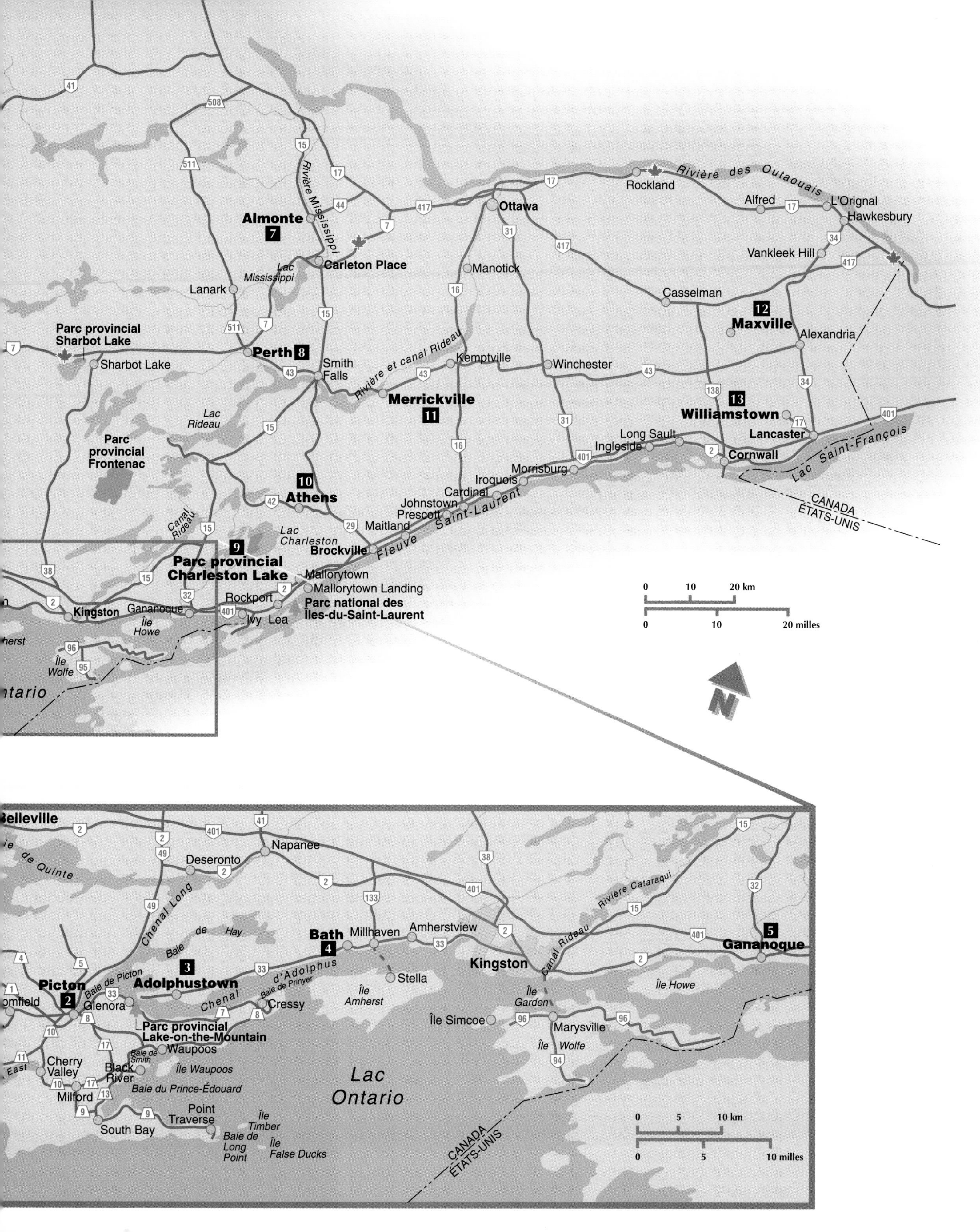

Rivière des Outaouais
Rockland
Alfred
L'Orignal
Hawkesbury
Ottawa
Almonte
7
Rivière Mississippi
Carleton Place
Manotick
Vankleek Hill
Lac Mississippi
Lanark
Casselman
12
Maxville
Alexandria
Parc provincial Sharbot Lake
Sharbot Lake
Perth 8
Smith Falls
Rivière et canal Rideau
Kemptville
Winchester
Merrickville
11
13
Williamstown
Lancaster
Lac Rideau
Parc provincial Frontenac
Long Sault
Ingleside
Cornwall
Lac Saint-François
Morrisburg
Iroquois
Cardinal
10
Athens
Johnstown
Prescott
Fleuve Saint-Laurent
Maitland
Lac Charleston
Canal Rideau
9
Brockville
Parc provincial Charleston Lake
Mallorytown
Mallorytown Landing
Parc national des Îles-du-Saint-Laurent
Rockport
Ivy Lea
Kingston
Gananoque
Île Howe
Île Wolfe
CANADA
ÉTATS-UNIS
0 10 20 km
0 10 20 milles
N
Belleville
Baie de Quinte
Napanee
Deseronto
Chenal Long
Baie de Hay
Bath
4
Millhaven
Amherstview
Rivière Cataraqui
Canal Rideau
5
Gananoque
Kingston
3
Adolphustown
Picton
2
Baie de Picton
Chenal d'Adolphus
Baie de Prinyer
Stella
Glenora
Cressy
Île Amherst
Île Garden
Île Simcoe
Marysville
Île Howe
Parc provincial Lake-on-the-Mountain
Waupoos
Baie de Smith
Île Waupoos
Île Wolfe
Cherry Valley
Black River
Baie du Prince-Édouard
Milford
Lac Ontario
Point Traverse
South Bay
Île Timber
Baie de Long Point
Île False Ducks
CANADA
ÉTATS-UNIS
0 5 10 km
0 5 10 milles

1 Parc provincial Sandbanks

Au sud-ouest du comté de Prince Edward, le parc provincial Sandbanks renferme d'innombrables dunes. Façonnées par le jeu ininterrompu, depuis 10 000 ans, des vagues et des vents d'ouest, elles s'alignent sur 10 km en bordure du lac Ontario, atteignant parfois une hauteur de 25 m.

Jusqu'au milieu du siècle dernier, elles étaient couvertes d'une végétation, certes rabougrie, mais qui suffisait à retenir le sable. L'agriculture et l'élevage du bétail sur cette maigre couverture végétale accélérèrent la marche en avant du sable. Les cédraies adultes, les vergers et les terres cultivées furent abandonnés peu à peu. Pour mettre un frein à l'ensablement, le gouvernement de l'Ontario entreprit, dans les années 20 et 30, avec l'aide des scouts et du club Rotary, un vaste programme de plantation de cèdres. À la suite de ce projet, les dunes ont retrouvé une certaine stabilité, mais la partie n'est pas encore gagnée.

Pour voir dans tout leur éclat les dunes dorées qui ont donné son nom au parc, il faut visiter le secteur du lac West. Le secteur du lac East, qui présente, lui aussi, de belles dunes, est sans doute plus facilement accessible grâce au sentier Cedar Sands (1,5 km) qui serpente entre les dunes reboisées et mène à une plate-forme sur la rivière Outlet. Des escaliers permettent de gravir facilement les dunes les plus escarpées. Les dunes ici avancent vers le lac West au rythme de 1,8 m par an.

Le parc provincial Sandbanks est un endroit recommandé pour l'observation des oiseaux : bruant des marais, pic chevelu, troglodyte des marais. On y admire aussi une belle collection de plantes florifères ainsi que de petits reptiles et des amphibiens. L'une des créatures les plus curieuses du parc

Des arbustes stabilisent les dunes du parc provincial Sandbanks.

Dans le comté de Prince Edward

Distance : 115 km

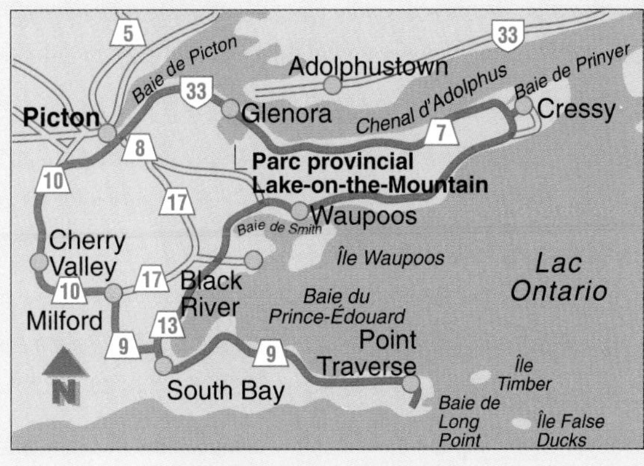

À la sortie de Picton, suivez la route 33 vers l'est jusqu'au parc provincial Lake-on-the-Mountain, qui perche sur une falaise de calcaire 100 m au-dessus du chenal d'Adolphus. On a longtemps cru que le lac était sans fond ou qu'il communiquait par une galerie avec le lac Érié. (On sait maintenant qu'il est alimenté par des sources souterraines et qu'il ne dépasse pas 60 m de profondeur.) Prenez le temps de parcourir les sentiers du parc ou de faire un pique-nique. D'un belvédère en face au parc, vous contemplerez en bas le chenal Adolphus et, minuscule à cette distance, le traversier de Glenora.

- À l'est du parc, la route 7 mène à Cressy puis descend longer le lac Ontario à la hauteur de Prinyer's Cove, village fondé par des loyalistes en 1780. Durant la prohibition des années 20 et 30, ce port (appelé à l'époque Whiskey Cove) servait au commerce illicite de l'alcool avec les États-Unis.
- En quittant Cressy, prenez la route 8 en direction ouest. Ce chemin de campagne grimpe sur des falaises pour serpenter à travers les vergers et les fermes. Avant d'arriver à Waupoos, arrêtez-vous à la Maison Rose (1817) qui a été restaurée pour loger le musée de Marysburgh. Vous y admirerez une magnifique collection de meubles et d'objets ayant appartenu à des familles loyalistes.
- Filez maintenant vers le sud en direction de South Bay pour voir le phare du musée des Mariniers. Érigé vers 1820 dans l'île False Ducks, il fut démantelé puis réassemblé sur son lieu actuel vers 1960.
- Suivez la route 9 jusqu'à Point Traverse. Au bout de la presqu'île se trouve Long Point Harbour, le petit port d'attache de la toute dernière flotte de pêche commerciale sur le lac Ontario.
- Pour rentrer à Picton, prenez les routes 9 et 10. En cours de route, vous visiterez l'Exotarium, un centre de reproduction de reptiles exotiques ou menacés d'extinction. (Tous les musées mentionnés sont fermés en hiver.)

Le phare du musée des Mariniers est le second phare en ancienneté des Grands Lacs.

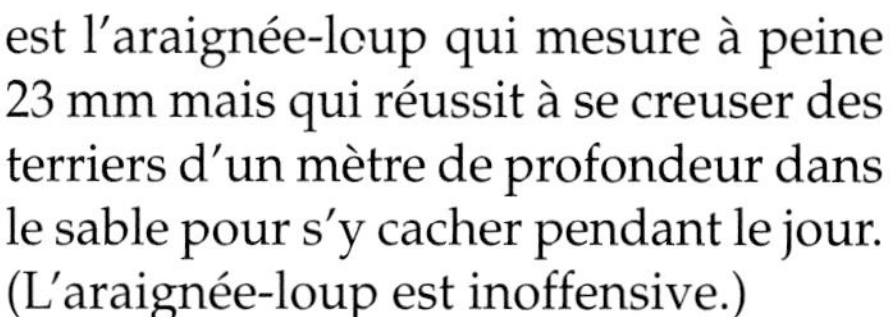

est l'araignée-loup qui mesure à peine 23 mm mais qui réussit à se creuser des terriers d'un mètre de profondeur dans le sable pour s'y cacher pendant le jour. (L'araignée-loup est inoffensive.)

Dans les secteurs du lac East et du lac West, on peut pêcher l'achigan à petite bouche, l'achigan à grande bouche, le doré, le touladi, la barbotte et la perchaude. Les eaux du lac Ontario sont idéales pour les petits bateaux et les planches à voile.

En été, le parc offre des programmes d'interprétation : promenades guidées et diaporamas sur la faune et la flore, activités pour adultes et enfants. Une des activités les plus courues est celle des « fantômes dans le parc », une promenade nocturne en compagnie de guides jouant le rôle de personnages historiques qui font revivre l'époque où les Indiens venaient chasser et pêcher dans les dunes.

2 Picton

En 1791, les loyalistes fondaient au nord de la ville actuelle de Picton (pop. 4 235) une colonie appelée Hallowell. Cent ans plus tard, la bourgade était devenue un centre de commerce et un port pour les bateaux à vapeur du lac. Entre-temps toutefois, vers 1820, Hallowell eut à faire face à la concurrence du village de Delhi, en face sur la baie, fondé par un riche propriétaire terrien, le révérend William Macaulay (1794-1874).

Des années d'une rivalité acharnée se terminèrent en 1837 par la fusion des deux villages sous le nom du major-général britannique sir Thomas Picton. Mais les deux localités conservent leur nom et leurs traits distinctifs : Hallowell est le centre commercial tandis que Delhi est un quartier de belles résidences et de bâtiments religieux.

Enseigne, à Picton

BEWARE OF DOG

Toutes les promenades qu'on peut faire dans les jolies avenues ombragées des deux quartiers partent de l'hôtel North American (1830). Avec sa véranda à étage et ses impostes en éventail, cet hôtel fut longtemps une halte favorite des voyageurs au XIXe siècle.

On entre dans Hallowell en suivant la rue Main Street West où l'on peut voir l'hôtel Royal, qui éclipsa le North American vers 1880, ainsi que des boutiques prospères que firent naître les périodes d'essor économique de 1830, de 1860 et de 1870. Dans la rue King, se trouvent l'hôtel de ville (1866), l'immeuble Fralick Octagon (c. 1862) et le Benson/Blakely Hall (c. 1815), l'un des plus vieux bâtiments de Picton.

Pour visiter Delhi, il faut retourner à l'hôtel North American et prendre la rue Bridge. Le palais de justice (1824), au fronton de style néo-classique, date de l'époque du révérend Macaulay. La maison (1830) de ce personnage distingué est située sur la rue Church, deux coins de rue à l'est, dans le parc historique Macaulay qui comprend aussi la vieille église St. Mary Magdalene (1825-1870), convertie en musée.

C'est à Delhi que se trouvaient les beaux quartiers de Picton jusqu'à la construction de Town Hill vers 1870. Avec ses belles demeures cossues du XIXe siècle, Town Hill se mesure aujourd'hui à Hallowell et à Delhi pour ses trésors architecturaux.

La Maison Macaulay (1830) aux gracieuses proportions est de style néo-classique.

Avec ses pignons élancés et délicatement ouvragés, la Maison Merrill (1878) est typique des bâtiments victoriens de Picton.

Pour visiter Town Hill, on part encore une fois de l'hôtel North American et l'on suit Main Street East. Chemin faisant, on remarquera le détail des tourelles, des lucarnes, des fenêtres néo-gothiques, des bordures de pignon et des boiseries sur les belles demeures de style victorien.

Événements spéciaux

Foire d'antiquités (mi-juin)

Rallye Quinte Flywheel Vintage Show (début juillet)

Exposition de courtepointes du comté de Prince Edward (mi-juillet)

3 Adolphustown

Une plaque près d'Adolphustown (pop. 1 235), sur la baie de Quinte, rappelle l'arrivée d'un petit groupe de loyalistes en 1784. Dans les églises, dans les maisons historiques et dans les musées, on voit partout des traces de leur venue. Des objets témoins du passé ont été réunis dans le Centre culturel des loyalistes, jadis la demeure de David Wright Allison, gouverneur du comté et petit-fils de Joseph Allison, l'un des fondateurs de la ville.

Chaque pièce de cet imposant manoir illustre un aspect de la vie des premiers arrivants. Dans l'une, on peut voir le changement d'instruments aratoires en bois aux machines agricoles en métal ; dans une autre, une collection de ciseaux qui servirent à tailler les boiseries délicates, typiques des maisons loyalistes. Dans la pièce consacrée à l'artisanat, on admire des dentelles, des couvertures et des courtepointes. Les objets les plus précieux de la collection sont des soucoupes creuses, presque des bols, dans lesquelles les fermiers buvaient le thé à la hâte avant de retourner aux champs.

La bibliothèque du centre est imposante. Des préposés y assistent les personnes intéressées à retrouver leurs racines loyalistes. Dans un salon de thé de style victorien, des bénévoles servent des petits pains et des gâteaux faits de leurs propres mains.

Événements spéciaux

Fantômes dans le parc (fin juillet)

L'art dans le parc (fin août)

4 Bath

Une promenade à travers le village historique de Bath (pop. 1 450), l'une des plus anciennes colonies loyalistes de la région, permet de découvrir toutes sortes de trésors sur les plans de l'histoire et de l'architecture.

La municipalité met à la disposition des visiteurs une brochure documentée qui permet d'identifier et d'apprécier quelques-uns de ses plus beaux sites. L'itinéraire, qui dirige vers plus de 28 bâtiments antérieurs à 1861, commence a la rue Main.

La maison du capitaine Jeptha Hawley se signale par un toit à pignon. Son propriétaire la fit construire en 1784, l'année où lui-même et ses fidèles compagnons du régiment des Jessup Loyal

Rangers vinrent s'installer dans la région. On dit que c'est la plus ancienne résidence dans toute la province de l'Ontario à avoir été habitée jusqu'à nos jours.

Toujours dans la rue Main, le domaine Gutzeit renferme une autre très vieille demeure qu'il faut voir. Le manoir, construit en 1796 dans le style colonial, est l'exacte copie de la Maison Fairfield (1793) à Amherstview. Les deux demeures appartenaient à la famille Fairfield, venue du Vermont.

L'académie Bath (1811), dans la rue Academy, est une ancienne école primaire où logeait aussi la bibliothèque municipale. L'une de ses figures de proue fut le professeur Barnabus Bidwell (1763-1833), un réformiste connu pour ses idées radicales.

Autre merveille, le musée de Bath, situé dans la rue Davy. Il occupe un temple de style néo-gothique de 1859, connu localement sous le nom de Layer Cake Hall (gâteau à étages) depuis le temps où, vers 1890, les presby-

La lumière qui filtre à travers les vitraux gothiques du musée de Bath éclairait jadis à la fois les anglicans et les presbytériens.

L'île Wolfe : la plus grande de toutes les Mille Îles

Distance : 76 km

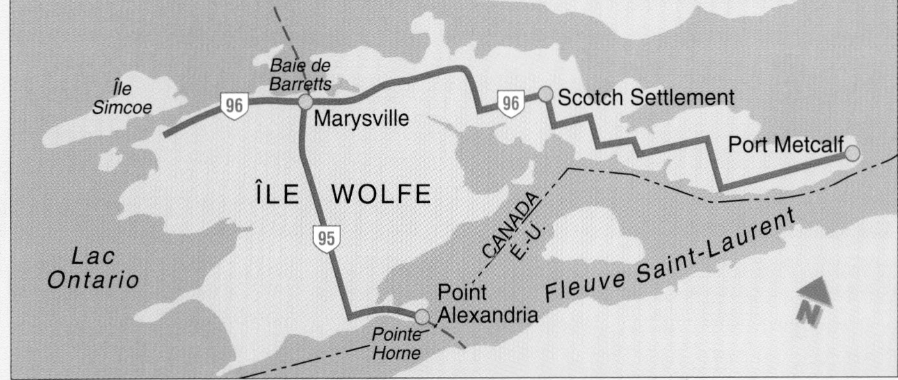

Au sud de Kingston, là où le lac Ontario se déverse dans le Saint-Laurent, se dresse l'île Wolfe (pop. 1 097), la plus grande parmi les Mille Îles. Elle a été nommée en l'honneur du général anglais qui tomba sur les Plaines d'Abraham en 1759. Avec ses champs ondulants et ses anses abritées, l'île se prête à une agréable promenade d'une demi-journée en voiture ou d'une journée à bicyclette.

Pour se rendre dans l'île, on prend le bac au quai de Kingston. Il faut se rendre à l'avance, car il y a souvent foule : le bac est l'unique moyen de transport et la plupart des insulaires travaillent en ville. La traversée de 25 minutes est gratuite et constitue un agréable prélude à la découverte de l'île.

- Vous débarquez à Marysville, la seule ville de l'île. Prenez la route 96 en direction de l'est ; elle se termine à Port Metcalf après un parcours en zigzag qui ménage de belles vues sur le Saint-Laurent.
- Port Metcalf fut jadis un véritable port. La douane canadienne y avait même des bureaux. Cette époque est révolue, mais l'endroit permet d'apercevoir en aval l'ensemble des Mille Îles. À gauche, vous voyez l'île Howe ; à droite, ce sont des navires marchands qui s'engagent dans la voie maritime du Saint-Laurent.
- Revenez sur vos pas et traversez Marysville pour prendre le traversier de l'île Simcoe, à 6 km du village. La traversée, qui dure cinq minutes, permet d'admirer l'île Garden et les gratte-ciel de Kingston. Dans l'île Simcoe, la plupart des terrains sont privés, mais si vous suivez l'unique route jusqu'au bout, vous trouverez un phare de 1830 près duquel pique-niquer.
- De retour dans l'île Wolfe, roulez pendant 6 km, jusqu'à l'angle des routes 96 et 95. Tournez à droite sur la 95 ; c'est l'artère nord-sud principale, une voie qui plaît tout particulièrement aux cyclistes. Presque tout de suite à droite, vous pourrez admirer les beaux vitraux de l'église catholique Sacred Heart of Mary.
- De l'église, la traversée entière de l'île ne prend pas plus de 15 minutes en voiture ; vous arrivez à la pointe Horne, l'endroit le plus pittoresque. La route est bordée de grands érables du Manitoba. Sur la pointe, la famille Horne administre depuis 1802 un service de traversiers qui se rend à Cape Vincent, dans l'État de New York ; à l'époque, Samuel Horne demandait 25 cents par client et la traversée se faisait en chaloupe à rames.
- De retour à Marysville, allez voir, dans la rue principale, l'hôtel de ville (1859). L'hôtel General Wolfe (1880), dont la table est de bonne qualité, se trouve de l'autre côté de l'ancienne jetée. Au-delà de la rue principale se dresse le plus vieux bâtiment de l'île, la Maison Hitchcock ; c'est aujourd'hui une petite auberge dominant la baie de Barretts.

Le débarcadère de l'île Wolfe

tériens et les anglicans y célébraient chacun le culte, les uns au rez-de-chaussée, les autres à l'étage. Le musée attire les visiteurs désireux de mieux connaître leurs racines loyalistes.

Du port de plaisance, on aperçoit l'île Amherst, de l'autre côté du chenal North. Pour s'y rendre, il faut emprunter le traversier *Amherst Islander*. Il quitte l'embarcadère de Millhaven à la demie de toutes les heures.

5 Gananoque

La ville qui se présente comme la porte des Mille Îles est en elle-même une charmante station de villégiature. Fondée par des loyalistes en 1792, Gananoque (pop. 5 200) fut le théâtre des premières escarmouches de la guerre de 1812 lorsque les Américains l'attaquèrent et détruisirent son pont.

Près du pont actuel se trouve une maison de brique rouge, autrefois le bâtiment des eaux de la municipalité, qu'occupe la chambre de commerce. Le visiteur peut s'y procurer l'itinéraire d'une promenade dans la ville. À proximité, on aperçoit la *Susan Push*, l'une des dernières locomotives du chemin de fer Thousand Islands. Cette voie ferroviaire, l'une des plus courtes du Canada (4 km), n'allait pas plus loin que le cimetière.

La visite de la ville commence à l'hôtel de ville, un des plus beaux exemples d'architecture néo-classique en Ontario. C'était à l'origine une résidence privée qu'un notable de l'endroit, John Macdonald, fit construire pour sa nouvelle épouse en 1831.

À quelques pas de là, le quartier sud de la ville renferme d'imposantes demeures qui datent de l'époque où Gananoque était un important centre commercial et manufacturier. Certaines appartiennent toujours à des particuliers ; d'autres, comme le Trinity House Inn (90, Stone), ont été transformées en auberges historiques de qualité. Construite en 1859 pour un médecin de Gananoque, la Maison Trinity comprend six chambres somptueusement décorées dans le goût de l'époque victorienne, un bar à la française et une petite galerie d'art qui sert de salle d'exposition pour les artistes locaux. Les visiteurs peuvent aussi choisir de passer la nuit en prison, dans une cellule de 1840 ; la prison appartient aux propriétaires de l'auberge.

Le centre-ville de Gananoque a conservé tout son charme. Le musée, logé dans l'ancien hôtel Victoria (1840), renferme une collection de meubles du XIXe siècle, de costumes d'époque et d'objets indiens. (Il n'est cependant ouvert qu'en été.) On trouve également un ancien fourgon de queue de train qui rappelle les temps jadis où le chemin de fer amenait chaque été un flot constant de touristes.

Les visiteurs qui ont de l'énergie à revendre pourront louer une bicyclette et parcourir la piste de 50 km qui longe le Saint-Laurent entre Gananoque et Brockville.

Au quai municipal, de beaux bateaux de croisière proposent des excursions d'une heure et de trois heures dans les Mille Îles. Quelques ports de plaisance des environs offrent en location des petits bateaux qu'on peut piloter soi-même.

Les soirs d'été, de la mi-mai jusqu'à octobre, le théâtre Thousand Islands Playhouse présente des pièces et des comédies musicales. Logé dans un ancien club nautique au pied de la rue Charles, ce théâtre serait, d'après certains, l'un des plus charmants du Canada. Ce titre ne lui a d'ailleurs pas encore été contesté.

Événements spéciaux

Foire estivale des arts et métiers (mi-juillet)

Festival des Îles (mi-août)

Tournée des studios d'artistes (mi-octobre)

L'hôtel de ville (1831) de Gananoque était la résidence de John Macdonald, propriétaire de moulin et notable de l'endroit.

6 Parc provincial Bon Echo

L'un des accidents géographiques les plus impressionnants du sud-est de l'Ontario est le rocher Mazinaw ou Bon Echo, qui se dresse à 100 m au-dessus du lac Mazinaw. Cette masse rocheuse de 1,5 km de longueur s'est formée il y a un milliard d'années. Il y a plusieurs siècles, les Algonquins l'ont décoré de plus de 260 pictogrammes ocre-rouge représentant des oiseaux, des animaux et des êtres humains. C'est en canot qu'on peut les voir le mieux, car ils ont été exécutés juste au ras des eaux.

Îles-du-Saint-Laurent

La découverte par l'homme des îles du Saint-Laurent remonte à 9 000 ans, peu après la dernière glaciation. Samuel de Champlain fut le premier Européen à les apercevoir en 1615. Les missionnaires et les coureurs des bois baptisèrent lac des Mille-Îles le tronçon du fleuve qui s'étend sur 80 km entre Kingston et Brockville, et cette région fut rapidement sillonnée par les trafiquants de fourrures.

Vers 1800, ce fut au tour des classes prospères d'Europe et d'Amérique du Nord de redécouvrir les Mille Îles. Elles devinrent des lieux de villégiature sélects et se peuplèrent de manoirs somptueux.

Devant ce succès et les privatisations, les riverains voulurent s'assurer que l'accès aux îles demeurerait libre. En 1874, ils demandèrent par pétition au gouvernement fédéral de transformer certaines des îles en parc. Leur requête fut exaucée 30 ans plus tard lorsque, une famille de l'endroit ayant fait le don d'un terrain, le parc national des Îles-du-Saint-Laurent fut constitué, devenant ainsi le premier parc fédéral à l'est des Rocheuses.

Le Saint-Laurent sillonne les Mille Îles dans la lumière douce du crépuscule.

Du millier d'îles qui se dressent en cet endroit dans le Saint-Laurent, 18 appartiennent en tout ou en partie au parc national ; à cela il faut ajouter une petite superficie près de Mallorytown Landing, sur la terre ferme, et 85 hauts-fonds.

Malgré leur petite taille, les îles offrent une vaste gamme d'habitats. À la pointe ouest de l'île Georgina, centre géographique du parc, des pins rigides et des chênes blancs tordus par le vent se dressent entre des quartiers de roc. Des bleuets poussent dans les poches de sable entre les affleurements de granit inondés de soleil. À l'intérieur, protégées des vents dominants qui soufflent du sud-ouest, collines et vallées verdoyantes se couvrent de chênes rouges et blancs, de caryers ovales, de tilleuls et de quelques frênes. Des peuplements de pruches mélangées à des bouleaux blancs et à des aulnes caractérisent la rive nord, plus fraîche, de l'île.

Situées dans une zone forestière de transition, les îles marquent la limite nord ou sud de plusieurs espèces végétales. Parmi les plantes méridionales, on remarque l'orme rouge, le chêne des marais, le vinaigrier, le sumac ailé, le sicos, la vigne à feuilles argentées et l'airelle à longues étamines, une espèce très rare au Canada. Parmi les espèces septentrionales il y a la shepherdie argentée, la potentille arbustive, le saule chenu et le sapin baumier.

Contiguës à la terre ferme, les îles en sont une extension écologique. Semences et petits insectes, portés par le vent, volent d'une île à l'autre. Écureuils, serpents, belettes, visons, ratons laveurs et cerfs nagent de l'une à l'autre et s'arrêtent là où ils trouvent nourriture et abri. Lorsque le fleuve se couvre de glace, des pistes révèlent l'intensité de la circulation entre les îles. Les Mille Îles abritent 33 espèces de reptiles et d'amphibiens, depuis les ouaouarons et les couleuvres d'eau jusqu'aux tortues peintes. L'île Hill renferme, à elle seule, neuf sortes de serpents. L'un d'eux, l'inoffensif serpent ratier, en voie de disparition, peut faire 2,5 m ; c'est le plus grand serpent du Canada.

Vers la mi-mars, avec une ponctualité exemplaire, affluent de nombreuses sauvagines qui viennent y attendre le dégel des cours d'eau et des lacs du nord. Plus de 20 espèces de canards et d'oies se consacrent alors aux rituels de la pariade. On a déjà recensé 3 000 morillons et garrots dans un seul vol. Quelque 250 espèces de petits oiseaux jouent à saute-mouton entre les îles le long du rivage nord-est du lac Ontario.

Mais les espèces les plus renommées du parc sont les grands hérons et les dindons sauvages. Les premiers, toujours très bruyants, passent les marais au peigne fin et dardent d'un coup de bec meurtrier les poissons téméraires. Les dindons, eux, adoptent les forêts de pins et de chênes. Peu respectueux des frontières, ils font de constantes allées et venues entre l'île Hill et Wellesley, aux États-Unis.

RENSEIGNEMENTS PRATIQUES

Accès : *par la route panoramique des Mille Îles.*
Accueil : *Mallorytown Landing.*
Installations : *63 emplacements de camping à Mallorytown Landing (sans raccord électrique).*
Activités estivales : *navigation, pêche, cyclisme, randonnées. La plupart des îles ont des installations de mouillage (permis accordés pour trois jours consécutifs au maximum), de pique-nique et de camping. À Mallorytown Landing, rampes de mise à l'eau et aire de récréation avec une plage surveillée et des tables à pique-nique.*
Activités hivernales : *ski de randonnée.*

LE FANTÔME D'UN GRAND POÈTE

« Old Walt », parc provincial Bon Echo

Dès qu'elle eut acheté le manoir Bon Echo du docteur Weston Price en 1910, Flora Macdonald Denison s'empressa d'en faire un cénacle pour les artistes et les écrivains. Elle lança un journal, *The Sunset of Bon Echo,* pour diffuser l'œuvre de son auteur préféré, Walt Whitman, poète américain du XIXe siècle, et rassembla chez elle les fervents admirateurs du poète ainsi que son exécuteur littéraire, Horace Traubel.

En 1919, pour commémorer le centenaire de la naissance de Whitman, Flora fit graver dans le rocher Mazinaw trois vers de son recueil *Leaves of Grass.* L'inscription fait plus de 6 m de long et chaque lettre mesure 30 cm de haut. Comme elle s'intéressait à l'ésotérisme, elle choisit un passage où Whitman parle de réincarnation :

Mon pied est fixé à tenon et
mortaise dans le granit.
Je me moque de ce que vous
appelez dissolution
Car je connais l'amplitude du
temps.

Whitman était mort en 1892 sans jamais avoir mis les pieds au Canada. Cela n'empêcha pas son fantôme de se manifester à Bon Echo durant l'été de 1919. Horace Traubel, gravement malade, vint au manoir en août pour assister au dévoilement de l'inscription. Il prétendit que Whitman était apparu à son chevet. Le mois suivant, des témoins certifièrent qu'eux aussi avaient vu le fantôme du poète ; il s'était penché en souriant vers Traubel et avait hoché deux fois la tête avant de disparaître. Trois jours plus tard, Traubel mourait.

Chaque année, au moins 150 000 vacanciers viennent dans le parc faire de la randonnée pédestre, du canot, de la pêche, de la natation et de la plage ; ils viennent aussi pour admirer le fabuleux rocher qu'on a surnommé le « Gibraltar du Canada ».

Le terrain du parc appartenait autrefois au docteur Weston Price et à sa femme qui y vinrent en canot durant leur voyage de noces en 1898. Plus tard, ils y firent construire un manoir qu'ils appelèrent Bon Echo à cause des effets d'écho que produit le rocher.

En 1910, la magnifique demeure de deux étages fut achetée par Flora Macdonald Denison, une femme d'affaires torontoise qui s'intéressait aux arts. Elle encouragea les membres du Groupe des Sept à faire connaître par leurs toiles divers paysages des environs, sans oublier le rocher. Après sa mort en 1921, son fils, l'écrivain Merrill Denison, prit possession du manoir qu'un incendie détruisit 15 ans plus tard.

Le parc provincial Bon Echo, le plus grand de l'est de l'Ontario, fut créé en 1965 après que Merrill Denison eut fait don de sa propriété à la province. Aujourd'hui, ses 65 km^2 incluent le lac Mazinaw, l'un des plus profonds de l'Ontario (145 m), et d'autres lacs plus petits, Bon Echo, Joeperry et Pearson, où les embarcations motorisées sont interdites. On peut louer un canot dans plusieurs marinas du lac Mazinaw.

Le parc offre 530 emplacements de camping — certains accessibles par canot seulement — de la mi-mai à la mi-octobre. (On peut aussi y passer la journée seulement.) Il comporte plusieurs sentiers pédestres, dont une piste de 1 km qui grimpe au sommet du rocher Mazinaw et que l'on rejoint en traversant le lac à bord du traversier *Mugwump*. On peut aussi faire une croisière de 90 minutes à bord du *Wanderer Too* en juillet et en août et, quand le temps s'y prête, le samedi ou le dimanche jusqu'à l'Action de grâces.

Au cours de ces deux excursions, on verra l'inscription dite « Old Walt », trois vers du poète américain Walt Whitman inscrits sur une des faces du rocher Mazinaw, près des pictogrammes indiens, à la demande de Flora Macdonald Denison. On les voit encore mieux si l'on s'y rend en canot.

Randonnée solitaire en canot, au pied du rocher Mazinaw, parc provincial Bon Echo.

7 Almonte

Cette ville a été nommée en l'honneur d'un diplomate et patriote mexicain du XIXe siècle, le général Juan Almonte. Les habitants ont coutume, toutefois, de prononcer son nom à l'anglaise, en laissant tomber le « e ».

Almonte (pop. 4 200) ne portait pas encore son nom quand des pionniers vinrent s'installer sur son site à cause d'une chute sur la rivière Mississippi (un affluent de la rivière des Outaouais) qui leur promettait une abondante réserve d'énergie motrice. Vers 1850, Almonte était devenue le centre d'une prospère industrie du textile ; plusieurs moulins produisaient des étoffes de laine de toutes sortes.

De cette bourdonnante activité, il ne reste plus aujourd'hui que le musée du

Textile de la vallée du Mississippi (3, Rosamond Est), un bâtiment de pierre grise égayé de fenêtres peintes en rouge. Le musée présente notamment une chaîne de montage pour vêtements de laine. Il comporte aussi un charmant magasin de cadeaux. (Il est ouvert au public de la mi-mai à décembre.)

Dans la rue Hamilton, de l'autre côté de la rivière par rapport au moulin, de nombreuses maisons historiques, dont plusieurs sont encore habitées, méritent d´être admirées. L'une des plus imposantes est le manoir Old Burnside ; il appartenait à James Wylie, un immigrant écossais qui fit fortune lors du creusage du canal Rideau. La demeure, de style georgien, comporte une entrée à tambour et six foyers ; elle fut construite en 1835 en blocs de calcaire taillés sur la propriété.

On a une vue splendide de la chute de la rivière Mississippi depuis les pelouses de l'aire de conservation Metcalfe, sur la rue Main. Ce parc est sous la juridiction du bureau de conservation de la rivière Mississippi qui réglemente le cours de la rivière et surveille l'érosion de ses rives. Près des appontements à bateaux, les ouvrages complexes — gabions clayonnés, murs de soutènement, enrochements — sont destinés à retarder les méfaits de l'érosion. Le soir, la chute bénéficie d'un éclairage spectaculaire.

Le moulin de Kintail, à Almonte, expose les sculptures du docteur Robert Tait McKenzie.

Deux citoyens d'Almonte, qui ont connu une gloire internationale, sont immortalisés chacun dans un musée. À 3 km au nord-ouest d'Almonte, sur la route 15, une maison de ferme en bois, le Centre Dr James Naismith, rend hommage à ce professeur d'éducation physique qui inventa le jeu du ballon-panier à Springfield, au Massachusetts, en 1891. La première partie se disputa avec deux paniers à pêches d'un demi-boisseau en guise de buts. Naismith eut le bonheur de voir, de son vivant, son jeu devenir une discipline olympique en 1936. Une collection de photos retrace l'histoire du basketball.

Au moulin de l'aire de conservation Kintail, à 10 km au nord-ouest d'Almonte, se trouve l'ancienne résidence d'été de Robert Tait McKenzie, qui fut l'ami d'enfance de Naismith.

Devenu médecin, McKenzie se plaça à l'avant-garde dans le domaine de la rééducation physique en prônant les effets salutaires de l'exercice physique sur la santé du corps.

Par ailleurs, McKenzie était aussi un sculpteur de talent et il s'acquit une certaine célébrité grâce à d'admirables bronzes d'athlètes. En 1930, il restaura le moulin Baird pour en faire son logement et son studio. C'est aujourd'hui un musée où sont exposées plusieurs de ses œuvres.

Événements spéciaux

Festival de musique folklorique « Jam in the Hills » (juin)

Festival de la crème glacée (mi-juillet)

Jeux de North Lanark Highland (fin août)

Foire annuelle d'automne (septembre)

8 Perth

En 1980, le choix d'Héritage Canada se posa sur Perth (pop. 6 000) pour en faire le projet pilote de son programme de restauration des grandes artères urbaines. Sous l'œil vigilant d'un expert architecte, les élus municipaux et les marchands furent invités à restaurer les édifices de la rue Gore, la principale artère commerciale de Perth.

L'entreprise fut un succès. La ville a retrouvé l'allure qu'elle avait il y a un siècle et demi, à l'époque où elle fut fondée par des officiers écossais qui, après avoir pris part à la bataille de Waterloo, dessinèrent avec rigueur et précision le plan d'une ville en Amérique sur les rives de la rivière Tay.

La visite de Perth commence à l'hôtel de ville, un bâtiment de grès érigé en 1863 et coiffé plus tard d'une tour à horloge. On s'y procure une brochure qui suggère trois courts itinéraires.

Perth est fière de ses magnifiques bâtiments du XIXe siècle, comme cette usine de 1883, maintenant convertie en condominiums.

Dans le kiosque près de l'hôtel de ville, une fanfare municipale, fondée en 1867, continue de se produire tous les deux jeudis soir d'été, vers 19 h 30. Derrière l'hôtel de ville, on peut piqueniquer et se baigner dans le parc Stewart. De l'autre côté de la rue Gore, de petites embarcations de plaisance sillonnent le bassin Tay où s'amarraient jadis les vapeurs qui empruntaient le canal Rideau et le canal Tay.

Toujours dans la rue Gore se trouve la Maison Matheson où loge le musée de Perth. Ce bâtiment de pierre à l'allure sévère, construit en 1830, présente plusieurs pièces décorées de meubles d'époque et une belle collection minéralogique. On y voit aussi les pistolets du dernier duel disputé au Canada en 1833 entre deux élèves de droit, dont l'un avait émis une remarque désobligeante sur la fiancée de l'autre.

Pour ceux qui voudraient se tremper dans l'atmosphère du temps, il ne faut que 10 minutes pour se rendre à pied sur les lieux du duel, au bord de la rivière Tay. Le site est devenu entretemps un tranquille terrain de camping où l'on peut saisir l'occasion de pratiquer la baignade, la pêche et le bateau.

En descendant la rue Gore, on croise la rue Craig. À droite dans cette rue se trouve la Maison Inge-Va. Cette demeure, de style colonial georgien, fut construite en 1823 par le révérend Michael Harris, le premier pasteur anglican de Perth, arrivé en 1819. Elle fut aussi plus tard la demeure de Robert Lyon, le malheureux jeune homme qui trouva la mort lors du fameux duel. Un propriétaire subséquent, ayant vécu au Ceylan (Sri Lanka), lui donna le nom d'Inge-Va, qui signifie « viens ici » en langue tamoul.

Un porc-épic emprunte en trottinant le sentier Quiddity dans le parc Charleston Lake.

Événements spéciaux
Course Great Sap Run Road Race (fin avril)
Festival des érables (fin avril)
Championnat de violon et de danses carrées du centre du Canada (mi-mai)
Foire agricole de Perth (début septembre)

9 Parc provincial Charleston Lake

Le parc Charleston Lake (2 400 ha) évoque bien le nord de l'Ontario avec ses affleurements rocheux et ses peuplements de pins ; son climat, par contre, est celui du sud de la province.

Il y a plusieurs siècles, les Indiens venaient y faire de la chasse et de la pêche et logeaient dans les abris que l'eau avait creusés dans le roc. C'est ce que devaient nous apprendre deux naturalistes en 1976 quand ils découvrirent, sur des corniches rocheuses immergées, plusieurs objets d'argile.

Le lac profond, constellé d'îles, est bordé de rives granitiques datant du Précambrien ainsi que de plages de sable. Il abrite une fascinante diversité de plantes, de poissons, d'oiseaux et d'autres animaux, dont certains constituent des curiosités, tel le serpent ratier noir, qui est inoffensif et grimpe aux arbres. Cerfs, ratons laveurs, porcs-épics, renards roux, écureuils volants sont bien acclimatés. Des trottoirs permettent d'observer des castors, des rats musqués, des tortues, des grenouilles et des salamandres.

Au lac Charleston, les ornithophiles observent le grand héron, l'urubu à tête rouge, la buse, l'épervier, le balbuzard et le huart. La nuit tombée, la chouette rayée, en période de nidification, remplit le silence de ses appels.

Le lac Charleston fut longtemps le paradis des pêcheurs. Le temps n'est plus où l'on pouvait capturer 100 bars en une seule journée — comme le prétend un dépliant publicitaire de 1867 ; mais le lac n'en demeure pas moins riche en touladis, en achigans à petite et à grande bouche et en grands brochets.

Les activités comprennent des programmes d'interprétation pour tous âges, ainsi que des randonnées guidées, des séances d'histoire naturelle pour les enfants et des feux de camp.

Chaque année, au mois d'août, l'astronome et écrivain canadien Terence Dickinson vient animer une soirée d'observation des étoiles. L'événement est devenu si couru que beaucoup de visiteurs choisissent cette date précise pour venir au parc Charleston.

Les baies de Running et de Slim sont interdites aux embarcations à moteur. Un portage de 20 minutes permet aux fervents du canot de se rendre au lac Red Horse, lequel donne accès à 52 km de voie canotable reliée au lac Gananoque. (On peut louer des canots au parc.) Les amateurs de vie rustique quant à eux ont le choix de 10 emplacements de camping accessibles uniquement à pied ou en canot. En hiver, le parc est fréquenté par les skieurs de fond, mais on n'entretient pas de piste.

Événements spéciaux
Journée de l'archéologie (juillet)

10 Athens

Des souvenirs surgissent à chaque coin de rue dans Athens (pop. 900), petite ville loyaliste, orgueilleuse de son passé. Partout où vous portez les yeux, la prospérité de jadis apparaît, dans ses demeures cossues comme dans ses blanches maisons de ferme, vieilles d'un siècle. Des magasins à trois étages bordent la rue principale. Certains, comme la boutique du pharmacien, existent depuis 1887. Une tour à horloge élégante couronne le bureau de poste, symbole de fierté municipale.

Pour ajouter au charme de la ville, 11 murales géantes aux couleurs franches rehaussent les murs et les façades. Elles ont été exécutées vers 1986, dans le cadre d'un programme d'embellissement. Un certain nombre de ces murales illustrent les humbles débuts des pionniers. Dans une scène en particulier, le vent gonfle le tablier d'une femme en train d'étendre des draps sur la

Murale d'Athens illustrant la boutique d'un marchand de tissus. À côté du drapeau factice, un vrai drapeau flotte au vent.

corde à linge. Une autre dépeint une foire à dindons.

La plupart des colons de la région étaient des loyalistes qui s'y établirent vers 1780. La ville s'appela d'abord Dickson Corner, puis Farmersville. En 1888, un marchand local, Arza Parish, suggéra le nom de la grande capitale de la Grèce antique, car sa ville était, d'après lui, appelée à devenir un centre de rayonnement culturel. À l'époque, on y trouvait déjà, il est vrai, une école primaire, une école secondaire et un institut pédagogique.

Événements spéciaux

Foire Farmersville Steam (mi-juillet)

Festival du maïs (fin août)

11 Merrickville

L'un des villages du XIXe siècle les mieux conservés de l'Ontario, Merrickville (pop. 1 000) a célébré son bicentenaire en 1993. De beaux bâtiments de pierre et des maisons historiques surchargées d'ornements lui donnent une allure romantique. Le temps a passé, mais les magasins et les restaurants qui bordent la rue St. Lawrence demeurent toujours le rendez-vous des propriétaires de bateaux qui arrivent ici par le canal Rideau.

Une brochure agrémentée de photos et de plans — qu'on se procure dans les magasins de la ville — dirige le visiteur à travers Merrickville et ses 30 édifices historiques. Parmi ceux-ci, il y a notamment l'hôtel City (1856), transformé en pub, la troisième demeure que se fit construire, en 1821, le fondateur du village, William Merrick ; elle a depuis lors été maintes fois rénovée. Il faut aussi voir l'auberge Sam Jakes (c. 1861), au splendide décor ; c'était autrefois la demeure d'un marchand prospère. À l'angle des rues St. Lawrence et Main se dresse Jakes Block (1862), un bâtiment de trois étages restauré avec soin. Vers 1870, il abritait le plus grand magasin à rayons entre Chicago et Montréal ; maintenant, on y trouve un restaurant et des boutiques.

Trois écluses, modernisées depuis, ont été construites à Merrickville sur le canal Rideau vers 1830. À l'extrémité de la rue Main, vers l'est, il y a une cabane de bois qui servit de permanence au colonel John By durant la construction du canal. D'un sentier qui longe le barrage, sur la rivière Rideau, on aperçoit Merrickville Blockhouse, un bâtiment carré à étage avec des murs de

1 mètre d'épaisseur, construit en 1832 pour loger 50 soldats. C'est maintenant le musée du village ; des objets d'intérêt militaire y sont exposés. On s'y rend par la route 43, près du barrage.

De l'autre côté du pont tournant, au nord du village, s'étale le vieux complexe industriel avec ses moulins à laine, ses fonderies et ses fabriques à l'abandon. Plusieurs plaques commémorent l'époque où tout, ici, bourdonnait d'activité.

En 1870, Merrickville possédait 58 entreprises industrielles, ce qui en faisait une ville beaucoup plus importante que ses voisines Perth et Smiths Falls. Mais lorsque la voie ferrée fut construite sans desservir le village, la fortune de celui-ci tomba en chute libre. Les bâtiments en ruine laissent encore voir la dentelle des anciennes décorations, mais le bruit des machines a été remplacé par le babillage des visiteurs en vacances.

Événements spéciaux

Exposition d'antiquités (début mai)

Merrickville Fair and Steam Shot (mi-août)

Journée annuelle des studios d'art (fin septembre)

Ce bâtiment de style victorien donne à Merrickville un charme romantique.

POINTS DE VUE ET HALTES SUR UNE VOIE D'EAU

De Kingston à Ottawa, le canal Rideau couvre 198 km ; il a été construit entre 1826 et 1832 à des fins militaires, pour permettre d'éviter le tronçon international du fleuve Saint-Laurent en cas de guerre avec les Américains.

Sous la direction du lieutenant-colonel John By, 4 000 ingénieurs et sapeurs travaillèrent sur 200 km de terrain sauvage pour creuser le canal et y ériger des barrages. Le projet, qui devait raccorder des lacs, des rivières, des marécages inondés et des canaux au moyen de 47 écluses, 24 barrages et 29 km de chenaux creusés de main d'homme, fut terminé en un peu plus de cinq ans. C'était le premier canal du monde à permettre la navigation des vapeurs ; on considéra son aménagement comme un véritable exploit. Mais il ne fut jamais utilisé pour les motifs qui avaient entraîné sa construction. Ce fut la navigation marchande qui en profita durant la plus grande partie du XIXe siècle.

L'écluse de Merrickville, sur le canal Rideau.

Aujourd'hui, le canal Rideau accueille 75 000 embarcations de plaisance chaque été. Les usagers, tout comme les militaires au moment de l'ouverture du canal, vers 1830, font fonctionner à la main les écluses et les ponts.

Le tronçon central du canal Rideau offre un certain nombre de haltes et de points de vue attrayants, mais peu connus, qui sont accessibles par bateau et par voiture. À l'une de ces haltes se trouve Manotick (pop. 3 200), où l'on peut voir le moulin Watson (1860), construit en pierre sur trois étages ; restauré, il produit toujours de la farine. Près du moulin Watson, il faut entrer au Miller's Oven, un salon de thé qui sert, dit-on, la meilleure tarte de tout le canal Rideau.

À l'extérieur de Kemptville, la pépinière G. Howard Ferguson a une production annelle de 7 millions d'arbres. La station comporte plusieurs sentiers agréables. Le parc provincial Rideau River, situé près du canal et à quelque 5 km au nord de Kemptville, est doté d'emplacements de camping et de sentiers d'auto-interprétation.

L'une des plus vieilles villes sur les berges du canal est Burritts Rapids, fondée par les loyalistes en 1793. L'église anglicane date de 1831. Vous parcourrez le sentier Tip to Tip de 2 km qui court dans une île faite de main d'homme, longe des maisons historiques et traverse des boisés et des terrains marécageux. Plus en aval, à Nicholson's Locks, une promenade de 400 m débouche dans le village abandonné d'Andrewsville. À Merrickville, autre village historique, se trouve la plus grosse des quatre casemates du canal, maintenant transformée en musée.

Smiths Falls (pop. 9 000) est situé à mi-chemin le long du canal. C'est ici qu'on trouve le musée du canal Rideau, cinq étages d'éléments d'exposition qui se rapportent au canal ; on y admire une maquette du canal de 6 m de long et un diaporama à projections multiples. À moins de 1 km du canal, une visite à la fabrique Hershey ravira les amateurs de bon chocolat.

Entre l'écluse de Chaffeyet et le lac Opinicon, le creusement du canal soumit ses ouvriers à rude épreuve. La région, marécageuse, était un nid à paludisme. Plusieurs en moururent et furent enterrés dans des fosses communes près de Chaffey's Lock.

À l'écluse de Jones Falls, on se promène sur un barrage de pierre qui fait 100 m de long et 20 m de haut. C'était le barrage le plus haut en Amérique du Nord et le troisième du monde à son parachèvement en 1831. Perchée au-dessus du barrage, la Maison Sweeney était l'habitation fortifiée du maître d'écluse et tenait lieu aussi d'appareil de défense.Vous pouvez visiter dans les environs une forge de 1843 et voir, en été, comment on forgeait le métal pour les portes et les vannes des écluses.

12 Maxville

Nous voici en plein pays écossais. Il y avait ici tant de gens dont le patronyme commençait par « Mac » qu'on donna à la ville (pop. 853) le nom de Maxville. Chaque année, Maxville est l'hôte des Glengarry Highland Games. Réputés dans toute l'Amérique du Nord, ces jeux ont lieu le samedi qui précède le premier lundi du mois d'août, dans le parc Kenyon Agricultural Grounds.

Une jeune fille danse avec entrain à Almonte, l'un des villages de l'est de l'Ontario où les traditions écossaises se perpétuent.

Athlètes, danseurs et cornemuseurs sont de la partie, accourus d'Écosse, d'Australie et d'un peu partout en Amérique du Nord.

Les compétitions de musique et de danse écossaises commencent dès 8 heures le matin. L'ouverture officielle des jeux a lieu à 12 h 15 ; elle est suivie d'un défilé au son des cornemuses et des tambours. Autre moment important, le championnat nord-américain des joueurs de cornemuse, pour lequel un jury impassible assiste aux prestations d'une quarantaine de bandes qui rivalisent de souffle et de virtuosité.

Les cornemuseurs ont rendez-vous tous les mois d'août aux Glengarry Highland Games de Maxville.

Tout au long de la journée les spectateurs ont le choix entre plusieurs types de compétitions. Des compagnies de danseurs sautent, tapent du pied et virevoltent au rythme des gigues et des branles écossais. Des athlètes s'affrontent dans le lancer du mélèze, du marteau ou du poids. Des douzaines de kiosques vendent de tout pourvu que ce soit écossais : tartans, bijoux, cornemuses. Un buffet offre des spécialités d'Écosse à l'aréna de Maxville.

Si l'on veut assister aux jeux, il faut réserver d'avance. Il y a de petites auberges à Maxville et un seul camping familial surveillé, dans le parc Kenyon Agricultural Grounds.

À moins de 5 km au nord-est de Maxville se trouve Dunvegan (pop. 65) dont on visite, installé en plein champ, le musée Glengarry des pionniers.

Les installations comprennent une auberge de bois pièce sur pièce datant de 1842, un appentis, une grange de rondins restaurée, des installations de tissage et une fromagerie miniature ; ces vestiges du temps jadis remontent à l'arrivée des immigrants écossais, il y a quelque 200 ans.

L'auberge, qui portait le nom de Starr Inn au milieu du XIXe siècle, possède encore sa buvette, ses boiseries et ses planchers de pin blanc d'origine. Derrière la buvette, dans la cuisine, on a réuni toutes sortes d'instruments et d'ustensiles ayant appartenu aux colons du comté de Glengarry.

À l'étage, on admire des bibles en gaélique, des grammaires, des registres du cadastre et des livres de comptes calligraphiés avec application. Les notes sont précises ; ainsi, à propos d'une dette, peut-on lire : « Débiteur décédé ; épouse refuse catégoriquement de rembourser. »

Dans l'appentis se trouvent une énorme empierreuse et de ravissants traîneaux. L'un de ceux-ci était utilisé par les porteurs des cordons du poêle qui installaient confortablement le défunt sous le siège. Dans la grange, on admire, parmi d'étranges trouvailles, une baratte faite pour être actionnée par un chien, un extracteur de jus de pomme, une éplucheuse à maïs, des herminettes et des haches anciennes ainsi que des pièces d'attelage pour chevaux et chariots.

L'équipement de tissage comprend des rouets, un métier à tisser antérieur à 1850, un métier à piquer et des machines à coudre.

Dehors, on s'attable pour déguster une pointe de tarte achetée à la fromagerie, devenue boutique de cadeaux.

Des murs imposants, voilà ce qui reste de l'église St. Raphael, près de Williamstown.

13 Williamstown

« Tread softly, stranger, reverently draw near ; the vanguard of a nation slumbers here. » Ces mots (en substance, « ici repose l'avant-garde d'une nation »), inscrits sur le portail de l'église St. Andrew de Williamstown, rappellent le rôle qu'a joué ce village dans l'histoire du Canada. Fondé en 1784 par les tout premiers loyalistes du Haut-Canada, par des trafiquants de fourrures de la Compagnie du Nord-Ouest et par des Écossais des Highlands, Williamstown est le berceau de l'histoire dans le comté de Glengarry.

Dans le cimetière qui entoure l'église de pierre construite en 1812 reposent plusieurs figures illustres, dont l'explorateur Alexander Mackenzie, qui découvrit le fleuve Mackenzie et fut membre fondateur de la Compagnie du Nord-Ouest. Il fit don à l'église d'une cloche qu'on entend encore sonner le dimanche. Les vitraux de cette même église seraient le plus bel exemple de l'art palladien en Ontario.

À la lisière ouest de la ville se trouve la très vieille maison Bethune-Thompson. La partie la plus ancienne, une structure de bois pièce sur pièce construite en 1784, jouxte une aile de stuc blanc de style georgien ajoutée en 1804. Ce fut la résidence du premier ministre presbytérien du Haut-Canada, le révérend John Bethune (1751-1815), mieux connu aujourd'hui pour avoir été l'arrière-grand-père du docteur Norman Bethune. Après sa mort, la maison fut occupée par l'explorateur et cartographe David Thompson (1770-1857), de la Compagnie du Nord-Ouest. C'est lui qui, en 1816, traça la frontière actuelle entre les États-Unis et le Canada depuis le fleuve Saint-Laurent jusqu'au lac des Bois. La Maison Bethune-Thompson appartient aujourd'hui à la Fondation du patrimoine de l'Ontario.

Un autre bâtiment digne d'intérêt, le Nor'Westers and Loyalist Museum, se trouve sur la rue John. C'est un édifice de brique rouge à deux étages construit dans le style georgien. On y expose une foule de portraits des célèbres Nor'Westers (membres de la Compagnie du Nord-Ouest), des souvenirs de David Thompson, et une reproduction de 8 m de long d'un canot d'écorce qui se rendit de Thunder Bay à Williamstown en 1967 dans le cadre des fêtes du centenaire de la Confédération.

Au cimetière de Williamstown repose le grand explorateur Alexander Mackenzie.

À cause des Nor'Westers, le canot a valeur de symbole à Williamstown. C'est ainsi que plusieurs propriétaires inscrivent leur nom sur des panneaux en forme de canot. En avril, Williamstown et Martintown organisent une course de canot sur la rivière Raisin. Le point de départ du périple de 35 km se situe en amont, près de St. Andrews West. Un banquet à Williamstown clôture la journée.

À 9,5 km au nord de la ville, les murs de l'église St. Raphael (1821) dominent la campagne environnante. L'église fut détruite par un incendie en 1970. Son premier curé, Alexander Macdonell, fut aussi le premier archevêque catholique du Haut-Canada.

OUEST DU QUÉBEC

Réservoir Baskatong
8
Sainte-Anne-du-Lac
Rivière du Lièvre
Mont Sir-Wilfrid
309
Ferme-Neuve
7
117
105
Mont-Laurier
Rivière
N
Maniwaki
309
Noire
0
10
20 km
0
10
20 milles
Fort William
L'Annonciation
Île des Allumettes
Chapeau
148
117
Labelle
Fort-Coulonge
Réserve faunique de Papineau-Labelle
Mont-Tremblant Village
9
Île du Grand-Calumet
Lac Simon
6
Duhamel
Saint-Jovite
Val-des-Bois
323
321
327
Rivière
Rivière du Lièvre
Lac-Simon
Namur
Huberdeau
1
Shawville
148
Rivière des Outaouais
366
Chénéville
323
3
Wakefield
Rivière Gatineau
315
Parc de la Gatineau
2
Quyon
321
Riv. de la Petite-Nation
Notre-Dame-de-la-Paix
Pontiac
105
309
5
Montebello
Chelsea
Thurso
Plaisance
148
50
327
148
Masson
4
Papineauville
Réserve faunique de Plaisance
Hull
Aylmer
Ottawa
Grenville
Lachute
344
ONTARIO
QUÉBEC
Fleuve Saint-Laurent

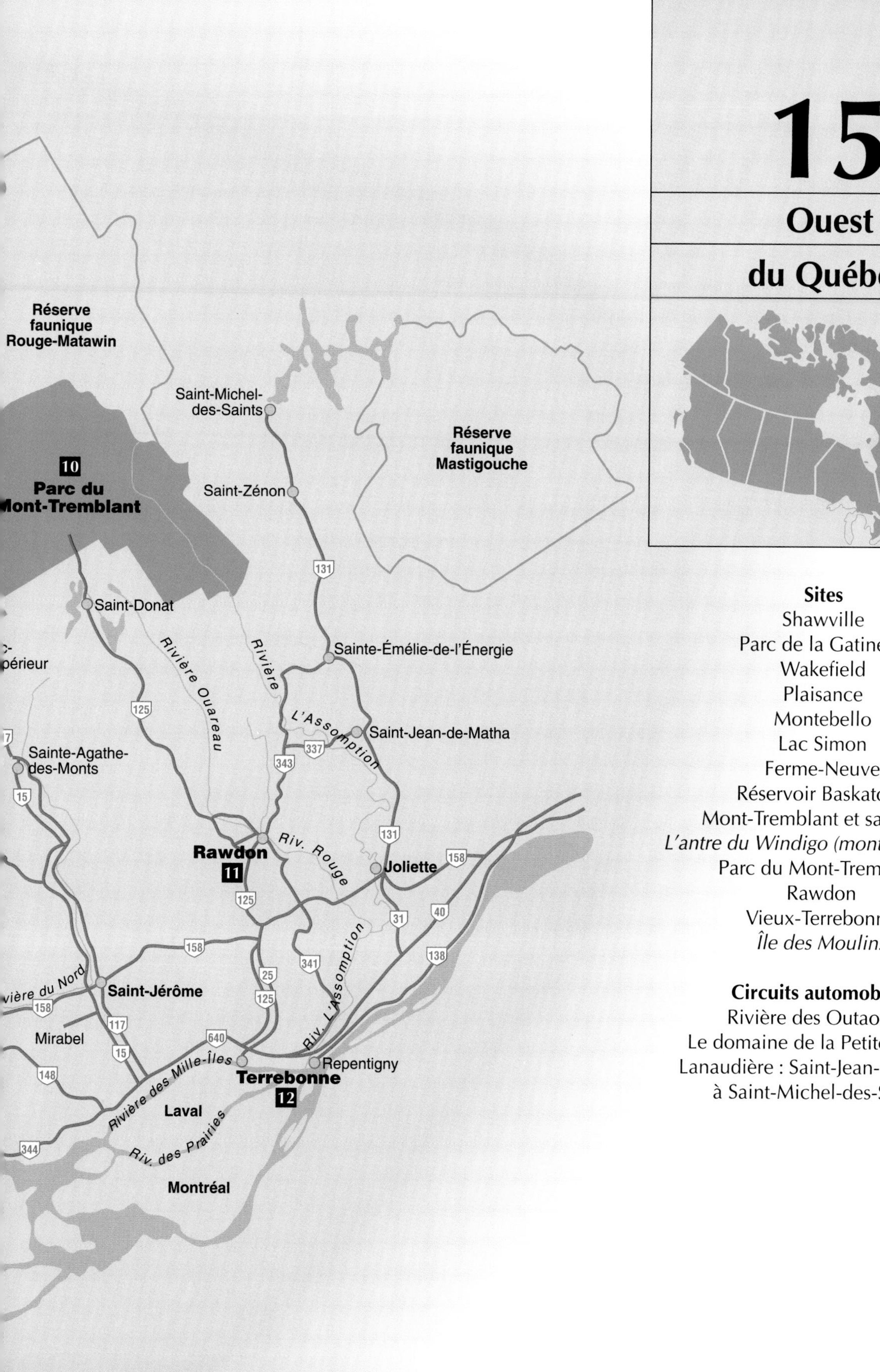

15

Ouest du Québec

Sites
Shawville
Parc de la Gatineau
Wakefield
Plaisance
Montebello
Lac Simon
Ferme-Neuve
Réservoir Baskatong
Mont-Tremblant et sa région
L'antre du Windigo (mont Sir-Wilfrid)
Parc du Mont-Tremblant
Rawdon
Vieux-Terrebonne
Île des Moulins

Circuits automobiles
Rivière des Outaouais
Le domaine de la Petite-Nation
Lanaudière : Saint-Jean-de-Matha à Saint-Michel-des-Saints

Pages précédentes :
Lac Monroe, dans le parc du Mont-Tremblant

1 Shawville

Shawville (pop. 1 640) est l'une des plus vieilles municipalités anglophones du côté québécois de la rivière des Outaouais. Fondée en 1873, elle se consacra d'abord à l'exploitation forestière et à l'agriculture ; une briqueterie venait de s'y installer quand, en 1886, le Canadien Pacifique lui apporta du jour au lendemain une prospérité dont témoignent encore ses belles demeures victoriennes, ses églises cossues et les magasins de la rue Principale.

Dans le quartier est, l'ancienne gare a été transformée en musée. On peut la visiter les samedis et les jours de fête en juillet et août, ainsi que durant la Foire agricole, au début de septembre.

Cette foire, la plus importante de la région depuis 140 ans, présente entre autres activités un spectacle équestre et des courses attelées. L'artisanat y occupe aussi une place d'honneur.

Autre attraction populaire, l'Exposition de machinerie agricole de Clarendon se tient, à la mi-août, à la ferme Campbell, qui se trouve à environ 15 minutes de voiture au nord-ouest de Shawville. On y verra des pièces datant du tournant du siècle.

2 Parc de la Gatineau

Étalé sur une cinquantaine de kilomètres au nord-ouest à partir de Hull, le parc de la Gatineau est administré par la Commission de la capitale nationale. Accessible par les routes 5, 105, 148 et 366, il offre des centres d'accueil à Old Chelsea et, en été, au lac Philippe.

Avec ses collines ondulantes et densément boisées, ses nombreux lacs et sentiers, ce parc de 356 km² présente une belle gamme d'activités récréatives : 125 km de sentiers de randonnée pédestre dont 80 km sont accessibles pour le vélo de montagne, 190 km de sentiers de ski de randonnée, cinq plages surveillées et trois terrains de camping avec plus de 300 emplacements au total. La Commission a pour mandat d'offrir des activités récréatives tout en préservant et en sauvegardant les resources naturelles du parc.

Les glaciers ont sculpté le relief accidenté du parc il y a plus de 10 000 ans. Dans leur lente dérive, ils ont arrondi les sommets et alimenté de leur eau de fonte les 50 lacs de la région, avant que la forêt prenne racine dans les moraines. Aujourd'hui, le parc renferme une soixantaine d'essences d'arbres, dont une majorité de bois durs, et une centaine d'espèces de fleurs, parmi lesquelles

Le chatoiement de l'automne à l'île aux Allumettes, sur la rivière des Outaouais.

Îles et villages de la rivière des Outaouais

Distance : 128 km

La route 148, qui donne de splendides aperçus sur la rivière et sur les Laurentides, relie plusieurs localités pittoresques installées sur la rive québécoise de la rivière des Outaouais, dans une région peu peuplée, au nord-ouest de Hull.

• À 30 km de Hull, la route 148 s'élargit à quatre voies. Prenez à droite à l'hôtel de ville en brique rouge de Luskville et rendez-vous aux chutes, au pied desquelles un terrain de pique-nique a été aménagé.

Un sentier abrupt mène en 45 minutes à un poste de surveillance des incendies au sommet de l'escarpement Eardley. On est à la limite sud du parc de la Gatineau.

• Poursuivez sur la 148. Plus loin, à 10 km, se trouve le vieux village forestier de Quyon; on y visite la maison de Granny Bean, fréquentée par les « draveurs » au milieu du siècle dernier. Elle se flatte d'avoir reçu la visite du prince de Galles, futur Édouard VII, qui y fit halte inopinément en 1860.

• Suivez les indications pour vous rendre à l'embarcadère centenaire de Quyon ; en cinq minutes, le traversier vous débarque en face à Mohr, sur la rive ontarienne. Vous pouvez vous restaurer ou prendre le thé dans un pavillon en rondins.

• Plus loin, à 20 km environ, toujours sur la 148, vous rejoignez Shawville. Prenez le temps d'en faire la découverte.

• Environ 1 km passé Shawville, quittez la 148 pour prendre la 303 sud. Là où il fallait autrefois doubler à pied les rapides de Cheneux se trouve Portage-du-Fort (pop. 330). Ce fut d'abord une halte fréquentée par les coureurs des bois et les explorateurs ; un moulin y fut créé vers 1850. La plupart des bâtiments en pierre sont encore debout, dont l'école à une seule pièce de la rue Mill. À proximité, la Maison Usborne, construite comme entrepôt en 1887 par le magnat du bois, Henry Usborne, fut convertie plus tard en résidence. Rue Church, il faut voir la Maison Reid (aujourd'hui l'hôtel Pontiac), l'hôtel de ville et trois églises en pierre. Tout près des rapides se trouvent une plage et un terrain de pique-nique.

• Poursuivez sur la 301, puis sur la 148. Un chemin mène à Bryson où vous pouvez louer une embarcation, faire une excursion sur la rivière ou franchir les rapides en radeau pneumatique.

• De Bryson, allez visiter l'île du Grand-Calumet, site d'un ancien campement algonquin. Suivez le chemin qui longe l'eau. Après avoir traversé le petit village de Calumet, vous apercevrez un restaurant en rondins, *Au Bouleau blanc*, qui surplombe la rivière. Derrière s'étend une propriété de 60 ha traversée de sentiers pour la randonnée pédestre ou le ski de fond ; on peut aussi y faire du camping. Une pierre tombale blanche aux abords du village rappelle la mémoire d'un dénommé Jean Cadieux, coureur des bois, héros légendaire du village.

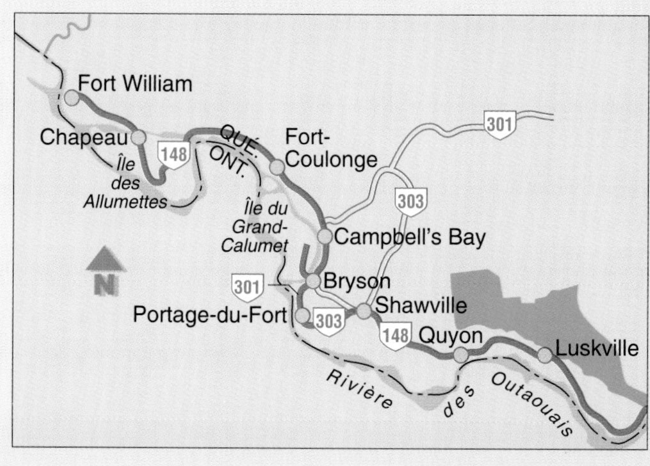

• Reprenez la 148 vers Campbell's Bay (pop. 830), localité née dans le sillage du Canadien Pacifique à la fin du XIXe siècle. Au nord du village, le terrain de pique-nique offre un vaste panorama sur la vallée de l'Outaouais.

L'Outaouais compte encore 10 ponts couverts, appelés ponts de colonisation. Ici, le pont Marchand de Fort Coulonge.

• Vous arrivez ensuite à Fort-Coulonge (pop. 1 640) ; fondé par des coureurs des bois français vers 1850, c'est aujourd'hui le village le plus francophone du comté de Pontiac. De la route, on aperçoit ses deux points d'intérêt : à droite, la maison Bryson, construite en 1854 par un autre magnat du bois, George Bryson ; à gauche, un pont rouge vif à une seule voie sur la rivière Coulonge, le pont Marchand (1898) ; avec ses 129 m, c'est le troisième pont couvert en longueur du Québec. De l'autre côté se trouve une halte agréable.

• Revenez à la 148, prenez à droite le chemin Bois-Francs : vous voilà aux chutes Coulonge, hautes de 48 m, où l'on a aménagé des sentiers pour la promenade et une aire de pique-nique.

• Dirigez-vous maintenant vers Chapeau (pop. 410) sur l'île des Allumettes ; vous verrez poindre de loin le clocher de l'église Saint-Alphonse-de-Liguori (38 m). Érigée en 1888 dans le style roman, cette église devait être — mais ne fut jamais — la cathédrale du diocèse de Pembroke.

• La promenade se termine à Fort William (pop. 120), ancien poste de traite de la Compagnie de la Baie d'Hudson ; vous y verrez la maison de l'agent et d'autres bâtiments d'époque. En été, on peut louer une embarcation ou pratiquer la baignade sur la plage de sable blanc.

deux plantes insectivores, la sarracénie et le rossolis, et le calopogon tubéreux, l'une des rares orchidées à présenter un labelle supérieur. Parmi les espèces animales, le parc abrite le cerf de Virginie, l'ours, le coyote et le castor, la buse, le héron et le huart, l'achigan à petite bouche et le grand brochet.

Au XIXe siècle, des colons s'établirent dans la région, comme en témoignent les bâtiments qu'ils ont laissés derrière eux. Dans les années 1870, la région était également un lieu de villégiature pour les riches familles d'Ottawa qui possédaient des propriétés sur les rives des lacs Meech et Kingsmere.

En 1902, Mackenzie King, alors Premier ministre, se fit construire une résidence d'été près du lac Kingsmere qu'il nomma Kingswood. Avec les années, il se constitua un domaine de 230 ha incluant la maison Moorside, rénovée en 1924, dont il fit sa résidence officielle. Celle-ci abrite maintenant un salon de thé qu'entoure un joli jardin décoré de ruines rassemblées par Mackenzie King lui-même. C'est finalement à lui qu'on doit l'instauration du parc de la Gatineau en 1938 ; il légua par la suite sa propriété à l'État qui en fit un site historique comportant un musée où l'on peut voir des souvenirs de son illustre propriétaire.

Un réseau routier de 33 km sillonne la partie sud du parc. Trois routes panoramiques montent en lacets jusqu'au belvédère Champlain. Le long de ces routes, des sentiers invitent à la méditation et à la détente. Non loin du domaine Mackenzie King, le sentier Larriault (3 km), qui part du lac Mulvihill, serpente l'escarpement Eardley qui surplombe la vallée de l'Outaouais. Le sentier du Mont-King (2,5 km), à partir de la route Champlain, mène à l'un des points les plus élevés du parc. Un autre sentier, qui part du lac Philippe, dans le nord du parc, permet d'explorer les cavernes de marbre de Lusk, après 5 km de marche.

Le moulin MacLaren, sur la rivière La Pêche, rappelle le Wakefield du XIXe siècle.

3 Wakefield

Fondé en 1829, le village de Wakefield (pop. 250) était un centre agricole et forestier prospère quand l'arrivée du chemin de fer changea sa destinée ; à la fin du siècle, il était devenu un centre de villégiature et l'est resté depuis.

Wakefield, qui fait maintenant partie de la municipalité de La Pêche (pop. 5 500), se signale par un moulin et un musée. Construit par l'Écossais William Fairburn en 1834, le moulin était alimenté par les eaux vives de la rivière La Pêche qui se jette dans la Gatineau à Wakefield. Il porte le nom de John et James MacLaren qui, 10 ans plus tard, en firent l'acquisition. Le site est ouvert toute l'année. Il est idéal pour les pique-niques.

Vers 1860, les frères MacLaren firent construire dans le goût victorien un manoir de style néogothique d'où ils pouvaient surveiller toute leur entreprise. Ce manoir, devenu aujourd'hui le Musée historique de la Gatineau (horaires saisonniers variables), rappelle les façons de vivre au XIXe siècle, tandis que le moulin, restauré, présente une maquette sonore des activités qui se déroulaient dans ses murs.

Le chemin de fer fait revivre, d'avril à décembre, les plaisirs du temps jadis. Une locomotive à vapeur de 1907, restaurée, quitte la gare de Hull, à l'angle des rues Front et Montcalm, avec neuf voitures pouvant transporter 604 voyageurs. Le parcours de 32 km se fait en une heure et demie et l'excursion comprend une halte de deux heures à Wakefield. En été, il y a au moins un départ par jour.

L'excursion est commentée par des guides qui renseignent les voyageurs sur le train et sur les petites villes qui se trouvent sur le trajet : Ironsides, Tenaga, Kirks Ferry et Cascades. À Wakefield, on prendra plaisir à regarder la locomotive, ahanant et soufflant, manœuvrer ses voitures sur une plaque tournante pour entreprendre le retour.

Une excursion dans le train Hull-Wakefield fait revivre les voyages en train à vapeur d'antan.

Événements spéciaux

Festival de musique country Gatineau Clog (début d'août, à Low)

Les artistes dans leur milieu (fin septembre, à Wakefield et Chelsea)

Foire des artisans (troisième fin de semaine de novembre)

4 Plaisance

Durant leur migration printanière vers le nord, des milliers de bernaches du Canada, les outardes, viennent se reposer dans une aire protégée, la réserve faunique de Plaisance (27 km^2). La minuscule réserve est formée de deux presqu'îles, jetées en travers de la rivière des Outaouais.

À la fin d'avril, pendant le séjour des outardes, la Société d'écologie de Papineau organise un festival ornithologique. Des guides-animateurs informent les visiteurs et les dirigent vers les meilleurs sites d'observation du jour.

Mais, le reste de l'année, la réserve de Plaisance recèle bien d'autres attraits. C'est un lieu champêtre qui invite à la détente et aux activités de plein air. Ses nombreux sentiers débouchent sur des marais qui abritent une faune et une flore d'une grande richesse. C'est ce qui leur vaut le passage annuel de la sauvagine ; certains canards y restent même pour nicher. Il ne faut pas manquer d'emprunter le sentier flottant d'interprétation qui pénètre dans le marais. Au retour, des aires de pique-nique attendent le randonneur.

On accède à la réserve par le village de Plaisance (pop. 1 080). On remarquera au passage la brique rouge qui a servi à construire l'église (1902) et le presbytère. Par souci d'esthétisme, le même matériau a été repris pour les constructions modernes.

Il faut aussi visiter, non loin de là, les chutes de Plaisance, appelées aussi les chutes du Diable, où, vers 1805, Joseph Papineau, père de Louis-Joseph, fit construire un moulin à farine et un moulin à bois. Avec le temps, 300 familles ouvrières s'installèrent à proximité, dans le village de North Nation Mills. Ce furent les débuts de l'industrie forestière de l'ouest du Québec.

S'il ne reste plus de North Nation Mills que quelques photos et artefacts, on peut toujours y admirer de remarquables chutes à sept gradins sur lesquels bondissent les eaux de la rivière de la Petite-Nation avant de se précipiter dans la rivière des Outaouais.

Pour s'y rendre, il faut emprunter le rang Malo à 4 km de l'église de Plaisance, après avoir bifurqué vers la droite à la montée Papineau. Autrefois, sur ce domaine algonquin, on abattait de gigantesques chênes et de grands pins rouges. Aujourd'hui, on croisera en route de belles fermes laitières.

5 Montebello

Montebello (pop. 1 240) est la première communauté moderne de la Petite-Nation dont le peuplement débuta au XIXe siècle, après que Joseph Papineau s'en fut porté acquéreur en 1801. En 1817, elle passa aux mains de son célèbre fils, Louis-Joseph.

De retour de ses huit ans d'exil, l'ex-chef des Patriotes entreprit, en 1846, d'ériger un domaine sur ses terres de Montebello. En quelques années, il y fit construire l'ensemble des édifices de belle facture qui subsistent encore aujourd'hui, soit le manoir, la maison du jardinier, la chapelle funéraire, le pavillon de thé, l'écurie et la grainerie, qui devait servir d'atelier à son gendre Napoléon Bourassa (1827-1916), architecte et artiste-peintre de renom.

La Petite-Nation

Distance : 84 km

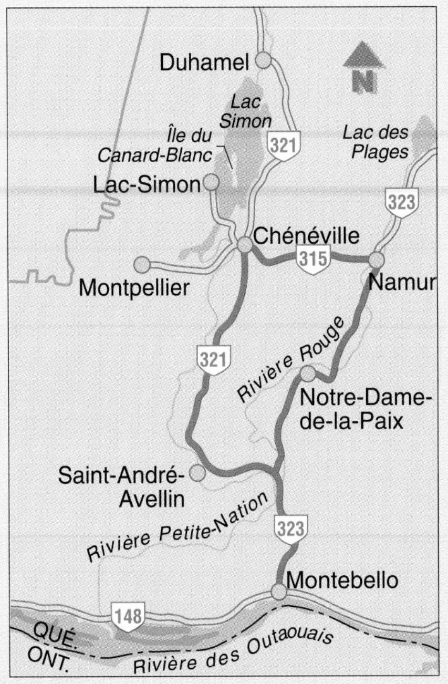

La région de la Petite-Nation doit son nom à la rivière sinueuse qui, depuis le lac Simon, va se jeter à Plaisance dans la rivière des Outaouais. Sous le Régime français, la seigneurie de la Petite-Nation fut la propriété de Mgr de Laval, puis celle du Petit Séminaire de Québec. Pour en faire le tour, on emprunte la 323 nord à Montebello.

- On s'arrêtera presque aussitôt au domaine Omega, un parc animalier de 610 ha qui séduira les familles avec ses bisons, ses cerfs rouges, ses wapitis, ses mouflons et bouquetins qui y vivent dans un cadre naturel.
- La 323 mène ensuite à Notre-Dame-de-la-Paix (pop. 750), communauté appréciée dans l'ancienne seigneurie pour ses grands champs de « patates ».
- Environ 20 km plus loin se trouve Namur, le village des Huguenots célébré par la romancière Jeannine Tourville.

Arrivés en 1865, les premiers colons de Namur venaient du comté francophone du même nom en Belgique et étaient de confession protestante. On imagine facilement les difficultés rencontrées par ces protestants de langue française pour faire instruire leurs enfants dans un système d'éducation confessionnel où les francophones étaient censés fréquenter l'école catholique et les protestants l'école anglaise. Les jeunes Namurois s'instruisirent donc en anglais afin de conserver leur religion mais réussirent aussi à préserver leur langue grâce à l'entêtement de leur famille.

- À Namur, la route 315 mène à Chénéville (pop. 670), un village situé au bord de la Petite-Nation, qui prit, en 1885, le nom de son postier, Hercule Chéné. Ici on peut prendre la route 321, en direction nord, pour explorer le lac Simon ou continuer à Montpellier (pop. 3 000), pour profiter du fameux club de golf et du théâtre d'été de la ferme Lipial.
- Au retour, arrêtez-vous, en été, au musée des Pionniers de Saint-André-Avellin (pop. 1 540) sur la route 321 sud. Il conserve plus de 1 000 objets anciens, des centaines de vieilles photographies et quelques romans rares du XIXe siècle.

Durant les mois d'été, trois des quatre étages du manoir, de même que la chapelle funéraire, sont ouverts aux visiteurs. On s'y rend à pied de l'hôtel Château Montebello, par l'un des nombreux sentiers bordés d'arbres et de fleurs qui font la fierté de la propriété. Des meubles anciens, des tapis et des tapisseries d'époque ornent les pièces du manoir que font visiter des guides.

Il ne faut pas manquer de visiter aussi le Château Montebello. Construit en 1930, au plus fort de la crise économique, ce complexe hôtelier entièrement en bois rond est unique au monde. Sa construction a exigé l'embauche de 3 500 ouvriers, trois mois de travail jour et nuit et l'utilisation de 10 000 billes de cèdre rouge importées de l'ouest du pays. La toiture compte 500 000 bardeaux de cèdre, tous fendus à la main.

L'immense structure de trois étages est répartie sur six ailes et flanquée de beaux jardins. L'entrée principale donne sur une immense rotonde avec, au centre, un beau foyer en pierre hexagonal. La décoration crée une ambiance unique, à la fois rustique et luxueuse.

Dénommé « Lucerne in Quebec » par son premier propriétaire, l'Américain Harold Saddlemire, le Château Montebello devint ensuite un club privé et porta le nom de Seigniory Club ; c'est sous son appellation actuelle toutefois qu'il a conquis la notoriété en accueillant, en 1981, le Sommet économique du Groupe des Sept.

Sur la route 323 vers Saint-Jovite, juste après le cimetière et la voie ferrée, il faut prendre la route Richelieu pour aller admirer, parmi les avenues discrètes et ombragées qui entourent le terrain de golf du Château, une cinquantaine de résidences cossues que s'y firent construire à l'époque les membres du Seigniory Club.

Au centre de la petite ville de Montebello, où l'on peut profiter de plusieurs bonnes tables, on s'arrêtera à l'ancienne gare de bois rond qui a été déplacée sur son nouveau site où elle sert de centre d'interprétation et de bureau de tourisme. En face, on rendra visite à l'atelier où travaillent des céramistes, des aquarellistes et des peintres. Un peu plus loin dans la même rue, la galerie d'art Lisette-Martel présente les œuvres de grands noms québécois.

Le manoir de Louis-Joseph Papineau recrée l'atmosphère feutrée tant prisée des grands bourgeois du siècle dernier.

6 Lac Simon

Ce territoire était habité autrefois par les Theskaninis, que les Iroquois et la maladie décimèrent. En 1854, toutefois, quelques familles amérindiennes revinrent dans la région, à la suite d'Amable Canard Blanc et de Marie-Louise Cimon, comme certains toponymes en font foi (lac Simon, île du Canard Blanc).

Le lac Simon possède une jolie plage de sable fin, très appréciée des villégiateurs.

Une balade en automobile d'une heure environ à partir de Chénéville sur le versant est du lac mène jusqu'à Duhamel (pop. 380), à la pointe du lac Simon. Un arrêt s'impose au centre touristique où une magnifique plage de sable, des sentiers et un camping publics ont été aménagés. Pendant l'hiver, Duhamel et les environs sont fréquentés par une harde de 3 000 chevreuils qui y maintiennent leur ravage, encouragés par la sollicitude des villageois. Une belle chasse photographique en perspective !

Une petite route permet d'explorer le versant ouest du lac où se succèdent des paysages magnifiques avec les baies Carrée, Dorée, Groulx, Manitou, Yelle ou Saint-Laurent ainsi que le cap Ferland où sont tapis de vieux chalets de bois. Au large, se tient la grande île du Canard-Blanc au centre de laquelle, rare phénomène, niche un lac.

7 Ferme-Neuve

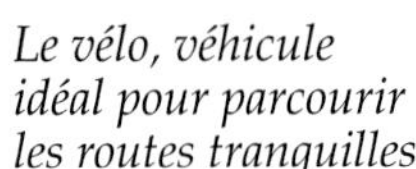

Longtemps avant l'arrivée des Blancs, les Algonquins de l'Outaouais avaient découvert la beauté sauvage des Hautes-Laurentides. Remontant le cours de la rivière du Lièvre, ils venaient s'installer l'été au pied de la « grande montagne » (le mont Sir-Wilfrid), qu'ils croyaient habitée par l'esprit du Windigo. Il subsiste encore de nos jours de nombreuses marques de la présence algonquine, et notamment dans les si jolis noms de la région : Pétawaga, Saguay, Kiamika, Baskatong ou Nominingue. Vers 1835, les forestiers ouvraient leurs premiers chantiers dans la région. Pour nourrir et ravitailler l'armée d'hommes et de chevaux qui allaient y travailler, ils aménagèrent une grande ferme en forêt (alors appelée *Mountain Farm*), jetant ainsi le ferment du village qui allait s'épanouir sous le nom de Ferme-Neuve à la fin du XIXe siècle.

Le vélo, véhicule idéal pour parcourir les routes tranquilles

La chute du Windigo constitue une cascade d'eau sans pareille pour les intrépides.

Nichée dans un coude de la rivière du Lièvre, qui irrigue toute la région, Ferme-Neuve (pop. 3 054) compte la seule église de style Dom Paul Bellot de tous les cantons du Nord. Le temple, qui fait l'orgueil des paroissiens, est paré de trois autels de marbre rose. Au cœur de Ferme-Neuve se trouve le lac des Journalistes, ainsi nommé en l'honneur d'une délégation de scribes qui organisa, en 1901, une souscription populaire pour financer la construction d'une école au village.

Les Ferme-Neuviens, d'une ténacité proverbiale, ont fait de leur région l'une des plus prospères des Hautes-Laurentides. Elle compte par exemple cinq grandes entreprises forestières et près de 80 éleveurs et producteurs agricoles, dont certains se démarquent par leur originalité. Ainsi, la ferme Abigest de M. Germain Cloutier, à 7 km de Ferme-Neuve, sur la route 309, regroupe un cheptel d'animaux peu communs, dont une centaine de bisons, des cerfs de Chine, des yaks et des wapitis qu'on aperçoit, l'été, depuis la route. L'hiver, on peut, sur rendez-vous, les visiter dans leur enclos.

Une autre manifestation du sens de l'innovation des Ferme-Neuviens est la ferme apicole Desrochers. Producteurs d'un miel délectable, les propriétaires fabriquent aussi depuis quelques années un hydromel digne de Zeus lui-même. On peut se procurer son blanc sec ou son fruité à la framboise directement à la ferme, à 4 km du village.

Bien sûr, on vient souvent à Ferme-Neuve pour la magnificence du mont Sir-Wilfrid et du réservoir Baskatong. Bien que ces attraits à eux seuls méritent le déplacement, les sportifs apprécieront pleinement les plaisirs d'une expédition à motomarine sur la Lièvre jusqu'au barrage des Cèdres de

Notre-Dame-du-Laus ou une randonnée à vélo jusqu'aux ponts couverts de Ferme-Rouge (seuls ponts jumeaux au Québec), une balade de 30 km aller-retour, en passant par la rue Chapleau à Mont-Laurier.

Événements spéciaux

La Fête au village (le samedi avant le 24 juin)

Festival de la forêt (juillet)

Classique internationale de canot (troisième semaine de juillet)

Foire agricole (août)

8 Réservoir Baskatong

Au pied de la montagne du Diable (le mont Sir-Wilfrid) se trouve le réservoir Baskatong, un nom d'origine algonquine qui signifie « glace pliée ».

Ce réservoir de 337 km² a été créé à l'emplacement du lac Baskatong en 1927, avec la contruction du barrage Mercier sur la Gatineau. Sa mise en eau a nécessité la fermeture de la mission Saint-Francois-Xavier-du-Baskatong, un petit village érigé sur les rives du lac vers 1880. On raconte qu'en période d'étiage, on peut encore apercevoir le clocher de la chapelle...

Quoi qu'il en soit, le réservoir Baskatong constitue aujourd'hui un véritable paradis pour ceux et celles qui aiment à la fois les sports nautiques et la nature sauvage. Ses eaux, par exemple, fourmillent de poissons — truites arc-en-ciel, grises et mouchetées, dorés, brochets, corégones et ouananiches — si bien que les pêcheurs ont l'embarras du choix. Le vent perpétuel qui frise ces eaux en fait un endroit rêvé pour les véliplanchistes. On peut aussi y faire de belles randonnées en bateau à moteur car les lieux d'accostage, baies et îles désertes ne font jamais défaut.

Certains, toutefois, préfèreront simplement paresser sur les superbes plages de sable blanc qui bordent le réservoir en profitant d'un séjour au camping de la Baie-du-Diable.

9 Mont-Tremblant et sa région

Déjà centenaire, le village de Mont-Tremblant (pop. 1 000) continue de prospérer au pied de sa montagne, la plus haute des Laurentides.

Fondée en 1894, la petite municipalité est la plus illustre pionnière de l'industrie touristique dans les Pays-d'en-Haut. Dès 1906, la famille Wheeler, d'abord venue des États-Unis pour l'exploitation forestière, y fait construire l'auberge Gray Rocks, le premier hôtel de grand luxe de l'endroit. À l'orée des années 40, un autre Américain, Joseph Ryan, de Philadelphie, fait du mont Tremblant, avec le premier télésiège du Canada, un des centres de ski les plus en vogue de la côte Est.

Après avoir stagné pendant quelques décennies, la station est prise en main, en 1991, par la compagnie Intrawest qui s'est donné pour mission d'en faire une destination touristique quatre-saisons de classe internationale.

Au sud de la 117, le long de la 323, le visiteur sera conquis par le charme discret de la campagne anglaise, version laurentienne. Ce sont en effet les anglo-

Contraste des couleurs en hiver : l'église de Mont-Tremblant.

L'ANTRE DU WINDIGO

Avec ses 783 m d'altitude, le mont Sir-Wilfrid (nommé ainsi en l'honneur de sir Wilfrid Laurier) est le plus haut sommet de la région des Laurentides après le mont Tremblant (968 m). Située à 20 km environ de Ferme-Neuve, la montagne du Diable, comme on l'appelle dans la région, serait habitée par Windigo, l'ogre antropophage de la mythologie algonquine. Ainsi, le vent qui souffle dans les grottes de la « grande montagne » dissimulerait, paraît-il, le souffle du monstre.

Luxuriance de l'automne laurentien

Les légendes ne font qu'ajouter au charme fascinant du mont Sir-Wilfrid dont l'opulence sauvage attire chaque hiver des milliers de motoneigistes venus de partout au monde goûter sa magie blanche. De fait, la grande montagne coiffe un réseau de 600 km de sentiers de motoneige qui courent dans un rayon de 40 km de Ferme-Neuve. Les relais sont nombreux et les motoneigistes se font un point d'honneur de fréquenter celui qui est posé tout au haut de la montagne.

Mais le mont Sir-Wilfrid exerce ses charmes tout au long de l'année : les randonneurs, par exemple, raffoleront de ses sentiers. Aussi, on ne peut rêver de plus bel endroit pour un pique-nique ! Avant le départ, on aura pris soin de garnir son panier d'hydromel ferme-neuvois et de chocolat fait avec du lait de chèvre des moniales bénédictines de Mont-Laurier.

L'antre du Windigo porte en outre en son sein une cascade d'eau naturelle sans pareille qui dévale, effleurant les rochers, une pente de 50 m, large de 18 m. Lissée par le temps, la chute du Windigo attend les plus intrépides qui y couleront, à cru, des heures joyeuses.

Pour des plaisirs plus calmes, un sentier écologique borde la chute ainsi que le lac du Windigo.

protestants qui ont les premiers colonisé la région, au début des années 1840, avant que le légendaire curé Labelle s'en fasse un promoteur auprès des Canadiens français. Plusieurs noms de village, comme Arundel, Barkmere et Weir, témoignent de cette présence.

Il faut voir le pont couvert de Brébeuf (pop. 660), construit en 1918. On y accède au cœur du village par le chemin Prud'homme. À 11 km de là, Saint-Rémi-d'Amherst (pop. 903), offre de très beaux paysages lacustres. Une courte randonnée jusqu'à l'ancienne tour à feu permet de voir serpenter au loin la rivière Rouge, entre les montagnes. Construite en 1905, aux abords du lac Rémi, la vieille église de bois du village mérite à elle seule un arrêt.

Depuis Saint-Rémi, il faut se diriger par la 364 à Huberdeau (pop. 777), qui est devenu au fil des ans un lieu de pèlerinage important à cause de l'impressionnant calvaire qu'il abrite. L'été, on y célèbre des messes en plein air. Aménagé sur une colline entre 1910 et 1920, le calvaire actuel d'Huberdeau est une version en fonte de fer bronzé du premier calvaire de bois qui y avait été érigé en 1892. Le site offre l'un des plus beaux panoramas de la région.

En face d'Huberdeau, sur la rivière Rouge, se trouve Arundel (pop. 479), petit village anglo-protestant où maisons anciennes et églises de bois se côtoient en parfaite harmonie. Sauvée de la démolition, la gare du village abrite aujourd'hui un bureau de poste.

Plus au sud, la 364 conduit du côté de Weir (pop. 369), un endroit recherché par les rochassiers. Le retour à Saint-Jovite par la route 327 ravira les amateurs de belle campagne.

10 Parc du Mont-Tremblant

Les Algonquins l'appelaient *Manitonga Soutana* (« mont des Esprits »): le mont Tremblant, disaient-ils, tremblait de colère quand l'homme s'avisait de troubler la tranquillité des lieux.

Doyen des parcs du Québec, le parc du Mont-Tremblant a été constitué en 1894 pour abriter un sanatorium, qui ne vit jamais le jour. Il couvre un territoire de près de 1 500 km^2 et renferme quelque 400 lacs.

Très populaire auprès des amateurs de plein air à cause de ses nombreux attributs naturels, le parc du Mont-Tremblant est aussi renommé pour la qualité et la variété des activités qu'on y pratique tout au long de l'année. Environ 120 de ses lacs sont accessibles aux pêcheurs qui peuvent y taquiner pas moins de 36 espèces de poissons, dont l'omble de fontaine et le touladi, dans la partie sud, ainsi que le brochet, le doré et l'achigan à petite bouche dans la partie nord.

Le parc compte par ailleurs un millier de sites de camping de même que de nombreuses pistes de vélo. Quelques sentiers d'interprétation de la nature et de nombreux lacs, propices au canotage et à la voile, sont accessibles en tout temps durant l'été.

En hiver, le parc du Mont-Tremblant entretient à l'intention des skieurs de fond plus de 80 km de sentiers, ainsi que bon nombre de refuges et de salles de fartage. Le camping d'hiver, la raquette et la motoneige peuvent aussi y être pratiqués.

La chute du Diable, dans le secteur du même nom, et la chute aux Rats, du côté de La Pimbina, offrent aux amateurs de photographie de beaux coups d'œil. Il faut faire une randonnée dans les sentiers de la Roche et de La Corniche afin de découvrir la spectaculaire vallée glaciaire du lac Monroe et le massif du Mont-Tremblant.

Le Centre éducatif forestier des Laurentides, créé à Saint-Faustin en 1980,

Belvédères et passerelles au parc du Mont-Tremblant mettent en valeur des biotopes spécifiques, notamment le milieu riverain.

s'impose de plus en plus comme un complément indispensable à un séjour dans le grand parc du Mont-Tremblant. Sillonné de sentiers de randonnée et d'interprétation, il a pour but de sensibiliser le public à la flore et à la faune de la région.

Événements spéciaux
Symphonie des couleurs (septembre)

11 Rawdon

Rawdon (pop. 7 000) a d'abord été le refuge d'immigrants irlandais qui voulaient aller au-delà des seigneuries de la vallée du Saint-Laurent. Vers 1825, des Écossais, des Loyalistes et des Canadiens français viennent grossir leurs rangs, et le canton de Rawdon est officiellement fondé en 1837.

Pendant environ 100 ans, l'agriculture et l'industrie forestière sont les gagne-pain du canton qui va compter jusqu'à quatre scieries et 21 potasseries. (La potasse est un dérivé de la cendre de bois utilisé dans la fabrication de détersif.) Vers 1930, le caractère multiethnique de Rawdon s'accentue avec l'arrivée de vagues successives d'immigrants européens, russes blancs tsaristes, réfugiés polonais, tchécoslovaques, hongrois et ukrainiens. Pas moins de 16 communautés ethniques ont refait leur vie à l'ombre des pins majestueux de Rawdon.

C'est pourquoi on y trouve des lieux de culte fort divers. Il faut voir notamment l'église anglicane de style gothique bâtie en 1857 en pierre des champs, ainsi que la chapelle russo-orthodoxe et son cimetière fleuri (à l'intersection de la 15e avenue et de la rue Woodland).

L'attrait touristique le plus connu de Rawdon demeure les chutes Dorwin, en bordure de la route 341. Un belvédère permet d'y découvrir le visage de pierre du redoutable sorcier Nipissingue. Selon la légende algonquine, Nipissingue était amoureux fou de la

La minuscule chapelle russo-orthodoxe, témoin du caractère multiethnique de Rawdon.

belle Hiawitha qui ne voulait pas de lui. Alors qu'elle cueillait des plantes médicinales sur le bord du gouffre où ne coulait qu'un mince ruisseau, Nipissingue la poussa dans l'abîme.

« À peine le corps de Hiawitha eut-il touché le mince filet d'eau, raconte Henri Tellier, que le précipice vibra d'un coup de tonnerre et qu'une magnifique chute, multipliant à l'infini le lin blanc de la robe de l'Indienne, jaillit au sommet et se rua dans la gorge étroite où, depuis, elle ne cesse de bondir et de chanter. Nipissingue, stupéfait, s'immobilisa et fut immédiatement changé en pierre par le Grand Manitou, condamné à entendre ainsi pendant des siècles le chant de victoire de Hiawitha. »

Aux cascades de Rawdon, à 6,5 km au nord du village, sur la route 337, la rivière Ouareau serpente entre d'énormes masses de rochers plats où il fait bon s'étendre, si le soleil est de la partie. C'est la toile de fond de la chanson d'amour *Doux* de Marjo.

Attraction spéciale
Village Canadiana,
5250, chemin Morgan

12 Vieux-Terrebonne

Aujourd'hui accessible de Montréal en moins d'une heure, Terrebonne (pop. 39 700) était, au siècle dernier, une station de villégiature très prisée des riches marchands et hommes d'affaires montréalais, comme en témoignent quelque 150 vieilles demeures bâties le long de la rivière des Mille-Îles.

Au milieu de la ville, l'île des Moulins, véritable oasis de verdure, est un parc splendide où il fait bon flâner sous les arbres centenaires. Les vieux moulins y ont repris vie et abritent désormais diverses entreprises culturelles, centre d'interprétation, théâtre, galerie d'art, bibliothèque, etc. Pendant la saison d'été, vous y croiserez des personnages en costumes d'époque qui vous parleront de la vie d'autrefois.

Les dimanches d'été, à 11 heures, on peut assister sur l'île, tout en pique-niquant, à des concerts de musique classique ou à des récitals de chansons

Lanaudière : le pays des hommes forts

Distance : 70 km

Comme en atteste la statue devant l'église, Saint-Jean-de-Matha (pop. 3 260) est le fief des hommes forts depuis Louis Cyr, qui y mourut en 1912, jusqu'à Donat Gaboury, détenteur d'un record Guinness (1988), qui soulevait 382 kg à 81 ans.

• À 2 km de l'entrée du village, il vaut la peine de bifurquer, sur la route 131, pour rouler jusqu'au sommet de la montagne Coupée. La vue splendide s'étend ici jusqu'aux gratte-ciel de Montréal.

• Saint-Jean-de-Matha est l'un des accès au parc régional des Chutes-Monte-à-Peine-et-des-Dalles, un nom coloré qui prend toute sa signification sur le terrain. Les amateurs d'excursion écologique, de photographie et de pique-nique romantique raffoleront de la variété des paysages. Pour s'y rendre, il suffit de suivre les panneaux à partir de l'église.

• À la sortie du village, en direction nord, on rencontre aussitôt une étrange formation montagneuse baptisée « Pain de sucre ». Cet étroit massif de 100 m de haut semble coincé entre le lac Noir et la route. Au fil des kilomètres, la vocation de villégiature de Lanaudière s'estompe pour laisser place à un paysage forestier, sauvage et accidenté.

• Après 18 km, on rejoint Sainte-Émélie-de-l'Énergie (pop. 1 530), un village fondé en 1870 par Jean-Baptiste Leprohon dont l'épouse, Émélie, encourageait les colons à travailler « avec énergie ». C'est ici que les randonneurs énergiques quitteront la route pour emprunter le sentier de la Matawinie qui mène, en 19 km, au spectaculaire site des Sept-Chutes, à 565 m d'altitude. Les automobilistes, quant à eux, rouleront en pleine forêt.

• Le prochain arrêt sera, quelque 25 km plus loin, le parc des Sept-Chutes. Un escalier bâti à flanc de montagne grimpe sur 60 m le long d'une chute appelée le « Voile de mariée » (à cause de sa blancheur au début de l'été) jusqu'à des sentiers où l'on a un choix d'excursions allant de 50 minutes à 3 heures. Les sentiers sont bien balisés mais le parcours est, par moments, ardu. L'effort, toutefois, en vaut la peine car les points de vue aménagés sont renversants, tel celui de la falaise du mont Brassard qui surplombe le lac Rémi, 150 m plus bas.

• À 15 km au nord se trouve Saint-Zénon (pop. 1 025), fondé en 1870. C'est le village le plus élevé en altitude au Québec (750 m). Le stationnement de l'église offre une loge incomparable pour admirer le panorama de la région. Après Saint-Zénon, la route longe le lac Kaiagamac où une base d'hydravions offre des balades aériennes de 15 ou 30 minutes.

• Saint-Michel-des-Saints (pop. 2 275) se trouve pour ainsi dire au bout de la 131. Fondé en 1864, ce village, bien connu des chasseurs, a longtemps été le domaine exclusif des défricheurs, des cultivateurs et de quelques mineurs de mica.

Non loin, on peut se baigner, l'été, au réservoir Taureau, qui offre 700 km de rives sablonneuses. Au quai fédéral, on peut obtenir un permis pour camper sur une île ou les berges d'une baie.

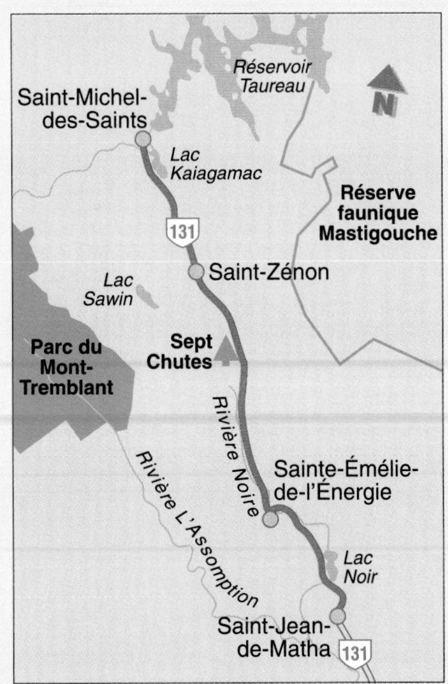

Élevages et cultures ponctuent ce royaume de chasse et de pêche.

Le kiosque à musique, dans le parc Masson, à l'orée de l'île des Moulins.

folkloriques. On peut aussi en tout temps y faire une promenade en carriole, une visite commentée de 45 à 90 minutes ou encore une balade en vélo de 10 km, jusqu'à l'île voisine.

En arrivant à l'île des Moulins, un premier arrêt s'impose tout près de la bibliothèque, du côté de la rivière, au bureau seigneurial. Le rez-de-chaussée de ce vieil édifice plus que centenaire, mais fort bien conservé, abrite aujourd'hui un centre d'interprétation. L'amateur d'architecture remarquera les murs épais de près d'un mètre, le toit en feuilles de cuivre étamé, les serrures de porte en fonte, les armoires encastrées et les volets de fenêtre intérieurs (pour mieux conserver la chaleur, l'hiver).

Dans le voisinage du bureau seigneurial, on trouve la boulangerie et le Moulin neuf, construit en 1850. La restauration extérieure des deux édifices a été faite dans les règles de l'art, avec les matériaux et les techniques d'époque. Le Moulin neuf abrite une salle de théâtre dotée d'une scène flottante campée sur la rivière. Quatre fois par semaine, en juillet et en août, des comédiens y expliquent, sous forme de comédie musicale humoristique, la petite histoire du système seigneurial et le passé du Vieux-Terrebonne.

Il faut emprunter près du Moulin neuf la chaussée-barrage qui relie l'île des Moulins à l'île Saint-Jean. Les promeneurs et les cyclistes bénéficient à cet endroit d'une vue saisissante sur tous les environs.

Les dimanches d'été, à 13 heures, on peut suivre une visite guidée du Vieux-Terrebonne. On remarquera, au 844 de la rue Saint-François, la plus ancienne maison (1760) du Vieux-Terrebonne.

ÎLE DES MOULINS

L'île des Moulins, qui fait aujourd'hui partie du Vieux-Terrebonne, constitue, après la place Royale de Québec, le second site historique en importance au Québec. C'est en 1673 que fut créée la seigneurie de Terrebonne, quand le roi de France, Louis XIV, concéda au Sieur André Daulier des Landes le droit sur ces terres. Toutefois, rien ne prouve que le seigneur en question ait jamais posé le pied dans le Nouveau Monde.

En 1718, le curé Louis Lepage achète la seigneurie ; il va lui donner son véritable essor. Terrebonne aura alors un premier moulin à farine, un moulin à scie, son manoir et sa première église. Le brave curé fera aussi ouvrir des chemins afin d'encourager l'implantation de colons dans la région.

En 1802, Simon McTavish, un riche Montréalais qui dirige alors la Compagnie du Nord-Ouest, spécialisée dans la traite des fourrures, rachète la seigneurie et réaménage les installations de l'île des Moulins en fonction de son commerce. La boulangerie produit dorénavant des biscuits de matelots et prépare des conserves pour les voyageurs qui partent à la conquête de l'Ouest à bord de grands canots chargés à craquer.

Joseph Masson, qui a fait fortune dans le textile, paie comptant, 30 ans plus tard, 100 600 piastres pour devenir propriétaire du domaine. Avec son épouse, Geneviève-Sophie Raymond, il donnera un nouvel élan industriel à la région.

Après avoir été l'un des principaux centres industriels en périphérie de Montréal, l'île des Moulins tomba peu à peu dans l'oubli vers le milieu du XXe siècle et le resta jusqu'en 1974 quand le ministère des Affaires culturelles du Québec en fit l'acquisition. Classé site historique, l'endroit est aujourd'hui un lieu d'animation culturelle très prisé.

NORD-EST DU QUÉBEC

16

Nord-est du Québec

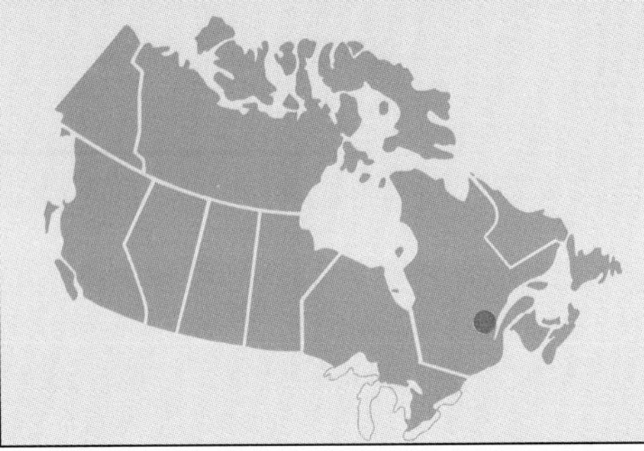

Sites

Le chemin du Roy
Champlain
Batiscan
Sainte-Anne-de-la-Pérade
Île d'Orléans
Cap Tourmente
Les Éboulements
Saint-Joseph-de-la-Rive
Île aux Coudres
Les « voitures d'eau »
Grands Jardins
Hautes-Gorges de la Malbaie
Cap-à-l'Aigle et Saint-Fidèle
Port-au-Persil
Parcs marin et terrestre du Saguenay
L'Anse-Saint-Jean
Sainte-Rose-du-Nord
Val-Jalbert
Péribonka

Circuits automobiles

Circuit des *Filles de Caleb*
La Côte-de-Beaupré

Parc national

La Mauricie

Pages précédentes :
Port-au-Persil

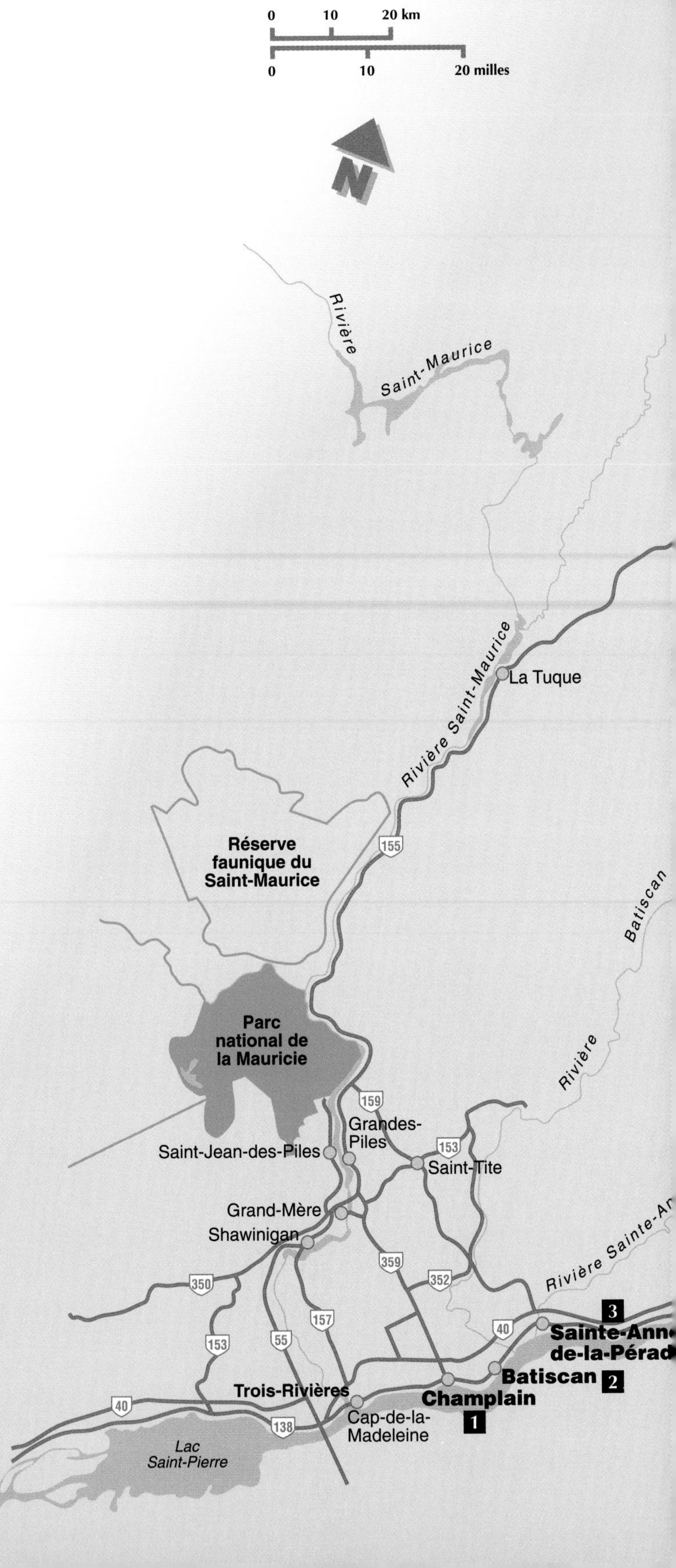

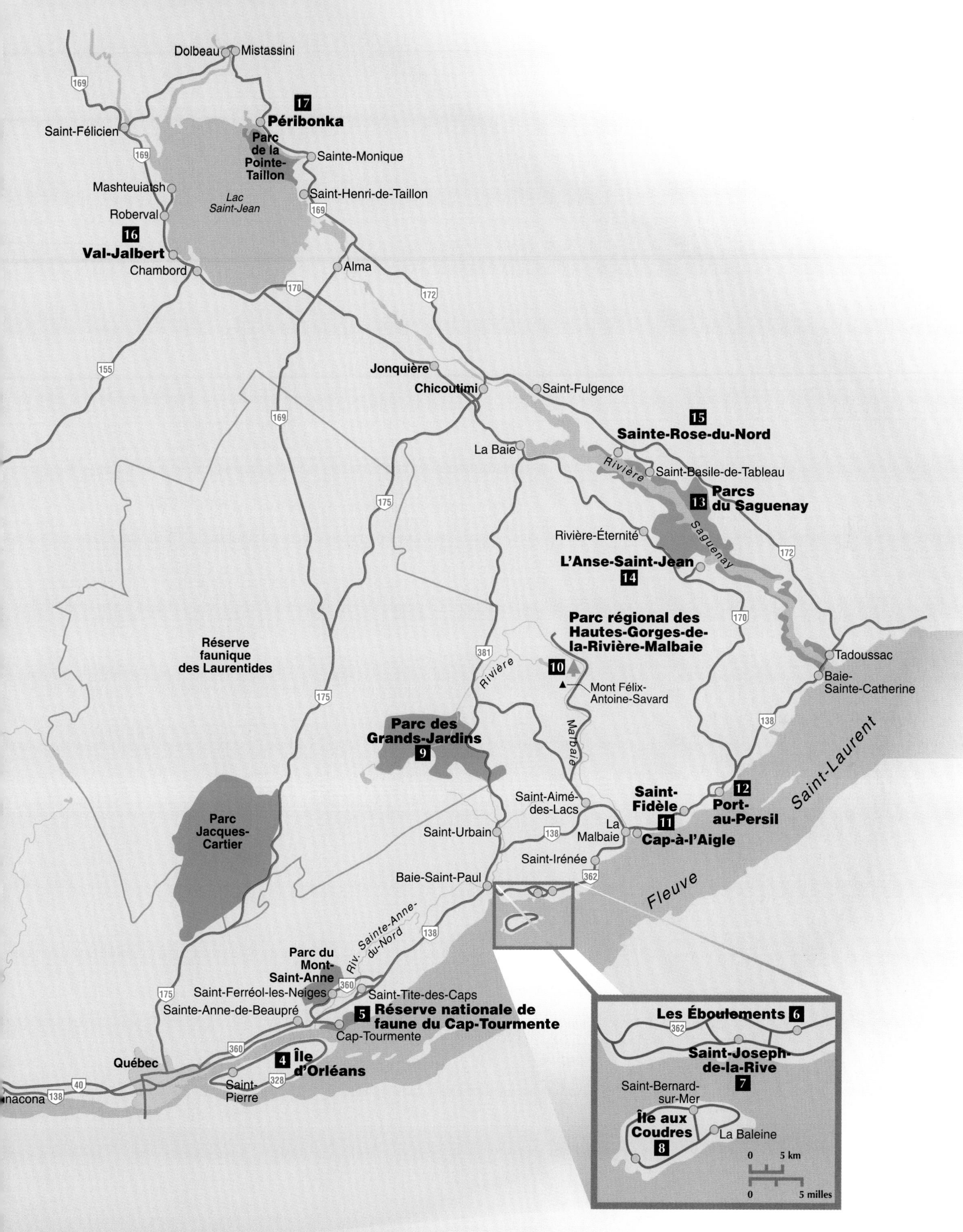

Dolbeau
Mistassini
169
17
Péribonka
Saint-Félicien
Parc de la Pointe-Taillon
Sainte-Monique
Mashteuiatsh
Saint-Henri-de-Taillon
Lac Saint-Jean
Roberval
16
Val-Jalbert
Chambord
Alma
170
172
155
Jonquière
Chicoutimi
Saint-Fulgence
15
Sainte-Rose-du-Nord
La Baie
Rivière
Saint-Basile-de-Tableau
Parcs du Saguenay
13
175
Rivière-Éternité
Saguenay
L'Anse-Saint-Jean
14
Parc régional des Hautes-Gorges-de-la-Rivière-Malbaie
381
10
Mont Félix-Antoine-Savard
Tadoussac
Baie-Sainte-Catherine
Réserve faunique des Laurentides
Rivière
Malbaie
Parc des Grands-Jardins
9
138
Saint-Laurent
Saint-Fidèle
12
Port-au-Persil
11
Saint-Aimé-des-Lacs
La Malbaie
Cap-à-l'Aigle
Parc Jacques-Cartier
Saint-Urbain
Saint-Irénée
362
Baie-Saint-Paul
Fleuve
Riv. Sainte-Anne-du-Nord
Parc du Mont-Saint-Anne
360
Saint-Ferréol-les-Neiges
Saint-Tite-des-Caps
Sainte-Anne-de-Beaupré
5
Réserve nationale de faune du Cap-Tourmente
Cap-Tourmente
Québec
4
Île d'Orléans
Saint-Pierre
328
40
nacona
Les Éboulements
6
Saint-Joseph-de-la-Rive
7
Saint-Bernard-sur-Mer
Île aux Coudres
8
La Baleine
0 5 km
0 5 milles

LE CHEMIN DU ROY

Armoiries de Sainte-Anne-de-la-Pérade

Souvent confondu avec la route 138 et oublié par les automobilistes qui lui préfèrent l'autoroute 40, le vieux chemin du Roy réserve bien des émotions à l'amateur de routes tranquilles qui peut y admirer quelques-uns des plus vieux villages du Québec, tout en jouissant d'une vue imprenable sur le fleuve Saint-Laurent.

Inauguré en 1737, le chemin du Roy, qui reliait Montréal à Québec, fut la première route carrossable du Canada. Il permit la colonisation puis le développement de la Nouvelle-France et c'est précisément pour cette raison qu'il est jalonné de vieux villages d'influence française où l'on peut encore voir de belles et vénérables demeures de seigneurs, de notables, de curés ou de riches habitants. L'histoire, la petite et la grande, y est partout présente parce qu'on a jalousement conservé les richesses historiques héritées des régimes français et anglais.

Au XVIIe siècle, on mettait quatre jours et demi pour parcourir les 267 km de ce chemin de terre. Une trentaine d'auberges jalonnaient la route pour permettre aux gens et aux bêtes de se reposer. Quelques-unes d'entre elles existent encore et ont été restaurées.

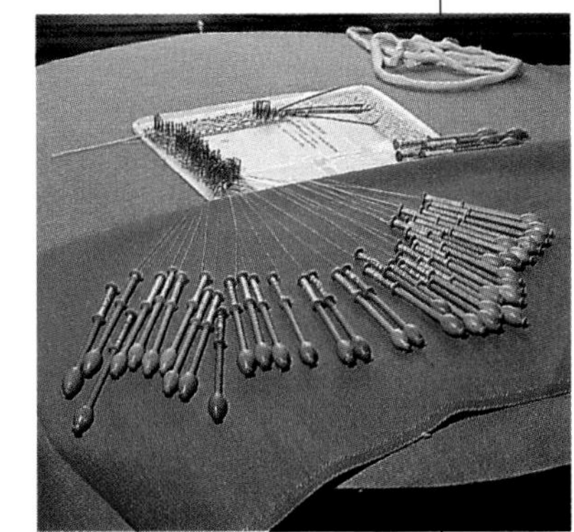

Ouvrage de dentelle, au Vieux Presbytère de Batiscan. La dentelle aux fuseaux s'obtient en croisant par paires des fils bobinés sur des fuseaux.

1 Champlain

Autrefois village de pêcheurs, Champlain (pop. 1 610), était aussi un relais de la malle-poste sur le chemin du Roy. Les grandes maisons tournées vers le fleuve sont typiques de la région, de même que les longs quais de soutènement qui protègent les rives.

Champlain possède un beau noyau architectural autour de son église néoromane (1879) qui abrite des toiles anonymes mais très anciennes dont une *Immaculée-Conception* antérieure à 1687. L'orgue provient de la prestigieuse maison Casavant. Les maisons voisines, d'allure romantique, avec leurs couleurs pastel et les longues galeries qui les ceinturent, raviront le flâneur.

Plusieurs maisons du village arborent fièrement les armoiries des familles qui y habitent. Une initiative qui date des célébrations du 300e anniversaire du village en 1979.

Au 300 du rang Sainte-Marie (par la route 359 nord), on trouvera l'Observatoire astronomique du cégep de Trois-Rivières. L'entrée est gratuite et, en été, on peut y passer une soirée la tête dans les étoiles.

2 Batiscan

Toujours sur le chemin du Roy, Batiscan (pop. 870) est un village dont la fondation remonte à 1639. Au 340 de la rue Principale, parmi les autres édifices religieux et formant avec eux un panorama exquis, se tient le Vieux Presbytère. Cette belle grande maison en pierre d'architecture traditionnelle a été érigée en 1816 sur l'emplacement de la seigneurie de Batiscan. Depuis lors, le bâtiment a toujours été soigneusement entretenu et son mobilier ancien n'est pas étranger à sa renommée. Depuis 1983, il appartient à la municipalité de Batiscan.

Le Vieux Presbytère, à Batiscan.

L'intérieur est en pin. Dans la salle commune, on découvre une table à tiroirs, un poêle à trois ponts, un banc de quêteux, un piano de style anglais et une armoire deux corps, de style anglo-saxon. Dans les autres pièces, on admirera des armoires à pointes de diamant, une table et des chaises de style québécois, un lit à colonnes tournées du XVIIe siècle et mille autres objets, témoins du passé, amoureusement conservés. Voué autant au passé qu'à l'avenir, le Vieux Presbytère reçoit des expositions tout l'été.

3 Sainte-Anne-de-la-Pérade

Sainte-Anne-de-la-Pérade (pop. 2 430) est le célèbre centre de la pêche aux petits poissons des chenaux. Son église néo-gothique est inspirée de la cathédrale Notre-Dame de Montréal. C'est d'ailleurs elle que l'on remarque en se dirigeant vers cette charmante localité car ses clochers s'élancent haut dans le ciel. Prenez aussi le temps de parcourir à pied la rue Sainte-Anne, bordée de belles maisons historiques. Elle vous conduira jusqu'à l'ancien manoir où

vécut Madeleine de Verchères pendant une cinquantaine d'années.

Événements spéciaux

Classique internationale de canots de la Mauricie (fin août – début septembre)

Festival western de Saint-Tite (septembre)

4 Île d'Orléans

C'est Jacques Cartier lui-même qui, en 1536, donna son nom à l'île, en hommage au duc d'Orléans, fils de François Ier. Il l'avait d'abord surnommée « île de Bacchus » à cause d'une grande vigne sauvage qui la recouvrait. Le peuplement de l'île débuta au siècle suivant. C'est pourquoi, « faire le tour de l'île », c'est un peu remonter aux sources de l'Amérique francophone.

Six villages, distancés les uns des autres d'une dizaine de kilomètres, sont répartis le long du chemin Royal. Le premier vers l'ouest est Sainte-Pétronille (pop. 1 100). En s'y rendant, on croise quelques fermes du XVIIe siècle. En raison d'un microclimat favorable, cette partie de l'île possède la forêt de chêne rouge la plus septentrionale d'Amérique. Peut-être pour cette raison, à la fin du XIXe siècle, les bourgeois de Québec avaient adopté le site comme centre de villégiature ; ils y firent

Le circuit des *Filles de Caleb*

Distance : 55 km

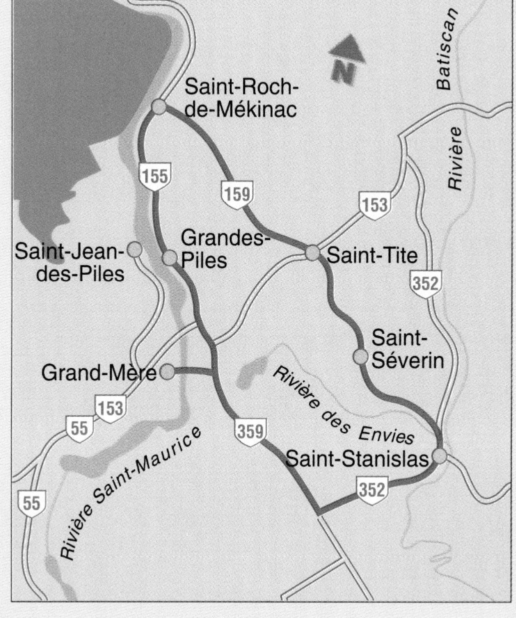

Après avoir inspiré le best-seller d'Arlette Cousture, suivi d'une télésérie, les amours d'Émilie Bordeleau et d'Ovila Pronovost auront révélé à tous les charmes de la Mauricie, ses petits villages et ses rivières sauvages.

Le Village d'Émilie, recréé dans la ville de Grand-Mère à partir des décors de la série télévisée, se veut un village-musée de la campagne québécoise, fin XIXe siècle. On y voit aussi les décors de la série *Shehaweh*, qui reconstituent le Montréal de Jeanne Mance de même qu'un village amérindien. Mais le véritable « circuit des *Filles de Caleb* » vous fera découvrir la beauté de la Mauricie villageoise tout en suivant la trace des amoureux.

- À la sortie de Grand-Mère, prenez la 359 puis la 352 jusqu'à Saint-Stanislas (pop. 1 320). Ce joli patelin deux fois centenaire s'étire le long des berges de la Batiscan, un nom d'origine atikamèque qui signifierait « brume légère ». C'est le lieu de naissance d'Émilie Bordeleau.

L'église, érigée en 1877, vaut le détour. Les parents d'Émilie s'y marièrent l'année même de sa consécration. Ils eurent 10 enfants qu'ils élevèrent sur la terre de Caleb, sise côte Saint-Paul. On peut voir, au 130 de la rue Principale, la maison où Émilie a vécu sa retraite d'enseignante et, en face, la boutique de forge que fréquentait son père. Plusieurs membres de la famille Bordeleau dont Émilie elle-même reposent au cimetière de Saint-Stanislas. Avant de reprendre la route, il faut aller, comme le faisaient les amoureux, regarder cascader la rivière au parc de la Batiscan.

- La route 159 vous conduit ensuite à Saint-Séverin (pop. 1 120), le village de Lucie, la grande amie d'Émilie. Parmi les attractions, il y a le vieux moulin à farine Lafrance érigé en 1850 sur la rivière des Envies. Plus loin se profile le moulin Lanouette construit en 1878 et, lui aussi, très bien conservé. Dans le rang Sud, un joli pont couvert est classé monument historique. L'église a été bâtie en 1895 avec une pierre de la région.
- Saint-Tite (pop. 2 860), l'étape suivante, est une localité prospère, déjà bien connue pour son festival western. C'est le lieu des premières amours d'Émilie et d'Ovila. Au carrefour de la 153 et de la montée des Pointes, se trouve la véritable école d'Émilie, typique école de rang du siècle dernier. Non loin, on voit encore la ferme ancestrale des Pronovost. Le visiteur qui emprunte le rang Pronovost, à la croisée du rang Le Bourdais, passe devant la maison de ferme construite par Ovila et ses frères, puis accède au lac à la Perchaude où les amants se retrouvaient.
- Pour terminer le circuit, filez au nord pour prendre la 155 et atteindre Grandes-Piles (pop. 420), un des plus beaux villages de la Mauricie. Au 780 de la 5e avenue, le Village du Bûcheron recrée l'époque des travailleurs forestiers.
- En face, sur la rivière, Saint-Jean-des-Piles (pop. 600) est la porte d'entrée du parc national de la Mauricie. La plupart des scènes extérieures des *Filles de Caleb* y ont été tournées.

Bûcheron de la Mauricie

construire les superbes résidences qu'on peut encore admirer à l'entrée du village. Du quai de Sainte-Pétronille, on a une vue panoramique exceptionnelle sur la ville de Québec.

Saint-Laurent (pop. 1 462) fut fondé en 1679. C'est d'ici que provient une bonne partie des fameuses « fraises de l'Île ». À l'entrée du village, une ferme de 140 arpents, la seigneurie de l'Isle-aux-Sorciers, propose aux visiteurs la pêche en étang, la randonnée pédestre ou l'observation des oiseaux. Il faut visiter aussi le Parc maritime où œuvrent des artisans en chalouperie, un métier tombé en désuétude après la construction du pont reliant l'île à la rive nord. À la sortie du village se profile le moulin Gosselin (1635), un moulin à farine converti en restaurant.

Jusqu'à la construction du pont, en 1935, Saint-Jean (pop. 960) était, avec sa population importante de prospères cultivateurs et de gens de la mer, en quelque sorte la « capitale » de l'île. L'église, érigée en 1732, regorge de très belles œuvres d'artistes célèbres, dont Jean Baillairgé et Louis-Basile David. Saint-Jean est surtout connu pour les maisons de pilotes de bateau qu'on ne trouve qu'ici. Ces personnages prestigieux à l'époque se démarquaient en utilisant une brique jaune importée d'Europe pour la façade de leurs demeures. On vient souvent à Saint-Jean, l'été, pour son théâtre Paul-Hébert. Tout près, le manoir Mauvide-Genest convie le visiteur à explorer, par le biais d'une collection d'objets d'époque, la vie quotidienne des ancêtres.

À Saint-François (pop. 483), sur la pointe est de l'île, la vue du fleuve s'ouvre sur le grand large. Ce gracieux village conserve encore une vocation agricole. On y fait aussi de la pêche à l'esturgeon et, à l'automne, les chasseurs de sauvagine s'y donnent rendez-vous. À la sortie du village, une croix célèbre la mémoire de Jacques Cartier et une tour d'observation offre une vue splendide sur le mont Sainte-Anne et le cap Tourmente.

Sainte-Famille (pop. 1 060) est la plus ancienne paroisse de l'île (1661). C'est donc dans ce secteur qu'on trouve le plus grand nombre de constructions datant du Régime français. L'église, d'une facture remarquable, abrite un centre de généalogie et une exposition particulièrement intéressante d'art sacré. Entre Sainte-Famille et Saint-Pierre se trouve la maison où a longtemps vécu le poète et chansonnier Félix Leclerc. La route serpente à travers des vergers où l'on peut, en saison, cueillir soi-même ses fruits.

Saint-Pierre (pop. 1 978), où a été érigée en 1717 la plus ancienne église du Québec encore debout, a longtemps été un centre d'industries traditionnelles : forge, beurrerie, fromagerie... Aujourd'hui, le village s'occupe de diffuser l'artisanat de l'île ; une très belle salle d'exposition a été aménagée dans son église historique, désormais fermée au culte, pour présenter les œuvres des artisans insulaires. Le village est également renommé pour son théâtre d'été, le théâtre de l'Île, et ses cabanes à sucre ouvertes à la dégustation en tout temps de l'année.

Sur le chemin du retour, un arrêt à la chute Montmorency (83 m) donne l'occasion d'admirer une dernière fois l'île d'Orléans, cette « corbeille de fleurs flottant sur le Saint-Laurent », comme l'a surnommée un vieux résident de Saint-Pierre.

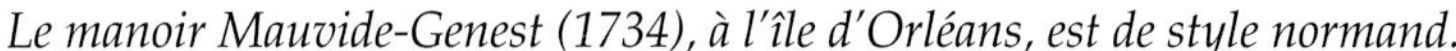
Le manoir Mauvide-Genest (1734), à l'île d'Orléans, est de style normand.

5 Cap Tourmente

Chaque automne, le ciel et le sol du cap Tourmente se couvrent d'une nuée blanche lorsque s'y arrête une bonne partie de l'unique population mondiale de la grande oie des neiges, qu'on appelait autrefois l'oie blanche. Après avoir niché dans l'est de l'Arctique et y avoir passé l'été, elle se dirige en octobre vers le New Jersey, le Maryland et la Caroline.

Chemin faisant, elle fait une pause pour se régaler de la racine du scirpe d'Amérique, une plante qui abonde dans les larges battures de la réserve, enrichies par le fleuve.

Au cap Tourmente, on a constitué en 1969 une réserve faunique nationale. Le visiteur qui traverserait la région

La Mauricie

Splendeur et sérénité, voilà, décrite en deux mots, l'atmosphère qui règne au parc national de la Mauricie, enclave fédérale de 544 km² dans le Bouclier canadien. Niché au cœur du Québec, dans la chaîne des Laurentides, il constitue un lieu de rencontre entre les forêts du Sud et du Nord et déploie ses collines ondulantes dans un dédale de ruisseaux, de cascades et de lacs en enfilade.

À Saint-Mathieu, l'une des deux entrées principales, située au sud-ouest du parc, une nappe d'eau d'une longueur de 16 km fend la pointe occidentale du parc. Rivière ? Non ! Il s'agit du lac Wapizagonke. Cette lame miroitante forme une vallée de versants abrupts et de falaises verticales offrant de multiples points d'observation spectaculaires.

Vue panoramique depuis le belvédère du lac Wapizagonke.

Le paysage actuel du parc a été façonné par la dernière glaciation, il y a environ 10 000 ans. Après cette époque, la végétation a tôt fait de revêtir tout le territoire. Aujourd'hui, on dénombre une quantité étonnante d'espèces arborescentes différentes, les plus importantes étant le sapin baumier, l'épinette rouge, l'érable à sucre, le bouleau jaune, l'érable rouge et le bouleau blanc. Conifères et feuillus se mêlent les uns aux autres pour former une gigantesque mosaïque de plus de 100 groupements forestiers.

Aux amateurs de randonnée pédestre, le lac Gabet offre un sentier qui se faufile entre les érables, les bouleaux jaunes et les hêtres le long de minuscules ruisseaux. Le trille rouge est commun ici. Au printemps, on le découvre à travers un foisonnement de fleurs qui se hâtent de compléter leur cycle de vie avant que les frondaisons ne leur cachent le soleil. Au début de l'été, les grandes fougères atteignent leur maturité. Quand les érables étendent leur feuillage, ils accaparent tout l'espace disponible et deviennent les maîtres des lieux.

La forêt regorge de petits et de grands animaux. L'un des plus gros, l'ours noir, sillonne le parc d'un bout à l'autre. Le visiteur prudent et attentif peut repérer sa présence grâce aux traces laissées sur les troncs de hêtres. Ce mammifère, pourvu de griffes d'une force surprenante, est le seul ours américain capable de grimper aux arbres.

Le réseau hydrographique du parc recèle lui aussi plusieurs surprises. Quelque 150 lacs et étangs abritent une faune diversifiée, dont de nombreux castors. Ceux-ci construisent des barrages lorsqu'ils s'installent près d'un petit cours d'eau ou d'un étrang. D'autres animaux utilisent les étendues d'eau de façon saisonnière. C'est le cas des orignaux qui, en été, se complaisent dans la solitude des marais ; entourés d'une horde de mouches, ils savourent placidement leurs végétaux préférés. L'omble de fontaine, un poisson qui apprécie les eaux froides, et le touladi, ou truite grise, sont au nombre des poissons qui profitent d'un milieu d'eau douce regorgeant de micro-organismes aussi variés que multiples.

La forêt a subi plusieurs modifications depuis le passage des Amérindiens. Pendant des générations, les Attikameks ont utilisé les arbres pour fabriquer leurs habitations, leurs outils et leurs moyens de locomotion. Ensuite, l'homme blanc a pénétré au cœur de la forêt, attiré par la traite des fourrures, la chasse et la pêche. À partir de 1851, des milliers de bûcherons ont assailli les arbres gigantesques de la Mauricie.

Aujourd'hui, l'exploitation forestière et la chasse sont interdites dans le parc. Depuis sa création en 1970, on y vise le maintien de l'intrégrité écologique de ses écosystèmes ainsi que des processus naturels nécessaires à leur libre évolution.

RENSEIGNEMENTS PRATIQUES

***Accès :** la route 351 mène à une route panoramique de 65 km dans le sud du parc.*
***Accueil :** Saint-Jean-des-Piles et Saint-Mathieu-du-Parc.*
***Installations :** campings aménagés, campings primitifs, gîtes rustiques (réservation), centres d'accueil, haltes, belvédères, amphithéâtres.*
***Activités estivales :** canot (location), camping, canot-camping, pique-nique, randonnée pédestre, baignade, activités d'interprétation avec naturaliste.*
***Activités hivernales :** ski de randonnée, raquette, camping.*

Spectacle inoubliable des oies, l'automne, au cap Tourmente.

même en d'autres temps que celui de la migration des oies ne devrait pas manquer de s'y arrêter. C'est un site remarquable, où une tranquille plaine agricole léchée par le fleuve vient buter sans transition contre la montagne.

C'est également un lieu d'une grande richesse écologique car il est situé au point de rencontre de deux écosystèmes majeurs du Québec méridional, soit la plaine du Saint-Laurent et la chaîne de montagnes des Laurentides. Dans les 22 km² que compte la réserve, on passe du fleuve à un marais côtier, puis d'une plaine agricole et boisée à une falaise abrupte et, enfin, à la montagne. On y observe 22 peuplements forestiers différents et près de 700 variétés de plantes. On y a recensé aussi quelque 45 espèces de mammifères et 250 espèces d'oiseaux, dont plusieurs types de canards sauvages.

Bon nombre d'activités d'interprétation sont offertes aux visiteurs qui peuvent aussi, s'ils préfèrent, parcourir à leur rythme un réseau de 18 km de sentiers, dont un trottoir de bois, accessible aux fauteuils roulants, qui se rend jusqu'aux marais en bordure du fleuve. L'hiver, on peut venir en fin de semaine observer le plus grand réseau de mangeoires d'oiseaux du Québec.

C'est Samuel de Champlain qui donna à l'endroit le nom de « cap de la Tourmente » parce que les eaux du fleuve s'élèvent au pied de la falaise au moindre vent. Et, comme l'explorateur l'avait lui-même noté en 1623, les prairies naturelles au pied de la montagne ont été le site du plus vieil établissement français sur la Côte-de-Beaupré.

6 Les Éboulements

Perché à plus de 300 m d'altitude, ce village (pop. 1 013) est le fief d'une des plus célèbres familles du Québec. C'est en effet ici que vint s'établir, le 18 mars 1710, Pierre Tremblay, originaire du Perche. À sa mort, en 1736, il était devenu l'un des grands propriétaires de la région et comptait 15 descendants, établis pour la plupart sur sa seigneurie des Éboulements. Ses frères, Michel et Louis, aussi fixés dans la région, l'un à Petite-Rivière-Saint-François et l'autre à Baie-Saint-Paul, laissaient chacun 14 enfants. Aujourd'hui, les généalogistes estiment à plus de 100 000, dont 6 400 à Montréal, les descendants de ces pionniers. Pareille fécondité fait des Tremblay la famille souche la plus nombreuse en Amérique du Nord.

Le toponyme Les Éboulements tire son origine des glissements de terrain consécutifs aux violents tremblements

Promenade sur la Côte-de-Beaupré

Distance : environ 36 km

Au sortir de la réserve faunique de Cap-Tourmente, il faut arrêter au village de Saint-Joachim (pop. 1 489). L'église y a été construite entre 1771 et 1779 et renferme des chefs-d'œuvre des sculpteurs François et Thomas Baillairgé.

- Une route pittoresque rejoint la 138 : c'est la route des Carrières, dite aussi côte de la Vieille-Miche à cause de la forme arrondie des montagnes auxquelles elle donne accès. Le chemin, tout à fait carrossable, quoique un peu abrupt, est un raccourci apprécié des villageois. Le paysage y est d'une grande beauté. Il passe par un hameau de quelques maisons qui a déjà porté, lui aussi, le nom de Miche.
- De retour sur la 138, dirigez-vous vers l'est pour rejoindre Saint-Tite-des-Caps (pop. 1 584). Ce village à vocation agricole et forestière fut fondé au milieu du siècle dernier. Il tient son nom de ce qu'il domine une série de montagnes qui s'avancent dans le fleuve.
- À la sortie du village, surveillez l'embranchement de la route 360 que vous prendrez en direction de Saint-Ferréol-les-Neiges. Après avoir traversé la rivière Sainte-Anne-du-Nord, tournez à gauche sur le chemin des Sept-Chutes. Vous voudrez vous arrêter à cet endroit magnifique où la rivière Sainte-Anne-du-Nord fait un saut de 130 m de hauteur en dévalant dans un fracas terrible une cascade de chutes. Quoique encore en état de fonctionner, la centrale hydroélectrique de 26 mégawatts érigée en 1912 n'est plus exploitée aujourd'hui et les visiteurs peuvent profiter tranquillement des 7 km de sentier qui ont été aménagés sur le site.

trace un historique de l'île et de ses habitants et propose une exposition sur la faune et la flore de la région. Le musée des Voitures d'Eau est consacré à la navigation sur le Saint-Laurent.

Dans le village de La Baleine, sur la côte sud-est de l'île où se trouve une importante tourbière, la Maison Leclerc (1750) présente une belle collection d'objets anciens provenant de la région. C'est dans ce même village que se trouvent la plupart des auberges qui ont fait la réputation de l'île. À la pointe est de l'île, on admirera une dernière fois le Saint-Laurent, au pied d'une statue de la Vierge perchée sur un immense rocher.

Événements spéciaux

La Classique Optimiste
(course de traîneaux de chiens)
(début février)

9 Grands Jardins

L'arrière-pays de Charlevoix recèle deux des aires protégées de la réserve mondiale de la biosphère, reconnues par l'UNESCO à cause de la particularité de leur milieu. La première est le parc des Grands-Jardins et la seconde, le parc des Hautes-Gorges-de-la-Rivière-Malbaie.

D'une superficie de 310 km², le parc des Grands-Jardins se distingue par sa couverture végétale nordique identique à celle de la taïga et par ses sommets de plus de 1 000 m d'altitude. Son climat rigoureux et sa nature sauvage en font un véritable îlot de Grand Nord dans le sud du Québec.

La végétation est représentative de la toundra arctique. Avant la fin du XIXe siècle, sa faune attirait les chasseurs montagnais ; puis, des villégiateurs ontariens et américains y établirent, en 1890, le réputé club privé de chasse et de pêche La Roche. La chasse est aujourd'hui défendue dans le parc, mais on peut toujours y pêcher les ombles de fontaine et chevaliers qui abondent.

LES « VOITURES D'EAU »

C'est à la fin du XVIIIe siècle qu'on se mit à construire des goélettes pour assurer le transport sur le Saint-Laurent entre la ville de Québec et les villages de la côte Nord qui, à l'époque, n'étaient reliés par aucune route. Entièrement faits de bois, les bateaux mesuraient de 15 à 30 m de long et pouvaient jauger de 20 à 50 tonneaux. Les premières goélettes étaient à voile et transportaient aussi bien des passagers que des marchandises ; c'est pourquoi on les appela « voitures d'eau ».

Au début du XXe siècle, les goélettes furent progressivement équipées de moteurs et recyclées dans le transport du bois, ce qu'on appelait localement le « cabotage de la pitoune », entre les ports de la côte Nord et les papetières des régions de Québec et de la Mauricie. Puis, dans les années 50, on les délaissa progressivement au profit des coques de métal.

Les pêcheurs de la région, notamment ceux de Saint-Joseph-de-la-Rive et de l'île aux Coudres, travaillaient aux chantiers l'hiver. C'est cette époque que devait faire revivre le cinéaste Pierre Perrault dans son film *Les voitures d'eau*, tourné dans les années 60 avant la disparition des goélettes de bois.

Sur le site de l'ancien chantier maritime de Saint-Joseph-de-la-Rive, où flottent de bonnes odeurs de varech et de copeaux de bois, on peut voir les épaves de quelques-unes de ces « voitures », dont la *Jean-Yvan* qui a été complètement restaurée et que l'on peut visiter. C'est ici qu'ont été construites 60 des 350 goélettes du Saint-Laurent. À l'intérieur de l'ancienne scierie, où se trouve le musée, est exposée la machinerie qu'utilisaient les charpentiers maritimes pour construire ces beaux navires. Une visite guidée renseigne sur la vie des navigateurs qui voyageaient à bord de ces goélettes et sur celle des artisans qui les construisaient.

Un autre musée, celui-ci dans l'île aux Coudres, est consacré entièrement à l'histoire de la navigation sur le Saint-Laurent. Le musée des Voitures d'eau est situé dans le village de Saint-Louis-de-l'Isle-aux-Coudres, du côté sud-ouest de l'île où les insulaires pratiquaient autrefois la pêche au béluga, alors connu sous le nom de marsouin ou de blanchon. (Cette pêche a été remise à l'honneur dans les années 60 par le cinéaste Pierre Perreault dans son film intitulé *Pour la suite du monde*.) On peut visiter, sur le site du musée, une vieille goélette, la *Mont-Saint-Louis*, qui, elle aussi, a été complètement restaurée. On y découvrira une importante collection d'objets expliquant le fonctionnement de ces bateaux.

« Voiture d'eau » à l'île aux Coudres

Le parc des Grands-Jardins est ouvert toute l'année. L'été, on y pratique la randonnée pédestre, le vélo de montagne, le canot, l'escalade et la pêche. Des naturalistes y organisent des excursions, dont une l'hiver pour observer les caribous qui séjournent dans la région. Durant la saison froide, on peut aussi faire de la raquette et du ski de randonnée dans un décor toujours féerique. Des chalets et plusieurs terrains de camping sont à la disposition des visiteurs.

10 Hautes-Gorges de la Malbaie

Joyau de l'arrière-pays charlevoisien, les hautes gorges de la rivière Malbaie doivent leur originalité à une faiblesse de la croûte terrestre qui a permis aux glaciers de creuser sur leur passage une vallée profondément encaissée où coule aujourd'hui la rivière Malbaie, entre des parois parfois hautes de 800 m.

Depuis 1988, le parc régional des Hautes-Gorges-de-la-Rivière-Malbaie, la seconde aire protégée par l'UNESCO dans la région, offre aux visiteurs des activités de nature aussi bien récréative qu'éducative et sportive : randonnée pédestre, canotage, vélo de montagne, camping, interprétation naturaliste guidée, en forêt ou sur la rivière, à bord d'un bateau-mouche.

On se rend d'abord à Saint-Aimé-des-Lacs, où se trouve l'une des rares plages publiques de la région. Après le village, la route pavée cède la place à un chemin forestier qui mène au poste de contrôle de la Zec des Martres, où l'on s'enregistre. On compte ensuite une bonne heure de route en forêt avant d'atteindre le poste d'accueil du parc. Les préposés vous remettront des cartes des sentiers du parc et pourront vous expliquer les principaux phénomènes naturels et géologiques qu'il est possible d'y observer. Par exemple, ici et là dans la forêt, de grosses roches rondes abandonnées par les glaciers il y a de cela des milliers d'années.

Au haut de l'Acropole des draveurs, le marcheur est récompensé par le paysage : en bas, la rivière Malbaie et, tout autour, les montagnes à l'infini.

Un des phénomènes naturels les plus intéressants du parc est l'étagement végétal qu'on y observe en se rendant au sommet des montagnes. Ainsi, dans les sentiers de l'« Acropole des draveurs », baptisée de la sorte par Mgr Félix-Antoine Savard qui comparait la beauté du site à celle de la ville haute d'Athènes, on peut voir tous les types de végétation du Québec et aussi... en expérimenter tous les climats. Un peu comme si, en quelques heures, on pouvait se rendre à pied de la Beauce à la baie d'Ungava.

Une érablière à ormes géants, bien enracinée au pied des montagnes, cède le pas à une forêt mixte, puis à une forêt de conifères qui, avec l'altitude, se rabougrit, se transforme en taïga, puis vire à la toundra alpine. Il faut être bien déterminé pour se rendre à l'Acropole des draveurs. Toutefois, la récompense fera oublier tous les efforts : debout au sommet, surplombant les lacs et les rivières, vous pourrez admirer les formes arrondies des plus vieilles montagnes du monde et, en face, le mont Félix-Antoine-Savard qui garde une vallée suspendue. Tout en bas, à travers les palissades, les chutes ne sont plus que de minces filets.

Une vingtaine de minutes suffisent pour parcourir le sentier beaucoup plus facile du pied de l'Acropole. Vous y traverserez des ponts et pourrez admirer du haut d'un belvédère la rivière Malbaie creusant son lit. Mais attention, il faudra monter 250 marches !

On peut faire sur la rivière une excursion en bateau-mouche au cœur de ce pays de coureurs des bois, de bûcherons et de draveurs. Vous y croiserez des vestiges du passé dont un vieux treuil ayant servi à raidir les câbles qui retenaient la pitoune pour l'estacade du bois. Vous verrez aussi la « roche à Ursule », une halte très appréciée de Mgr Savard, lequel, comme son grand ami le peintre René Richard, s'est inspiré dans son œuvre de la vie des pionniers de la région. Les Hautes-Gorges de la Malbaie sont en effet le pays de son héros, Menaud, maître-draveur.

11 Cap-à-l'Aigle et Saint-Fidèle

Au XIXe siècle, Cap-à-l'Aigle (pop. 792) était déjà fort apprécié des villégiateurs. Pour visiter ce joli village, il faut emprunter la rue Saint-Raphaël, qui se situe en biais de l'ancienne seigneurie Mont-Murray. On y verra une vieille grange au toit de chaume, faisant partie du patrimoine historique, ainsi que la petite église St. Peter on the Rock, construite en 1872 par la communauté anglicane qui avait adopté le village comme station estivale. Depuis 1984, Cap-à-l'Aigle s'est doté d'une des plus belles marinas de la côte.

Saint-Fidèle (pop. 1 180) est renommé pour l'excellence de ses fromages. Vous pourrez faire provision de bonnes choses au comptoir laitier de la crèmerie Saint-Fidèle, située sur la 138.

En descendant les côtes de Saint-Fidèle, surveillez l'entrée du Centre écologique de Port-au-Saumon. Depuis les années 70, des passionnés de l'écologie scientifique préservent là un site de 95 ha. Chaque été, le centre monte à proximité de la plage un aquarium où l'on peut observer divers animaux marins — oursins, anémones, étoiles de mer, poissons de toutes sortes, crabes et mollusques — illustrant la faune aquatique des côtes du Saint-Laurent.

En sortant du centre écologique, il faut garder la droite afin d'emprunter la petite route secondaire qui longe le fleuve. Elle monte en lacets au sommet d'une montagne qui garde le secret d'un des plus beaux points de vue de Charlevoix, une vue plongeante sur Port-au-Persil.

Événements spéciaux

Course Triangle de voiliers, à Cap-à-l'Aigle (fin août)

Festival des sciences de la nature, Centre écologique de Port-au-Saumon (août)

12 Port-au-Persil

Certains pensent que Port-au-Persil doit son nom au persil sauvage que ses premiers habitants y auraient trouvé. Toutefois, d'autres sont convaincus que le persil en question est plutôt une déformation du mot « porpoise » dont les Anglais se servent pour désigner le béluga qui a déjà vécu en grand nombre à cette hauteur du fleuve.

Quoi qu'il en soit, Port-au-Persil fait partie de ces petits villages tranquilles demeurés authentiques, dont la beauté naturelle a toujours fasciné les artistes. Ses deux plus illustres amoureux sont sans contredit Jean-Paul Lemieux et Marc-Aurèle Fortin qui, pendant des années, ont passé leurs étés dans l'unique hôtel du village. Souvent sans le sou, ils acquittaient leur dû avec des tableaux inspirés de la région, qui valent aujourd'hui des fortunes.

Port-au-Persil se reconnaît de loin à son littoral qui tombe en pointes dans le fleuve. La route, qui révèle une enfilade de panoramas spectaculaires, plonge en plein cœur du village. Au pied de cette pente abrupte, on trouve un quai, quelques vieilles maisons, une étable et une petite chapelle presbytérienne érigée en 1897.

Durant la saison estivale, on peut visiter, de l'autre coté de la colline, la Poterie de Port-au-Persil, réputée pour son école, la qualité de ses produits et l'exclusivité de ses glaçures typiquement charlevoisiennes. Installée dans une ancienne grange construite par des

La minuscule chapelle presbytérienne de Port-au-Persil.

charpentiers maritimes, la poterie a des airs de cathédrale des mers. Un petit musée d'art décoratif y expose les œuvres d'une trentaine d'artistes du Québec et on peut s'initier à l'utilisation de l'argile et à sa cuisson.

Une partie de la poterie est consacrée à la mémoire de son fondateur, Pierre Legault, dont les œuvres figurent aujourd'hui dans les musées et qui est à l'origine des premières glaçures charlevoisiennes. En utilisant du sable, qu'il prenait juste devant la chapelle presbytérienne, de la cendre de foin, de la cendre d'algues et de la pierre noire, il a créé de magnifiques glaçures. La biennale des céramistes a voulu souligner l'originalité de son apport en instituant le Prix Pierre-Legault, pour les artistes qui réalisent des recherches dans le domaine des glaçures.

13 Parcs marin et terrestre du Saguenay

Sauvage, farouche sont sans doute les mots qui qualifient le mieux le fjord du Saguenay, qui va de Tadoussac à Saint-Fulgence. Car comment décrire autrement cette immense vallée glaciaire, encaissée dans le massif Laurentien, où coule une froide rivière aux fonds parfois perdus sous 275 m d'eau ? Nulle part ailleurs au Québec, l'immensité de la nature ne se fait autant sentir que dans ce large fjord gardé par des falaises abruptes.

Qui dit fjord, dit paradoxe, mélange d'eau douce et d'eau salée, double niveau marin assorti d'une double vie marine. En 1990, les gouvernements québécois et canadien, désireux de préserver et de mettre en valeur cet écosystème complexe, réalisaient le projet d'un parc marin du Saguenay.

Le fjord, qui s'étend sur environ deux tiers des 150 km de la rivière Saguenay, abrite 54 espèces de verté-

Le fjord du Saguenay est le seul fjord navigable en Amérique du Nord.

brés et 248 espèces d'invertébrés, dont certaines, qui vivent en eaux profondes, sont de genre arctique. C'est le cas par exemple de l'*Ophiopus arcticus*, qui ressemble à une étoile de mer, du ver marin *Nereis zonata*, du tricorne arctique et du flétan du Groenland.

Deux centres d'interprétation et d'observation sont reliés au parc marin, celui de Pointe-Noire, à Baie-Sainte-Catherine, et celui de Cap-de-Bon-Désir, 25 km à l'est de Tadoussac.

C'est à Rivière-Éternité, qu'on rejoint par la route 170 depuis La Baie ou Saint-Siméon, que se trouve le poste d'accueil du parc terrestre du Saguenay. Outre un centre d'interprétation des origines du fjord, le parc offre un réseau de sentiers pédestres, dont un qui mène à la première corniche du cap Trinité. De là, on peut apercevoir la célèbre statue de la Vierge, impressionnante œuvre de 8 m du sculpteur Louis Jobin, réalisée en 1881 à la demande de Charles-Napoléon Robitaille, un homme d'affaires de la région qui voulait remercier le ciel de l'avoir soustrait par deux fois à la mort.

Face à la baie Éternité, sur la rive nord, se détachent les monts Liberté, Égalité et Fraternité, baptisés ainsi en 1989 pour commémorer le 200e anniversaire de la Révolution française.

Les adeptes de croisières seront bien servis dans le fjord du Saguenay. Chaque jour, des départs s'effectuent depuis les principaux quais de la région — Baie-Sainte-Catherine, Tadoussac, La Baie et Chicoutimi — avec des escales à L'Anse-Saint-Jean, Baie-Éternité et Sainte-Rose-du-Nord. Toutes les croisières sont animées par des interprètes et des naturalistes et la plupart arrêtent au pied du cap Trinité, le temps de permettre aux visiteurs d'écouter l'*Ave Maria* diffusé depuis le bateau.

Cette réplique miniature se trouve dans le jardin de la même maison, à L'Anse-St-Jean.

14 L'Anse-Saint-Jean

Fondé en 1838, sur la rive sud du Saguenay, à 58 km de La Baie, porte d'entrée et berceau historique de la région, L'Anse-Saint-Jean (pop. 1 370) offre aux visiteurs un panorama à couper le souffle. Flanqué de montagnes escarpées et ouvert sur le seul fjord navigable en Amérique du Nord, ce village qui s'étire sur plus de 8 km entre la 170 et la rivière, a su conserver son architecture originale et son patrimoine.

Ainsi, le pont couvert du Faubourg, construit en 1929 sur la rivière Saint-Jean (derrière l'église, à 6 km de la route), constitue une attraction touristique d'envergure : c'est ce pont qui figure sur les billets de 1 000 dollars...

Ce pont, qui a connu bien des péripéties, semble animé d'une vie qui lui est propre. Au printemps de 1986, un embâcle de glace l'a arraché de ses assises pour le déporter sur une distance de plus de 1 km. Il a fallu plus de six mois pour le replacer sur ses piliers.

L'Anse-Saint-Jean propose aux visiteurs un « circuit du patrimoine » qui part de l'église de pierre et de l'hôtel de ville vers les belles maisons traditionnelles du village. Des panneaux explicatifs donnent des renseignements sur l'architecture et la façon de construire de l'époque, par exemple avec des pierres des champs ou du bois pièce sur pièce. Il reste aussi, à l'extérieur de certaines maisons, des fours à pain encore fonctionnels. Les amateurs d'art, quant à eux, ne manqueront pas de se rendre au 10 de la rue du Faubourg voir la maison qui recevait l'été le célèbre peintre Albert Rousseau.

Comme pour perpétuer la tradition instaurée par cet artiste, L'Anse-Saint-Jean tient depuis 1991, en collaboration avec Petit-Saguenay, la municipalité voisine, le Symposium des villages en couleurs. Des peintres d'un peu partout au Québec viennent installer leur chevalet en pleine nature et devisent avec un public admiratif.

Il est aussi possible de faire à L'Anse-Saint-Jean des excursions de pêche et des randonnées de toutes sortes. Enfin, il ne faut pas manquer de faire l'ascension du belvédère de l'anse de Tabatière (5,5 km d'une route sinueuse à partir du pont couvert) pour y contempler un point de vue inoubliable du fjord.

L'hiver, le ski, au centre du Mont-Édouard, et la pêche blanche, sur les eaux glacées des rivières, se disputent la faveur des visiteurs de ce village pittoresque qu'on a souvent surnommé « la petite Suisse du Québec ».

Scène champêtre, au Lac-Saint-Jean

L'Anse-du-milieu, à Sainte-Rose-du-Nord, accueille les visiteurs venus par voie d'eau.

15 Sainte-Rose-du-Nord

Sur la rive nord du Saguenay, Sainte-Rose-du-Nord (pop. 430) vaut tous les détours. Par la route ou par voie d'eau, il faut aller y admirer la beauté de ses paysages et ses points de vue uniques sur le fjord.

Véritable décor de carte postale, ce petit village pittoresque, tout en côtes et en méandres, est ramassé en trois anses : l'Anse-du-milieu, l'Anse-d'en-haut et l'Anse-d'en-bas.

Dotée d'un quai, où accoste tous les jours pendant l'été le bateau-croisière *La Marjolaine*, l'Anse-du-milieu, autour de laquelle est rassemblée la plus grande partie du village, abrite une petite église construite sous le thème de la forêt, un ancien presbytère transformé en auberge, ainsi qu'un musée consacré à la nature. De nombreux exemples naturalisés de la flore et de la faune de la région y sont exposés, notamment un requin pêché dans le fjord.

On montera jusqu'à la plate-forme du chemin de la Montagne, qui conduit à l'Anse-d'en-haut, pour ses points de vue exceptionnels. De là, en effet, on peut voir bien au-delà des montagnes, des deux cotés du fjord, tout en embrassant, en contrebas, le village étalé, devenu tout petit comme dans un paysage lilliputien.

Quant à l'Anse-d'en-bas, elle fascine pour les légendes amérindiennes qui sont rattachées à son appellation d'antan : Anse de la Descente-des-femmes. Selon une des légendes, les Amérindiennes qui, à l'heure des repas, allaient rejoindre les hommes pêchant dans la rivière, préféraient descendre de la montagne à cet endroit, en glissant directement jusqu'à l'anse, plutôt que d'emprunter le sentier, jugé trop long.

Il existe une autre version, plus plausible, d'après laquelle trois Amérindiennes, brouillées avec leurs maris, voulurent gagner Betsiamits de nuit, sans rencontrer d'autres membres de la tribu. Au lieu de faire le portage habituel menant aux rivières Sainte-Marguerite et Betsiamits, elles prirent le chemin contraire et allèrent jeter leur embarcation à l'eau, au pied de la Descente-des-femmes.

Les amateurs d'inédit devront inclure une excursion à Saint-Basile-de-Tableau. On s'y rend par un chemin de 14,5 km à l'intérieur des terres, à partir de la route 172. Tableau doit son nom à l'immense falaise polie qui lui fait face, de l'autre côté du fjord. Les férus d'histoire aimeront savoir que c'est jusqu'au niveau de Tableau que Champlain parvint à remonter le Saguenay, en 1608, défiant ainsi tous les interdits de navigation autochtones.

16 Val-Jalbert

Le Village historique de Val-Jalbert est un village monoindustriel qui s'est formé au début du siècle autour du moulin à bois que l'entrepreneur forestier Damase Jalbert avait construit sur les bords de la rivière Ouiatchouane, de manière à tirer partie de l'énergie de la chute de 72 m qui dévale d'un escarpement à cet endroit.

Inaugurée en 1902, l'usine fermait ses portes en 1927 après avoir connu des difficultés incessantes. Le village se vida peu peu, puis il fut tout à fait abandonné. Pendant longtemps, on n'y référa plus que sous le nom de « village fantôme de Val-Jalbert ».

Un poste d'accueil occupe l'ancien couvent, à l'entrée du village. On peut y visiter une exposition permanente d'objets anciens et se documenter sur l'histoire du site. En face, se trouvent les fondations de l'église démolie en 1932, deux ans après la fermeture officielle du village.

Le cœur commercial du Val-Jalbert d'autrefois est le magasin général, doublé d'un hôtel, qui offre un casse-croûte et un comptoir de souvenirs, ainsi que quelques chambres au visiteur d'aujourd'hui. Un peu en retrait se trouvent une boutique des métiers d'art et un herbier.

L'usine est située à l'autre extrémité du village. Des guides en expliquent le fonctionnement. Quant au vieux moulin, on l'a converti en salle polyvalente, avec aire de spectacle et d'exposition, restaurant et café-terrasse.

Au bout du sentier qui passe près du moulin a été construit un escalier de 400 marches ; il vous conduira jusqu'à un belvédère qui offre une vue sur l'ensemble du village et sur le lac Saint-Jean. On peut aussi emprunter un téléphérique pour gravir l'escarpement. Ds jumelles et une carte pour l'interprétation des environs seront d'une aide précieuse. Depuis le niveau supérieur de la chute Ouiatchouane, il est aussi possible de se rendre à une deuxième chute, dite Maligne.

En redescendant, il faut visiter le reste du village. Une dizaine de maisons sont encore dans l'état d'effondrement où les ont plongé 60 ans d'abandon, mais d'autres ont été restaurées et certaines reconstruites, dans le respect du style de l'époque.

Pour ceux que séduirait beaucoup l'idée de séjourner dans un village fantôme, de confortables petits logements modernes ont été aménagés à l'intérieur de maisons reconstituées dans le style de l'époque.

Le village fantôme de Val-Jalbert comptait environ 1 000 habitants dans les années 20.

17 Péribonka

Péribonka (pop. 700) donne chaque année, à la fin de juillet, le signal du départ de la Traversée internationale du lac Saint-Jean, où rivalisent les meilleurs nageurs au monde. En tout autre temps, Péribonka est un havre de paix où le voyageur peut faire une intéressante halte culturelle au musée Louis-Hémon, créé en l'honneur du « père » de Maria Chapdelaine.

Le musée Louis-Hémon se trouve à 7 km du centre de Péribonka sur l'ancienne ferme de Samuel Bédard où séjourna le célèbre écrivain. Construit en 1986, le pavillon principal, un bâtiment lumineux aux formes résolument modernes, s'intègre de façon harmonieuse à son environnement rustique.

Le mois d'août est celui des bleuets qu'on célèbre, chacun à sa façon, dans toute la région du Lac-Saint-Jean.

On y accède par un sentier de 200 m que bordent des bouleaux blancs.

Près du pavillon d'accueil se trouve la minuscule demeure de Samuel Bédard, une maison de colons typique, avec ses six petites fenêtres verticales. C'est dans cette maison qu'en 1912 un jeune Français de 30 ans appelé Louis Hémon fut embauché comme garçon de ferme. Pendant son séjour de huit semaines, la famille Bédard remarqua qu'il écrivait beaucoup, sur le coin de la table ou en allant à la pêche. Ce n'est toutefois qu'après sa mort, survenue un an plus tard à Chapleau, en Ontario, qu'on apprit l'existence de son célèbre roman *Maria Chapdelaine*, qui allait devenir un best-seller, traduit en 45 langues et 120 fois réédité.

Récolte de bleuets

Le musée est une institution unique en son genre parce qu'il met l'accent sur la littérature et s'intéresse à « toutes les formes narratives ayant façonné le Québec actuel ». On y organise des événements thématiques centrés sur le roman, la poésie, les scénarios de film, la chanson, la littérature orale.

Attractions spéciales

Auberge de l'Île-du-Repos
Parc de la Pointe-Taillon

SUD DU QUÉBEC

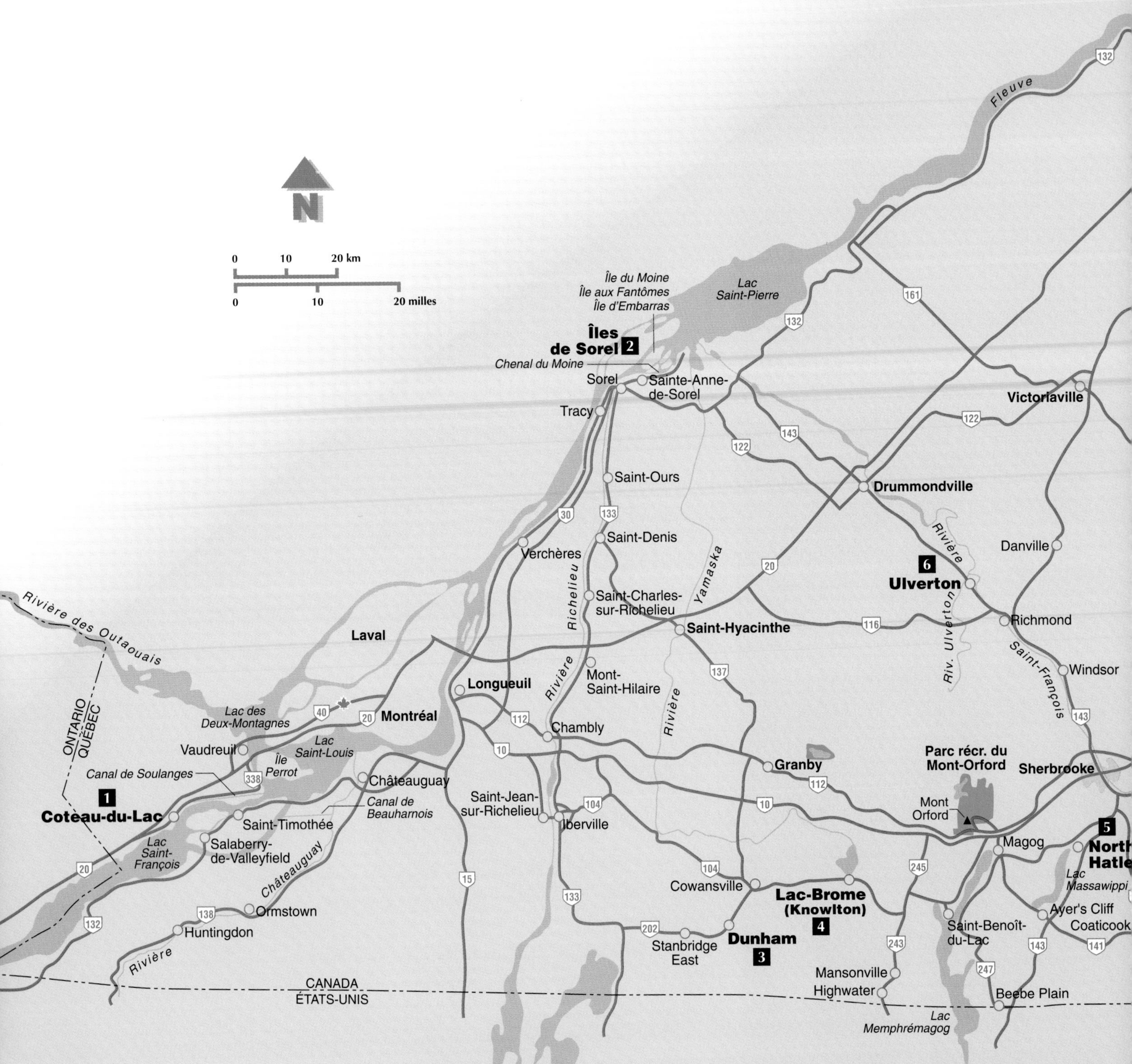
N
0 10 20 km
0 10 20 milles
Fleuve
Lac Saint-Pierre
Île du Moine
Île aux Fantômes
Île d'Embarras
Îles de Sorel 2
Chenal du Moine
Sorel
Sainte-Anne-de-Sorel
Tracy
Victoriaville
Saint-Ours
Drummondville
Saint-Denis
Verchères
Danville
Rivière
6 Ulverton
Richelieu
Yamaska
Saint-Charles-sur-Richelieu
Richmond
Rivière des Outaouais
Laval
Saint-Hyacinthe
Riv. Ulverton
Saint-François
Windsor
Rivière
Mont-Saint-Hilaire
Longueuil
Rivière
ONTARIO
QUÉBEC
Lac des Deux-Montagnes
Montréal
Lac Saint-Louis
Chambly
Parc récr. du Mont-Orford
Vaudreuil
Île Perrot
Granby
Sherbrooke
Canal de Soulanges
Châteauguay
1 Coteau-du-Lac
Canal de Beauharnois
Saint-Jean-sur-Richelieu
Mont Orford
Saint-Timothée
Iberville
5 North Hatle
Lac Saint-François
Salaberry-de-Valleyfield
Magog
Châteauguay
Lac Massawippi
Cowansville
Lac-Brome (Knowlton) 4
Ormstown
Ayer's Cliff
Huntingdon
Saint-Benoît-du-Lac
Coaticook
Stanbridge East
Dunham 3
Rivière
Mansonville
CANADA
ÉTATS-UNIS
Highwater
Beebe Plain
Lac Memphrémagog
Lac Champlain
132
161
143
122
30
133
20
116
137
40
112
10
338
104
15
245
243
247
141
202
138

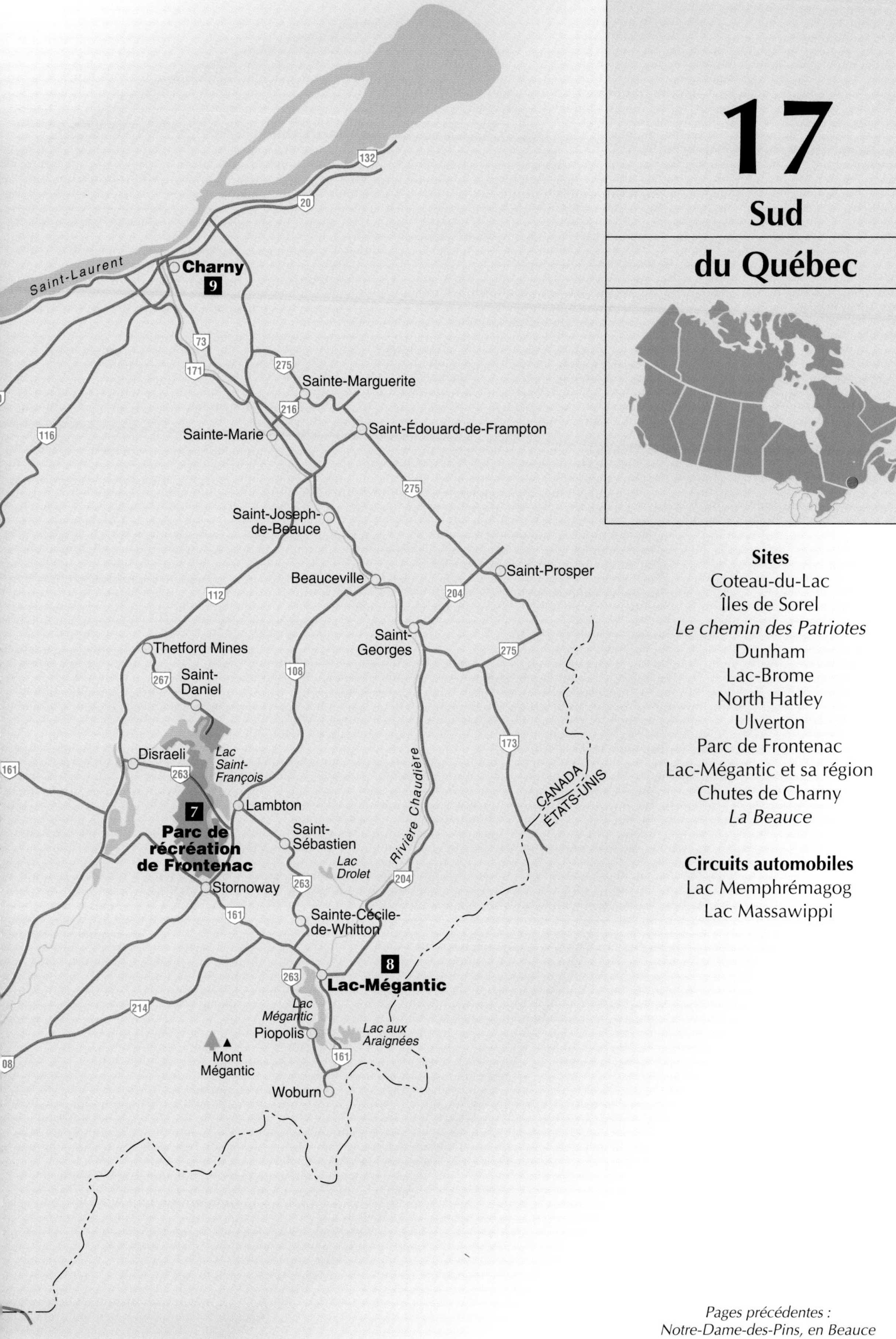

17

Sud du Québec

Sites

Coteau-du-Lac
Îles de Sorel
Le chemin des Patriotes
Dunham
Lac-Brome
North Hatley
Ulverton
Parc de Frontenac
Lac-Mégantic et sa région
Chutes de Charny
La Beauce

Circuits automobiles

Lac Memphrémagog
Lac Massawippi

Pages précédentes :
Notre-Dame-des-Pins, en Beauce

1 Coteau-du-Lac

Il semble que Coteau-du-Lac ait été un important site autochtone. Des fouilles archéologiques menées au cours des années 60 y ont mis au jour cinq squelettes d'Amérindiens dont l'origine remonterait à 3 500 ans avant notre ère.

En 1779, le premier canal à écluses en Amérique du Nord est construit au pied du village. Il mesure 300 m de long sur 2,5 m de large et on y fait varier le niveau d'eau de 2,7 m. C'est l'ancêtre de la voie maritime du Saint-Laurent.

À cause de sa position stratégique à la sortie du lac Saint-François, Coteau-du-Lac devient un poste de surveillance et de ravitaillement capital pour le Régime anglais au Canada. En 1812, au moment du conflit anglo-américain, on y érige d'importantes fortifications et on renforce les garnisons pour repousser une éventuelle incursion américaine en territoire canadien. Une caserne, une chapelle et plus de 15 bâtiments sont construits. Le village ainsi fortifié accommodera environ 1 000 soldats.

Des fouilles ont permis de reconstituer le blockhaus et les écluses. Deux canons ont été réinstallés sur leur socle et on a dégagé les tranchées où les soldats se dissimulaient pour surveiller les allées et venues entre Coteau-du-Lac et l'île de Salaberry.

Esquisse d'une barge à fond plat (1810) qui servait à remonter les rapides entre Montréal et les Grands Lacs. Elle pouvait transporter 40 tonnes de marchandises et cinq ou six hommes.

Coteau-du-Lac (pop. 4 000) se trouve à 45 km à peine de Montréal. Les quartiers historiques, qu'on visite à pied, se situent sur la route principale. Aux abords de la ville, un moulin à farine érigé en 1858 loge aujourd'hui un restaurant. Un peu plus loin se dresse la Maison Saint-Ignace qui a appartenu au sénateur Lawrence Alexander Wilson, riche philanthrope devenu célèbre à l'époque de la prohibition grâce à son commerce florissant de vins et de spiritueux avec les Américains.

Réplique d'un canon sur roulettes de 1812

Il faut voir aussi, à côté de l'église actuelle, la première église de Coteau-du-Lac. Après avoir été un lieu de culte, elle a servi tour à tour de couvent, d'hôpital, d'asile et d'école avant de devenir un centre d'accueil.

Une promenade agréable consiste à prendre la route 338 qui suit le canal de Soulanges jusqu'à Pointe-des-Cascades puis rejoint la route 40 à Vaudreuil.

Événements spéciaux
Théâtre d'été

2 Îles de Sorel

Sise à 5 km à peine de Sorel, Sainte-Anne-de-Sorel (pop. 2 670) commande 103 îles. À certains, ces îles rappellent les bayous de la Louisiane ; à d'autres, les rives de l'Amazonie. La diversité des habitats qu'on y trouve a fait de la région un haut lieu de l'écotourisme au Québec, mais aussi de la pêche sportive et de la chasse aux images. On y a recensé 116 espèces de poissons d'eau douce et 288 espèces d'oiseaux, dont les grandes espèces migratrices. La Grande Île abrite la plus importante héronnière en Amérique du Nord et l'île du Moine est un site fameux pour l'observation des oiseaux de rivage.

Une balade de 30 km, en voiture ou en vélo, permet de découvrir Sainte-Anne et d'accéder à quelques-unes de ses îles. Le visiteur qui se trouve au village aux heures de messe ne manquera pas tout d'abord de visiter l'église Sainte-Anne. Construite en 1877 par l'architecte Louis-Zéphirin Gauthier, elle est décorée à l'intérieur de 14 fresques de Suzor-Côté.

Il faut prendre au village le chemin du Chenal-du-Moine, ainsi nommé en mémoire du père récollet Anne de Noue, qui mourut ici en 1743, terrassé par le froid, alors qu'il se rendait bénir les soldats du fort Richelieu (Sorel). À 2 km du Centre de services de Sainte-Anne, qui regroupe à la fois la mairie et un complexe touristique, se trouve le « bac de la commune », actionné par un système de cordes et de poulies. Tout comme aux premiers jours de la colonie (1642), on se sert de ce bac pour traverser le bétail à l'île du Moine, pour qu'il passe l'été au pâturage communal. Un peu plus loin, on pourra voir des fumoirs à poisson ainsi que des varvaux, ou filets de pêche, qui sont laissés dehors à sécher.

Le chemin du Chenal-du-Moine mène à un petit pont de fer qui traverse à l'île aux Fantômes. Celle-ci doit son nom à une légende selon laquelle un père désespéré appellerait là sans fin son fils enlevé par un fantôme. Depuis l'île aux Fantômes, on peut accéder à pied par un pont suspendu à l'Îlette au Pé, où se trouve le musée de l'Écriture. Ce musée, qui rend hommage aux écrivains québécois, a été aménagé à côté d'un ancien chalet qui fut, 30 ans durant, le refuge de la romancière Germaine Guèvremont (1893-1968), à qui on doit *Le Survenant.*

Au bout de la route carrossable se trouve l'île d'Embarras, dernière île habitée à longueur d'année. Elle doit son nom au fait qu'elle « embarrasse » pour

LE CHEMIN DES PATRIOTES

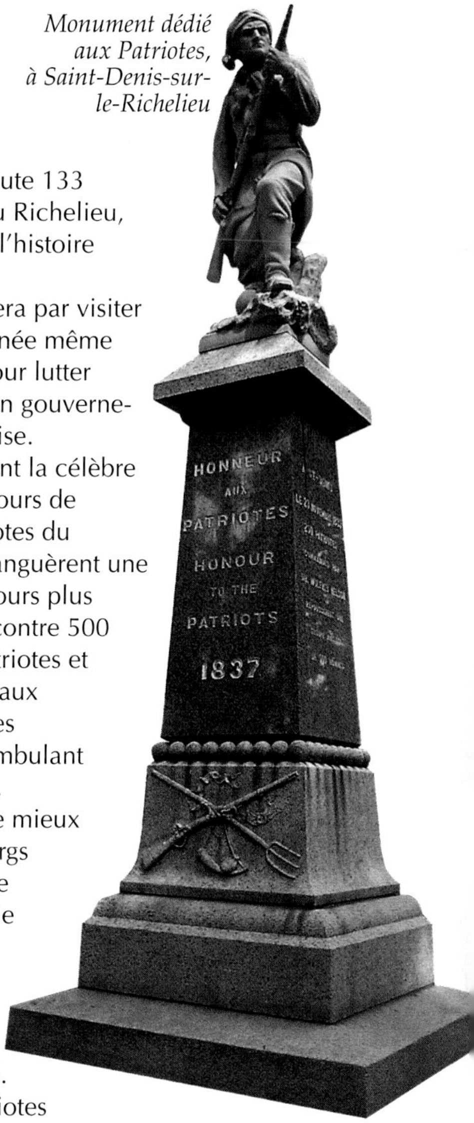

Monument dédié aux Patriotes, à Saint-Denis-sur-le-Richelieu

Riche région agricole, où coule l'une des plus anciennes voies de communication du nord-est de l'Amérique, la vallée du Richelieu est aussi la silencieuse mémoire des événements qui menèrent à la rébellion des Patriotes contre le Régime anglais en 1837. Parcourir aujourd'hui la route 133 de Mont-Saint-Hilaire à Saint-Ours, sur la rive est du Richelieu, c'est plonger au cœur d'un des grands moments de l'histoire du Canada français.

À Mont-Saint-Hilaire (pop. 11 400), on commencera par visiter (260, chemin des Patriotes) une église terminée l'année même où les habitants se résolurent à prendre les armes pour lutter contre la corruption du gouvernement et réclamer un gouvernement représentatif de la majorité canadienne-française.

À Saint-Charles-sur-le-Richelieu (pop. 1 740), se tint la célèbre assemblée des six-comtés, le 23 octobre 1837, au cours de laquelle Wolfred Nelson, le bouillant chef des Patriotes du Richelieu, et Louis-Joseph Papineau, leur idole, haranguèrent une foule de 5 000 partisans. Et c'est ici même que, 33 jours plus tard, eut lieu la sanglante bataille de 200 habitants contre 500 « Habits rouges », qui fit 35 victimes du côté des Patriotes et entraîna l'emprisonnement ou l'exil de leurs principaux dirigeants. Un circuit, qui débute au 463, chemin des Patriotes, permet de retracer les événements en déambulant parmi les vieilles maisons tout empreintes d'histoire.

Mais c'est à Saint-Denis (pop. 2 110) qu'on peut le mieux sentir l'âme des Patriotes. L'un des plus anciens bourgs du pays, Saint-Denis fut témoin de leur seule victoire contre les troupes anglaises. C'est ici, en effet, que, le 23 novembre, les Patriotes réussirent à mettre en déroute le colonel Charles Gore et ses 450 hommes, envoyés de Montréal pour les mater. Dix jours plus tard, néanmoins, les Anglais prirent leur revanche et le bourg fut pillé et incendié.

Au centre du village, juste à côté du parc des Patriotes où l'on célèbre chaque année (le dimanche le plus près du 23 novembre) la mémoire des compagnons rebelles, on peut visiter la Maison nationale des Patriotes, logée dans la maison du patriote Jean-Baptiste Mâsse (1809). Il s'agit d'un centre d'interprétation historique (ouvert de mai à septembre) où l'on se familiarise avec le mouvement qui fut à l'origine des événements de 1837-1838.

La maison Mâsse, bel exemple d'architecture urbaine en milieu rural, est aussi le point de départ d'un circuit patrimonial d'une heure et demie qui comporte d'intéressantes demeures, telles que la maison Cherrier, de style urbain, bâtie en 1805 (au 639, chemin des Patriotes), la maison Huard, remarquable par son toit mansard (au 583-589), et la maison Richard, de style victorien (au 611). En se présentant au presbytère, on peut aussi visiter l'église dont le mobilier et l'ornementation sont d'une merveilleuse richesse.

À Saint-Ours (pop. 1 620), une halte s'impose au bureau de poste qui était aussi, à l'époque, la maison du docteur Jacques Dorion, un des plus actifs théoriciens du mouvement. Ce village, coquet et paisible, offre lui aussi de beaux exemples d'architecture. Plusieurs artistes ont d'ailleurs choisi d'y travailler et d'y vivre.

ainsi dire l'entrée du chenal et forme une sorte de barrage où les débris s'accumulent lors des crues printanières. On remarquera les maisons à étagements presque exclusives à cette île. Le premier plancher, transformable, servait uniquement l'été comme cuisine. C'est un bon exemple d'architecture adaptée au phénomène annuel des inondations — tout comme les nombreux chalets bâtis sur pilotis.

Il ne faut pas manquer de goûter à la gibelotte, un mets régional à base de légumes et de barbotte, servi avec de la perchaude rôtie et des rondelles d'oignons. Par ailleurs, les amateurs de canot pourront faire une excursion en rabaska — sorte de grand canot pour 12 personnes — afin de découvrir les îles sous des angles insoupçonnés.

Événements spéciaux

Croisières dans les îles (24 juin–4 septembre)

Festival de la gibelotte (juillet)

Théâtre d'été

Les îles de Sorel offrent des dizaines de canaux à explorer.

3 Dunham

Certains villages possèdent un charme particulier. Résistant aux excès technologiques et à la proximité des grands centres, Dunham (pop. 3 226) compte parmi ces endroits magiques.

En 1796, Lord Dorchester accordait à Sir Thomas Dunn et à ses 34 associés 100 acres de forêt vierge sur le site actuel de Dunham. C'est ainsi que des loyalistes de descendance irlandaise peuplèrent le premier des Cantons de l'Est du Bas-Canada.

De nombreuses maisons de pierre ou de brique, qui ont 150 ans et plus, bordent la rue principale de Dunham. Les façades cachent parfois des secrets. Celui, par exemple, de certains Américains que Dunham hébergea pendant la guerre de Sécession et qui, moyennant rétribution, se firent remplacer au combat par des villageois. Celui, aussi, de la fausse monnaie qui se fabriquait activement ici au siècle dernier.

Boîte aux lettres artisanale, à Dunham

Parmi les belles demeures, le visiteur remarquera surtout deux maisons de brique qui se font face. Elles ont été construites dans les années 1850 par deux résidents prospères qui jouèrent aussi des rôles politiques : Thomas Wood et Seneca Paige. Ce dernier mourut sans avoir pu habiter la sienne.

La compagnie Small Bros. loge, depuis 1893, dans un bâtiment de brique qui était à l'origine la taverne Seeley's. Cette entreprise, qui continue toujours de fabriquer de l'équipement pour la production du sirop d'érable, breveta, en 1888, l'évaporateur Lightning.

À côté de l'église Unie (1847), autrefois de confession méthodiste, une maison en pierre (1829) était, à l'origine, flanquée d'une tannerie à l'arrière. En face, une autre maison, de style georgien, érigée vers 1840 par le fils du loyaliste Joseph Baker, n'a changé de propriétaire qu'une seule fois.

Au bout du village, deux maisons de bois se font face, aussi bâties par la famille Baker. L'une d'elles possède une écurie magnifique ; on y entraîne des chevaux pour les courses attelées.

Mais le visiteur vient surtout à Dunham pour les vignobles qui l'ont inscrit en toute première place sur la route des vins du Québec. Les Blancs Côteaux, l'Orpailleur, Les Arpents de Neige, Les Trois Clochers et les Côtes d'Ardoise fabriquent une variété de produits vinicoles — en vente uniquement ici — selon des procédés comparables à ceux de l'Europe. Pour qu'ils puissent braver l'hiver, les ceps sont rechaussés à l'automne et déchaussés au dégel. Visites guidées, dégustations et repas champêtres sont proposés en saison par tous ces vignobles.

4 Lac-Brome

La ville de Lac-Brome (pop. 4 824), qui ceinture le lac du même nom, a été formée en 1971 par la fusion des localités de Knowlton, Foster, West Brome, Fulford, Iron Hill et Bondville.

Le développement de Knowlton, la plus connue d'entre elles, est typique dans l'histoire des Cantons de l'Est. Quand Paul Holland Knowlton, originaire du Vermont, y implante les premiers commerces vers 1834, quelques émigrés de la Nouvelle-Angleterre habitent déjà les collines autour du lac.

Ces établissements, dont un moulin à grain, une maréchalerie et un magasin général, connaîtront rapidement une forte popularité et leur prospérité fera de Knowlton un petit village bourgeois, dès la fin du XIXe siècle. Les grandes églises du lieu, qui ont été bâties à cette époque, témoignent bien de la fortune du temps. En 1894, Knowlton inaugure la première bibliothèque publique gratuite au Québec, la bibliothèque Pettes ; elle continue toujours de desservir la population.

Dès 1867, les villégiateurs seront attirés par Knowlton, que le *Canadian Handbook Tourist Guide* décrit déjà comme un endroit hors du commun. À partir de 1920, les riches Montréalais, qui peuvent accéder à la région en à peine une journée de train, feront bâtir autour du lac de splendides demeures qui se cachent discrètement derrière de lourds murs de pierre ou des haies de cèdre.

Élégante enseigne de bois

Aujourd'hui, les façades victoriennes de Knowlton ont été restaurées et les bâtiments accueillent des boutiques chic.

Il ne faut pas manquer le Musée historique du comté de Brome qui recrée une atmosphère d'époque en présentant divers aspects de la vie quotidienne d'antan. Un magasin général, une ferme, des boutiques, une école, un palais de justice font partie des annexes.

Les boutiques de Knowlton ont à la fois un charme vieillot et une allure sophistiquée.

À Foster, on peut voir une petite gare (1862), maintenant désaffectée, qui a préservé tout son cachet. À West Brome, on peut faire ses emplettes au magasin général Edward's, là même où se rassemblaient les ancêtres du lieu.

La Foire agricole du comté de Brome, qui a lieu à la fête du Travail, est une vraie foire de campagne qui se déroule toujours dans la même tradition depuis ses débuts en 1896.

Événements spéciaux

Journées victoriennes
(fête de la Reine, en mai)

Tour des arts
Lac-Brome, Mansonville, Sutton
(troisième semaine de juillet)

5 North Hatley

Un premier contact avec North Hatley (pop. 704), et c'est le coup de foudre. Ce village au magnétisme irrésistible a ses fervents qui reviennent chaque année comme en pèlerinage. C'est à pied qu'on apprécie le mieux l'harmonie de North Hatley, la beauté du lac Massawippi, de la montagne et de ses vastes domaines centenaires qui ont su préserver tout leur caractère original.

North Hatley (pop. 704) a été fondé par des loyalistes au moment de la guerre d'indépendance des États-Unis, puis développé par de riches Américains, fascinés par la beauté du site. En 1803, le Britannique Henry Cull et le loyaliste Ebenezer Hovey obtiennent la propriété du Canton de Hatley où ils s'installent. Construite en 1810, la maison de Cull (550, route Hovey) est la plus ancienne demeure du village.

Quant au Manoir Hovey, situé presque en face, il a été construit au tournant du siècle par un couple américain, M. et Mme Harry Atkinson, résidents d'Atlanta, en Georgie. Ils s'y rendaient l'été en train, dans leur wagon privé. Établissement hôtelier depuis 1950, le manoir Hovey est maintenant une auberge de prestige, tout comme l'Auberge Hatley (325, Virgin Hill), construite, à la même époque, pour servir de résidence secondaire au prospère financier Herbert Holt, de Montréal.

North Hatley doit la plupart de ses riches demeures — de styles victorien, georgien, Queen Ann ou gothique — aux grands bourgeois, industriels et propriétaires terriens des États-Unis qui, entre 1860 et 1865, ont traversé la frontière pour échapper à la guerre de Sécession. Aimant le luxe, et la proximité du lac Massawippi, ils se bâtissent au village de spacieuses villas où ils reviendront passer l'été. Au début du siècle, on trouvait à North Hatley, le paradis des bien-nantis, une quinzaine d'auberges, dont une de 365 chambres.

La première association canadienne de conservation de l'environnement a pris naissance à North Hatley en 1922, de même que la première zone Héritage, consacrée à la préservation du patrimoine québécois.

Le village est aujourd'hui un refuge d'artistes et on y trouve de nombreuses galeries d'art. Pendant six semaines, du 1er octobre au 15 novembre, le Concours canadien d'art naïf international rassemble plus de 120 artistes du monde entier invités à travailler ici. Le public peut ainsi les voir à l'œuvre.

Pour mieux explorer ce village pittoresque, on peut se procurer sur place le guide intitulé « Un tour à pied » qui propose 35 sites d'intérêt, parmi lesquels se rangent une maison située au 4040, rue Magog, une autre au 2125, rue Lake, et le magasin général Le Baron (105, rue Main). Cette promenade introduit aussi le visiteur chez les antiquaires et les boutiques du village.

Le manoir Hovey est copié sur la maison de George Washington en Virginie.

Événements spéciaux

Festival de musique classique du lac Massawippi (mai-juin)

Exposition d'antiquités et d'arts populaires (deuxième fin de semaine de juillet)

6 Ulverton

Ulverton (pop. 330) se distingue par un remarquable ensemble de bâtiments qui datent du siècle dernier et dont la plupart sont encore habités. Fondé puis développé par une succession d'Irlandais, d'Américains et de Britanniques qui s'y établirent entre 1802 et 1890, le petit village n'a subi aucune influence francophone avant le tournant du XXe siècle, contrairement au reste des Cantons de l'Est.

En 1871, au sommet de son développement, Ulverton comptait plusieurs moulins et diverses autres industries. L'activité économique favorisa l'émergence d'une classe moyenne locale à laquelle on doit les magnifiques demeures de style vernaculaire américain qui se trouvent le long de la route 143.

Au numéro 154, par exemple, il faut voir la maison en bois du riche marchand James Miller. Érigée en 1889, elle était dotée à l'époque de 10 pièces sur deux étages, sans compter le vaste vestibule, la cuisine d'hiver et celle d'été. Le voisin de Miller, John Wadleigh, cultivateur, homme public et lui aussi marchand, fit pour sa part ériger, en 1885, une maison à trois étages inspirée à la fois des styles victorien et Second Empire. La demeure, qui se démarque toujours par son originalité, comptait à l'époque trois larges salons et 12 chambres à coucher. Tout à côté, on peut voir la seconde maison d'un des pionniers du village, Webber Reed, construite en 1836. Son architecture est inspirée du

Lac Memphrémagog

Traversée par les routes 247 et 112 — lesquelles se croisent au pied de la maison de son premier habitant blanc, Ralph Merry —, Magog est le point de départ de deux promenades autour du lac sur lequel elle règne. La première, sur la rive ouest, mène au mont Owl's Head et se poursuit jusqu'à Highwater ; l'autre, du côté est, conduit à Rock Island. Vous pouvez, en passant par les États-Unis, faire le tour complet du lac.

1. RIVE OUEST
Distance : 42 km

- Depuis la Maison du tourisme de Magog (55, rue Cabana), la 112 ouest mène en 3 km au chemin des Pères (ou chemin du Lac). Au bout d'environ 10 minutes, le visiteur verra se profiler l'un des plus beaux panoramas de la région : l'abbaye Saint-Benoît-du-Lac avec le mont Owl's Head en arrière-plan.
- On se rend à l'abbaye, première fondation bénédictine au Québec (1912), par la route Fisher, un peu après Austin (pop. 840). Cidre et fromage, fabriqués par les moines, sont vendus sur place. Au 101 du chemin Fisher, on verra une grange circulaire bâtie en 1907. Il ne reste plus au Québec que 11 de ces granges-étables d'origine quaker où le diable, disait-on, avait nul coin où se cacher.
- Le chemin des Pères mène ensuite au chemin Cooledge où deux arrêts s'imposent pour admirer le lac : le premier au quai de Knowlton Landing, qui, dès 1797, constituait un important débarca-

Abbaye Saint-Benoît-du-Lac avec, en arrière-plan, le mont Owl's Head.

dère ; le second au quai de Vale Perkins (à gauche après le magasin général).

• Le chemin du Lac, devenu le chemin Owl's Head, mène au pied de la montagne. La légende veut qu'à la mort d'un Abénaki nommé Owl (hibou), son visage s'y soit profilé. Un sentier conduit au sommet de 751 m d'où l'on peut admirer le panorama splendide de la « grande étendue d'eau », selon l'appellation amérindienne du lac. L'hiver, Owl's Head est un endroit très apprécié des amateurs de ski alpin. Vous pouvez continuer jusqu'à Highwater (célèbre, dans les années 80, pour son centre balistique) et passer outre-frontière par Newport (routes 105 et 5) pour prendre la 147 à Rock Island et suivre l'itinéraire suivant en sens contraire.

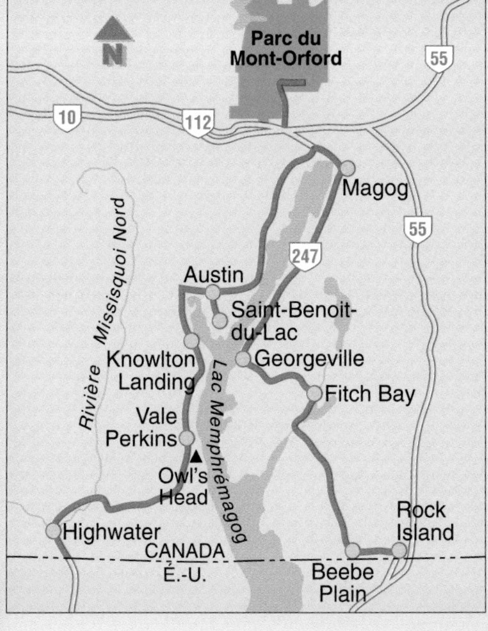

2. RIVE EST
Distance : 32 km

• De Magog, la 247 sud, après 15 km environ de paysages lacustres, mène à Georgeville (pop. 812), un hameau fondé en 1797. Il faut faire une halte au quai du village, où furent tournées des scènes du film de Denys Arcand, *Le déclin de l'empire américain*. Le triple profil des monts Owl's Head (à gauche), Elephants (en face) et Ordore (à droite) représenterait, selon une légende chère aux riverains, le corps d'un serpent de mer sillonnant les eaux profondes du lac : le fameux monstre Memphré.

• Après Georgeville, la 247 bifurque vers Fitch Bay et traverse la baie par un pont couvert pour se rendre à Beebe Plain (pop. 1 010). Ce joli village frontalier exploite le granit ; il a fourni la pierre extérieure de l'abbaye Saint-Benoît-du-Lac.

• Une pointe par la 147 jusqu'à Rock Island (pop. 1 110) permettra de voir de superbes exemples d'architecture coloniale et victorienne, dont le bureau de la Société canadienne des postes, l'église Stanstead South United Church et l'édifice Haskell (1, rue Church). Ce dernier, construit en 1904, est une réplique de l'Opéra de Boston et abrite dans les mêmes murs une bibliothèque et un opéra. Unique en son genre, ce bâtiment se trouve à la fois au Canada et aux États-Unis.

style georgien américain, fort en vogue aux États-Unis entre 1720 et 1780.

À l'intersection du chemin de l'Église, Kirkdale Hall, une ancienne église-école anglicane, date de 1835. L'église de la Sainte-Trinité d'Ulverton (au numéro 321) remonte pour sa part à 1871. C'est l'une des rares églises protestantes du Québec, de style gothique, à avoir été construite en brique.

Témoin actif de l'ancienne activité économique du village, le moulin à laine ou Moulin Blanchette est un autre vestige de la période faste du hameau. C'est le seul exemple de moulin à laine de l'ère préindustrielle encore existant au Québec. Sa machinerie d'époque, toujours fonctionnelle, recrée l'atmosphère de travail des premières usines textiles. On peut s'y rendre à pied depuis la halte routière de l'autoroute 55 (150 m) ou en voiture, en empruntant le chemin Mooney, à l'entrée ouest du village, jusqu'au chemin Porter (5 km).

Construite en 1849, l'entreprise Ulverton Woolen Mills prospéra jusqu'en 1945. En 1906, Joseph Blanchette, qui devait l'exploiter pendant 33 ans, acheta le moulin pour la somme de 3 500 $ qu'il paya presque en totalité en couvertures de laine. Vers 1915, le moulin employait une quinzaine de personnes, dont des enfants de 11 ou 12 ans.

Le site, qui s'étend sur 13 ha, offre une garantie de calme et de tranquillité. Près de 5 km de sentiers pédestres sillonnent le parc à proximité de la rivière. Des aires de pique-nique et des jardins fleuris agrémentent la visite.

Maison typique de style victorien, à Danville.

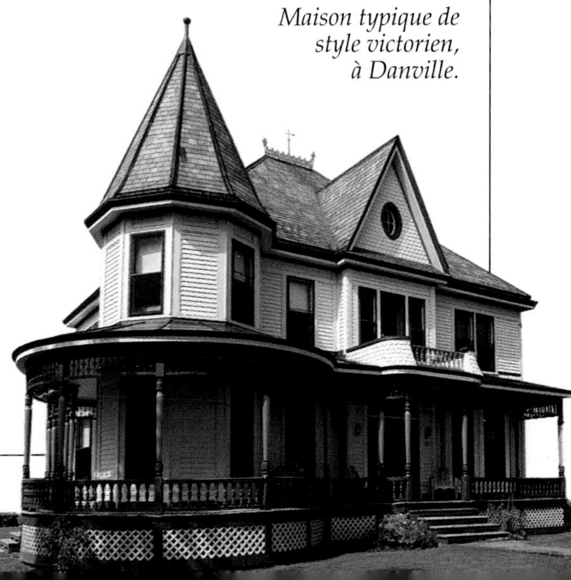

7 Parc de Frontenac

Bien campé sur les rives du grand lac Saint-François, le parc de Frontenac englobe un territoire de 200 km² où l'on dénombre plus d'une dizaine de plans d'eau. Voué à la récréation et à la conservation, le parc est divisé en trois secteurs offrant chacun des attraits particuliers.

Ainsi le secteur Sud, qui s'articule autour de la baie Sauvage, offre une densité et une diversité fauniques exceptionnelles. Les lacs qu'on y trouve constituent des aires de nidification et de pâture pour plusieurs espèces d'oiseaux aquatiques. Le grand héron bleu et le balbuzard habitent cette zone, et il arrive aussi à l'occasion qu'on puisse y

Tour du lac Massawippi

Distance : 50 km

Pour faire un tour du lac Massawippi, il faut prendre, à la sortie 21 de l'autoroute 55, la 141 sud, puis tourner à gauche moins de 1 km plus loin sur le chemin d'Ayer's Cliff. Cette route, qui conduit au chemin de la Montagne, longe le lac tout en offrant un panaroma unique du petit village anglo-saxon.

- Le chemin de la Montagne, qui file vers le nord, croise après 7 km un chemin menant au camp Les Sommets. L'endroit offre un point de vue magnifique sur la région, jadis un territoire de chasse et de pêche de la nation algonquine. Le lac était alors connu sous le nom de Massuwippi, qui signifie « eaux profondes ».
- Le chemin de la Montagne mène ensuite à Sainte-Catherine-de-Hatley (pop. 1 753) où il faut aller rejoindre la route Hovey, en gardant la droite face à l'église. Un arrêt s'impose après la courbe pour admirer le lac Magog et le mont Orford.
- La route Hovey débouche à North Hatley, le joyau du lac Massawippi (voir p. 295). Après avoir contourné le lac, sur la rue Main, il faut prendre à droite à la seconde fourche jusqu'au chemin Highland qui traverse le club de golf Massawippi. Cet itinéraire permet d'apprécier tout le cachet Nouvelle-Angleterre du village.
- En passant sur le chemin North, les amateurs d'histoire ne manqueront pas de faire une pause au vieux cimetière du Nord. C'est là en effet que reposent trois des plus importants pionniers du canton de Hatley : Ebenezer Hovey, le capitaine « yankee », Henry Cull, le colonel britannique, et Ephraim Wadleigh, un loyaliste du New Hampshire.
- Le village de Hatley (pop. 200) offre ensuite au visiteur une pause dans le temps. La seconde église de la rue Main, l'église St. James, a été classée monument historique en 1989. Construite en 1828, elle est l'église protestante la plus ancienne de l'Estrie encore debout.
- Massawippi (pop. 460) est aussi appelée Hatley Ouest. On y a une vue splendide sur le lac à l'intersection des routes 143 sud et 208 ouest. Engagez-vous sur cette dernière en direction d'Ayer's Cliff. En été et en automne, cette route, qui défile sous une voûte d'arbres, est une vraie route tranquille, où l'architecture du XIXe siècle s'harmonise à merveille avec la nature.
- À Ayer's Cliff (pop. 821), petite perle anglo-saxonne, on verra l'un des derniers kiosques à musique du Québec. Chaque année, à la fin août, s'y tient aussi l'une des plus anciennes expositions agricoles de la province, la première ayant eu lieu en 1845. À la sortie du village, en bordure de la 141 nord, une halte routière invite à faire un merveilleux pique-nique en contemplant le lac Massawippi.
- Les amateurs de vie champêtre voudront continuer par la route 208 jusqu'à Compton (pop. 899), où les propriétaires d'exploitations agricoles se font un plaisir d'accueillir automobilistes et cyclistes.
- L'autre possibilité, si l'on veut prolonger la promenade, consiste à prendre la route 141 en direction sud. À environ 25 km, à Coaticook (pop. 6 900), le parc de la Gorge de la Coaticook vous attend avec sa passerelle suspendue à 50 m au-dessus du vide.

Rives du lac Massawippi, dans la brume du matin

observer un grand duc d'Amérique ou un pygargue à tête blanche. Les pêcheurs sportifs apprécient ce secteur à cause des espèces combatives qui y vivent — doré, brochet et achigan.

La présence de peuplements feuillus à l'ouest du grand lac Saint-François fait aussi du secteur Sud une aire très agréable de randonnée pédestre. Ceux qui aiment l'interprétation en forêt devraient visiter le sentier de l'Érablière. Il s'agit d'une marche d'environ deux heures qu'on aimera, par temps chaud, agrémenter d'une baignade.

On accède au poste d'accueil du secteur Sud du parc de Frontenac en bifurquant vers l'Auberge de la Rivière Sauvage au pont de fer, à la jonction de la 108 et de la 263, en provenance de Sherbrooke ou de Lac-Mégantic. On peut y louer pour ses randonnées des canots, des planches à voile, des voiliers, des pédalos et des vélos de montagne. Tout près, le centre équestre M.R.J. fait la location de chevaux.

Les deux autres secteurs du parc, celui de Saint-Praxède, auquel on accède par la route 263 via Disraéli, et celui de Saint-Daniel, où mène la 267, dans la région de l'Amiante, proposent surtout des activités à caractère nautique. Une bonne façon de fuir la canicule en juillet est de fréquenter la plage de Saint-Daniel, sur la rive sud de la baie aux Rats Musqués et, pourquoi pas, de s'y initier à la voile sous la surveillance de moniteurs réputés. La profondeur du lac Saint-François et la bonne qualité de ses eaux, qui peuvent atteindre plus de 26°C en été, encouragent la pratique de toutes les activités nautiques.

Un réseau de sentiers ponctué de haltes et de points d'observation où l'on trouve des panneaux d'auto-interprétation permet de s'initier aux particularités de ce milieu où, phénomène rare, on rencontre à la fois une érablière et une tourbière structurée de 5 km^2, la plus au sud du continent.

Le parc entretient un refuge d'une capacité de 20 personnes, une centaine de sites de camping accessibles à pied ou en canot et sept chalets.

8 Lac-Mégantic et sa région

Aux frontières des Cantons de l'Est, de la Beauce et de l'État du Maine, la ville de Lac-Mégantic (pop. 5 838), sise sur les rives du lac du même nom, garde les traces des deux poussées de colonisation qui lui ont donné naissance au milieu du XIXe siècle. L'une, qui venait d'Écosse, y amena de grands financiers de la forêt et l'autre, originaire des anciennes seigneuries de la Nouvelle France, y conduisit des gens de la terre. Les premiers défricheurs ont trouvé sur ce territoire de chasse et de pêche des Abénakis une nature généreuse, encore aujourd'hui presque intacte.

Les communautés écossaise et anglaise occupaient une place importante dans l'administration des entreprises et dans les questions religieuses et sociales. Cent ans plus tard, trois chapelles de confessions différentes témoignent toujours de leur influence, dont la chapelle presbytérienne (1889), au centre du village, aujourd'hui convertie en un accueillant restaurant.

L'église Sainte-Agnès (1913) renferme une immense verrière du début du XIXe siècle provenant d'une abbaye londonienne. Cette œuvre représente l'*Arbre de Jessé* (la généalogie du Christ).

C'est sur la rue Frontenac que fut tournée, en 1889, une page d'histoire mouvementée. Ce jour-là, un hors-la-loi nommé Donald Morrison abattit à

Sauvage et invitant, le lac à la Barbue, dans le secteur sud du parc Frontenac

L'observatoire au sommet du mont Mégantic.

bout portant un détective venu de Boston pour lui mettre la main au collet. Le légendaire personnage devait réussir à semer deux ans durant toute une armée de policiers lancés à ses trousses en se réfugiant dans les bois avoisinants grâce à la complicité fraternelle de la communauté écossaise.

Au village de Piopolis, fondé sur la rive ouest du lac en 1879 par des zouaves pontificaux (l'appellation, grécolatine, signifie « ville du Pape »), on pourra profiter de la plage municipale. On s'y rendra par le rang des Grenier pour profiter d'une belle vue sur le lac.

Une visite dans la région ne devrait pas manquer d'inclure une excursion sur le plus haut sommet du Québec accessible par route. En haut du mont Mégantic (1 100 m), le climat est rude et les biotopes sont comparables à ceux qu'on trouve dans le Nord. Il faut donc se munir de vêtements chauds.

À cause de la pureté de l'air, on a érigé là un observatoire astronomique consacré à la recherche et à l'enseignement universitaire. Son centre d'interprétation est ouvert au public durant l'été. Au pied du massif, le poste d'accueil propose des soirées d'observation avec télescope amateur les jeudis, vendredis et samedis, si le temps est clair.

À côté, le mont Saint-Joseph est un lieu de pèlerinage. Une aire de repos et de pique-nique voisine la chapelle érigée en 1884 pour protéger la population des tornades et des incendies.

Entre Lac-Mégantic et Lambton, où l'on pénètre dans le secteur Sud du parc de Frontenac (voir p. 298), une route de gravier à Sainte-Cécile-de-Whitton mène à la Maison du Granit, à la fois un musée d'interprétation et un amphithéâtre naturel perché à 840 m d'altitude sur le mont Saint-Sébastien. En cas de pluie, un toit rétractable recouvre les 600 places assises.

Le sommet du Morne, en face, au terme d'une marche à travers des sentiers bien aménagés, offre, du haut de sa tour d'observation, une vue panoramique qui englobe toute la Beauce.

Attractions spéciales

Croisière sur le lac Mégantic
Quai fédéral, Lac-Mégantic

Ranch Lambton, 57, rang Saint-Michel, ferme d'élevage de bisons

9 Chutes de Charny

Le Sault de la Chaudière, à Charny, en face de Québec, est l'un des joyaux de la Rive-Sud. Haute de 35 m, et près de quatre fois plus large, cette chute doit son nom aux Abénakis qui avaient établi une bourgade dans les environs et aimaient se rendre pêcher dans ce qu'ils nommaient l'« asticou », c'est-à-dire la chaudière. Le saut doit son existence à la présence d'un banc de grès qui forme la partie supérieure de la chute et qui a pu résister à l'érosion, contrairement au substrat de schistes argileux.

La chute de la rivière Chaudière a été le site d'une des premières centrales hydro-électriques au monde, la centrale de Charny, érigée en 1899, qui fonctionna pendant plus de 70 ans.

Le parc qui l'a remplacée, avec cinq belvédères et une passerelle suspendue longue de 113 m, offre des points de vue spectaculaires sur la chute, particulièrement en période de crues. Des aires de pique-nique et des sentiers pédestres invitent à la détente en famille et font le ravissement des amoureux qui, dit-on, connaissent le lieu depuis l'époque où Charny s'appelait « Belles Amours ». En saison, les pêcheurs continuent, eux aussi, de se donner rendez-vous comme jadis aux abords de l'« asticou ».

Le Sault de la Chaudière, en été

LA BEAUCE

À 30 km environ au sud de Québec, là où la plaine du Saint-Laurent cède le pas aux premiers contreforts des Appalaches, s'ouvrent les portes de la Beauce. De là, cette prospère région agricole, que la Chaudière irrigue avec des débordements saisonniers, s'étire sur une centaine de kilomètres jusqu'à la frontière américaine.

Aux premières loges de la Beauce veille Sainte-Marie (pop. 10 500), rendue célèbre par ses inondations printanières autant que par ses fameux « petits gâteaux Vachon ». On peut d'ailleurs visiter la maison familiale des Vachon où naquit, vers 1930, dans la cuisine de Rose-Anna, une petite entreprise exemplaire.

À l'entrée de la ville, la chapelle Sainte-Anne est un lieu de pèlerinage depuis 1778. À côté, l'imposante maison Taschereau fut érigée en 1809 par le fils du premier seigneur de Sainte-Marie. Cet édifice de style néo-classique a vu naître en 1820 le premier cardinal d'origine canadienne, Mgr Elzéar-Alexandre Taschereau. Un peu plus loin, on appréciera le charme vénérable de la maison Lacroix, l'une des rares maisons en pierre de la Beauce.

Le pont couvert de Notre-Dame-des-Pins, le plus long du Québec.

À 20 km au sud de Sainte-Marie, Saint-Joseph (pop. 4350) fut pendant longtemps le centre administratif de la région. Groupés au milieu de la localité, cinq bâtiments, tous classés monuments historiques, se conjuguent pour former l'un des plus beaux sites institutionnels du Québec. Le presbytère (1890), avec sa profusion d'éléments décoratifs qui le font ressembler à un château miniature, est le joyau de cet ensemble. Tout autour se dressent l'église (1865) d'inspiration néo-classique, le couvent (1887) et l'orphelinat (1907), tous deux de style second Empire, et, enfin, l'école Lambert (1911), caractéristique de l'architecture du début du siècle. Le couvent abrite le musée Marius-Barbeau. Tout près, quoique ne faisant pas partie de l'ensemble, le palais de justice (1859) est d'une beauté architecturale remarquable. Il a remporté en 1992 le prix de l'Édifice de l'année au Canada, dans la catégorie des bâtiments restaurés.

Qu'on longe la rivière du côté ouest, plus champêtre, ou du côté est, plus urbain, on arrive à Beauceville (pop. 4129), distante de 20 km environ. À la sortie de l'agglomération, on peut s'arrêter aux Rapides-du-Diable pour un pique-nique ou une promenade dans les sentiers aménagés.

À Notre-Dame-des-Pins (pop. 904), le visiteur découvrira un pont couvert, érigé en 1929, dont le tablier est long de 154,5 m. Il vaut la peine de pousser une pointe jusqu'à Saint-Georges (pop. 20493) pour aller visiter le parc des Sept-Chutes qui offre des pistes d'hébertisme, des sentiers d'interprétation et un mini-zoo. On empruntera ensuite la route 204 jusqu'à Saint-Prosper et, de là, la route 275 jusqu'à Sainte-Marguerite. Au détour de ces routes tranquilles, serpentant les Appalaches, se découpent de saisissants paysages.

EST DU QUÉBEC

18

Est du Québec

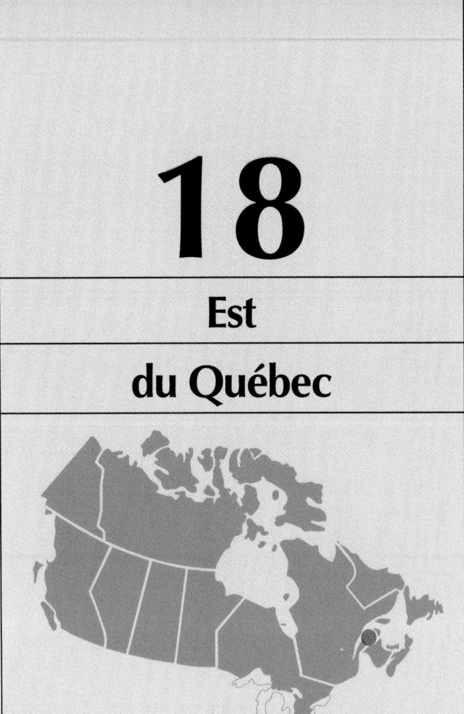

Sites
Île aux Grues
L'Islet-sur-Mer
Cabano
Grosse-Île
Île Verte
Parc provincial du Bic
Jardins de Métis
Les portes de l'Enfer
Sainte-Flavie
Causapscal et la vallée de la Matapédia
Parc de la Gaspésie
La pêche au saumon
Miguasha
Havre-Aubert
Les Madelinots

Circuits automobiles
Promenade dans le bas du fleuve
La Baie des Chaleurs
Îles-de-la-Madeleine

Parc national
Forillon

Pages précédentes :
Cap Bon-Ami, parc national Forillon

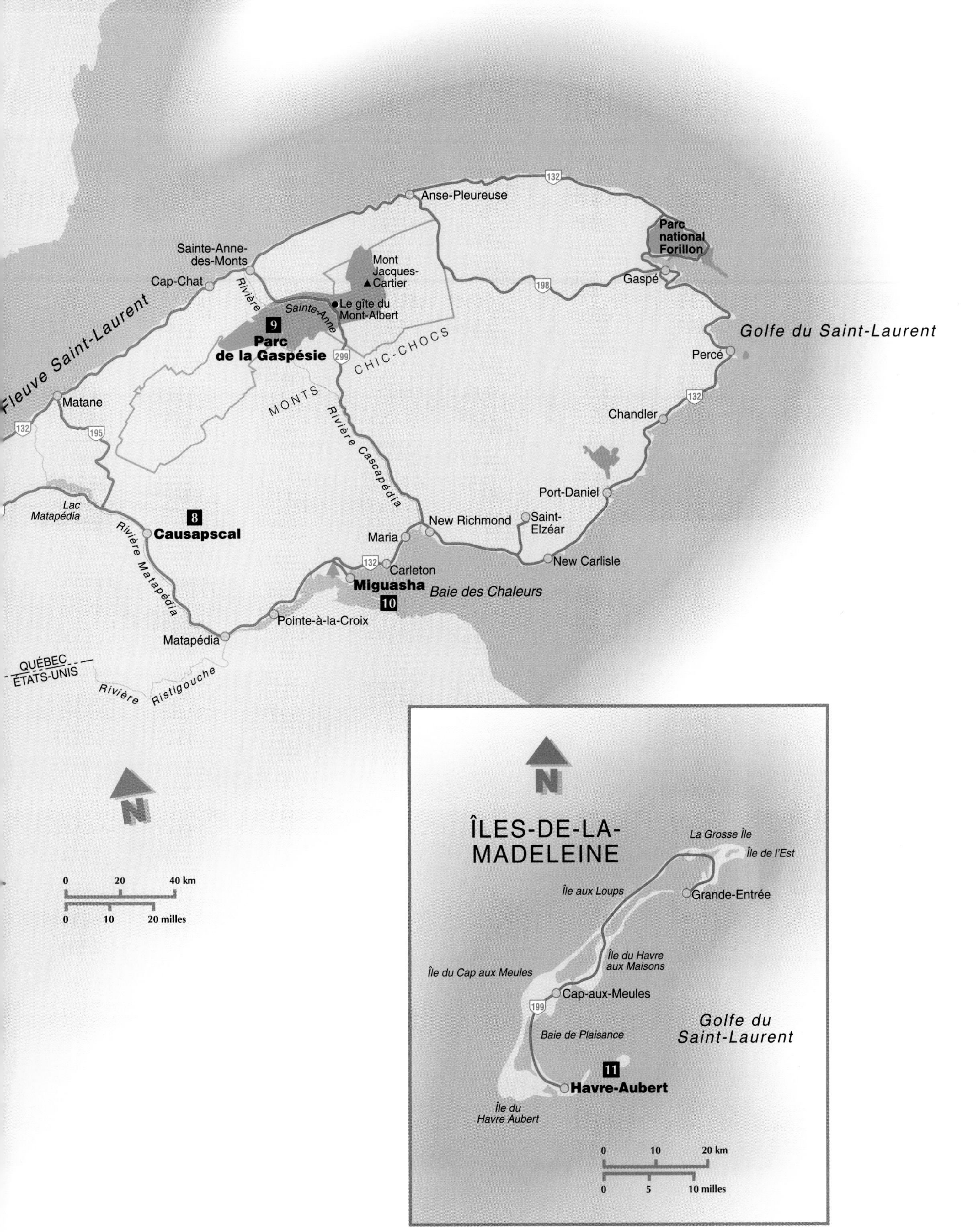

Fleuve Saint-Laurent
Anse-Pleureuse
132
Parc national Forillon
Sainte-Anne-des-Monts
Mont Jacques-Cartier
Cap-Chat
Gaspé
198
Rivière Sainte-Anne
Le gîte du Mont-Albert
9
Parc de la Gaspésie
CHIC-CHOCS
299
Golfe du Saint-Laurent
Percé
MONTS
Matane
132
195
Rivière Cascapédia
Chandler
132
Port-Daniel
Lac Matapédia
8
Causapscal
Rivière Matapédia
New Richmond
Saint-Elzéar
Maria
New Carlisle
132
Carleton
Miguasha
10
Baie des Chaleurs
Pointe-à-la-Croix
Matapédia
QUÉBEC
ÉTATS-UNIS
Rivière Ristigouche
N
0 20 40 km
0 10 20 milles
N
ÎLES-DE-LA-MADELEINE
La Grosse Île
Île de l'Est
Île aux Loups
Grande-Entrée
Île du Havre aux Maisons
Île du Cap aux Meules
Cap-aux-Meules
199
Golfe du Saint-Laurent
Baie de Plaisance
11
Havre-Aubert
Île du Havre Aubert
0 10 20 km
0 5 10 milles

Dans le bas du fleuve

Distance : 66 km

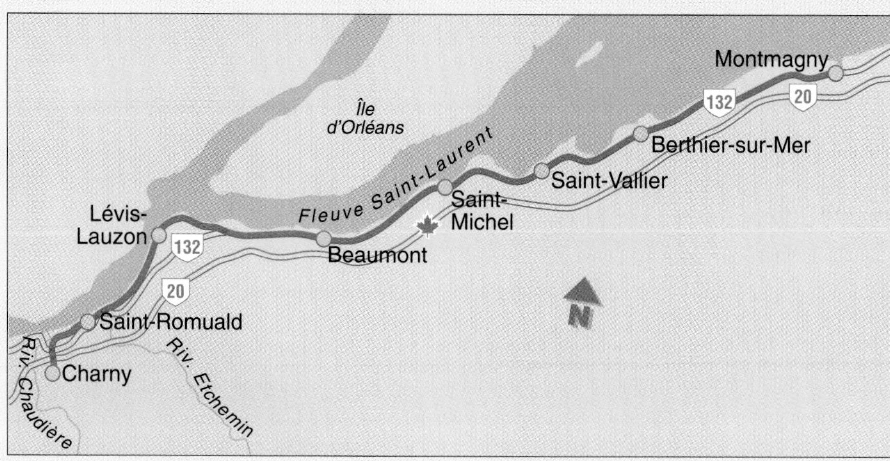

Le chemin du Fleuve permet, à partir de Charny (voir Région 17), de jouir d'une vue exceptionnelle sur Québec et ses environs. Au parc de la Chute-Chaudière, prenez l'avenue des Églises vers le nord, jusqu'au boulevard de la Rive-Sud ; continuez tout droit sur le chemin Du Sault. Tournez à gauche sur Dupont et descendez la côte Garneau. Vous voici au bord du fleuve.

• À Saint-Romuald, arrêtez-vous à l'abbaye cistercienne (2686, rue de l'Abbaye) où les religieuses cloîtrées fabriquent un succulent chocolat. Rejoignez ensuite le boulevard de la Rive-Sud, une artère commerciale qui traverse la ville de Lévis et se fond dans la route 132.

• À la sortie de Lévis, le fort de la Martinière offre une vue exceptionnelle sur Québec, ainsi que des sentiers pédestres, un théâtre extérieur et diverses activités de mai à octobre.

• De retour sur la route 132, à la hauteur des pylônes d'Hydro-Québec, sur la plus haute colline de l'ancienne seigneurie de Vincennes, se trouve le château Hearn (1900), d'où l'on a encore une fois une vue splendide sur Québec. On prétendait à l'époque que ce château était hanté.

• À l'entrée de Beaumont (pop. 2 030) veille le manoir seigneurial du Domaine de Beaumont, là même où décédait, le 8 mai 1715, Charles Couillard des Islets, petit-fils de Louis Hébert, le premier agriculteur en Nouvelle-France. L'église de Beaumont, bâtie en 1733, servit de quartier général aux soldats de Wolfe qui, en 1759, y affichèrent la proclamation de Wolfe, décrétant la conquête anglaise. Après que des villageois l'eurent déchirée, les Anglais mirent le feu à l'église... mais seule la porte brûla.

À la sortie du village se dresse le moulin seigneurial de Beaumont, construit en 1821 et restauré avec la plus grande minutie par M. Arthur Labrie, dont les neveux accueillent maintenant chaque été les visiteurs. On y fabrique de la farine de blé à la façon d'autrefois ainsi que du pain et des muffins qu'on fait cuire dans des fours d'époque. À l'arrière du moulin, un escalier panoramique surplombe la chute à Maillou (30 m) et mène sur le site des ruines du moulin Péan. Des fouilles archéologiques y ont mis au jour une variété d'artefacts, mais pas ce qu'on avait espéré y trouver : le fameux trésor du seigneur Péan, le sombre associé de l'intendant Bigot.

• Environ 10 km plus loin, Saint-Michel (pop. 1 740), avec le cachet architectural de ses résidences, vous ramène au temps des ancêtres. La chapelle Notre-Dame-de-Lourdes qui se dresse sur une colline rocheuse en bordure du fleuve, près d'une grotte naturelle, est une réplique de l'original et date de 1879.

La halte nautique y est un lieu de prédilection pour les véliplanchistes et autres amateurs de sports nautiques.

• La région de Saint-Michel à Saint-Vallier est reconnue pour ses vins de fraises et de framboises. Avant de pénétrer dans Saint-Vallier (pop. 1 130), il faut visiter, sur la route 132, le musée des Voitures à chevaux qui expose 65 de ces voitures anciennes avec leurs attelages et divers autres objets d'époque.

Au centre du village, en bordure du fleuve, une aire de pique-nique attend tous ceux et celles qui, au printemps ou à l'automne, viennent admirer les milliers d'oies des neiges qui font dans les battures une halte migratoire. Saint-Vallier, c'est également l'antre de la Corriveau, condamnée et pendue pour un meurtre qu'elle n'aurait pas commis.

• La prochaine halte sur la 132 est Berthier-sur-Mer (pop. 1 280). L'église renferme des pièces d'orfèvrerie d'une rare beauté. Ici, comme à Montmagny (pop. 11 958), 24 km plus loin, on voudra peut-être s'embarquer pour une croisière dans l'archipel de l'Isle-aux-Grues (voir Île aux Grues et Grosse-Île).

Le bassin de la chute de la rivière du Sud, à Montmagny.

1 Île aux Grues

Une vingtaine d'îles et de récifs à la hauteur de Montmagny forment l'archipel de l'Isle-aux-Grues. De ces îles, seule l'île aux Grues est habitée, quelque 200 personnes y perpétuant toujours une tradition agricole et maritime vieille de 300 ans.

L'île aux Grues est accessible en moins d'une demi-heure depuis le quai de Montmagny où, d'avril à octobre, on peut emprunter soit le traversier, soit le catamaran. En hiver, on ne peut s'y rendre qu'en avion, bien que certains intrépides sportifs se risquent encore en canot à glace sur le fleuve.

Sous le Régime français, l'île aux Grues faisait partie de la seigneurie de la Rivière-du-Sud. Le premier seigneur, Charles Huault, aussi deuxième gouverneur de la Nouvelle-France, avait choisi la région de Montmagny parce que les oies, les grues, les sarcelles et les canards foisonnaient dans les îles et qu'il appréciait la chasse. Encore aujourd'hui, on chasse la sauvagine sur l'île, mais ses immenses battures sont aussi devenues un endroit privilégié pour l'observation des oiseaux migrateurs au printemps et à l'automne. En fait, pas moins de 67 espèces d'oiseaux habitent l'île ou la fréquentent une partie de l'année, au grand bonheur des ornithologues amateurs.

Le quai de l'île aux Grues se trouve à un peu plus de 1 km du village, construit dans l'axe est-ouest, du côté nord de l'île. Parvenu à la hauteur du plateau, le visiteur a tôt fait de découvrir les maisons et les bâtiments agricoles, ainsi que la flèche du clocher qui se dessine sur la toile de fond bleutée des Laurentides, de l'autre côté du fleuve.

L'unique route qui traverse le village mène le visiteur devant la maison ancestrale des Painchaud (1760), l'église (1888), puis l'épicerie et l'auberge du village avant d'aboutir à l'ancien domaine seigneurial. Un manoir, une remise, une grange-étable et un fournil gardent le souvenir nostalgique de l'époque qui les vit naître.

Le Bateau Ivre *de l'Île aux Grues, un gigantesque remorqueur aménagé en restaurant.*

Construit à partir de 1769, le manoir McPherson a été refait au tout début des années 1800 dans le style néo-colonial anglais par le cinquième seigneur, Daniel McPherson, un loyaliste qui acheta l'île aux Grues en 1802. Le dernier seigneur de sa lignée à habiter le manoir fut son petit-fils, sir James McPherson Lemoine (1825-1912), fils de Julia-Anna McPherson et de Benjamin Lemoine. Sir James, qui écrivait aussi bien en français qu'en anglais, se rendit célèbre par ses écrits en histoire et en littérature. Il fut le premier Canadien français à se voir conférer le titre de chevalier en reconnaissance de son œuvre littéraire.

Classé monument historique, le manoir reflète la quiétude de l'île. La grande maison bicentenaire a d'ailleurs été transformée en gîte touristique, en 1986. Ceux et celles qui sont à la recherche d'un oasis de paix seront séduits par cette île d'une dizaine de kilomètres carrés qui se prête merveilleusement bien aux randonnées à bicyclette et au camping. En outre, et chose non négligeable, les tables de l'endroit ont bonne réputation.

2 L'Islet-sur-Mer

Pittoresque village formé de deux seigneuries concédées par Frontenac en 1677, L'Islet-sur-Mer (pop. 1 950) conserve encore aujourd'hui quelques-uns des traits architecturaux et maritimes les plus intéressants de l'époque de la Nouvelle-France et du Bas-Canada.

L'Islet-sur-Mer s'enorgueillit de son patrimoine architectural. Ainsi, la salle paroissiale (1820), appelée salle des habitants, est un bel exemple de style anglo-normand. L'église du village, construite en 1768 et agrandie en 1830, se rattache aux styles Louis XIV et Louis XV. Les artisans les plus prestigieux de la Nouvelle-France ont contribué à sa décoration. Entre autres chefs-d'œuvre s'y trouvent un tableau de l'abbé Aide-Créquy, *L'Annonciation* (1776), et un retable de Baillairgé ; le tabernacle est l'œuvre de Levasseur et le tombeau d'autel de Lemieux (1877).

Vitrail de l'église, à l'Islet-sur-Mer

Il faut voir aussi au village le magasin général de style victorien (1900) et la chapelle des marins (1834), construite en l'honneur des fils de la région qui ont donné leur vie à la mer. Car L'Islet-sur-Mer a la réputation d'être la patrie des marins. La vie maritime y a débuté dès le XVIIe siècle, quand la seule voie d'accès dans la région était le fleuve Saint-Laurent. C'est aussi à L'Islet que la première académie de marine en Amérique du Nord a vu le jour, en 1880. Déjà, en 1925, quelque 300 navigateurs y avaient reçu leur formation. Le village lui-même a donné à la marine marchande canadienne près de 200 capitaines et pilotes, souvent pères et fils, de même que de nombreux marins et ouvriers de métiers connexes.

Le plus célèbre de ces fils de L'Islet est sans contredit Joseph-Elzéar Bernier (1852-1934). Tous les territoires de l'Arctique, « donnés par l'Angleterre à son Dominion », ont en fait été revendiqués par l'illustre capitaine au nom du Canada. Les sept expéditions qu'il y mena entre 1918 et 1925 ont définitivement établi la souveraineté canadienne sur les îles du Grand Nord.

Afin de perpétuer la mémoire de ce valeureux navigateur, L'Islet-sur-Mer a créé le grand musée maritime Bernier (55, rue des Pionniers Est). On y expose en permanence les souvenirs de voyage de ce héros local, mais aussi diverses collections, dont des instruments de navigation et des modèles réduits.

À l'arrière du musée, on peut monter à bord du célèbre brise-glace *Ernest-Lapointe* et découvrir l'hydroptère *Bras d'or*, un navire de modèle expérimental unique en son genre : conçu pour la Défense nationale, il combine les caractéristiques du sous-marin et de l'avion.

De style typique de la région, l'église Notre-Dame-de-Bonsecours à L'Islet-sur-Mer.

Attractions spéciales

Chemin du Roy en fête
Saint-Jean-Port-Joli (fête du Travail)

Centre d'interprétation des seigneuries, seigneurie de Saint-Roch-des-Aulnaies

3 Cabano

Des millénaires avant les Européens, les Malécites et des Micmacs sillonnaient le territoire du Témiscouata, pour leurs activités de pêche, de chasse et de traite, en empruntant les voies d'eau qui leur permettaient de circuler rapidement entre la baie de Fundy et le fleuve Saint-Laurent.

C'est sur la rive ouest du lac Témiscouata que se trouve la petite ville de Cabano (pop. 3 390) dont le nom, en langue malécite, évoque les abris temporaires que construisaient les Amérindiens lors de leurs déplacements. Outre la beauté naturelle des lieux, son principal attrait est le fort Ingall (81, chemin Caldwell) qui fut érigé en 1839, sous la direction du lieutenant Lennox Ingall, pour repousser une éventuelle invasion américaine.

La pêche à l'anguille constitue une scène familière du Bas-Saint-Laurent.

Au plus fort de la crise, la forteresse britannique abrita jusqu'à 200 hommes. Mais la bataille n'eut jamais lieu et le fort devint, après le traité Webster-Ashburton du 9 août 1842, un simple relais de voyageurs pour ensuite tomber dans l'oubli. En 1970, toutefois, on voulut restaurer le site en respectant son authenticité architecturale. Le fort Ingall est aujourd'hui classé monument historique. C'est le seul exemple d'une forteresse de campagne construite en bois dans l'est du Canada.

Du début juin à la fête du Travail, des animateurs en costumes militaires recréent avec humour l'atmosphère de l'époque où le fort se préparait à l'invasion. On peut visiter dans l'enceinte différentes expositions permanentes et temporaires. Les naturalistes apprécieront beaucoup celle qui concerne cet homme étrange qui se faisait appeler Grey Owl (Hibou Gris) et qui laissa croire jusqu'à sa mort qu'il était indien. En réalité, Archibald Belaney (1888-1938), originaire d'Hastings, en Angleterre, avait émigré au Canada à l'âge de 17 ans pour se faire guide et porteur.

Après de multiples aventures, en compagnie d'Anahareo, sa quatrième épouse, d'origine iroquoise, Grey Owl s'installa au Témiscouata dans les années 20. À l'instigation d'Anahareo, il devint naturaliste, chroniqueur et écrivain et se fit connaître dans le monde entier, particulièrement à compter de 1931, à titre de protecteur des castors, quand il alla vivre au parc national Prince-Albert, en Saskatchewan.

Il faut aussi visiter, rue du Quai, le Village Fraser, une agglomération de 27 maisons construites au tournant du siècle pour héberger les Néo-Écossais qui travaillaient au moulin à scie de la famille Fraser. Ce sont les rares maisons de Cabano à avoir échappé à l'incendie dévastateur de 1950. À voir aussi la cartonnerie ultra-moderne de Papier Cascade Inc., qui offre des visites guidées pendant l'été.

Les amateurs de plein air apprécieront la plage de sable et les excursions de pêche et surtout les splendides croisières sur le lac Témiscouata (42 km), grand comme une mer intérieure, tout comme les installations de camping, les petits hôtels et les chalets habitables toute l'année.

GROSSE-ÎLE

Dernier-né des parcs historiques nationaux de la région de Québec, Grosse-Île, dans l'archipel de L'Îsle-aux-Grues, a été pendant plus d'un siècle le théâtre secret et souvent dramatique de l'immigration en Amérique, comme Ellis Island dans la baie de New York. De 1815 à 1937, en effet, on estime que plus de 4 millions de personnes, de 42 nationalités différentes, ont transité par Québec.

C'est le 25 février 1832 que Grosse-Île est décrétée station de quarantaine pour les immigrants par l'Assemblée du Bas-Canada qui cherche à éviter la propagation au pays des graves maladies infectieuses qui sévissent outre-Atlantique : peste, choléra, fièvre jaune et typhus. À partir de 1837, tous les navires voguant vers Québec doivent s'arrêter à Grosse-Île pour se procurer un certificat de santé avant de poursuivre leur route. Dans la seule année 1847, environ 5 000 Irlandais, victimes du choléra, furent portés en terre dans l'île.

On accède à Grosse-Île en bateau à partir de la marina de Berthier-sur-Mer ou du quai fédéral de Montmagny. Aux abords de l'île, depuis le fleuve, on aperçoit le promontoire où veille la gigantesque croix celtique qui a été construite en 1909 en mémoire des milliers d'Irlandais morts sur ce parvis de l'Amérique.

Une seule route traverse l'île, reliant les uns aux autres ses trois principaux secteurs. Le premier, le secteur des hôtels, était destiné aux immigrants en santé ; il comprenait des établissements de trois classes, comme les bateaux par lesquels ils arrivaient. Suit le secteur du village avec ses chapelles anglicane et catholique et, enfin, le secteur des hôpitaux et du bloc sanitaire, où se trouve le plus vieil édifice de l'île, « le lazaret », ou mouroir.

Les trois quarts de l'île sont occupés par des boisés mixtes encore intacts avec lesquels contrastent fortement les imposants volumes architecturaux des installations de quarantaine. Les hôtels comportent des détails typiques de l'architecture de villégiature : peinture blanche, longues galeries, ornementations délicates. La grande lucarne de la résidence des infirmières et les balcons panoramiques de la maison du gardien tendent encore à renforcer cette impression de vacances que sans doute on recherchait pour alléger les drames qui se déroulaient derrière les façades. En saison, on peut faire un tour guidé de l'île en train-balade.

En face de la marina de Montmagny, le théâtre des Migrations présente un spectacle relatant les événements. Le procédé de diffusion est le système Barco, employé aux Jeux olympiques de Séville, avec huit projecteurs et un écran de 20 m de diamètre et 5,15 m de hauteur (durée du spectacle : 38 minutes). Un musée interactif de la sauvagine constitue l'autre pendant. Du théâtre, qui est situé à l'axe de deux routes migratoires, celle des hommes et celle des oiseaux, on a vue sur l'île et, en saison, sur les oies. (Ouvert d'avril à novembre.)

À gauche, l'hôtel de première classe avec le lavoir ; à droite, celui de deuxième classe.

4 Île Verte

Notre-Dame-des-Sept-Douleurs (pop. 36) est le nom du village de l'île Verte. Selon la tradition, l'île doit son nom à Jacques Cartier. La ville de L'Isle-Verte (pop. 1 740), se trouve en face, sur la côte, à 20 km de Rivière-du-Loup.

Paradis de la sauvagine et du canard noir, l'île Verte est entrée dans l'histoire dès l'établissement de la civilisation française en Amérique. Les Jésuites, dans leurs *Relations*, en font état déjà en 1633. En 1773, l'île reçoit son premier missionnaire et devient le centre religieux de la région. Vers 1950, environ 400 personnes y vivaient d'agriculture et de pêche. Il n'y reste plus aujourd'hui que cinq familles, mais la population grimpe à 150 quand arrive l'été.

Un service de traversier, dont l'horaire dépend des marées, permet de passer à l'île de deux à quatre fois par jour, entre mai et octobre, à partir du quai de L'Isle-Verte. En novembre, l'horaire dépend du temps. En décembre, on prend l'hélicoptère. À compter de janvier, on se sert du pont de glace.

Des maisons typiquement québécoises, d'architecture rustique, longent le seul chemin, non goudronné, qui s'étire du Bout-d'en-haut au Bout-d'en-bas, du côté sud de l'île. Non loin du quai, au sommet de la côte, en direction du Bout-d'en-haut (vers l'ouest), un sentier d'environ 2 km permet d'atteindre la face nord de l'île où se trouve le Vieux-Phare.

Inauguré en 1809, ce phare est le plus vieux du Saint-Laurent ; en 1984, le Canada lui consacrait un timbre-poste. Grâce à sa situation stratégique à l'embouchure du Saguenay, l'île Verte constituait à l'époque un excellent poste d'observation pour assurer la sécurité des navires. Le phare, qui n'est plus en service depuis 1972, a été gardé pendant 137 ans (de 1827 à 1964) par une seule et même famille : quatre générations de Lindsay. Cela constitue un record au Canada.

Il ne reste plus que cinq familles à vivre hiver comme été dans l'île Verte.

Depuis 1982, les deux petites maisons adjacentes au phare font fonction d'auberges. Les visiteurs y bénéficient d'un panorama d'une grande beauté pour l'observation des couchers de soleil, des bélugas et des canards, sans parler de l'île Rouge et de l'île Blanche qu'on peut voir au large, dans l'écrin bleu du fleuve.

Peu sensible à la modernité (aucun panneau publicitaire), l'île Verte permet en quelque sorte d'échapper au temps. Les amoureux de la nature y trouveront un cadre de lumière, de silence et de repos exceptionnel, bref, une île comme on en rêverait la nuit.

Il est parfois possible de visiter l'endroit sur la même marée (5 heures) ; on a le choix entre le bateau-taxi et le traversier. Sur place, on loue des vélos.

Attractions spéciales

Réserve nationale de faune de la Baie-de-L'Isle-Verte

Randonnées guidées (tout l'été)

5 Parc provincial du Bic

Une légende rapportée par l'abbé J.D. Michaud, dans un ouvrage intitulé *Les étapes d'une paroisse* (1925), raconte que « à l'époque de la création, Dieu, ayant fait les montagnes, chargea un ange d'aller les distribuer sur toute la surface de la terre. Arrivé au Bic, terme de son voyage, son manteau pesait encore lourdement. L'ange fit alors ce que nous aurions fait nous-mêmes en pareille circonstance : en retournant son manteau, il le secoua vigoureusement. C'est pourquoi, dit-on, il y a tant de montagnes au Bic. »

Les montagnes, les îles et les différents secteurs du parc du Bic portent des noms qui, comme cette légende, révèlent tout le poétique et le pittoresque de l'imaginaire bas-laurentien : île Brûlée, récif de l'Orignal, cap Enragé, cap Caribou, île du Massacre...

Naturalistes et amateurs de plein air seront ravis par le parc provincial du Bic. D'une superficie de 33 km^2, il a été constitué en 1984 dans le but de protéger et de mettre en valeur un échantillon représentatif du littoral sud de l'estuaire du Saint-Laurent. Le Bic est un havre naturel dessiné par la mer. Il est formé de barres rocheuses, parallèles au fleuve et intercalées de bandes plates. La région présente de nombreuses caractéristiques fascinantes, tant sur le plan géomorphologique (alternance de caps et de pointes rocheuses, de baies et d'anses ouvertes sur des îles) qu'au niveau floral et faunique.

La faune du parc est principalement composée d'oiseaux aquatiques (goéland argenté, cormoran à aigrettes, eider à duvet), de mammifères marins (phoque gris et phoque commun), de poissons et d'invertébrés (caplan, saumon, mye, moule bleue). En plus des espèces communes au littoral, la flore comprend des plantes rares d'affinité arctique-alpine et subarctique, dont la croissance est favorisée par le climat maritime. La forêt aussi témoigne d'une grande diversité, transitant entre le type feuillu et boréal.

Le parc du Bic entretient une piste cyclable panoramique de 11 km et des sentiers de randonnée pédestre avec des aires de repos et de pique-nique. Un vaste centre d'interprétation présente notamment des films et offre des

La pointe du phare, à Métis-sur-Mer.

LES JARDINS DE MÉTIS

Aux portes de la Gaspésie, entre Sainte-Flavie et Mont-Joli, le visiteur découvre avec délectation un véritable jardin des merveilles. Son existence en ces lieux est redevable à la présence d'un micro-climat, à l'initiative d'une femme, Elsie Reford (qui lui consacra 30 années de soins) et, enfin, au dévouement et au bon goût de ceux qui ont pris sa relève, en 1961, quand le gouvernement en fit l'acquisition.

De semaine en semaine, à partir de juin jusqu'à la fin septembre, les Jardins de Métis réservent au visiteur la surprise d'une floraison nouvelle. Ce qui ne change pas, c'est la sérénité des lieux et l'harmonie présente dans le moindre détail. Il s'agit d'une œuvre horticole originale, composée d'environ 500 espèces dont quelques-unes très rares, et qui est divisée en six tableaux ou ensembles ornementaux.

Le massif floral, à l'entrée, consiste de vivaces et de plantes annuelles (lupin, sauge éclatante, cosmos, bégonia, prêle, myosotis, berce très grande...). Il faut pénétrer à côté dans le sous-bois où l'on trouve des plantes sauvages et des arbres typiques de la forêt gaspésienne.

Suivent les rocailles avec leur monde de fougères, de saxifrage, d'osmonde de Clayton, de pain de couleuvre et de plantes alpines. Dans la plate-bande centrale, un petit arbuste que l'on voit rarement en dehors de sa Chine natale, le saule de Bock, faisait à l'époque la fierté de Mme Reford.

Le jardin des rhododendrons est d'abord consacré à cette espèce, qui offre un spectacle incomparable au début de l'été. Mais on y admire aussi le beau feuillage de l'érable rouge du Japon, le tapis rose de thym sauvage, plusieurs variétés de roses qui embaument l'air tout l'été et l'emblème du parc, le fameux pavot bleu.

L'allée royale est un jardin à l'anglaise : on y contemple un heureux mariage de vivaces, d'annuelles et d'arbustes qui fleurissent en continu. Il est fréquenté par un joli oiseau-mouche, le colibri à gorge rubis, qu'attire là le nectar des delphiniums.

Dans le jardin des pommetiers, la pelouse impeccable met en valeur une variété de plantes ornementales, d'arbres et d'arbustes taillés scrupuleusement.

Finalement, le jardin des primevères abrite des faux-cyprès, des primevères et des chalefs argentés. Ces derniers, arbrisseaux indigènes très rares, font l'objet d'échanges avec des instituts botaniques du monde entier.

Au milieu du jardin se dresse la villa de leur créatrice, Elsie Meighen Reford, qui avait hérité de son oncle, Lord Mount Stephen, le magnat des chemins de fer, son domaine de pêche. Elle entreprit de transformer le « camp » en une somptueuse demeure de 37 pièces et se consacra à l'aménagement des jardins. Horticultrice émérite, elle fut reçue membre de la Société royale d'horticulture de Londres.

Les jardins de Métis se classent parmi les plus grands jardins du monde.

À Sainte-Flavie, quelque 80 statues émergent des eaux au gré des marées.

activités d'interprétation guidées. À partir de la rampe de mise à l'eau, on peut s'embarquer pour une excursion en mer d'un heure ou deux, en pneumatique ou en bateau. Il est possible de séjourner au camping du parc et de faire en saison la cueillette des myes.

Attractions spéciales
Théâtre d'été, Les Gens-d'en-bas

6 Les portes de l'Enfer

À 5 km au sud de Rimouski, par la route 232 ouest, s'ouvrent, à Saint-Narcisse, les portes de l'Enfer. Il s'agit d'un secteur de 5 km de la rivière Rimouski ayant les caractéristiques géomorphologiques d'un canyon, avec une gorge profonde par endroits de 90 m.

Le domaine des portes de l'Enfer se divise en cinq zones présentant chacune des attraits particuliers : le Grand-Saut (une chute de 18 m), la Descente aux Enfers (des rapides encaissés), le Petit Touladi (une fosse), la Pinède Gri-

se (une forêt de pins) et le secteur de la Pêche à l'anguille (un rétrécissement de la rivière).

L'histoire de l'endroit commence au début du XIXe siècle avec l'ouverture des premiers chantiers forestiers dans la région de la rivière Rimouski. À l'époque, le cycle des opérations forestières se déroulait en quatre phases : le débarras, c'est-à-dire l'ensemble des travaux préparatoires à la coupe et au transport du bois (mi-mai à septembre) ; la coupe (du début de septembre à la période des Fêtes) ; le « charriage », qui consistait à transporter le bois du chantier aux abords de la rivière (début janvier à mi-mars) ; et le flottage ou « drave », durant les 30 à 35 jours suivant la fonte des glaces.

Pour les draveurs, ces acrobates qui devaient « conduire » le bois sur la rivière jusqu'à l'usine de sciage, la rivière Rimouski représentait un parcours difficile de 75 km comprenant des sections qualifiées d'infernales, celle-ci en particulier, qui portait bien son nom. Objet de multiples anecdotes, portant souvent sur les vies qu'il a prises, le canyon a néanmoins failli tomber dans l'oubli après le départ, en 1964, de la Compagnie Price, principale exploitante forestière de la région.

En 1983, toutefois, la Corporation de développement touristique des portes de l'Enfer était formée pour mettre en valeur ce site exceptionnel. Le visiteur y trouvera des belvédères, des sentiers pédestres, des passerelles et des postes d'observation qui lui permettront de profiter pleinement de son séjour.

7 Sainte-Flavie

✻

Aux abords de Sainte-Flavie (pop. 1 030), le visiteur est souvent intrigué par l'étrange apparition d'une procession qui surgit plus ou moins de l'eau, selon les marées. Il s'agit de 80 statues grandeur nature, réalisées en ciment et en béton. D'après leur créateur Marcel Gagnon, peintre, graveur et sculpteur autodidacte de l'endroit, ces femmes, ces hommes et ces enfants émergent des ténèbres, en quête de lumière.

8 Causapscal et la vallée de la Matapédia

La rivière Matapédia prend sa source dans le lac du même nom, puis court se déverser dans le bassin de la Ristigouche, à la hauteur du village de Matapédia, 75 km plus au sud. Le cours d'eau offre un spectacle éblouissant pour les voyageurs qui traversent la vallée en voiture ou en train. Au crépuscule en particulier, la faible lueur du soleil jette un éclairage saisissant sur les montagnes qui enclavent la région.

Le paysage agricole, au nord, cède rapidement la place à la montagne et à la forêt. En 1993, l'ensemble de la vallée a reçu le titre de capitale forestière du Canada, en raison de la forte concentration d'activités reliées à la foresterie et à la transformation du bois. Les visiteurs, à Causapscal, n'auront pas de difficulté à s'en persuader. Il y règne une forte odeur de bois, point désagréable, qui provient des brûleurs de résidus des moulins à bois de la région.

Parmi les scènes estivales qui font vive impression dans la vallée de la Matapédia, il y a surtout celle de ces chapelets de pêcheurs, debout en plein milieu de la rivière, eau jusqu'aux genoux, chapeau sur le crâne, taquinant le majestueux et combatif saumon.

Les amateurs de pêche ne manqueront pas de faire une halte à Causapscal (pop. 2 500) pour visiter le site historique de Matamajaw (48, Saint-Jacques) qui abrite l'ancien club de pêche. On y a aménagé un centre d'interprétation de la pêche au saumon. En outre, des sentiers, en particulier celui des Fourches, permettent d'observer de très près les pêcheurs.

La Matapédia est un haut lieu de la pêche au saumon presque depuis le début de la colonisation de la vallée, au milieu du XIXe siècle. Dès 1873, en effet, Lord Mount Stephen, l'un des pionniers du chemin de fer au Canada, s'appropriait la plupart des terres en bordure des rivières Causapscal et Matapédia pour en faire un gigantesque domaine. Ce furent les débuts de l'industrie de la pêche sportive dont l'apport économique devait contribuer au développement de Causapscal.

Debout dans le courant de la Matapédia, un saumonier ramène sa mouche.

Au sud de Causapscal, les montagnes isolent profondément les quelques villages forestiers qui semblent constamment défier la nature. Un pont couvert à Routhierville est le seul lien entre les deux rives. À l'embouchure de la rivière, Matapédia, petit hameau de 700 âmes, constitue en quelque sorte la porte sud de la Gaspésie.

9 Parc de la Gaspésie

À l'approche du parc, par la route 299, qu'on arrive de New Richmond, au sud, ou de Sainte-Anne-des-Monts, au nord, les majestueuses montagnes du cœur de la Gaspésie nourrissent d'un seul coup d'œil l'enthousiasme des amateurs de plein air.

Les rivières Sainte-Anne et Grande Cascapédia suivent la route sur toute sa longueur et valent, à elles seules, le détour par le parc. Leur faible profondeur, leurs eaux transparentes et leur débit palpitant font de ces cours d'eau des endroits de rêve qui trouveraient leur place dans l'Eldorado. Les pêcheurs de saumon l'ont d'ailleurs compris depuis longtemps, puisqu'ils s'y aventurent depuis plus d'un siècle.

Le parc de la Gaspésie est renommé pour la beauté de ses sentiers de randonnée pédestre, l'été, et de ski de fond, l'hiver. L'accueil se fait aux envi-

Puissante et majestueuse, la chute Sainte-Anne, dans le parc de la Gaspésie.

LA PÊCHE AU SAUMON

L'histoire de la pêche au saumon en Gaspésie s'inscrit dans la foulée du développement du chemin de fer. Dès 1870, les pêcheurs sportifs ont commencé à affluer non seulement sur la rivière Matapédia, mais aussi sur la Ristigouche et ses affluents ainsi que sur les rivières Cascapédia, un peu plus à l'est dans la baie des Chaleurs. Chaque été, lors de la montaison du saumon de l'Atlantique, des bourgeois cossus, américains et canadiens, venaient séjourner dans les clubs de pêche de la région, aussi exclusifs que chers.

Certains de ces clubs sont maintenant solidement ancrés dans l'histoire gaspésienne. Le Restigouche Salmon Club (créé en 1880), le Glen Emma Salmon Club et le Matamajaw Salmon Club, qui ont vu le jour au tournant du siècle, sont sans doute les plus fameux. Devenir membre de ces clubs n'était pas à la portée de tous. Le statut social était un critère, la fortune un autre, puisque être membre pouvait coûter jusqu'à 4 000 $ de l'époque !

C'est dans les années 70 que le gouvernement cessa de « louer » les rivières à saumon à des groupes d'intérêts privés. Aujourd'hui, la pêche au saumon est accessible à tous les pêcheurs sportifs. L'activité est cependant assujettie à des règles très strictes visant à protéger la ressource et l'amateur doit détenir un permis en règle du ministère du Loisir, de la Chasse et de la Pêche avant de pouvoir lancer sa mouche dans les eaux gaspésiennes.

Le saumon est une espèce anadrome qui naît dans l'eau douce des rivières, mais s'aventure, une fois adulte, dans l'océan. Après quelques années en eau salée, le poisson retourne dans la rivière où il a vu le jour pour se reproduire.

Le saumon de l'Atlantique, qu'on pêche en Gaspésie, se retrouve en mer aussi loin que dans les bancs de Terre-Neuve et la baie d'Ungava.

PARC NATIONAL

Forillon

Les Micmacs appelaient *gespeg* (là où finit la terre) la pointe effilée de la péninsule gaspésienne. Sur une petite plage de galets du cap Gaspé, un promontoire se dresse devant le golfe Saint-Laurent, à un jet de pierre de l'endroit où s'élevait un immense rocher. Du temps de Champlain, ce rocher servait de repère aux pêcheurs qui l'avaient surnommé le « forillon », ce qui signifie pot à fleurs. C'est ce rocher, guère plus qu'un îlot rocheux depuis son effondrement en 1851, qui a donné son nom au parc national fondé là en 1970.

Une longue falaise de 7 km borde le parc le long du golfe. En automne et en hiver, cette muraille de pierre est silencieuse et déserte. Mais avril y ramène chaque année des myriades d'oiseaux qui viennent y nicher : mouettes tridactyles, goélands argentés, cormorans à aigrettes et guillemots à miroir. On remarque alors beaucoup les cormorans, de grands oiseaux au long cou s'affairant de-ci de-là, une brindille dans le bec, pour construire leur nid ou ajouter des étages à celui de l'année précédente.

Une des nombreuses plages de galet au pied des falaises, au parc national de Forillon.

La falaise, qui abrite tant d'oiseaux, souffre constamment des intempéries. Des corniches s'effritent, puis s'affaissent. Parfois, d'énormes quartiers de roc s'écrasent avec fracas sur la grève. Ainsi parsemée de gros blocs calcaires, ce littoral plaît aux phoques qui viennent s'y ébattre du printemps à l'automne. Le phoque commun donne ici naissance à son jeune. Le phoque gris vient pêcher et se reposer ; ses femelles ont mis bas en février sur des glaces à la dérive. En automne, dans le profond silence qui suit le départ des oiseaux, seuls se font entendre les appels plaintifs du phoque gris. L'écho les prolonge et les amplifie dans ces paysages d'octobre.

Les sentiers empruntent des deux côtés l'escarpement qui borde la presqu'île de Forillon, sauf là où la falaise surplombe la mer. Les belvédères de Cap-Bon-Ami et de Cap-Gaspé permettent aux visiteurs d'observer les baleines — surtout des rorquals communs, des rorquals à bosse et des petits rorquals. Quand ces géants marins s'approchent du rivage en poussant un puissant souffle, un frisson passe.

Depuis le rivage, le sentier du mont Saint-Alban grimpe à travers une forêt boréale de feuillus et de conifères, le long de ruisseaux aux eaux vives bordées de délicates fougères. Sur le sol, le jaune pimpant des renoncules éclipse le blanc strié de rose des oxalides de montagne.

Il n'est pas rare d'apercevoir un porc-épic. Si la rencontre se fait à découvert, l'animal s'immobilise et hérisse tous ses piquants : il en a plus de 30 000. Mais il préfère en général se réfugier dans un arbre. Là où abondent l'épinette, le sapin et le bouleau blanc, on rencontrera peut-être un orignal, un chevreuil ou un ours noir.

Dans les dunes de sable et le marais salé de Penouille, au sud du parc, poussent des lichens, des mousses et différentes espèces d'éricacées.

Les caplans arrivent en grand nombre au début de juin pour frayer sur les plages de galets. Ils viennent par bancs entiers, vifs et argentés, et scintillent dans les hautes marées de la pleine lune. En juillet et en août, dans les eaux de surface, s'ébattent bruyamment des bans de maquereaux.

Les 245 km² du parc incluent les eaux côtières. Anémones de mer, crevettes, oursins, crabes, homards, étoiles de mer font partie des quelque 500 espèces d'invertébrés identifiées au large de Forillon. En plusieurs endroits, les fonds rocheux ressemblent à des jardins multicolores. Sur des couches superposées d'algues calcaires roses, des éponges vertes ou jaune vif font bon voisinage avec des étoiles de mer rouge sang à cinq bras, des étoiles-soleil pourpres à neuf bras, des oursins verts et des anémones de mer d'un blanc pur.

RENSEIGNEMENTS PRATIQUES
Accès : *par voiture et autocar depuis la route 132.*
Accueil : *à Penouille et à mi-chemin entre Rivière-au-Renard et Anse-au-Griffon.*
Installations : *350 espaces de camping répartis entre trois sites ; gîte pour 100 personnes par groupes organisés d'au moins 10 personnes.*
Activités estivales : *randonnée pédestre, natation, pêche, excursions en mer, vélo, vélo de montagne, plongée, équitation, véliplanchisme, pique-nique ; diaporamas et autres présentations d'intérêt familial au Centre d'interprétation ; animation au secteur historique de Grande-Grave ; randonnées quotidiennes d'exploration et d'interprétation avec les naturalistes du parc.*
Activités hivernales : *ski de fond, raquette, camping.*

rons du Gîte du Mont-Albert. Non loin, le sentier qui mène au lac aux Américains est tout indiqué pour les familles ou pour ceux qui désirent simplement se dégourdir les jambes avant de faire un pique-nique.

La promenade, accessible aux chaises roulantes, dure moins d'une demi-heure et mène à la base des montagnes, le long de rivières et de lacs.

Le mont Albert conviendra aussi aux voyageurs qui ne disposent que de quelques heures. Deux réseaux de sentiers bien aménagés permettent d'observer une flore riche et délicate et quelques-unes des 140 espèces d'oi-

Au Gîte du Mont-Albert, le visiteur peut loger à l'auberge ou dans un des chalets.

seaux qui vivent dans le parc, dont l'alouette cornue, le merle d'Amérique et le gros-bec errant.

Le mont Jacques-Cartier, à l'est du parc, s'élance à 1 270 m. Il faut compter deux heures pour se rendre au sommet. Bottes de randonnée et vêtements chauds sont à conseiller, car il n'est pas rare que, sur les hauteurs des Chic-Chocs, la température descende sous le point de congélation en juillet. Après avoir traversé une sapinière à bouleaux jaunes au pied de la montagne, le sentier s'engage dans une forêt d'épinettes. À 900 m, on commence à voir des petites épinettes chétives et difformes dont la croissance est affectée par le froid et les vents violents. Suit la toundra alpine, avec ses rares arbustes et ses espèces naines qui se cachent en-

La baie des Chaleurs : de New Carlisle à Carleton

Distance : environ 100 km

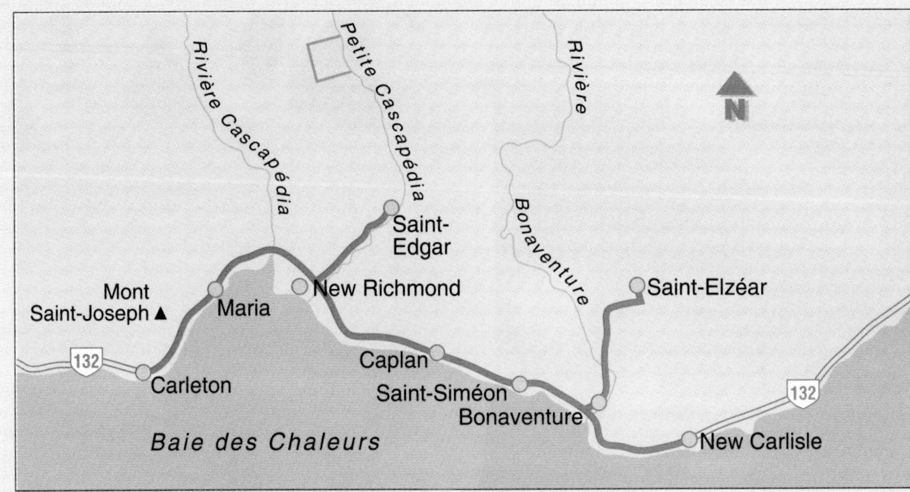

New Carlisle (pop. 1 600), qui a vu grandir l'ancien Premier ministre René Lévesque, a été fondé par des loyalistes vers la fin du XVIIIe siècle et conserve de nombreux témoignages de ses origines anglo-saxonnes. De somptueuses demeures centenaires, aux fenêtres et aux toitures pointues inspirées de l'architecture victorienne, dominent ses vieilles rues.

La Maison Hamilton (115, rue Principale), construite en 1852 suivant les canons du style colonialiste, reflète les origines américaines de la famille. Le visiteur, qui peut en faire le tour en saison, remarquera les cheminées et les foyers imposants, le grand escalier central et l'ameublement, plus récent, presque entièrement victorien. À quelques pas de là se trouve la Maison Thompson, aujourd'hui un gîte touristique. Bâtie en 1844 dans le style Régence (anglo-normand), la demeure témoigne aussi de divers emprunts. On y trouve des fenêtres françaises et un intérieur où le néo-classique domine, avec moulures, arches et hauts plafonds.

• En route pour Bonaventure, les spéléologues en herbe voudront sûrement faire un détour par Saint-Elzéar pour visiter les grottes, vieilles d'environ 500 000 ans, qui ont fait connaître l'endroit dans le monde entier. Le musée des Cavernes donne un bon aperçu de ce qu'elles renferment, mais on pourra s'en faire une meilleure idée en descendant à 20 m de profondeur. La visite, sous la bonne garde d'un guide, dure environ 3 heures.

Bonaventure (pop. 2 500) a été fondé par les Acadiens au milieu du XVIIIe siècle et, à ce titre, possède une saveur bien distincte du reste de la baie des Chaleurs. Le Musée acadien du Québec (95, Port-Royal) renferme de nombreuses collections d'objets anciens qui témoignent de l'apport de la culture acadienne à la société québécoise.

La rivière Bonaventure, qui traverse le village, jouit d'une excellente réputation auprès des amateurs de canotage et de pêche au saumon. Si l'on a envie de taquiner brièvement le saumon, la ville autorise l'accès à l'embouchure de la rivière traversée par la route 132. Il faut néanmoins détenir un permis de pêche et déclarer ses prises auprès des agents de la faune.

• Après Saint-Siméon et Caplan, où la vue sur la baie des Chaleurs charmera les photographes, la promenade passe par

New Richmond (pop. 4 100), une petite ville qui vit de l'industrie du papier. Il faut visiter le centre de l'Héritage britannique de la Gaspésie (351, boul. Perron ouest), un véritable village d'époque créé de toutes pièces en « transplantant » sur un même site une dizaine de maisons et de commerces du temps où les loyalistes, les Écossais et les Irlandais se sont établis en Gaspésie.

À 10 km environ sur la route de Saint-Edgar, le Centre éducatif forestier de la Baie-des-Chaleurs offre trois sentiers d'observation et d'interprétation de la nature. Sur la même route, le Musée forestier de Saint-Edgar renseigne sur l'évolution des méthodes de coupe de bois sur deux siècles.

• Maria (Gesgapegiag), face à New Richmond sur la rivière Cascapédia, est l'une des plus petites communautés amérindiennes du Québec (pop. 500). On peut y visiter une église en forme de wigwam et une boutique d'artisanat micmac produit localement.

• Au terme de l'excursion, Carleton (pop. 2 600), comme Bonaventure, est un village acadien. La beauté du paysage et une plage magnifique en font un lieu tout indiqué pour le voyageur qui désire se reposer quelques jours, d'autant qu'on y trouve aussi quelques-unes des meilleures tables de la région. Carleton est surplombé par le mont Saint-Joseph (555 m) où on peut se rendre en automobile de même que par des sentiers pédestres en forêt. La vue d'ensemble sur la baie des Chaleurs y est superbe.

À cause de son microclimat, Carleton est un centre de thalassothérapie réputé.

Cueillette d'agates et de belles roches sur la plage de Miguasha.

tre les roches. On peut entre autres y observer le saule à fruit court, le silène acaule et la diapensie de Laponie.

Le parc propose aussi aux mordus au moins deux randonnées de plusieurs jours. La première correspond au parcours des McGerrigle qui suit le massif du même nom à partir du refuge La Galène, à 20 km environ à l'est du Gîte du Mont-Albert. Le sentier mène d'abord au sommet du mont Jacques-Cartier et traverse un territoire de caribous. Il contourne ensuite le mont Compte, au cœur d'un paysage dénudé battu par les vents, puis culmine au mont Xalibu (1 130 m). L'endroit offre un point de vue à couper le souffle sur le lac aux Américains.

Le sentier des Crêtes, autre long parcours, explore le massif des Chic-Chocs à une altitude moyenne de 900 m. On s'y engage au lac des Îles, à 6 km du mont Logan. La randonnée fait découvrir un décor contrasté : forêt de conifères, toundra, sommets chauves, parfois enneigés. Au moins trois refuges accueillent les randonneurs la nuit.

L'équipement nécessaire pour de telles marches peut être loué au Centre d'interprétation de la nature, situé à 1 km du Gîte du Mont-Albert où l'hébergement ainsi qu'une excellente table sont assurés.

10 Miguasha

Le parc de Miguasha, dans la pointe du même nom, à Nouvelle (pop. 2 137), ne mesure que 1 km^2. Mais il renferme un site fossilifère de 370 millions d'années. Découvert en 1842 par un géologue du Nouveau-Brunswick, il a fait

Promenade aux Îles-de-la-Madeleine

Distance : 25 km

Golfe du Saint-Laurent
N
Les Caps
L'Étang-du-Nord
Cap-aux-Meules
La Vernière
Gros-Cap
Île du Cap-aux-Meules
199
Baie de Plaisance
Baie de Havre-aux-Basques
Portage-du-Cap
Île du Havre-Aubert
La Grave
Havre-Aubert

On débarque « aux îles » dans le port de Cap-aux-Meules, après une traversée de cinq heures depuis Souris (Île-du-Prince-Édouard). Une courte excursion en direction du sud, dans l'île de Havre-Aubert, donnera au visiteur un bon aperçu du paysage caractéristique des Îles. En quittant le chemin du Débarcadère, on empruntera, pour commencer, la route 199 en direction ouest.

- Rapidement, on arrive à La Vernière, un petit hameau renommé pour la beauté de son église et la gastronomie de son restaurant *La Table des Roy*.

Toute blanche, l'église Saint-Pierre-de-La-Vernière, classée monument historique, a été récemment restaurée. C'est une des plus grandes églises de bois encore existantes en Amérique du Nord. Une légende, qui se confond avec l'histoire, veut qu'elle ait été construite avec du bois de construction que transportait un navire en route pour l'Angleterre.

Le navire fait naufrage. On récupère la cargaison. Le grand voilier venu la reprendre l'été suivant coule à son tour. Découragés, les propriétaires cèdent le bois pour la construction de l'église. La charpente à peine achevée est détruite par une tempête. Une enquête auprès des rescapés du premier naufrage révèle que le capitaine en colère avait maudit la cargaison. C'est donc avec du bois dûment béni qu'on recommença la construction. L'église tient admirablement depuis lors.

- À quelque 500 m de l'église, la route 199 tourne à gauche, où elle prend le nom de chemin de la Martinique, avant de s'engager le long d'une magnifique plage de sable fin d'environ 10 km. Sur la droite, on peut voir des marécages peuplés d'oiseaux qui s'élargissent pour devenir la baie du Havre-aux-Basques, le rendez-vous préféré des amateurs de planche à voile. Au-delà, on devine un autre cordon dunaire qui recèle une autre plage de rêve.
- Au croisement, on prend la direction de Havre-Aubert. À moins de 2 km, le chemin d'En-haut, à gauche, surplombe la route 199 et la campagne bucolique de l'île. Tortueux, il monte vers les collines appelées les Demoiselles, au mieu des maisons bleues, roses, vertes ou jaunes qui comptent parmi les plus ravissantes de l'archipel.
- Quelque 3 km plus loin, juste avant de rejoindre la 199, une halte s'impose pour un repas typique à l'auberge *Chez Denis à François,* où l'on peut déguster du poisson, des fruits de mer et du loup marin. En face de l'auberge on aperçoit le palais de justice et la prison où les geôliers s'ennuient ferme, faute de « clients ».

De retour sur la 199, tout de suite à gauche avant le tournant à 90°, les Artisans du sable ouvrent aux visiteurs leur boutique et leur atelier où ont vu le jour des créations inusitées faites, selon un procédé secret, à partir du matériau le plus abondant des Îles, le sable.

La route longe ensuite la plage de galets de la Grave et l'on reconnaît bientôt les bâtiments en bardeaux gris, témoins de l'époque des premiers Madelinots.

l'objet de recherches scientifiques dès 1880. On y a trouvé des fossiles de différentes espèces de vertébrés inférieurs de l'époque du Dévonien, l'âge des poissons, qui remonte à près de 400 millions d'années.

Jusqu'à présent, la roche de Miguasha, qui signifie en micmac « terre rouge », a révélé 23 espèces différentes de poissons et trois espèces d'invertébrés, sans mentionner les empreintes de ce qui était probablement les ancêtres des arbres d'aujourd'hui. Le tout s'est admirablement bien conservé malgré les milliers de siècles d'érosion et de transformation géologique.

La Formation d'Escuminac, qui forme l'essentiel du site, aurait jadis fait partie d'une lagune. À cette époque, la Gaspésie se trouvait à quelques degrés au nord de... l'équateur, dans un climat tropical ! Ni les amphibiens, ni les reptiles, ni les dinosaures, ni les mammifères, ni les oiseaux n'avaient fait leur apparition ; la terre commençait à être colonisée par une flore pionnière, principalement des fougères, dont certaines variétés mesuraient près de 10 m de hauteur. Les êtres vivants dans ces forêts consistaient surtout en de petites variétés d'insectes et de scorpions, dont un spécimen est exposé au musée du parc.

Créé en 1978, le parc de Miguasha a pour mission à la fois de protéger le site et de faire de la vulgarisation scientifique. Par exemple, on peut y vérifier soi-même la théorie de Darwin ; entre autres, le fossile de l'*Eusthenopteron foordi,* qu'on admire au musée, appartient à une espèce qui aurait été intermédiaire entre les vertébrés aquatiques et les vertébrés terrestres.

Les curieux peuvent aussi visiter sur place un laboratoire pédagogique et voir comment les paléontologues s'y prennent pour extraire les fossiles de la

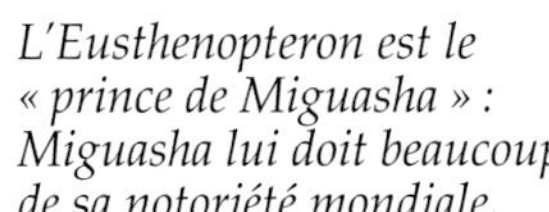

L'Eusthenopteron est le « prince de Miguasha » : Miguasha lui doit beaucoup de sa notoriété mondiale.

roche et les identifier. Des guides offrent également des visites aux falaises de la Formation d'Escuminac Il est toutefois strictement interdit de sortir des fossiles du parc.

Après cette halte scientifique, un détour par la pointe de Miguasha s'impose pour la calme beauté de l'embouchure de la rivière Ristigouche. On s'y rend par la route Miguasha à Nouvelle ou, plus à l'ouest, par la route Fleurant à Escuminac. Les quelque 20 km de routes tranquilles qui ceinturent la pointe se prêtent particulièrement bien à une randonnée en vélo.

11 Havre-Aubert

Havre naturel de pêche et de plaisance, le village de Havre-Aubert (pop. 1 000), aux îles de la Madeleine, est situé à la pointe est de l'île du même nom où s'établirent les premiers habitants de l'archipel.

Passé et présent se rencontrent sur La Grave, qui désigne, en français ancien, une petite plage de galets. Ce site historique est une aire désormais protégée. Les bâtiments de pêche traditionnels (salines, chafauds, fumoirs et hangars) accueillent une boulangerie, un aquarium, une salle de spectacle, des boutiques d'artisans. L'ancien magasin général est devenu un café sympathique. Les nouvelles constructions respectent le style et les matériaux de l'époque.

Durant la belle saison, on retrouve sur La Grave une animation joyeuse, version moderne de l'activité qui y régnait à l'époque où on s'entassait sur cette étroite langue de terre pour préparer, transformer et expédier le poisson séché ou salé.

Événements spéciaux

Festival des Acadiens
La Grave du Havre-Aubert
(mi-août)

Concours de châteaux de sable
Plage du Sandy Hook, Havre-Aubert
(mi-août)

LES MADELINOTS, DES ACADIENS À L'ORIGINE

Bien avant Jacques Cartier, des pêcheurs basques, bretons et normands venaient aux Îles-de-la-Madeleine, attirés par l'abondance des morses et de la morue. Si la « vache marine », comme on appelait alors le morse, est totalement disparue du golfe du Saint-Laurent depuis la fin du XVIIe siècle, et si la morue s'y fait de plus en plus rare aujourd'hui, certains des attraits originels de l'archipel demeurent toutefois et méritent bien qu'on les découvre.

C'est à Havre-Aubert que s'établirent, en 1765, les premiers Madelinots, des Acadiens qu'on avait condamnés à l'errance et à la dispersion. Après avoir été déportés loin des terres dont ils tiraient leur subsistance, ils n'eurent d'autre choix que de se tourner vers la mer. Ils se regroupèrent autour du Britannique Richard Gridley, propriétaire d'un poste de pêche et de chasse au morse. Encore aujourd'hui, la pêche est, aux Îles-de-la-Madeleine, la première industrie en importance.

Les falaises de grès rouge des Îles-de-la-Madeleine, sculptées par la mer et les vents, ont quantité de grottes et de cavernes à explorer.

Ces premiers arrivants furent rejoints une trentaine d'années plus tard par d'autres Acadiens, encore une fois chassés de leurs villages pour des raisons politiques, mais cette fois-ci des îles françaises Saint-Pierre et Miquelon.

Les conditions difficiles imposées par les seigneurs et les marchands de l'époque amenèrent plusieurs Madelinots, au milieu du siècle dernier, à s'exiler encore une fois, cette fois vers la Nouvelle-Angleterre, Québec, Terre-Neuve et la Basse-Côte-Nord. La population au tournant du siècle n'était plus que de 6 000 habitants. Elle est aujourd'hui de 15 000.

Après toutes les turpitudes vécues par leurs ancêtres, les Acadiens du XIXe et du XXe siècle n'avaient d'autre aspiration que celle d'une vie frugale certes, mais paisible et autosuffisante. La tranquillité et la liberté sont au rendez-vous encore aujourd'hui mais les visiteurs trouveront, plutôt que la frugalité, les plaisirs d'une cuisine savoureuse et copieuse, faite à même les produits de la mer que les Madelinots ont appris à connaître.

NOUVEAU-BRUNSWICK

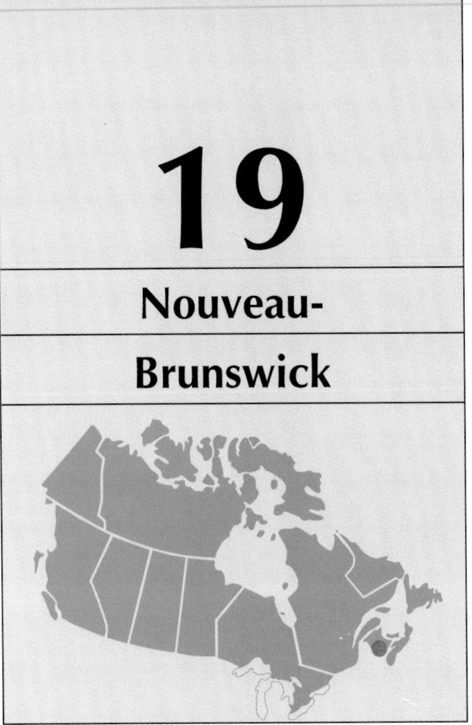

19 Nouveau-Brunswick

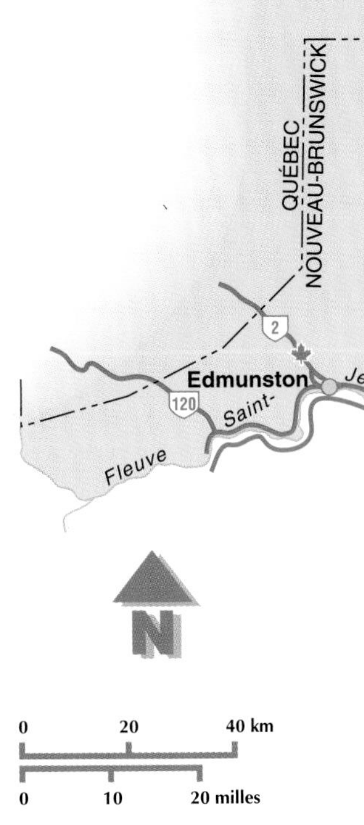

Sites
New Denmark
Woodstock
St. Stephen
St. Andrews
Pont couvert de Hartland
Studios Crocker Hill
Île Deer
Île Campobello
St. George
Grand Manan
Parc provincial Mont-Carleton
Gagetown
Île Lamèque
Île Miscou
Bouctouche
Hillsborough
Dorchester
Sackville

Circuits automobiles
Île du Grand Manan
Autour du lac Grand
Baie de Fundy : Hillsborough à Cape Enrage

Parcs nationaux
Kouchibouguac
Fundy

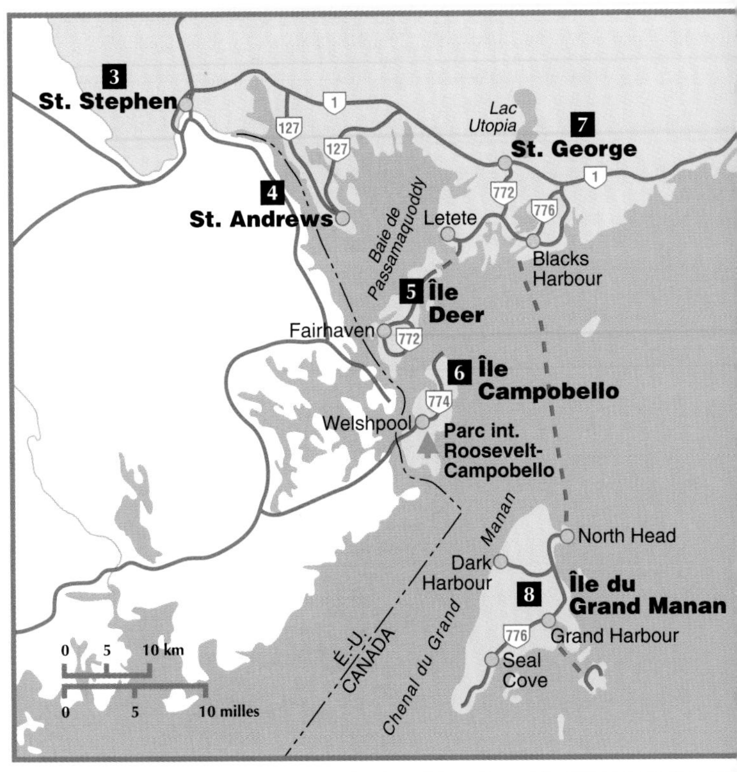

Pages précédentes :
Pots de fleurs, Hopewell Cape

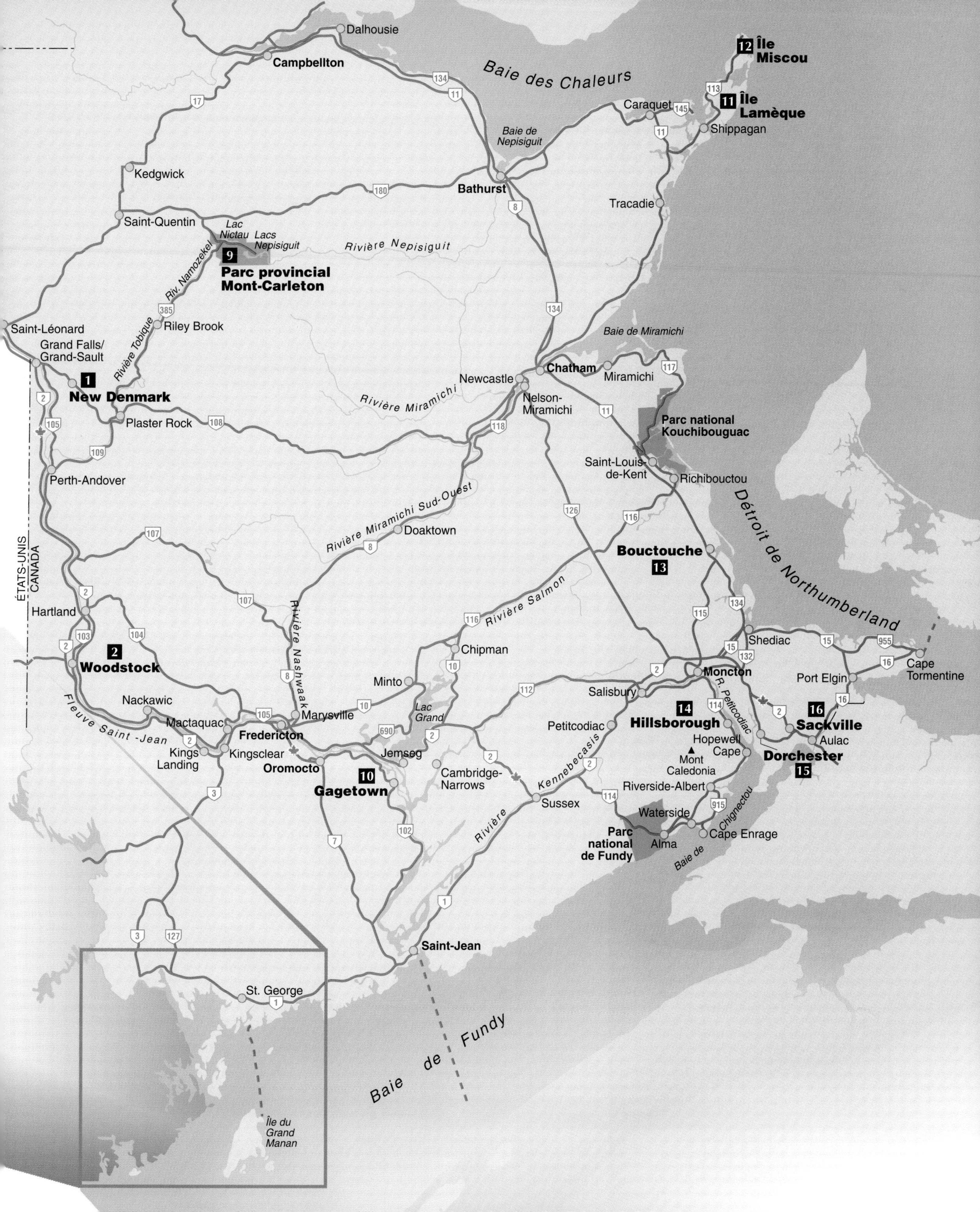

Dalhousie
Campbellton
Baie des Chaleurs
12 Île Miscou
11 Île Lamèque
Caraquet
Shippagan
Baie de Nepisiguit
Kedgwick
Bathurst
Tracadie
Saint-Quentin
Lac Nictau
Lacs Nepisiguit
Rivière Nepisiguit
Riv. Namozekel
9 Parc provincial Mont-Carleton
Rivière Tobique
Riley Brook
Saint-Léonard
Grand Falls/ Grand-Sault
1 New Denmark
Plaster Rock
Baie de Miramichi
Chatham
Miramichi
Newcastle
Nelson-Miramichi
Rivière Miramichi
Parc national Kouchibouguac
Saint-Louis-de-Kent
Richibouctou
Perth-Andover
Détroit de Northumberland
Rivière Miramichi Sud-Ouest
Doaktown
ÉTATS-UNIS
CANADA
Bouctouche
13
Rivière Salmon
Rivière Nashwaak
Hartland
Shediac
Chipman
2 Woodstock
Moncton
Cape Tormentine
Port Elgin
Minto
Salisbury
R. Petitcodiac
Fleuve Saint-Jean
Nackawic
Lac Grand
14 Hillsborough
16 Sackville
Mactaquac
Marysville
Petitcodiac
Aulac
Fredericton
Hopewell Cape
Dorchester
15
Kings Landing
Kingsclear
Jemseg
Kennebecasis
Mont Caledonia
Oromocto
Cambridge-Narrows
10 Gagetown
Riverside-Albert
Sussex
Rivière
Waterside
Parc national de Fundy
Alma
Cape Enrage
Baie de Chignectou
Saint-Jean
St. George
Baie de Fundy
Île du Grand Manan

1 New Denmark

Près de Grand Falls, une route vallonnée, la 108, se détache de la Transcanadienne et longe sur 10 km des champs en terrasses et de coquettes maisons de ferme blanches avant de rejoindre New Denmark (pop. 362). Au sommet de Klokkedahl Hill, un peu avant de pénétrer dans le village, faites un arrêt pour contempler le paysage de ces terres prospères vouées à la culture de la pomme de terre.

La localité fut fondée en 1872 par des immigrants danois ; c'était leur premier établissement au Canada et l'un des plus vieux du monde hors du Danemark. On attira les 29 premiers colons en promettant à chaque adulte mâle 100 acres de terre. Une bonne terre bien fertile, pensaient-ils, et prête à semer. Ce qu'ils trouvèrent, c'était une forêt. Ayant dépensé toutes leurs économies pour venir ici, ils n'avaient pas d'autre choix que de rester ; ils s'attelèrent donc au défrichement et à l'édification d'une maison communautaire.

À New Denmark, le drapeau danois proclame l'héritage culturel de la communauté.

À New Denmark, le passé demeure vivant. Les boîtes postales affichent des noms à consonance danoise : Jensens, Hansens, Pedersens. Les routes vicinales se nomment King Kristian et Applegard. Le drapeau danois flotte fièrement près de l'église. Les anciens du village parlent encore le danois et l'enseignent à leurs descendants.

Le musée historique de New Denmark est fier de sa collection. On y admire une maison de poupée plus que centenaire et son mobilier, copie conforme des meubles d'autrefois, de même que des dentelles et des broderies faites sur place, de la porcelaine de Copenhague et des sabots de bois datant des pionniers. Près du musée, l'Immigrant House reconstitue le mode d'habitation des premiers colons, tandis qu'un bâtiment plus petit réunit leurs outils.

Chaque année, le 19 juin, on célèbre la fête des fondateurs sur les terrains du musée pour commémorer l'arrivée des colons. Des enfants qui ont revêtu les couleurs traditionnelles du Danemark, le blanc et le rouge, dansent sur des musiques folkloriques tandis que les plus âgés chantent l'hymne national de leur pays d'origine et célèbrent le courage de leurs ancêtres.

2 Woodstock

Woodstock (pop. 5 000) se dresse au confluent du fleuve Saint-Jean et de la rivière Meduxnekeag, à mi-chemin des 673 km que parcourt le fleuve — parfois surnommé le Rhin du Canada en raison de sa beauté majestueuse — avant de se jeter dans la baie de Fundy.

Fondée par les loyalistes il y a plus de deux siècles, érigée en municipalité en 1858, la plus vieille ville du Nouveau-Brunswick est fière de ses rues bordées d'arbres aux maisons élégantes. On les découvre lors d'une promenade intitulée *Woodstock Walkabout*, dont on obtient l'itinéraire commenté au bureau du tourisme.

Une petite route qui longe de belles fermes mène au paisible village de New Denmark.

L'édifice public le plus remarquable est l'ancien palais de justice du comté de Carleton situé 5 km au nord, à Upper Woodstock. Il a été restauré par la société d'histoire locale pour faire revivre l'époque où la ville était un relais de diligences et où le palais de justice abritait les assemblées politiques, les foires agricoles, les concerts, les réceptions d'État et les revues de troupes. On peut le visiter gratuitement tous les jours, de juillet à la fête du Travail.

Depuis près d'un demi-siècle, il se tient annuellement à Woodstock une foire d'une nature très particulière, tout empreinte de nostalgie. Les natifs de l'endroit qui ont émigré ailleurs au Canada ou aux États-Unis se donnent en effet rendez-vous pendant une semaine en juillet pour se retrouver entre parents et camarades de classe. Courses attelées, « danses carrées », concours de violoneux et de bûcherons, de même qu'un défilé, marquent la célébration de cette grande fête.

3 St. Stephen

La première semaine d'août ont lieu en même temps à St. Stephen (pop. 4 931) deux événements sans lien apparent : un festival de chocolat et un festival international de la bonne entente.

Au XIXe siècle, St. Stephen était un centre de construction navale ; on transportait les mâts le long de sa rue principale, qu'on appelait à l'époque la rue des mâts du roi (King's Mast Road), devenue depuis la rue King. En 1873, les frères Ganong y ouvrirent une confiserie qui allait être à l'origine de deux événements marquants. En 1906, Arthur Ganong eut l'idée de placer un morceau de chocolat dans un emballage de papier que les pêcheurs emporteraient en mer pour se restaurer : la tablette de chocolat était née. En 1932, autre création originale, Ganong lançait la mode d'une boîte en forme de cœur pour la Saint-Valentin.

La confiserie est toujours à l'honneur à St. Stephen. Des bouffées de cannelle, des parfums de menthe circulent dans tous les coins les jours de grand vent. Durant le Festival du chocolat, repas et réjouissances de toutes sortes sont centrés sur le chocolat, et la confiserie Ganong ouvre, ces jours-là, ses portes au grand public.

Confiserie Ganong à St. Stephen

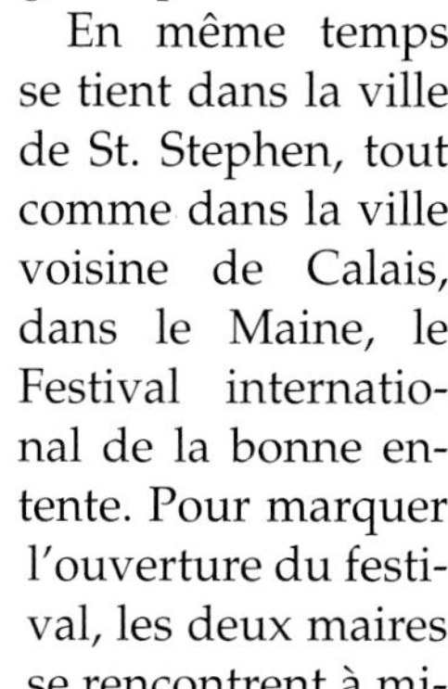

En même temps se tient dans la ville de St. Stephen, tout comme dans la ville voisine de Calais, dans le Maine, le Festival international de la bonne entente. Pour marquer l'ouverture du festival, les deux maires se rencontrent à mi-chemin sur le pont qui relie les villes. Ce geste rappelle que, durant la guerre de 1812, St. Stephen refusa d'obtempérer aux ordres des Anglais de faire feu sur Calais. Au lieu de quoi, de nos jours, la ville canadienne fournit des pièces pyrotechniques à sa voisine américaine pour fêter le 4 juillet. Les deux municipalités ont en outre le même service d'eau et d'incendie.

Les fondateurs loyalistes de St. Stephen et leurs descendants, de même que les marchands de bois et les constructeurs de bateaux qui s'enrichirent au siècle dernier, ont légué à la ville une belle collection de demeures élégantes. L'une des plus somptueuses, le manoir du magnat du bois James Murchie, est devenue le musée du comté de Charlotte. On peut le visiter du lundi au samedi, de juin à août.

Une brochure, émise par la société historique locale et disponible au musée et dans les librairies, permet de faire en voiture une tournée documentée des belles résidences, comme le manoir Lonicera Hall et le manoir Todd.

La maison Park Hall illustre bien les étapes du développement de St. Stephen. Construite en 1866, cette belle demeure fut achetée par la confiserie Ganong en 1900 pour y loger son personnel féminin originaire de Terre-Neuve et de Grande-Bretagne. Elle est aujourd'hui le siège de l'université de St. Stephen.

4 St. Andrews

Nichée à l'endroit où la rivière Ste-Croix se jette dans la baie de Passamaquoddy, St. Andrew (pop. 1 700) est fière de ses origines loyalistes. Les habitants se réjouissent encore de la remarquable sagacité dont firent preuve leurs ancêtres en venant s'installer ici après la révolution américaine de 1783. Fuyant Castine, dans le Maine, ces loyalistes démontèrent leurs maisons pour les transporter sur des barges et les remonter à St. Andrews. On peut encore voir l'une de ces premières maisons, blanche à toit vert, au 75 de la rue Montague.

Les loyalistes adoptèrent pour leur ville un plan géométrique : six rues de 1,5 km dans un sens, 12 dans l'autre,

LE PONT COUVERT LE PLUS LONG DU MONDE

Au début du siècle, il y avait 400 ponts couverts au Nouveau-Brunswick. Leur superstructure servait à protéger le tablier et les fondations des intempéries. Tandis qu'un pont de bois ordinaire pouvait durer 15 ans, on lui allouait, en le couvrant, 80 bonnes années de vie.

Pourtant la pluie, le soleil, la neige et la glace ont finalement eu raison de la plupart des ponts couverts du Nouveau-Brunswick : on n'en dénombrait plus que 70 au début des années 90. Le plus connu d'entre eux, et certainement le plus robuste, est un géant qui enjambe le fleuve Saint-Jean à Hartland, au nord de Woodstock : il mesure 391 m. Ce serait, paraît-il, le plus long du monde dans son genre.

Le pont couvert de Hartland est toujours solidement ancré sur ses sept robustes piles.

Construit par une société privée, le pont de Hartland n'était pas couvert lors de son inauguration en 1901. En 1920, la débâcle endommagea gravement deux des piles remplies de cailloux. La province, qui en avait fait l'acquisition entre-temps, fit construire des piles en béton, ajouta un toit, puis un trottoir. En 1980, le pont couvert de Hartland était devenu un monument historique.

Au début du siècle, un pont couvert était considéré comme le lieu idéal pour les rencontres amoureuses et une demande en mariage. En souvenir de ce temps, on a célébré dernièrement le mariage d'un couple de Toronto sur le pont de Hartland.

DE MERVEILLEUX JARDINS À ST. STEPHEN

Gloires du matin, à Crocker Hill

Gail et Steve Smith ont mis sur pied les studios Crocker Hill situés sur la rue Ledge, 3 km à l'est de l'intersection King et William à St. Stephen. Ce domaine de 1,5 ha aménagé en terrasses surplombe la rivière Ste-Croix ; on y trouve une vingtaine de jardins et plus d'une centaine de variétés de fines herbes.

En 1977, les Smith découvrirent l'endroit au cours d'une randonnée à bicyclette ; la végétation avait envahi le terrain autour d'une petite maison en ruine. Steve, artiste et fabricant de leurres, évalua les possibilités du site. Ni Gail ni Steve ne s'y connaissaient en jardinage. Cela ne les empêcha pas, armés de courage et d'imagination, de créer Crocker Hill. Dans ses tentatives pour découvrir des plantes rares et sauvages, Gail se prit de passion pour les fines herbes qui abondent en ce lieu.

Avec du granit, des pierres et des blocs de béton empruntés à d'anciens bâtiments, les Smith construisirent des murs, des terrasses, des escaliers et des bancs. Ils ajoutèrent, pour accentuer la sérénité des lieux, des tonnelles et des berceaux de verdure.

À Crocker Hill, on peut visiter le studio où Steve peint et sculpte ainsi qu'une boutique de souvenirs qui offre des herbes et des fleurs séchées, des tisanes, des guirlandes et des pots-pourris. Le studio est ouvert tous les jours de juin à septembre et sur rendez-vous le reste de l'année.

Maisons de pêcheurs pelotonnées autour d'une petite crique, à St. Andrews.

aboutissant au bord de l'eau. En l'honneur de George III, le roi d'Angleterre auquel les Loyalistes étaient demeurés fidèles, ils leur donnèrent les noms de ses 15 enfants ; certains ont un parfum vieillot : Adolphus, Augustus. (On peut voir les portraits de tous les enfants de George III au palais de justice.)

Un itinéraire autoguidé, conçu par la société historique locale et distribué dans les bureaux de tourisme, propose une promenade à pied parmi 34 maisons historiques, dont celles de Pagan-O'Neill (1784), de Joseph Crookshank (1785) et de John Dunn (1790) ainsi que Chestnut Hall (vers 1810).

On peut avoir une idée de la vie quotidienne au début du siècle dernier en visitant le musée Henry Phipps Ross et Sarah Juliette Ross (188, Montague). Cette élégante maison de brique bâtie dans le style néo-classique abrite une belle collection de meubles, de porcelaines, d'horloges, de miroirs et de tapis. On peut en faire le tour du lundi au samedi, de la fin de mai au début d'octobre. L'entrée y est gratuite.

Mais le véritable joyau de la petite ville de St. Andrews, c'est son église presbytérienne, Greenock Kirk, que fit bâtir, en 1824, le capitaine Christopher Scott. Au sommet de sa flèche blanche se dresse un chêne sculpté, hommage du constructeur à sa ville natale de Greenock, en Écosse.

Jusqu'à la fin du XIXe siècle, St. Andrews tira sa prospérité du commerce avec les Caraïbes. Lorsque celui-ci déclina, la ville s'orienta vers une destinée touristique que favorisait son emplacement sur la mer. Des sociétés canadiennes et américaines érigèrent pour les riches voyageurs l'hôtel Algonquin en 1889 et son successeur en 1915. Aujourd'hui, les tours de l'hôtel, qui n'a rien perdu de sa renommée, se dressent comme deux sentinelles au-dessus de la vieille ville de St. Andrews.

Événements spéciaux

Foire d'aquaculture (juin)

Festival des arts (début juillet à fin août)

5 Île Deer

Toutes les demi-heures, de l'aube au crépuscule, un traversier franc de péage fait la navette entre Letete, au sud de St. George, et l'île Deer. Il dessert un chapelet d'îlots dans la baie de Passamaquoddy avant d'atteindre, 10 km plus loin, le débarcadère de Butler's Point, petit village de pêche deux fois centenaire situé dans le nord de l'île.

Longue de 12 km, mais en certains endroits large de seulement 5, c'est la troisième île en importance de l'archipel des îles de Fundy après Grand Manan et Campobello. La plupart de ses 850 habitants demeurent dans les villages de Fairhaven et de Leonardville. La route 772 fait le tour de l'île et relie des baies, des criques et des phares comme celui de Leonardville, dont l'esthétique est remarquable. On observe avec intérêt les cages d'élevage du saumon et de la truite de mer. À Fairhaven, se trouvent les trois plus grands parcs à homards du monde.

À l'extrême sud de l'île, le parc Deer Island Point, qui occupe 16 ha, est renommé pour son tourbillon qui serait, paraît-il, le plus important du monde, après le célèbre maelstrom de Norvège. Il est connu sous le nom de « Old Sow » (vieille truie) à cause des grondements qu'il fait entendre lorsque ses puissants courants frappent les eaux de l'étroit bras de mer entre l'île Deer et le continent américain. On peut observer le phénomène deux fois par jour, idéalement trois heures avant la marée haute.

À la pointe de l'île Deer, on peut prendre, de juin à septembre, le traversier qui mène à l'île Campobello.

Jeunes pêcheurs très fiers de leurs prises, au quai de Fairhaven, dans l'île Deer.

6 Île Campobello

Parti de l'île Deer, le bateau atteint en 45 minutes la jetée achalandée de Welshpool. Ce village de pêche, le plus important de l'île, fut fondé en 1770 par le capitaine William Owen. Pendant plus d'un siècle, la famille Owen dirigea l'île comme son fief personnel. La maison que fit ériger l'amiral William F. Owen en 1835 à Deer Point est toujours debout.

À Welshpool, le visiteur peut faire une expédition d'observation des baleines et de la vie marine au large de l'île. Le canal qui sépare les îles Deer et Campobello regorge en effet de petits rorquals, de rorquals à bosse et de rorquals communs. Avec beaucoup de chance, on apercevra la baleine franche, en voie de disparition.

À l'est de Welshpool, une petite route mène au parc provincial Herring Cove, renommé pour ses plages de galets. Des campings accueillent les visiteurs qui veulent consacrer du temps à découvrir ses plages, ses falaises et ses criques. À faible distance, on découvre, derrière les hautes dunes, une délicieuse réserve d'eau douce appelée le lac Glensevern.

Au nord de Welshpool, vous suivez la route 774 vers le phare d'East Quoddy et le groupe de bâtiments blancs qui l'entourent, perchés sur un cap à la pointe la plus septentrionale de l'île. On dit que ce phare est le plus photographié dans les Provinces atlantiques.

Le phare de East Quoddy, perché sur le roc, dans l'île Campobello.

Les visiteurs qui succombent au charme de l'île Campobello comprennent pourquoi le président Franklin Delano Roosevelt la nommait « son île bien-aimée. » C'était l'île de son enfance. Son père, James Roosevelt, y avait acheté une propriété vers 1880. Le futur président des États-Unis y vécut plusieurs années heureuses jusqu'au jour où, en 1921, au retour d'une excursion de pêche, on découvrit qu'il avait la poliomyélite.

Le manoir des Roosevelt, qui compte 34 pièces, se trouve dans le parc international Roosevelt de l'île Campobello (1 200 ha) dont le Canada et les États-Unis assument conjointement la gestion. Le parc est accessible du continent depuis Lubec (Maine) par le pont Franklin D. Roosevelt.

Le manoir est une imposante maison d'été que ses volets verts et ses murs en bardeaux rouges rendent accueillante ; on la croirait encore occupée. L'intérieur, qu'on peut visiter tous les jours de la fin de mai à la mi-octobre, est meublé en rotin et décoré de portraits de famille et de dessins d'enfants.

7 St. George

La rivière Magaguadavic (qui se prononce *mag-ga-da-vé*) est l'âme même de St. George (pop. 1 400). Ses gorges et ses cascades font au village un ravissant décor que complète le vieux moulin rouge assis sur la roche. Au début de l'été, les eaux argentées de la Magaguadavic grouillent de saumons qui s'élancent dans les airs. Une échelle a été érigée pour faciliter leur passage vers les eaux de frayage ; à l'intérieur du moulin, des fenêtres permettent de mieux les observer.

St. George était renommée au début du siècle pour les carrières de granit rouge de ses collines environnantes. C'était l'époque où cette pierre servait à la construction de bâtiments prestigieux sur tout le continent. C'est avec ce matériau qu'ont été construits les édifices du Parlement à Ottawa et le Musée d'histoire naturelle de New York. On trouve encore des vestiges de cette richesse du passé dans quelques monuments du cimetière protestant, l'un des plus vieux du pays. Puis, comme toutes les modes, celle-là passa ; dans les années 20, les carrières elles-mêmes étaient épuisées.

Si vous le leur demandez, les anciens de la ville vous parleront du monstre qui fréquente les profondeurs du lac Utopia, au nord de St. George, sur la route 785. On dit qu'il rivalise avec le monstre du Loch Ness en Écosse. C'est, lui aussi, un être timide. Il aurait été aperçu pour la première fois en 1870 ; son apparition la plus récente remonte à 1951.

Sa présence ne semble pourtant pas effrayer les touristes qui viennent en grand nombre s'égayer sur les plages agréables du lac Utopia et faire du bateau et de la pêche dans ses eaux limpides.

Promenade dans l'île du Grand Manan

Distance : environ 24 km

De North Head, dans l'île du Grand Manan, prenez la route 776 vers le sud jusqu'à un panneau indiquant Dark Harbour, sur la côte ouest de l'île. Une légende veut que le capitaine Kidd ait enterré ici un trésor d'or.

- Dark Harbour, le seul village sur la côte ouest de l'île, est ainsi appelé à cause d'un quartier de roc qui, le matin, fait obstacle au soleil. À marée basse, on y cueille la main-de-mer palmée. Séchée au soleil, l'algue est distribuée partout en Amérique du Nord pour le plus grand bonheur des amateurs qui recherchent son goût salé. S'ils ne sont pas trop occupés, les cueilleurs vous raconteront des histoires de la mer.
- Reprenez la 776 vers Grand Harbour (pop. 608), petit village de conte de fées. Le musée du Grand Manan y vaut le détour ; il rappelle l'histoire naturelle et sociale de l'île et expose divers gréments utilisés dans la pêche hauturière, ainsi que des articles pour le commerce maritime et la navigation.

Le musée présentait à l'origine une collection de 300 oiseaux, propriété du naturaliste Allan Moses (1881-1953). On y trouve des souvenirs de deux célébrités américaines qui séjournèrent dans l'île, le naturaliste James Audubon et la romancière Willa Cather, de même que des objets recueillis à bord d'épaves couchées au fond de la mer. Le musée du Grand Manan est ouvert tous les jours du 15 juin à la fête du Travail.

- Entre Grand Harbour et Seal Cove se trouve le parc provincial d'Ancorage, réserve d'oiseaux sauvages de 81 ha.

Près du camping, un panneau indique la direction vers la pointe Red où l'on peut observer les bouleversements causés par l'explosion d'un volcan sous-marin, il y a 16 millions d'années. La déflagration a dressé des quartiers de roche grise au milieu de sédiments rouges érodés, vieux de quelques milliards d'années.

- À l'extrême pointe de l'île, le phare du cap Southwest se dresse sur une falaise que la mer assiège inlassablement.

Hangar à poisson sous bonne garde, à Seal Cove, dans l'île du Grand Manan.

8 Grand Manan

À quelque 27 km de la partie continentale du Nouveau-Brunswick s'étend la plus grande et la plus éloignée des îles de la baie de Fundy, Grand Manan. En été, le premier traversier quitte Black's Harbour à 7 h 30 et les autres suivent à deux heures d'intervalle, généralement remplis à capacité par des hordes de visiteurs enthousiastes.

Ce qui accroche le regard, dès qu'on approche de l'île, ce sont ses promontoires rocheux garnis de sapins et d'épinettes. Quand la brume d'été enveloppe Grand Manan, l'île prend un aspect mystérieux et austère. Mais juste avant de débarquer à North Head, le visiteur est déjà conquis par la splendeur de ses falaises, la beauté de ses anses et de ses plages.

Cette île de 142 km² abrite 2 500 habitants dont la robustesse et l'individualité légendaires s'expliquent du fait de leur insularité. Un isolement relatif leur a aussi conservé un accent charmant, proche de celui de la Nouvelle-Angleterre. Les résidents de North Head (pop. 800), par exemple, ont une façon bien à eux de traiter les *r* ; parfois, ils les laissent tomber, comme dans « car » qu'ils prononcent « cah »; parfois, ils en ajoutent, comme dans « area » qui devient « arear ».

L'île est avant tout un havre de paix. La romancière américaine Willa Cather, venue en 1922 pour fuir le tumulte de New York, y a passé 18 étés. On voit encore sa maison à Whale Cove.

Les visiteurs aiment à se promener le long des rivages admirables de l'île qui séduisent peintres et photographes. L'observation des baleines et des oiseaux est un passe-temps populaire. L'île sert en effet de relais à plus de 400 espèces d'oiseaux migrateurs, phénomène qui ne manqua pas d'étonner le grand naturaliste John James Audubon quand il visita l'île en 1833.

Avant de partir à la découverte du Grand Manan, faites une halte à North Head. Au centre d'interprétation des baleines, vous pouvez vous instruire sur les habitudes de ces grands mammifères et réserver votre place de bateau pour aller les observer de près.

Autour de North Head s'offrent plusieurs agréables promenades à faire à pied. Tout près il y a un endroit où les hirondelles font indéfiniment des cercles autour d'un phare, le Swallow Tail Lighthouse. Une autre promenade vous amène par Whistle Road, au nord du village, vers deux formations rocheuses, sculptées par les vents et les vagues. L'une a été surnommée Old Bishop et l'autre, Hole-in-the-Wall. À Whale Cove, prenez le sentier qui mène à la plage 125 m plus bas : vous remarquerez sur la falaise sept strates de la croûte terrestre. Certaines d'entre elles ont 900 millions d'années. Les habitants de l'île les ont surnommées les « sept jours », en souvenir du mythe biblique de la création du monde.

Seal Cove est typique des ports de pêche qu'on voit sur la côte est de l'île du Grand Manan.

9 Parc Provincial Mont-Carleton

Les Indiens Maliseets ont précédé les coureurs des bois et les explorateurs dans les hautes terres centrales du Nouveau-Brunswick. Au milieu du siècle dernier, des colons y essaimèrent pour vivre de pêche, de chasse et d'exploitation forestière.

Vers 1890, Adam Moore, comme d'autres bûcherons, eut l'idée d'offrir ses services comme guide aux amateurs de chasse et de pêche. Les clients, surtout des Américains, ne tardèrent pas à affluer. En 1927, J. Sterling Rockefeller et Burton Moore, fils d'Adam Moore, mirent sur pied le club de chasse et de pêche Nictau qui se réserva les hautes terres jusqu'en 1970. C'est à cette date que le gouvernement du Nouveau-Brunswick délimita un terrain de 174 km² pour en faire le parc provincial Mont-Carleton.

C'est le plus grand parc de la province. Il renferme huit lacs et les cours supérieurs des rivières Nepisiguit et Tobique. Deux routes, la 385 et la 180, vous y mènent. Ses dimensions et son éloignement promettent une solitude parfaite à ceux qui veulent aller y pratiquer la randonnée pédestre, la pêche et le camping.

Alpinistes, photographes, amants de la nature raffolent, tous à leur façon, du mont Carleton ; avec ses 820 m, c'est l'un des plus hauts sommets des Maritimes. La flore du parc renferme le bouleau nain et le carex de Bigelow dont l'apparition remonte au retrait des glaciers, il y a environ 10 000 ans. La faune est également riche : cerfs de Virginie, orignaux, castors, ours noirs, renards roux, coyotes et au moins une centaine d'espèces d'oiseaux.

10 Gagetown

Les habitants de la ville aiment à raconter l'émerveillement d'un couple de visiteurs qui, venu passer un après-midi à Gagetown, se crut transporté à Brigadoon, le village écossais magique de l'opérette du même nom (1947). Dès lors, le couple ne se lassa plus d'y revenir.

Le village n'a que 630 résidents. Mais tous se donnent la main pour enchanter les visiteurs. Ils organisent une foire en juin où sont exposés de magnifiques courtepointes et des leurres qui, paraît-il, déjouent même les plus rusés canards. En automne, le village est depuis 150 ans l'hôte d'une foire agricole.

La petite ville tient son nom du général Thomas Gage, commandant britannique qui obtint ici une concession en 1765. Les loyalistes, 19 ans plus tard,

Périple autour du lac Grand

Distance : 150 km

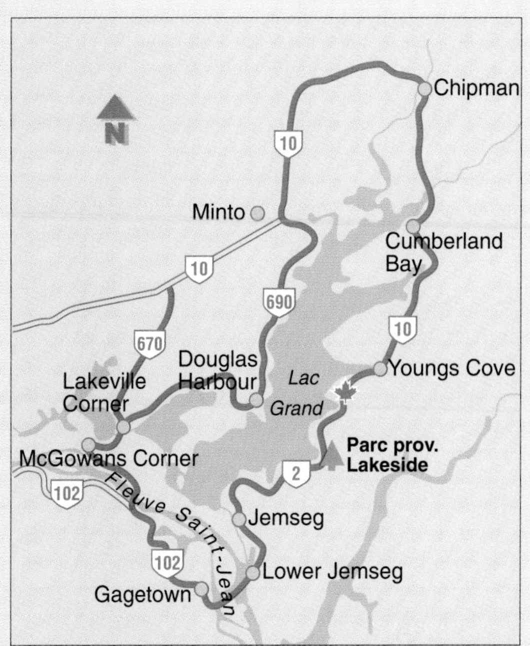

Ce lac, le plus étendu des lacs du Nouveau-Brunswick, mesure 34 km de long sur 10 de large. Il a d'abord connu les canots des Indiens ; puis, au XIXe et jusqu'au début du XXe siècle, des bateaux de marchandises à roue l'ont sillonné ; récemment encore, des remorqueurs y tiraient des trains de bois vers les moulins de Saint-Jean.

- De Gagetown, suivez la route 102 jusqu'à Upper Gagetown pour prendre le traversier. En face, suivez la Transcanadienne vers l'ouest jusqu'à McGowan's Corner.
- Le long de la route 670, vers Lakeville Corner, vous apercevrez des fermes prospères, deux fois centenaires. Le village est à vocation agricole, mais il ne boude pas les gens qui travaillent « en ville ».
- De Lakeville, la route 690 mène à Douglas Harbour à travers une région sylvestre d'un vert lumineux en été, d'une étonnante symphonie de couleurs à l'automne. Au sommet d'une colline, vous apercevez soudain le lac Grand et Douglas Harbour, seul port abrité.
- Les bateaux à roue ont longtemps fréquenté Douglas Harbour ; aujourd'hui, le port ne reçoit plus que la navigation de plaisance. Certains amateurs y arrivent par la baie de Fundy et le fleuve Saint-Jean. Des centaines de plaisanciers se retrouvent en été près des jetées qui ont connu les bateaux d'autrefois, alimentés au bois.
- Poursuivez sur la route 690. Vous remarquerez en passant le parc Princess, la plage Sunnyside et l'anse Sypher Cove avec ses rochers érodés et ses grottes pittoresques.
- Au point où la route 690 vire à l'ouest vers Minto, vous apercevez une gigantesque machine de 68 m de haut et large de 110 m qui dévore le sol avec l'appétit d'un dinosaure. L'extraction du charbon, qui remonte à 1630, a laissé des cicatrices visibles, mais depuis 15 ans on s'emploie avec succès à les faire disparaître. Les anciens puits ont été remplis d'eau et ensemencés de truites. (Pour visiter la mine, il faut s'adresser au bureau de la compagnie, à Minto.)
- Virez à gauche sur la route 10 et dirigez-vous vers Chipman (pop. 1 615) qui vécut longtemps de foresterie. Les arbres du Nouveau-Brunswick alimentent encore sa gigantesque scierie.
- En direction sud, vous traversez maintenant la riche région agricole de Cumberland Bay. À Youngs Cove, prenez à droite sur la Transcanadienne vers Waterborough avec sa jetée en béton qui accueillait autrefois les vapeurs et son parc provincial Lakeside.
- Poursuivez vers Jemseg, réputé pour sa récolte de fraises en juin.
- À Jemseg, virez à gauche juste avant le pont, et de nouveau à gauche pour prendre la route du traversier de Gagetown. À 100 m environ sur cette route, un monument marque l'emplacement du fort Jemseg, reconstruit par les Français en 1690. On s'y arrête une dernière fois pour la vue imprenable sur les environs.
- À la sortie de Lower Jemseg, prenez le traversier à câble qui franchit le fleuve Saint-Jean, puis la 102 vers Gagetown.

L'église St. James, joli bâtiment de pierre, fait partie du paysage de Lower Jemseg.

Kouchibouguac

Le nom de Kouchibouguac, adaptation d'un mot micmac qui signifie « fleuve aux grandes marées », convient parfaitement à ce parc dont le littoral donne sur une large baie par laquelle l'océan entre profondément dans les terres. Au large, des bancs de sable et des îlots sont disposés en croissant sur une distance de 25 km. Puis, en se rapprochant de la terre, il y a les lagunes d'eau tiède bordées de marais qui se fusionnent peu à peu dans la forêt acadienne, ponctuée de tourbières et de prés, avec deux lacs et de multiples étangs.

Un orignal solitaire déambule le long d'une des passerelles du parc.

Huit habitats — bancs de sable en haute mer, îlots de ceinture, lagunes et littoral, étangs et cours d'eau, forêt, champs, tourbières, marais salés — valent à Kouchibouguac une étonnante variété de végétaux et d'animaux et 223 espèces d'oiseaux dénombrés dans la région. Sans tenir compte des mousses, des algues, des champignons et des lichens, le parc présente plus de 600 espèces de plantes.

Des ammophiles retiennent le sable des dunes en constant mouvement dont on connaît trois archipels : Kouchibouguac-Nord, Kouchibouguac-Sud et Richibouctou-Nord. En 10 minutes, on se rend à pied par une passerelle en bois à la dune de Kouchibouguac-Sud où se trouve la plage Kellys, lieu de prédilection pour prendre du soleil, nager, observer les phoques et les oiseaux. Les amateurs prévoiront une halte d'une demi-journée et une distance à parcourir de 15 km.

Les lagunes entre les îlots de ceinture et le continent sont le paradis des amateurs de plongée en apnée. L'eau, peu profonde, est tiède et cristalline, la rive n'est jamais loin et une jungle de zostères abrite une infinité de créatures ravissantes : anguilles, crabes de roche, étoiles de mer pourpres, crevettes de sable et natices, ainsi que des bancs de moules et d'huîtres. Dans les marais du littoral gazouillent les bruants des prés et les bruants à queue aiguë auxquels répondent les butors d'Amérique et les sauterelles.

L'épinette rouge, le sapin baumier, l'érable rouge et le bouleau à papier sont parmi les essences les plus répandues. La forêt acadienne constitue une zone de transition entre les conifères de la forêt boréale, au nord, et les décidus, au sud. À l'intérieur de cet habitat, Kouchibouguac et la plus grande partie du littoral acadien font exception, puisqu'on y trouve en abondance des cèdres blancs, essence rare sinon totalement absente dans le reste de la forêt locale.

Le cinquième du sous-sol argilo-sableux de Kouchibouguac est si dense que l'eau stagne en surface. Dans ce climat frais et humide, carex, scirpes et sphaignes poussent avec délectation. Quand une espèce meurt, une autre s'épanouit sur les restes de la première. Il se forme chaque année une nouvelle couche de tourbe. Dans la tourbière Kellys, par exemple, la strate spongieuse, peuplée de sphaigne multicolore dont émergent quelques souches d'épinettes noires rabougries et de mélèzes laricins, peut mesurer jusqu'à 6 m.

La plupart des cours d'eau du parc se jettent dans les rivières St-Louis, Noire et Kouchibouguac. Dans cet habitat liquide mal défini, où se rencontrent eaux douces et eaux salées, on peut observer tout à la fois la mousse de mer et l'herbe à canard, la natice, l'étoile de mer, le crabe, la moule, le canard noir, la sarcelle et même le gaspareau, le poulamon atlantique, la plie lisse, la truite, le bar d'Amérique, le saumon et l'anguille en migration.

Les sites ressuyés du parc ont été déboisés par les descendants des colons européens, acadiens, loyalistes et immigrants des îles Britanniques. Beaucoup d'entre eux y sont restés jusqu'à la création du parc en 1969. Depuis lors, les terres défrichées reviennent peu à peu à leur état naturel.

RENSEIGNEMENTS PRATIQUES

Accès : *routes 11, 117 et 134 (route de la côte acadienne).*
Accueil : *l'entrée principale se trouve au sud du village de Kouchibouguac.*
Installations : *le parc est ouvert en toutes saisons; camping (sans services) de mai à octobre, terrains de jeux d'été, théâtre de marionnettes itinérant, théâtre d'été, programme d'histoire naturelle, casse-croûte.*
Activités estivales : *observation des oiseaux, cyclisme, marche, navigation et canotage (location de barques et de canots), véliplanchisme et pêche (équipement en location), pique-nique.*
Activités hivernales : *raquette, toboggan, ski de randonnée (refuges avec poêle à bois et tables de pique-nique). Marathon annuel de ski. Camping d'hiver à proximité dans un terrain commercial.*

devaient suivre. Gagetown s'enorgueillit d'une douzaine de sites historiques. L'élégant édifice du palais de justice date de 1837. Le presbytère est l'œuvre de Thomas Tilley. Son fils, Leonard, naquit dans une maison construite en 1786 par le loyaliste Frederick Stickles. Leonard Tilley allait devenir un des Pères de la Confédération puis être anobli. Devenue le musée du comté de Queens et décrétée site historique national, sa maison natale présente des meubles de styles loyaliste et victorien. On peut la visiter tous les jours, de la mi-juin à la mi-septembre ; les samedis et dimanches seulement, de la fin de mai à la mi-juin et de la mi-septembre à l'Action de grâces.

Gagetown se targue de posséder le plus ancien bâtiment sur le fleuve Saint-Jean. Construit en 1761 et appelé le Blockhouse, c'était un entrepôt de carabines et de munitions. Les Loomcrofters, célèbres tisserands de tartans, y ont installé leurs pénates. Autre souvenir vivant, l'auberge Steamers Stop Inn recrée l'atmosphère du temps où les équipages de bateaux à vapeur venaient s'y sustenter.

11 Île Lamèque

D'abord occupée par les Micmacs, l'île Lamèque fut brièvement habitée par l'explorateur français Nicolas Denys en 1672. Enfin c'est ici qu'aboutirent une poignée d'Acadiens, les premiers à rentrer au pays, quelques années après la terrible déportation de 1760.

Les 26 Acadiens qui y prirent racine formaient en tout cinq familles. Aujourd'hui, bon nombre des 10 000 habitants descendent de ces familles et parlent toujours le français. Cette île de 150 km^2, faite de dunes et de plages, est un havre de paix où seuls se font entendre les vagues et les vents.

On entre dans l'île en provenance de Shippagan par la route 113 qui, en 26,5 km, mène à Lamèque (pop. 2 000) en passant par Savoy-Landing. Fondée en 1790, Lamèque, principale agglomération de l'île, fut érigée en municipalité en 1983 seulement.

La route 103 longe la Baie des Chaleurs et traverse les tourbières qui ont fait la prospérité de l'île. La plus grande partie de la récolte est traitée et empaquetée sur place dans six usines ; la tourbe, qui sert à amender les terres arables, est aussi vendue comme matériau d'isolation et d'emballage. Elle est plus importante dans l'économie de l'île que la pêche, bien qu'elle emploie moins de gens, et elle constitue le thème central d'un festival qui a lieu généralement en juillet.

Pour explorer la côte orientale de l'île, celle du golfe du Saint-Laurent, vous pouvez emprunter la route 305 à partir de Haut-Lamèque. Vous découvrirez alors de charmants villages de pêcheurs comme Cap-Bateau ou Pigeon Hill. La route épouse les contours de la falaise sur le rivage. Près de Pigeon Hill, vous apercevrez des cabestans ravagés par les intempéries ; ils servaient autrefois à amarrer les barques des pêcheurs.

Au nord de Lamèque, deux flèches signalent la présence de l'église Sainte-Cécile à Petite-Rivière-de-l'Île. Construite en 1913, l'église est réputée pour son décor « naïf » aux couleurs vives et pour son acoustique. En 1968, le père Gérard D'Astous, assisté de deux artistes, entreprit de peindre sur les murs des symboles religieux dans les tons de vert, rouge, bleu et jaune. En juillet, le festival de musique baroque qui s'y déroule attire des musiciens du monde entier. On met l'accent sur l'utilisation des instruments anciens.

À l'extrême nord de l'île, un monument rappelle la mémoire de l'explorateur français Nicolas Denys. Juste à côté se trouve le traversier qui mène à l'île Miscou. En été, un bateau part toutes les demi-heures, jour et nuit.

12 Île Miscou

Un petit port de pêche blotti sous une église blanche entre des arbres que secouent les vents du large, telle est la

Chalutiers au repos par une journée ensoleillée dans le port de Lamèque.

première scène qui frappe le visiteur en arrivant dans l'île.

Avec ses 64 km^2, Miscou, l'extrême pointe du Nouveau-Brunswick, abrite 900 habitants qui ne vivent que de pêche. Jacques Cartier y fit escale en 1534. Au XVIIe siècle, Raymond de la Ronde et Nicolas Denys y ouvrirent un poste pour la traite des fourrures ; 100 ans plus tard, des colons venus de France et des îles de la Manche s'y installaient pour de bon.

À partir du débarcadère, la route 113 épouse la côte ouest sur une distance de 19 km et longe des champs de fleurs sauvages avant d'aboutir à un point solitaire sur le golfe du Saint-Laurent. Chemin faisant, plusieurs petites routes qui s'en détachent invitent à l'exploration.

À Miscou-Centre, la principale agglomération de l'île, demandez les indications pour prendre Jules Road, une route qui vous mènera aux plages de sable blanc et aux dunes de la Baie des Chaleurs.

L'église St. John, près du phare, sur l'île Miscou

Au nord de Miscou-Centre, toujours sur la 113, un chemin de 7 km traverse l'île et aboutit à Wilson's Point, du côté du golfe, en passant par une zone où dunes, marais, lac et lagunes composent un paysage lunaire.

Au bout de la 113, un phare construit en 1858 lance ses faisceaux lumineux à la pointe de l'île Miscou. Ce phare est l'un des plus anciens du Nouveau-Brunswick. Les gardiens d'autrefois l'alimentaient avec de l'huile de phoque et du kérosène ; aujourd'hui, il est automatique.

13 Bouctouche

Bouctouche, en langue micmac, signifie « grand petit port ». Le village de Bouctouche (pop. 2 367) fut fondé en 1784 par cinq familles acadiennes après 30 années d'exil. La coupe du bois, l'agriculture, la pêche et le transport par bateau assurèrent longtemps l'économie du village. Aujourd'hui, la localité est renommée pour ses huîtres.

La romancière acadienne Antonine Maillet, qui y est née, a aussi fait la célébrité de Bouctouche avec *La Sagouine*, l'histoire d'une vieille femme indomptable et lucide qui relate, en mots colorés, le lot des Acadiens. Écrit en 1970, le roman a été porté au théâtre et Viola Léger a fait connaître son héroïne dans le monde entier.

Le Pays de la Sagouine est un parc qui ouvre ses portes de juin à septembre. Il comprend un domaine sur la terre ferme, relié par un pont pédestre de 305 m à une île où l'on a reconstitué un village acadien du début du siècle. Des personnages d'Antonine Maillet conversent avec les visiteurs. Un restaurant offre des plats locaux et un théâtre en plein air reçoit des musiciens en fin de semaine durant l'été.

Également pendant l'été, au musée Kent, on découvre d'autres aspects du passé de Bouctouche. Construit en 1880, le musée servit d'abord de couvent, puis d'école. On peut y voir une chapelle sculptée par Léon Léger dont on dit qu'il « faisait prier le bois ». Pour restaurer la chapelle en 1983, les artisans durent retrouver les techniques qu'employait Léger un siècle plus tôt.

Les bouées jettent une belle note de couleur sur la maison d'un pêcheur de l'île Miscou.

Événements spéciaux
Festival de crustacés (juillet)

14 Hillsborough

Le village de Hillsborough (pop. 1 200) surprend le visiteur par ses maisons du siècle dernier, en parfait état de conservation. La plus célèbre est la Maison Steeves, convertie en musée à la mémoire de William Henry Steeves, l'un des Pères de la Confédération, qui naquit ici en 1814. Le musée est ouvert tous les jours de juin à septembre.

Ce Steeves était le petit-fils de Heinrich et Rachel Stief, des immigrants allemands qui, après être passés par la Pennsylvanie, se fixèrent à Hillsborough en 1766. Heinrich et Rachel avaient sept fils ; aujourd'hui, leur descendance se chiffre à 150 000 et se retrouve un peu partout en Amérique du Nord. À Hillsborough, les Steeves (version anglaise du nom allemand) suivent de près l'évolution de la famille et invitent chaque été au village une partie de leur parenté.

La principale attraction ici est un aller-retour de 16 km à Salem qui se fait à bord d'un train tiré par deux locomotives Diesel datant des années 40. Un wagon à bagages de 1922 sert de gare à Hillsborough et l'on peut admirer, tout à côté, deux locomotives à vapeur datant l'une de 1898, l'autre de 1912. La randonnée dure une heure : le train file à travers les marais de Hillsborough, longe la rivière Petitcodiac, puis traverse le ruisseau Weldon sur un pont de métal haut de 12 m. La ligne Salem-Hillsborough est en fonction l'été seulement, entre la mi-juin et la fête du Travail.

15 Dorchester

La petite ville a la fierté de son passé. Elle porte le nom de noblesse d'un général britannique, sir Guy Carleton, premier baron de Dorchester, deux fois gouverneur de Québec. Le général dirigea un groupe de loyalistes de New York jusqu'ici, après avoir cédé la ville aux rebelles américains en 1783.

Au début du XIXe siècle, Dorchester (pop. 1 198) était un village turbulent et très industrieux. Le commerce de la pierre de taille et la construction des grands voiliers en bois avaient enrichi la localité et l'on surnommait sa grand-place « l'antre du diable » à cause de ses bruyantes tavernes. Mais vers 1875, le bois s'effaça devant l'acier et les

Promenade dans la baie de Fundy

Distance : 118 km

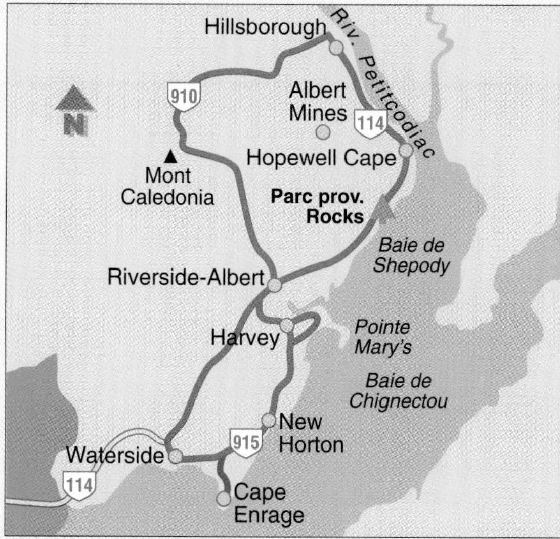

À la sortie de Hillsborough, prenez la route 114 vers le sud jusqu'à Hopewell Cape (pop. 144) où les rivières Petitcodiac et Memramcook se jettent dans la baie de Shepody et font face aux grandes marées de la baie de Fundy. Dans le village, on aperçoit sur quelques toits des « balcons de veuves » d'où les femmes de marins avaient l'habitude de monter scruter l'horizon. Hillsborough a aussi vu grandir R.B. Bennett, seul Premier ministre (1930-1935) que le Nouveau-Brunswick ait donné au Canada. Au centre du village se trouve le musée du comté d'Albert dont la première vocation, en 1845, fut d'être une prison.

• Une route secondaire mène au parc provincial Rocks où vous apercevrez de curieuses formations de roche rouge friable couronnées de verdure qui rappellent des pots de fleurs. À marée basse, on croirait qu'elles vont s'écrouler sur la plage tant leur attache est fine. À marée haute, ce sont des îlots entourés de 14 m d'eau. Du parc, on peut observer les fortes marées de la baie de Fundy qui montent de 30 cm toutes les sept minutes et de 12 m en six heures.

• Poursuivez sur la route 114 jusqu'à l'intersection avec la 915 après Riverside-Albert. La 915 mène à travers le marais Shepody jusqu'à Harvey (pop. 494).

• Prenez la route qui mène à la pointe Mary's et à la Réserve nationale Shepody ; en été, on y voit de minuscules bécasseaux semi-palmés s'envoler avec un synchronisme admirable. Ils font une halte nourricière ici, avant d'émigrer en Amérique du Sud. Des sentiers permettent de circuler dans la partie protégée de la réserve, près des aboiteaux et des marais.

• Revenez à la route 915 que vous suivrez jusqu'à New Horton, fondé en 1798 par un groupe de colons venus ensemble de Horton, en Nouvelle-Écosse.

• Poursuivez sur la 915 jusqu'à ce que vous rencontriez le chemin de Cape Enrage (pop. 12). La route longe une crique et grimpe en pente raide jusqu'au phare perché sur un cap qui a vu s'échouer bien des bateaux. Le phare étant maintenant automatique, la maison du gardien tombe à l'abandon. Au sommet de la falaise de grès rouge et de schiste, que les marées de la baie de Fundy grugent de 1 m chaque année, se trouvent plusieurs sentiers. En bas, sur la grève, vous pourrez prendre plaisir à chercher des agates, du jaspe rouge, des fossiles et des cailloux anciens ornés de rides de sable.

• De retour sur la 915, poursuivez jusqu'à Waterside ; un chemin contourne les marais salés et rejoint la 114. Passé Riverside-Albert, prenez la route 910, un chemin de terre qui passe près du mont Caledonia (366 m), pour rentrer à Hillsborough.

Les vagues donnent l'assaut aux rochers de schiste et de grès rouge du Cap Enrage.

À Dorchester, la belle pierre de taille de la maison Keillor rappelle le passé prospère de la ville.

Américains jetèrent l'embargo sur la pierre de taille : ce fut le début des années de vaches maigres.

On reconnaît la pierre de Dorchester dans plusieurs de ses édifices les plus prestigieux, dont la Maison Keillor, construite en 1813 par John Keillor, originaire du Yorkshire. C'est maintenant un musée où l'on peut admirer 10 pièces richement meublées dans le goût du XIXe siècle et un remarquable escalier en colimaçon qui fait trois étages. Le musée est ouvert depuis le début de juin jusqu'à la fin de septembre.

Autre bel exemple, l'auberge Bell (1811), qui est peut-être le plus ancien bâtiment en pierre du Nouveau-Brunswick, renferme un restaurant et une boutique d'artisanat. La Maison Maples, aujourd'hui restaurée, était celle de sir Pierre-Armand Landry (1846-1916), avocat, juge et politicien, le seul Acadien a avoir été anobli.

Dorchester est également la ville natale d'un Père de la Confédération, Edward Baron Chandler (1800-90).

Salle à manger de la maison Keillor

Juge, puis lieutenant-gouverneur du Nouveau-Brunswick, il avait une solide réputation d'amphitryon et de conteur. Son imposante demeure en pierre, bâtie en 1831, domine encore le village.

Une invitation à la fastueuse table des Chandler était un privilège convoité que méritèrent sir John A. Macdonald, sir Charles Tupper et d'autres célébrités politiques de l'époque. La Maison Chandler est aujourd'hui l'auberge Rocklyn dont la publicité n'est pas mensongère : Macdonald a bel et bien couché ici.

16 Sackville

Sackville (pop. 5 740) est renommée pour son université, Mount Allison. Au cœur de la ville, un parc d'oiseaux aquatiques de 20 ha offre 2,5 km de sentiers et de passerelles pour permettre l'observation d'une douzaine d'espèces de sauvagines, dont les sarcelles et les malards, et d'autres plus rares comme les canards siffleurs d'Amérique et les canards souchets.

Inauguré en 1988, le parc est situé dans le marais Tantramar, l'un des quatre marais salés créés dans le bassin de Cumberland par les fortes marées de la baie de Fundy. Le marais de Tantramar joue un rôle clé dans l'histoire et le folklore de Sackville. Le poète Charles G.D. Roberts, qui grandit sur ses berges, parla en termes émus du « babillage » de ses hautes herbes.

Vers la fin du XVIIe siècle, des fermiers acadiens asséchèrent 500 km^2 de terres inondées au moyen de digues de terre, hautes de 2,5 m et appelées *aboiteaux*. Les digues s'ouvraient à marée basse pour laisser passer l'eau fraîche et se fermaient à marée haute pour faire obstacle à l'eau salée. Dans ces terres asséchées, on cultiva du foin. Le marais était devenu, disait-on, le plus grand champ de foin au monde.

À la fin du XVIIIe siècle, des colons venus du Yorkshire et de Nouvelle-Angleterre donnèrent à la région le nom qu'elle porte aujourd'hui. En fait, Tantramar est une déformation du mot français tintamarre qu'utilisaient les Acadiens pour décrire les piaillements des sauvagines nichant dans le marais.

Pour un coup d'œil magnifique sur le marais, on s'arrêtera au bord de la route High Marsh, après avoir roulé 4,5 km à l'est de Sackville.

La perspective est superbe également depuis le site historique du fort Beauséjour, situé à Aulac, à 8 km à l'est de Sackville, sur la Transcanadienne 2. On peut y voir des ruines du fort luimême, construit par les Français en 1751-55. Après une bataille acharnée, il tomba aux mains des Anglais qui le rebaptisèrent Fort Cumberland. Il résista victorieusement à une attaque des Américains en 1776 et servit pour la dernière fois durant la guerre de 1812. Les installations des Français furent restaurées lorsque le lieu devint monument historique en 1926.

Événements spéciaux

Foire des marais (juin)

Championnat de violoneux du Nouveau-Brunswick (juin)

Festival de la sauvagine de l'Atlantique (août)

Championnat atlantique d'appels de canard (août)

Fundy

La baie de Fundy s'étend en direction du nord-est sur plus de 200 km, depuis le golfe du Maine jusqu'à la baie de Chignectou et le bassin des Mines. C'est à Burntcoat Head, en Nouvelle-Écosse, qu'on peut observer des marées de 16 m, les plus hautes du monde. Bien qu'un peu moins hautes du côté du Nouveau-Brunswick, elles n'en restent pas moins spectaculaires.

Dans la partie supérieure de la baie, ces marées ont créé de vastes marais salés qui se découvrent quand la mer se retire, ainsi qu'un littoral hérissé de rochers solitaires et percé de grottes. Au parc national de Fundy, on peut observer tous ces phénomènes.

Les créatures marines qui hantent les grèves n'ont pas la vie facile quand la marée descend. Les bigorneaux se cachent sous les algues tandis que les crabes séjournent dans les mares où poussent l'anémone de mer tachetée d'argent et la bryozoaire rose. De grosses roches émergent avec leur couronne de raisin de mer et de goémon épave, algues très répandues ici, tandis que les glands de mer couvrent les rochers de leurs plaques acérées.

On entrevoit Point Wolfe à travers les arbres bordant une passerelle.

Les grandes étendues plates du littoral paraissent désertiques ; en réalité, tout un monde s'y agite. Les palourdes s'enfouissent dans le sol ; seule une petite cheminée mobile révèle leur périple. Les vers de mer fouillent le rivage en quête de nourriture ou se construisent des colonies protégées par des amoncellements de sable.

Des colonies de glands de mer ivoire décorent de leurs blanches écailles les roches qu'ils épousent pour la vie et accueillent, tolérants, de petits escargots noirs appelés bigorneaux qui se nourrissent de leurs hôtes et laissent derrière eux une fine traînée de bave.

Les marées qui sculptent le littoral font sentir leurs effets jusqu'à l'intérieur des terres. En été, l'eau de la baie rafraîchit toute la côte et la brume océane envahit les vallées, favorisant la croissance des lichens sur les arbres, des mousses et des fougères sur les flancs des falaises. L'épinette rouge, le sapin baumier, le sapin concolore, le bouleau jaune, l'érable à sucre et l'érable rouge prospèrent dans ce climat humide qu'affectionne le pin blanc.

L'intérieur du parc est un plateau de 335 m d'altitude. La forêt dense s'entrecoupe ici et là d'un lac d'eau bleue, d'un étang à castors ou d'une tourbière vert pâle. Trois rivières en descendent : la Upper Salmon, la Goose et la Point Wolfe.

Les falaises et les corniches qui les bordent se couvrent d'une multitude de plantes : la thélyptéride du hêtre, la potentille arbustive à fleurs jaunes, la sélaginelle prostrée et le lycopode. L'airelle rabougrie dont les baies ont un goût de pomme pousse à travers une myriade d'herbes, de carex et de joncs, vestiges vivants des conditions climatiques postérieures à la dernière glaciation.

Au cours du XIXe siècle, le territoire du parc a été défriché et déboisé. Hommes et chevaux traînaient les troncs abattus vers les rivières où les draveurs risquaient leur vie. Quelques endroits particulièrement dangereux ont hérité de cette époque leur appellation pittoresque : le Keyhole (trou de la serrure) sur la rivière Point Wolfe, le Match Factory (fabrique d'allumettes) sur la Forty-Five et le Hell's Gate (porte de l'enfer) au confluent de la East Branch et de la Point Wolfe.

Le saumon de l'Atlantique était abondant ici, mais la coupe du bois, les barrages et les rejets des moulins leur ont coupé la route vers leurs frayères. Une pêche abusive a fait le reste. En 1948, lors de la création du parc, les rivières étaient vides. En 1952, quand le barrage sur la rivière Upper Salmon s'écroula, les saumons égarés dans les rivières voisines ne tardèrent pas à affluer. En 1985, on abattit un autre barrage à l'embouchure de la rivière Point Wolfe. Les saumons, introduits plusieurs années auparavant et devenus adultes entre-temps, se mirent à remonter le courant pour retrouver des frayères délaissées depuis 150 ans.

RENSEIGNEMENTS PRATIQUES
Accès : *par la route 114.*
Accueil : *centre de renseignements à l'entrée Alma.*
Installations : *auberge de jeunesse, motel, chalets, terrains de camping toutes saisons, restaurant, boutiques de livres et de souvenirs, terrains de jeux.*
Activités estivales : *interprétation de la nature, programmes éducatifs en soirée, feux de camp, promenades guidées, randonnées, golf, bateau, boulingrin, natation, tennis, pêche, cyclisme de montagne, pique-nique, observation des oiseaux.*
Activités hivernales : *toboggan, raquette, ski de randonnée.*

ÎLE-DU-PRINCE-ÉDOUARD

20

Île-du-Prince-Édouard

Sites
Cap Nord
Alberton
Parc provincial Cedar Dunes
Parc provincial Green Park
Miscouche
Indian River
Victoria
Village historique d'Orwell Corner
Georgetown
Souris
Basin Head

Circuits automobiles
Promenade en terre acadienne
Les collines Bonshaw
La pointe est de l'île

Parc national
Île-du-Prince-Édouard

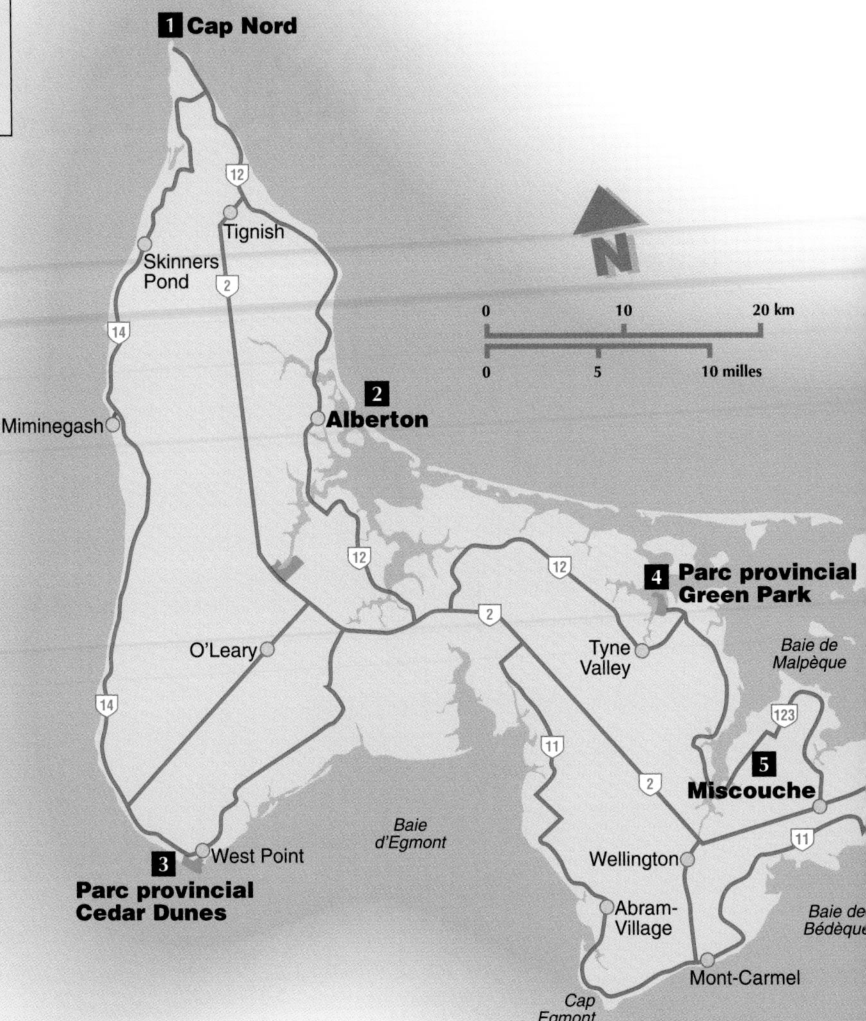

Pages précédentes : Cousin's Shore, à l'ouest de la baie de New London

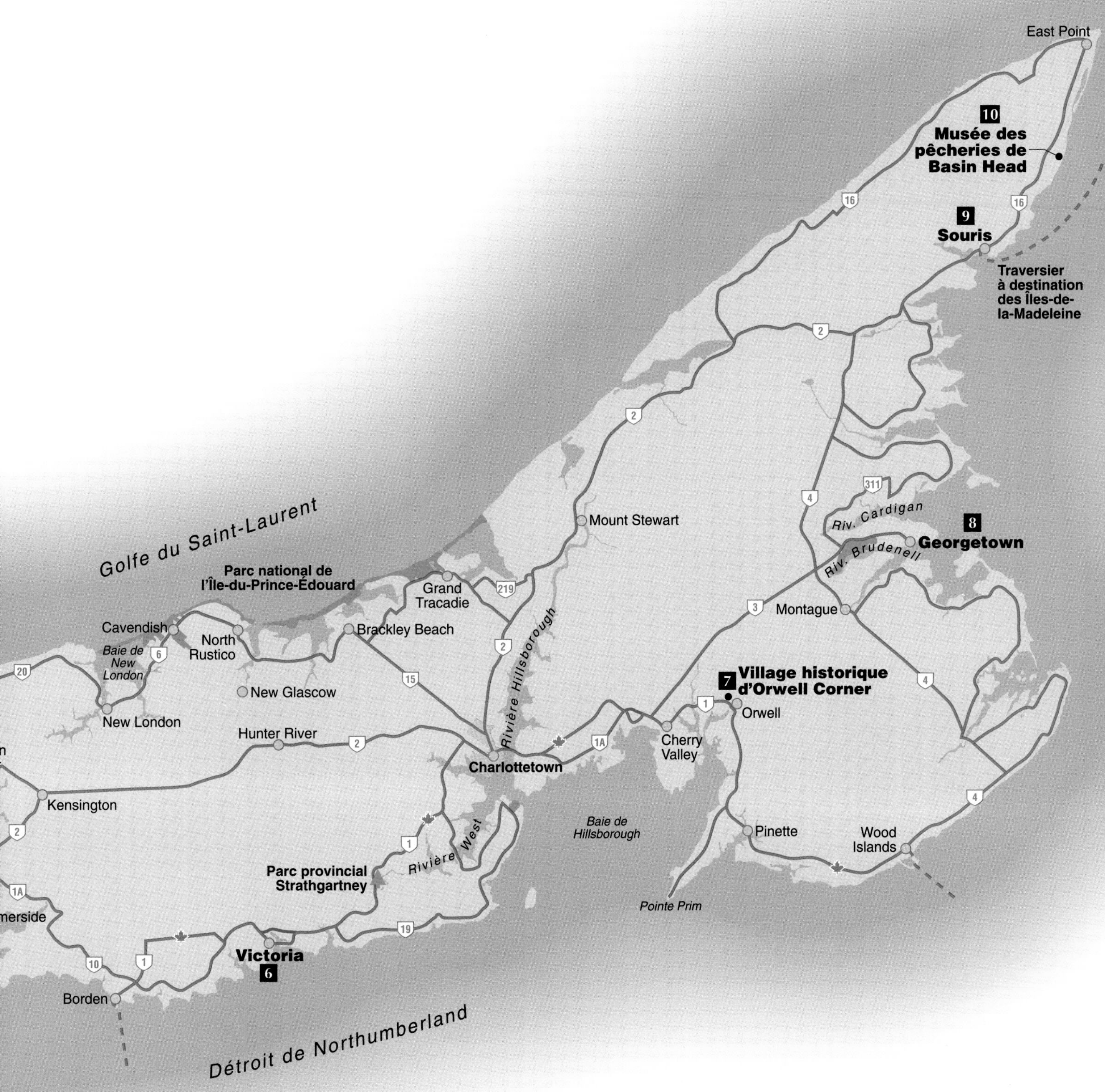

East Point
10
Musée des pêcheries de Basin Head
16
9
Souris
Traversier à destination des Îles-de-la-Madeleine
2
311
4
Mount Stewart
Riv. Cardigan
8
Georgetown
Riv. Brudenell
Golfe du Saint-Laurent
Parc national de l'Île-du-Prince-Édouard
Grand Tracadie
219
3
Montague
Cavendish
North Rustico
Brackley Beach
Baie de New London
6
20
15
Rivière Hillsborough
7
Village historique d'Orwell Corner
1
Orwell
New Glascow
New London
Hunter River
1A
Cherry Valley
Charlottetown
Kensington
Baie de Hillsborough
Pinette
Wood Islands
Rivière West
Parc provincial Strathgartney
Pointe Prim
19
10
Victoria
Borden
Détroit de Northumberland

1 Cap Nord

L'un des plus longs récifs de rochers naturels du monde s'avance dans la mer à la jonction des eaux du golfe du Saint-Laurent et de celles du détroit de Northumberland. Il forme, à la pointe de l'Île-du-Prince-Édouard, le cap Nord, exposé aux vents du large.

On y a construit en 1866 un phare de 19 m qui met en garde les navigateurs. Ses signaux sont perçus à 32 km, dans le golfe et dans le détroit. Avant cela, de nombreux navires avaient fait naufrage sur les récifs pour disparaître corps et biens. Le « bateau fantôme du détroit » hante toujours les eaux du large. De nombreux insulaires racontent l'avoir vu ; d'autres prétendent avoir voulu le photographier ou même tenté d'en secourir les membres d'équipage, qui se jetaient à la mer pour échapper aux flammes.

Le récif, en réalité deux récifs éloignés de 60 m, s'étire sur 1,5 km. À marée basse, on peut parcourir la moitié de cette distance à pied sur les rochers. Souvent les phoques s'ébattent à proximité, et les petites créatures marines que la mer abandonne sur les récifs à marée basse y attirent quantités d'oiseaux de mer.

À côté du phare, sous le restaurant, se trouve un centre d'interprétation. On y présente l'histoire de la région ainsi que des objets artisanaux.

Du haut des falaises, on assiste au curieux spectacle des laboureurs de la mer qui, avec leurs chevaux, ratissent la mousse perlée d'Irlande. Il s'agit d'une algue qui renferme de la carraghénine, émulsifiant qu'on mélange à la crème glacée, au dentifrice et au sirop contre la toux. Près de la moitié de la production mondiale de mousse perlée d'Irlande provient de l'île.

C'est ce qu'on apprend à Miminegash, sur la route 152, en visitant un ancien bateau de pêche converti en centre d'interprétation. Diapositives et photographies fournissent une foule

d'explications sur cette denrée de la mer. Le centre est ouvert les jours de semaine tout l'été et l'entrée est libre. Le cap Nord, battu sans répit par les éléments, constitue un endroit idéal pour l'étude des vents. Au laboratoire national Atlantic Wind Test Site, au bout de la route 12, on effectue des recherches sur l'énergie éolienne. Tous les jours, pendant l'été, des guides expliquent le fonctionnement de turbines éoliennes réalisées selon les techniques de pointe qui servent à mettre à l'essai des génératrices éoliennes.

2 Alberton

Situé sur la jolie route 136, le village d'Alberton est fort intéressant sur le plan historique. C'est là, en effet, que Jacques Cartier aborda pour la première fois en 1534 ce qui allait devenir le Canada. C'est à une visite que fit dans l'île le prince de Galles, Albert Edward, en 1860, que le village doit son nom.

Sept églises desservent les 1 000 habitants du village. L'une des plus intéressantes est l'église Sacred Heart. Reconstruite en 1972 sur le modèle de la première église (1879) détruite par le feu, elle conserve de celle-ci une partie de la balustrade, la grande croix qui surplombe l'église, la croix plus petite qui surmonte le portail principal et la table d'autel qui porte la marque des grandes haches qu'ont utilisées les premiers colons pour la dégrossir.

Au début du XXe siècle, Alberton était le centre de l'élevage d'un animal rare, le renard argenté. Les éleveurs se firent construire d'élégantes demeures. L'une d'elles, construite vers 1912 au bas de la rue Poplar, se transforme l'été en gîte touristique. Vaste et répartie sur trois étages, elle a conservé ses boiseries d'origine.

Derrière la maison se trouvent encore quelques cages à renard et une grange qui a servi de musée jusqu'à ce qu'elle devienne trop petite pour abriter une collection de plus en plus importante. Le nouveau musée, logé sur la rue Church, dans l'ancien palais de justice (1878), a ouvert ses portes en 1980. Il renferme des photographies portant sur l'élevage du renard ainsi que des objets domestiques, des instruments aratoires, des livres et des documents illustrant l'histoire d'Alberton et de ses habitants. Le musée est ouvert tous les jours, sauf le dimanche, de la fin juin à la fête du Travail.

Sur la rue Prince-William se trouve le Leavitt's Maple Tree Craft, un atelier où d'habiles artisans travaillent de beaux bois comme ceux de l'érable maritime, de l'érable à sucre et du bouleau à papier pour en fabriquer des objets qu'ils mettent en vente. L'atelier est ouvert aux visiteurs.

Événements spéciaux

Exposition du comté de Prince (fin août)

3 Parc provincial Cedar Dunes

À West Point, un phare noir et blanc domine les eaux du détroit de Northumberland et ses rives de sable rouge. C'est le repère annonçant le parc provincial Cedar Dunes qui borde la côte sur près de 2 km. Outre son terrain de camping, son aire de pique-nique, sa plage surveillée et un sentier d'interprétation, ce parc est avant tout une aire de conservation qui renferme de vieux cèdres et, dans les dunes, des espèces végétales rares.

Le phare, qui fut construit en 1875, se dresse à 21 m. C'est l'un des plus hauts de l'Île-du-Prince-Édouard. Il se distingue par sa tour carrée et effilée recouverte de bardeaux, que surmonte de nos jours une lanterne fonctionnant à l'électricité.

À l'intérieur, des objets et des photographies rappellent son histoire et celle des autres phares de l'île. Au deuxième étage et dans les quartiers du gardien,

Ramassage de la mousse perlée d'Irlande sur la berge rocailleuse, près de Tignish.

au troisième, neuf chambres ont été aménagées pour accueillir les visiteurs.

Ce phare est le seul au Canada où l'on puisse séjourner ; il est donc recommandé de réserver sa place. Dans l'édifice attenant, un restaurant sert le fameux homard de l'Île-du-Prince-Édouard, le fricot de homard de West Point et la chaudrée de l'Île-du-Prince-Édouard.

Le musée est ouvert tous les jours, de la mi-mai au début d'octobre, et l'entrée est libre pour les visiteurs qui y viennent dîner ou passer la nuit.

Le vieux phare de West Point veille sur la plage de sable rouge du parc Cedar Dunes.

Au cours du Festival du phare de West Point (la troisième fin de semaine de juillet), se tient la course des homardiers. Le gagnant reçoit la coupe Atkinson, trophée d'argent fort convoité. On raconte qu'il y a plus de 40 ans la jeune Isobel Milligan quitta l'île pour aller s'établir aux États-Unis. Elle travailla comme servante chez un homme riche, du nom d'Atkinson, qu'elle épousa. Plus tard, elle revint dans l'île et fit don de la coupe d'argent pour récompenser les gagnants de ces courses dont elle gardait un si beau souvenir.

Le festival est aussi égayé par une fête au phare, avec des chants, de la danse et de la musique.

Parc provincial Green Park

Au parc provincial Green Park, le musée maritime, le chantier naval et la riche demeure de James Yeo, le propriétaire du chantier, vous ramènent tout droit au XIXe siècle.

En 1819, James Yeo avait quitté son Angleterre natale pour tenter sa chance à l'Île-du-Prince-Édouard où il fut embauché dans un chantier naval. Il trouva la fortune au bout de ses peines. Entre 1836 et 1890, les Yeo père et fils (William, James et John) construisirent 325 navires, dont un grand nombre au chantier de Green Park. À sa mort, en 1867, James Yeo, marchand, propriétaire et homme politique, était devenu l'homme le plus riche de l'île.

Le musée de Green Park possède des gréements ; on y apprend l'art de la fabrication des voiles et la façon de faire des nœuds ; on y trouve des renseignements sur les routes de commerce. Parmi les films qu'on y projette, *Passage West* relate la vie de James Yeo.

Au bord de l'eau, le chantier naval a été reconstitué. On y voit, en cours de construction, un brigantin de 200 tonneaux ; sa quille, son étrave et son étambot sont déjà en place. Sur le chantier se trouvent deux fosses ; dans chacune d'elles, deux scieurs pouvaient débiter une bille en planches de 10 cm à l'aide de longues scies à refendre. L'homme qui se trouvait dans la fosse fournissait le gros de l'effort tandis que son partenaire, plus haut, guidait la scie. Il y a aussi une boîte à vapeur où l'on laissait tremper le bois destiné à la coque avant de le courber. Les outils (haches, masses et marteaux) étaient réparés dans l'atelier du forgeron qu'on peut visiter.

La maison des Yeo, érigée en 1865 par James Yeo, fils, a été restaurée. Le haut pignon central, les motifs qui ornent la bordure du toit, la coupole et la véranda sont représentatifs de l'architecture des années 1850. L'intérieur est meublé dans le style de l'époque.

Un balcon de veuves surplombe l'élégante coupole octogonale de la Maison Yeo (1865).

Au dernier étage, une coupole vitrée chevauche un toit en pente raide. Ceux qui ont le courage de grimper l'échelle jusqu'en haut sont récompensés par une vue magnifique jusqu'au littoral jadis marqué par les activités du chantier naval.

Événements spéciaux

Annual Green Park Blueberry Social
(fête des Bleuets, mi-août)

5 Miscouche

Les deux flèches de l'église Saint-Jean-Baptiste dominent de leurs 26 m le village de Miscouche (pop. 672). L'église a été construite de 1890 à 1892, à la

Promenade en terre acadienne

Distance : environ 65 km

Le circuit commence à Miscouche. Sortez du village par la route 11. Le drapeau acadien — le tricolore français orné, sur fond bleu, de l'étoile dorée de la Vierge — flotte fièrement partout.

• Près de Mont-Carmel, les deux flèches de l'église Notre-Dame se dressent audessus du détroit de Northumberland. Chose inusitée pour la région, l'église est en brique, sur des fondations de pierre. Elle fut érigée en 1896 pour remplacer deux bâtiments antérieurs, détruits par le feu.

Boîte à lettres, à Mont-Carmel

MARTIN GALLANT

• À Mont-Carmel se trouve le Village historique des Acadiens. Il reconstitue l'époque de 1820 avec ses bâtiments en rondins : la chapelle, l'école, la forge et le magasin général. À l'intérieur de la chapelle, même l'autel, les chandeliers et le tabernacle sont en rondins : les colons acadiens ne connaissaient pas le luxe.

À l'entrée du village, le restaurant sert des plats traditionnels comme le fricot au poulet, le pâté, le blé d'Inde lessivé, et des desserts comme la poutine à trous (boules de pâte fourrées aux pommes, aux canneberges et aux raisins, nappées d'une sauce au sucre chaude). Le village historique reste ouvert pendant tout l'été.

• La route 11 mène ensuite à Cap-Egmont et à ses « maisons de bouteilles ». Dans les années 70, un pêcheur à la retraite rassembla 25 000 bouteilles de toutes les formes, de toutes les grosseurs et de toutes les couleurs avec lesquelles il construisit une chapelle avec un autel et des prie-dieu, une maison à six pignons et une taverne qu'on peut visiter tous les jours en été.

• Le village suivant, du nom d'Abram-Village, a été nommé ainsi en l'honneur du premier colon français dans la région, Abraham Arsenault. C'est ici qu'ont lieu chaque année, en août, le jamboree des violoneux de l'Atlantique et, au cours de la fin de semaine de la fête du Travail, l'Exposition agricole et le Festival acadien. À cette occasion, les Acadiens font valoir leurs célèbres talents de musiciens et de danseurs.

• Poursuivez ensuite, en longeant la baie d'Egmont, jusqu'à la cédraie de Saint-Chrysostome. Il s'agit d'une authentique forêt acadienne de 10 ha peuplée de cèdres blancs, de cèdres rouges, de frênes blancs et d'ormes blancs. Il faut porter des chaussures imperméables, car le sol est très humide.

• Revenez à Miscouche par la route 124 en passant par Urbainville et Wellington.

St-Chrysostome
Miscouche
Wellington
Abram-Village
Anse Sunbury
Baie de Bédèque
Mont-Carmel
Cap-Egmont
Détroit de Northumberland

PARC NATIONAL

Île-du-Prince-Édouard

Le bruit des vagues qui déferlent sur la côte s'entend partout dans le parc national de l'Île-du-Prince-Édouard qui occupe une bande de 40 km sur la côte nord de l'île. Ses plages sont offertes aux vents du sud-ouest qui, l'été, se manifestent comme une brise rafraîchissante. Mais en automne, en hiver et au printemps, ils s'abattent sur le parc, courbant les plantes et remodelant les sables.

Le parc est bordé de falaises de grès, de plages de sable et de dunes parallèles, dont certaines atteignent 18 m de hauteur. Les falaises sont rouges, colorées par un minerai de fer oxydé, l'hématite. Les vagues, les marées et les courants littoraux refaçonnent constamment les plages. Un étroit cordon de dunes littorales est fixé par l'ammophile. Cette plante arénicole (qui vit dans le sable) est dotée d'un système radiculaire gigantesque qui va chercher l'eau jusqu'à 6 m de profondeur.

Églantines, à la pointe Blooming

Hélas, même ainsi stabilisées, les dunes ne résistent pas au piétinement. Celui qui s'y promène pense n'avoir écrasé qu'un pétale ou deux, mais l'empreinte de son pas peut mettre en péril la dune entière. La dépression créée donne prise aux vents violents qui emportent les particules de sable entourant la plante. Les racines sont exposées, l'ammophile est déracinée. En peu de temps la petite dépression se transforme en un gros trou, qu'on appelle creux de déflation. Si ces creux sont nombreux, ils transforment une dune stabilisée en une dune mobile qui avance vers l'intérieur des terres. Les creux de déflation contribuent à faire avancer les dunes de 1 m par année en moyenne.

La pointe Blooming illustre bien les conséquences de la mobilité des dunes. C'est une flèche de sable qui s'étire sur quelque 5 km, à l'extrémité orientale du parc, où les dunes atteignent 20 m et plus. Les chicots noircis qu'on y voit sont les vestiges de la petite forêt qui y croissait il y a une centaine d'années et qui a été étouffée par le sable envahissant.

À la pointe Blooming, un autre phénomène mérite l'attention : des dunes couvertes de lichens. Le lichen résulte de l'association d'une algue et d'un champignon vivant en symbiose. La durée de vie des lichens se calcule en termes de siècles ; leur croissance annuelle, en millimètres. Ils survivent avec un minimum de nutriments et résistent aux pires intempéries. Mais des pas dans la dune peuvent détruire l'équivalent de plusieurs dizaines d'années de croissance.

Étangs d'eau douce et marais salés

Il arrive que les dunes, en avançant, viennent fermer une baie ou une anse. Il se forme alors un étang ou un marais alimenté uniquement par les eaux de pluie ou de fusion. Avec le temps, le taux de salinité diminue jusqu'à disparaître : on a alors un étang d'eau douce ou un marais doux.

Une grande variété d'oiseaux fréquentent les marais doux et salés quand ceux-ci sont adossés à des boisés ou à des champs. Près de 300 espèces ont été relevées dans le parc. Le courlis corlieu, la sterne caspienne, le bécasseau et le pluvier peuplent les plages, les bancs de sable et les marais. On y observe aussi presque toujours le grand héron ; pourvu d'un bec effilé et d'un long cou mince, c'est un oiseau d'une envergure impressionnante. Le parc abrite aussi près de 2 p. 100 de la population mondiale de pluviers siffleurs, espèce en péril.

L'Île-du-Prince-Édouard est trop densément peuplée pour que puissent y survivre de grands animaux. Le parc offre cependant au renard un espace vital et un isolement suffisant. Le renard roux, surnommé le roi des dunes, creuse sa tanière dans le sable. Au printemps et au début de l'été, il est facile de repérer ses petits, qui n'ont pas encore acquis la prudence des adultes. De temps en temps, un renard argenté se faufile dans les dunes parmi les bosquets. Au début du siècle, deux fermiers de l'île réussirent à en faire l'élevage : ce furent les débuts d'une industrie de la fourrure qui prospéra jusqu'à récemment.

Les premiers habitants apparurent dans la région il y a quelque 1 500 ans. Plusieurs tribus nomades y sont passées depuis. Le dernier groupe, celui des Micmacs, occupa le territoire au XVe siècle. Ils habitèrent surtout l'île Rustico où les vagues mettent encore au jour des amas de coquillages. En effet, les Micmacs avaient pour habitude d'enterrer les restes de palourdes, d'huîtres, de moules et de patelles qui constituaient l'essentiel de leurs repas.

Les premiers Européens à s'établir dans le voisinage du parc furent deux familles d'Acadiens ; puis vinrent, à la fin du XVIIIe siècle, des cultivateurs britanniques. En 1851, une tempête dévasta la région, causant la perte de plusieurs douzaines de chalutiers et faisant des centaines de morts, la plupart des marins américains. La légende veut qu'un fermier ait ramassé les corps un à un sur la plage de Stanhope

Massifs acérés d'ammophiles se balançant dans la brise, à la plage de Brackley, dans le parc national de l'Île-du-Prince-Édouard.

pour aller les enterrer au vieux cimetière où il marqua les tombes avec les morceaux de grès qu'on y voit encore.

À la fin du XIXe siècle, les touristes américains se mirent à fréquenter l'endroit et il fallut prévoir une infrastructure pouvant les accueillir. L'hôtel Shaw, à côté du parc, date de cette époque, de même que l'hôtel Dalvay-by-the-Sea (1896), qui fut d'abord la villa d'Alexander MacDonald, un associé de John D. Rockefeller qui venait passer ses étés ici.

La région de la plage de Cavendish se développa au cours de la même période. Sa population avait la réputation d'être ouverte en matière de culture. Lucy Maud Montgomery (1874-1942) commença à écrire pendant qu'elle habitait chez sa grand-mère à Cavendish. En 1908, elle publia son roman le plus célèbre, *Anne et le bonheur*, qui enchante encore aujourd'hui les enfants. L'histoire se déroule dans une ferme voisine qui appartenait à de vieux cousins. La célèbre maison aux pignons verts, à l'extrémité ouest du parc, a été conservée. Les visiteurs s'y promènent en imaginant comment vivait Anne, l'un des personnages préférés de la littérature canadienne. La maison est ouverte tous les jours de la mi-mai à octobre. Lucy Maud Montgomery est inhumée dans le cimetière de Cavendish. Elle avait fait d'Anne l'héroïne de bon nombre de ses 23 romans.

La pêche dans le golfe

Du bord de l'eau, à toute heure, on voit dans le golfe du Saint-Laurent des bateaux de pêche blancs ou couleurs pastel. Ces bateaux spéciaux, les « cape islanders », conçus en Nouvelle-Écosse, peuvent recueillir à peu près n'importe quel type de poisson ou de crustacé vivant dans le golfe.

RENSEIGNEMENTS PRATIQUES
Accès : *par la route 6 à Cavendish, à North Rustico, à Stanhope et à Dalvay, et par la route 15 à Brackley.*
Accueil : *Cavendish et bureau administratif à Dalvay.*
Installations : *Terrains de camping à Cavendish, dans l'île Rustico et à Stanhope ; camping pour groupes à Brackley. Hébergement dans les hôtels. Repas servis l'été à l'hôtel Dalvay-by-the-Sea, au club de golf Green Gables et dans des cantines à la plage de Stanhope Lane, à la plage principale de Cavendish et à celle de Brackley. Programmes d'interprétation.*
Activités estivales : *Baignade, randonnée, cyclisme, observation d'oiseaux, tennis, pique-niques, golf.*
Activités hivernales : *Ski de fond à Cavendish, à Stanhope et à Dalvay ; patinage à Dalvay ; raquette à Cavendish, dans l'île Rustico, à Brackley et à Dalvay.*

fin de l'époque victorienne, dans le style néo-gothique flamboyant. Son portail est surmonté d'une charmante fenêtre cintrée et ses autres portes, de beaux larmiers. À l'intérieur, d'élégants bancs de frêne et de noyer sculptés baignent dans une lumière tamisée par les vitraux.

Il faut visiter ici le Musée acadien de l'Île-du-Prince-Édouard. En 1758, lors de la déportation des Acadiens, une trentaine de familles se réfugia dans l'île. Des dioramas et un vidéo, ainsi que des instruments aratoires, des outils, des meubles, des manuscrits, des photographies et des tissus décrivent la vie de ces premiers colons. Plusieurs d'entre eux ont leur portrait au musée.

Une bonne partie de la population acadienne de l'île est issue de ces familles. Le musée sert également de centre généalogique. Il est ouvert toute l'année les jours ouvrables et les dimanches après-midi pendant l'été.

Le portail de l'église Saint-Jean-Baptiste de Miscouche, de style néo-gothique flamboyant, accueille fidèles et visiteurs.

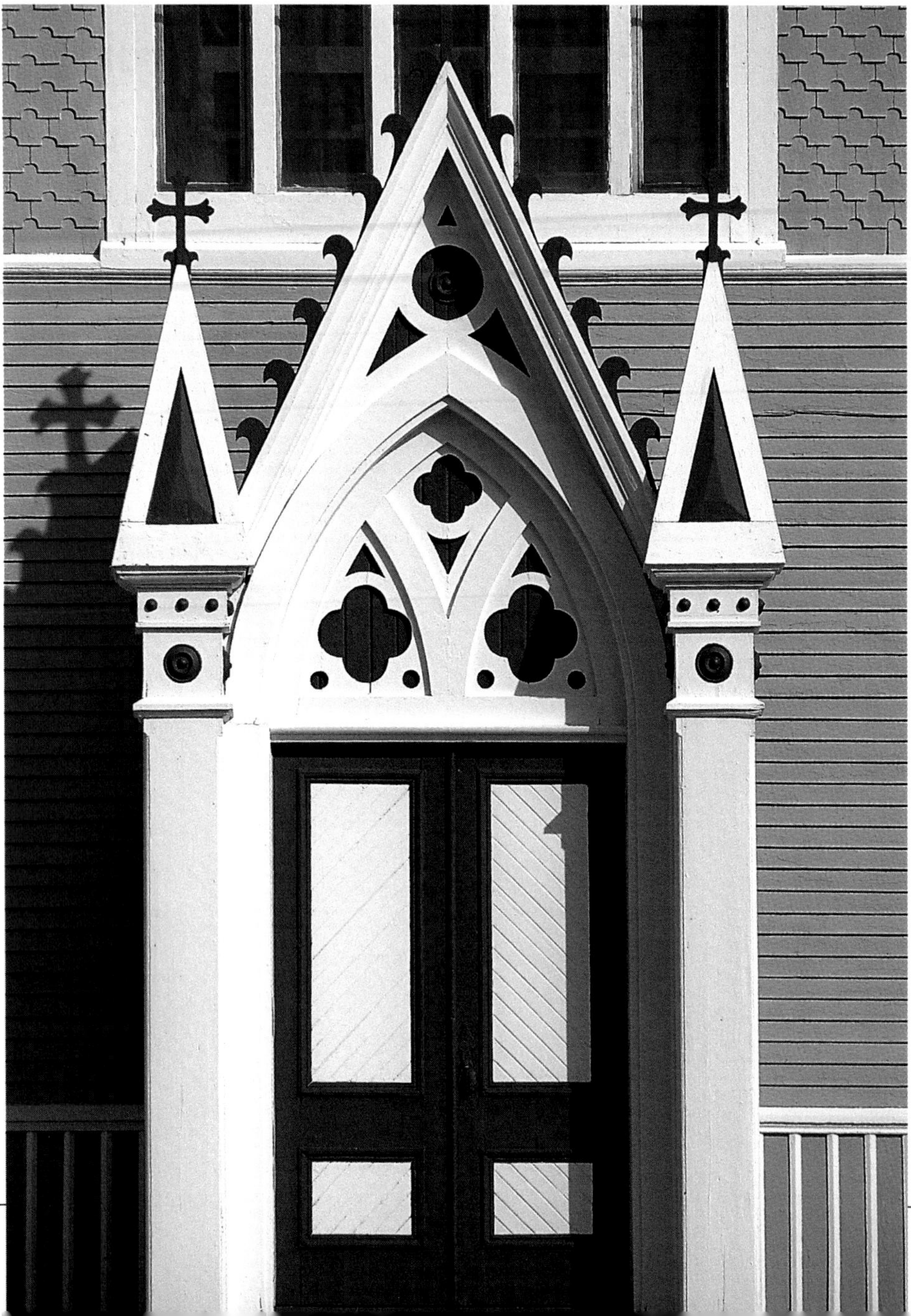

L'ÉGLISE ST. MARY'S, À INDIAN RIVER

Un apôtre, flèche de l'église St. Mary's

Le village doit son nom aux Micmacs qui ont vécu dans cette région de battures et de basses collines jusqu'en 1935. Aujourd'hui, il ne compte pas 100 personnes. Indian River vaut néanmoins le détour pour sa magnifique église, St. Mary's, en bardeaux blancs rehaussés de motifs noirs.

Cette église catholique, bâtie en 1902 dans un étonnant style néo-gothique, a été dessinée par William Critchlow Harris (1854-1913), l'architecte le plus marquant de l'Île-du-Prince-Édouard à l'époque victorienne. Il dessina 20 églises, dont 16 existent encore. L'église St. Mary's est la plus grande église de bois de l'île.

Son élément le plus frappant est une flèche de 39 m qui se dresse sur un clocher rond à quatre étages. La flèche elle-même est octogonale et ornée, à sa base, de niches en ogive abritant chacune une statue sculptée à la main de l'un des douze apôtres.

Harris dessinait aussi l'intérieur de ses églises. La complexe voûte à arêtes qui supporte le plafond de la nef (il n'y a pas de nefs latérales) est en cerisier sombre. Cela contraste avec le mobilier en pin blanc et confère à l'église une atmosphère simple et chaleureuse. Un autel néo-gothique dans le chœur a aussi été dessiné par Harris.

Des concerts sont donnés dans l'église toutes les semaines pendant l'été car l'acoustique y est excellente.

6 Victoria

Victoria (pop. 200) est un petit village paisible de la côte méridionale de l'Île-du-Prince-Édouard qui a conservé son charme d'antan. Dessiné en 1855, il offre une configuration rectangulaire et symétrique et est, dans l'île, un des rares villages construits selon un plan. Ses rues ombragées sont bordées de grands arbres et de demeures datant du siècle dernier ou du tout début du XXe siècle.

Dans les années 20 et 30, les vacanciers venaient de Charlottetown par bateaux à vapeur passer la journée à Victoria. Ceux qui voulaient y séjourner plus longtemps s'inscrivaient à l'hôtel Orient, sur la rue Main. L'hôtel, construit vers 1900, avait 22 chambres. Parmi les noms qu'on retrouve dans le registre des clients, entre 1926 et 1953, figurent des artistes de music-hall, des agents de la prohibition et même des aviateurs italiens qui furent forcés de se poser à Victoria en 1933. L'hôtel n'a plus aujourd'hui que huit chambres.

Depuis 100 ans, les bateaux qui entrent au port de Victoria se laissent guider par le phare Palmer's Range, à l'entrée du village. Il fonctionne toujours et est ouvert aux visiteurs tous les jours de l'été, sauf le lundi. Il abrite aussi un musée, le Victoria Seaport Museum, qui renferme de vieilles photographies du village.

Le grand nombre de magasins anciens témoigne du passé prospère du village. Le magasin Wright Brothers' (1880) abrite de nos jours une chocolaterie et une boutique d'artisanat.

L'entrepôt et le quai du magasin Brien's datent de 1874. L'édifice, un ancien entrepôt de douane, abrita pendant de nombreuses années le bureau de la douane. C'est maintenant une résidence privée, mais le magasin a conservé son caractère authentique. Les vestiges du quai, derrière l'entrepôt, sont visibles à marée basse.

L'auberge Victoria Village Inn était aussi un magasin, comme nous le révèlent de vieilles photographies. Décorée dans le style victorien, elle accueille les visiteurs pendant l'été.

Les collines Bonshaw

Distance : environ 97 km

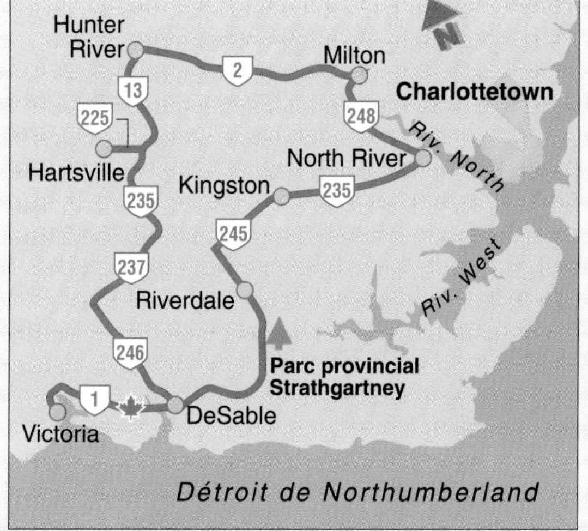

Sortez de Victoria en direction de l'est. Traversez le port. Sur la route transcanadienne, roulez environ 4 km vers l'est jusqu'à DeSable.

- Prenez la route 246 (chemin de South Melville) vers le nord. Parvenu au sommet de la première colline, arrêtez-vous au bord de la route et regardez vers l'ouest. Par temps clair, la vue est superbe, et vous verrez le continent au-delà du détroit de Northumberland.
- Tournez à droite sur la route 237, bordée de fougères, de feuillus et de conifères dont les ramures se rejoignent parfois pour former une voûte. La route, construite en 1862, est l'une des nombreuses routes d'argile du comté de Queen's.
- Au bout de cette route, prenez vers le nord la route 235 qui rejoint la route 13, environ 2 km plus loin, et qui serpente en montant vers Hartsville. Près de l'extrémité nord de la route 13, une aire d'exploitation forestière a été reboisée, ce qui donne l'occasion de voir comment on gère la forêt dans l'île. Continuez jusqu'au village de Hunter River.
- Ce village est situé au cœur même des collines Bonshaw, au fond d'une vallée profonde. Des collines tout autour la vue est superbe. Dans le village, il y a une grosse ferme laitière qui est aussi un gîte touristique.
- À Hunter River, prenez la route 2 vers l'est et parcourez environ 11 km dans les collines jusqu'à Milton. Prenez la route 248 vers le sud jusqu'à North River.
- Faites un détour à gauche par la route transcanadienne jusqu'à la chaussée de North River. À plusieurs reprises pendant l'année, surtout au printemps et à l'automne, au moment des migrations, diverses espèces d'oiseaux aquatiques s'y arrêtent. Le canard noir, le garrot, l'outarde et le bec-scie sont des espèces communes. On y a observé le huart. Le grand héron vient en nombre se nourrir ici et il n'est pas rare de le voir, au crépuscule ou à l'aube, pêcher ou prendre son envol.
- Retournez à la route 248 et prenez vers l'ouest la route 235 qui passe par Kingston. Empruntez vers le sud la route 245 jusqu'à Riverdale et continuez vers Churchill jusqu'à ce que la 245 croise la route transcanadienne.
- À cette intersection, presque immédiatement en face, se trouve le parc Strathgartney et son boisé, endroit idéal pour les pique-niques ou la promenade. Le parc est situé au bord de la rivière West où l'on pratique la pêche et le canot. Depuis le belvédère sur la route qui passe au-dessus du parc, la vue sur la rivière West et ses méandres est spectaculaire.
- Continuez vers l'ouest par la route transcanadienne qui traverse Bonshaw et vous ramène à DeSable d'où vous verrez clairement les falaises de grès de la côte.

Jardin en été, à Victoria

Le phare Palmer's Range, à l'entrée de Victoria, guide les marins depuis plus de 100 ans. C'est aussi un musée.

Le Victoria Playhouse est l'œuvre de Wil Bradley, un artisan local de renom. En été, depuis la fin de juin jusqu'à la fête du Travail, on présente dans cette salle des pièces de théâtre, des concerts et des événements spéciaux. Érigé en 1914, l'édifice a fait l'objet d'importantes réfections en 1985.

7 Village historique d'Orwell Corner

Entrer dans le village historique d'Orwell Corner (ouvert de la mi-mai à la mi-octobre) donne l'impression de reculer dans le temps. Les habitants, en costumes d'époque, travaillent dans le village à la façon des colons écossais et irlandais venus s'établir à l'Île-du-Prince-Édouard à la fin du XIXe siècle. Au moulin, une exposition apprend aux visiteurs comment, à l'aide de scies à refendre et de haches, les hommes abattaient les arbres, les débitaient en billes et les fendaient en bardeaux pour revêtir les toits et les murs des maisons. Le travail continue de se faire aujourd'hui avec le même équipement qui servait au début du siècle.

À Orwell Corner, le forgeron ferrait les chevaux, fabriquait et réparait les instruments aratoires. Il faisait aussi le commerce des chevaux, donnait des conseils sur la façon de soigner les animaux et, au besoin, faisait office de dentiste.

Au magasin général, on trouvait de tout, des tissus aux combustibles en passant par les aliments en vrac. Les fermiers apportaient au marchand des œufs, de l'avoine, du beurre et même du crin de cheval en échange d'autres biens. Le magasin a conservé ses longs comptoirs de bois et ses bocaux de bonbons, ses boîtes à sel et à farine, et ses barils à clous.

À côté se trouvait le bureau de poste que dirigeait à l'époque Dennis Clarke, frère du marchand général. Le magasin et le bureau de poste étaient annexés à la maison de ferme des Clarke, celle-ci meublée maintenant comme si ses occupants étaient toujours là.

Pour les événements à caractère social, la population se réunissait, et se réunit toujours, dans la grande salle. L'été, ces réunions, qu'on appelle *ceilidhs* (prononcez « kéliz ») en gaélique, ont lieu le mercredi soir. Chanteurs, danseurs et musiciens s'y réunissent pour divertir la compagnie.

L'école d'Orwell Corner, ouverte en 1895, est une petite école en bardeaux rouges typique. La salle de classe, éclairée par de petites fenêtres à carreaux, a conservé ses pupitres de

Cour de ferme, à Orwell Corner

Lampes à pétrole, vieilles porcelaines, et quoi encore... On trouve de tout au magasin général d'Orwell Corner.

bois rivés au plancher, le pupitre de l'institutrice et le poêle à bois ventru.

Les presbytériens furent le premier groupe religieux à s'établir à Orwell. En 1861, ils érigèrent l'église St. Andrew's, que l'on peut visiter. À l'époque, le service y était célébré en anglais et en gaélique.

Événements spéciaux
Exposition de chevaux de labour (début juillet)
Festival des fraises (mi-juillet)
Festival des Écossais et grands jeux des Highlands (fin août)

8 Georgetown

Georgetown (pop. 716) est le chef-lieu du comté de King. Le village occupe l'extrémité d'une péninsule située à l'embouchure de deux rivières, la Cardigan et la Brudenell. Ses larges rues bordées d'élégantes maisons anciennes, et d'autres plus récentes, en font un lieu où il fait bon vivre.

Les colons français, écossais, irlandais et anglais ont laissé à Georgetown un riche patrimoine architectural. Peu après l'entrée du village, le palais de justice dresse sa construction de pierre, l'une des plus imposantes du comté. Sa pierre angulaire fut posée le 21 juin 1886 à l'occasion du jubilée d'or de la reine Victoria. Il est l'œuvre de l'architecte William Critchlow Harris, le même qui dessina l'église St. Mary's à Indian River. La cour tient ici ses audiences plusieurs jours par semaine.

Le King's Playhouse, attenant au palais de justice, fut érigé en 1983. C'est la réplique de l'ancien théâtre King's, également l'œuvre de Harris.

La Maison Fanning, construite vers 1830, se trouve sur la rue Water est. Son toit arbore un petit pignon en façade, signe distinctif des maisons de ce style. Georgetown compte plus de 50 maisons de ce type. La plupart des fenêtres ont conservé leurs carreaux d'origine.

La première église de Georgetown, l'église anglicane Holy Trinity, a été érigée en 1839. Le corps du bâtiment est simple et flanqué d'un clocher carré en rempart arborant des fleurons de faîte aux coins. Les fenêtres de la nef sont ornées de croisillons gothiques.

Au sous-sol, un équipement de décalque par frottement permet aux visiteurs de reproduire des portraits en cuivre de l'époque médiévale qu'on trouve dans certaines églises d'Europe.

On peut aussi, au sous-sol, prendre le thé au Holy George English Tea Room avec du pain, de la confiture et des gâteaux faits maison.

Les berges vastes et paisibles des rivières Brudenell et Cardigan invitent à la promenade et à la pêche.

Événements spéciaux
Journées de Georgetown (début juillet)

9 Souris

Au début du XVIIIe siècle, Souris servait de base aux pêcheurs français qui traversaient l'Atlantique chaque printemps pour pêcher au large des côtes. Souris (pop. 1 500) tire son nom du grand nombre de petits rongeurs qui, sortis de la forêt, venaient dévorer les

Chalutiers dans le port de Georgetown, un des meilleurs ports naturels au pays.

Le port de Souris abrite des chalutiers, des homardiers et le traversier des Îles-de-la-Madeleine.

récoltes des colons, les grains engrangés et la nourriture du bétail.

La pêche demeure à Souris le gagne-pain principal. Du début du printemps à la fin de l'automne, quelque 50 chalutiers et homardiers s'affairent quotidiennement au quai.

Une courte distance sépare le quai de l'église St. Mary's, la plus ancienne du village, construite en grès rouge de l'île. Bon nombre de colons catholiques habitaient la côte au début du XIXe siècle : la première messe fut célébrée en 1839. L'église a été reconstruite deux fois depuis, la dernière fois en 1930.

Sur la rue Breakwater, le Matthew House Inn domine le port. C'est une grande maison de trois étages construite il y a plus de 100 ans pour un marchand du nom de Uriah Matthew. Transformée en auberge, elle a conservé nombre de ses traits originaux et renferme un mobilier et des œuvres d'art d'époque.

Toujours sur la rue Main, l'ancien bureau de poste et de douane de Souris abrite aujourd'hui la mairie. Son parement extérieur en grès rouge de l'île n'a guère subi de modifications depuis sa construction en 1905.

Le village de Souris s'étend au bord du golfe du Saint-Laurent. Ses plages de sable blanc favorisent la promenade, la baignade et le jeu. Le sable ici crisse sous les pas en raison de sa forte teneur en silice. Le port se prête bien à la pratique des sports nautiques, et la rivière Souris, au canot et au kayak. Un traversier relie Souris aux lointaines Îles-de-la-Madeleine.

Événements spéciaux

Régates de Souris (fin juillet)

Exposition Eastern Kings (fin août)

10 Basin Head

Près de Kingsboro, à la sortie de la route 16, le musée des Pêcheries de Basin Head surplombe le détroit de Northumberland. Un musée, des remises à bateaux, une fabrique de boîtes et une conserverie près d'un quai exposent des objets qui retracent plus de deux siècles d'histoire liés à la pêche.

La pointe est de l'île du Prince-Édouard

Distance : 76,5 km

De Souris, roulez vers le nord-est sur la route 16, puis empruntez la route 305 jusqu'à la voie ferrée désaffectée d'Harmony Junction. Environ 2 km plus loin, du côté gauche, vous verrez un chemin à une seule voie, bordé d'arbustes, qui mène au Townshend Woodlot. Soyez attentif : ce chemin est difficile à repérer.

• Sur ce chemin, roulez aussi loin que possible (2 ou 3 km). Au bout, à droite, descendez de voiture pour vous promener dans ce qu'il reste probablement de plus représentatif de l'ancienne forêt d'arbres décidus de l'île. Érables et hêtres dominent de leur haute stature les plantes qui, comme le sabot de la vierge (symbole floral de la province), croissent au sol. Diverses espèces de fougères et d'orchidées poussent aussi dans la forêt qu'habitent de nombreux oiseaux. Le territoire est administré par le Service des parcs provinciaux, et les visiteurs sont priés de respecter les lieux.

• De retour sur la route 305, roulez jusqu'à Hermanville. Tournez à droite sur la route 16 et longez la rive nord. Traversez Campbell's Cove pour gagner North Lake, jadis reconnu pour la pêche au thon : aujourd'hui celui-ci se fait rare au large des côtes. La route panoramique qui longe la côte mène au phare de la pointe Est.

• C'est ici l'extrémité orientale de l'île. Les eaux du golfe du Saint-Laurent et celles du détroit de Northumberland s'y rencontrent en tourbillonnant. On peut observer des macreuses, des canards kakawis, des cormorans et plusieurs espèces de goélands. Un balbuzard plane parfois au-dessus des vagues,

Cage à homard, pointe Est

Il y a plus de 10 000 ans, les paléo-Indiens venaient pêcher dans ces eaux. Quelque 8 000 ans plus tard vinrent les Micmacs. Ils laissèrent des outils de pierre qu'on voit exposés au musée.

Des siècles plus tard, les pêcheurs français, portugais et basques arrivèrent à leur tour pour pêcher le maquereau, la morue, le colin, le hareng et l'éperlan et cueillir des huîtres. Au musée, des dioramas montrent des pêcheurs au travail.

À la fin du XIXe siècle, la demande de homard entraîna la croissance des conserveries. En 1903, on en comptait 190 dans la province, dont 53 dans le seul comté de King. L'une d'elles, la Smith Fish Cannery, existe toujours et se trouve tout près du quai.

À la conserverie, on salait également le poisson et l'on mettait en conserve le colin. Le musée expose l'équipement de mise en conserve ainsi que les premières étiquettes.

Les remises à bateaux abritent une collection de bateaux de pêche. Dans l'île, à l'époque où débuta la pêche, le doris était l'embarcation la plus répandue. Il était mu à la voile et à la rame, et il fallait être fort pour ramener à terre une pleine charge de poissons. Ces bateaux de collection ne sortent plus qu'à l'occasion de la course annuelle de doris, qui se tient à Murray River au milieu de l'été.

Les bateaux à moteur, plus gros, ont exigé de nouveaux abris et un port plus profond. En 1937, on construisit le quai de Basin Head pour satisfaire à ces exigences.

À la Salt Box Factory, on fabriquait autrefois des boîtes de bois destinées au transport du poisson salé. Aujourd'hui, des artisans locaux en fabriquent des répliques qu'ils proposent aux acheteurs.

Le musée est ouvert tout l'été ; la Salt Box Factory, de mars à novembre.

Événements spéciaux
Festival de la mer (août)

Filets, cordages, de vieilles photos et un doris au musée des Pêcheries de Basin Head racontent la vie des pêcheurs du XIXe siècle.

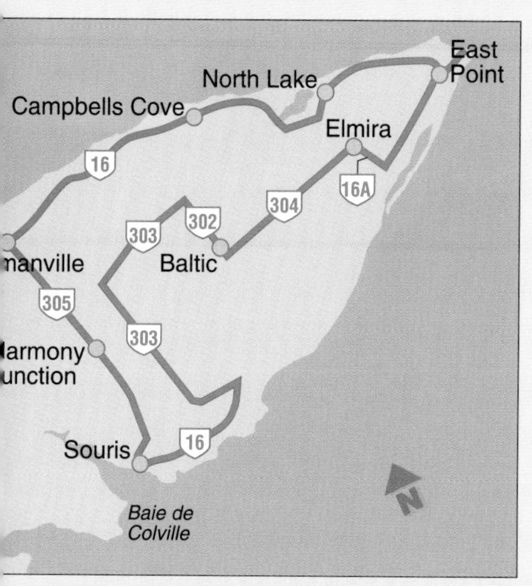

prêt à faire un plongeon vertigineux pour aller chercher sa proie. Durant l'été, vous pouvez visiter le phare octogonal (1867) et grimper dans sa tour qui se dresse à 19,5 m.

- Poursuivez sur la route 16 et prenez à droite la route 16A pour aller au Musée ferroviaire Elmira, ouvert tous les jours, de la mi-juin à la fête du Travail. Les trains ne circulent plus dans l'île, mais ils y ont déjà tenu une place importante. Horaires, grilles tarifaires et photographies racontent leur histoire.
- Suivez la route 304 jusqu'à Baltic et tournez à droite sur la route 302. Environ à 3 km, tournez à gauche sur cette belle portion de la route 303 connue sous le nom de Glen Road. À droite, un peu plus loin, un chemin de ferme traverse un champ. Suivez-le jusqu'à l'orée du boisé. Un court sentier mène à un orme gigantesque et splendide : on dit que c'est le plus gros arbre de l'île.
- Continuez sur Glen Road, traversez le vallon et empruntez le chemin New Harmony (route 303). L'été, il défile sous une voûte feuillue qui agrémente la promenade. Sur la gauche se trouve le New Harmony Demonstration Woodlot. Visitez les lieux pour connaître les techniques forestières en usage dans l'île.
- La route 303 rejoint la route 16 qui vous ramènera à Souris.

NOUVELLE-ÉCOSSE

21

Nouvelle-Écosse

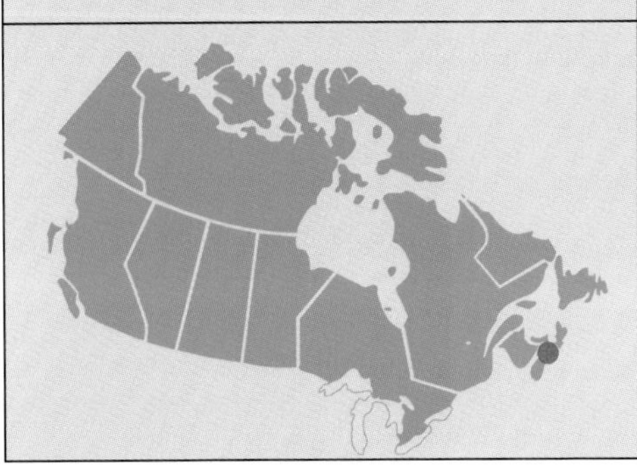

Sites
Île du Cap-de-Sable
Digby
Îles Long et Brier
Bear River
Annapolis Royal
Lieu historique national de Port-Royal
Mahone Bay
Wolfville
Grand Pré
Cap Blomidon
Parrsboro
Musquodoboit Harbour
Comté de Pictou
Isle Madame
St. Peters
Baddeck
Margaree Harbour
North East Margaree

Circuits automobiles
La « Côte française » :
Digby à Salmon River
De Lunenburg à Peggy's Cove
L'ouest de la baie de Fundy
Le lac Bras d'Or

Parcs nationaux
Kéjimkujik
Hautes-Terres-du-Cap-Breton

Pages précédentes :
Rivière Liscomb, près de Musquodoboit Harbour

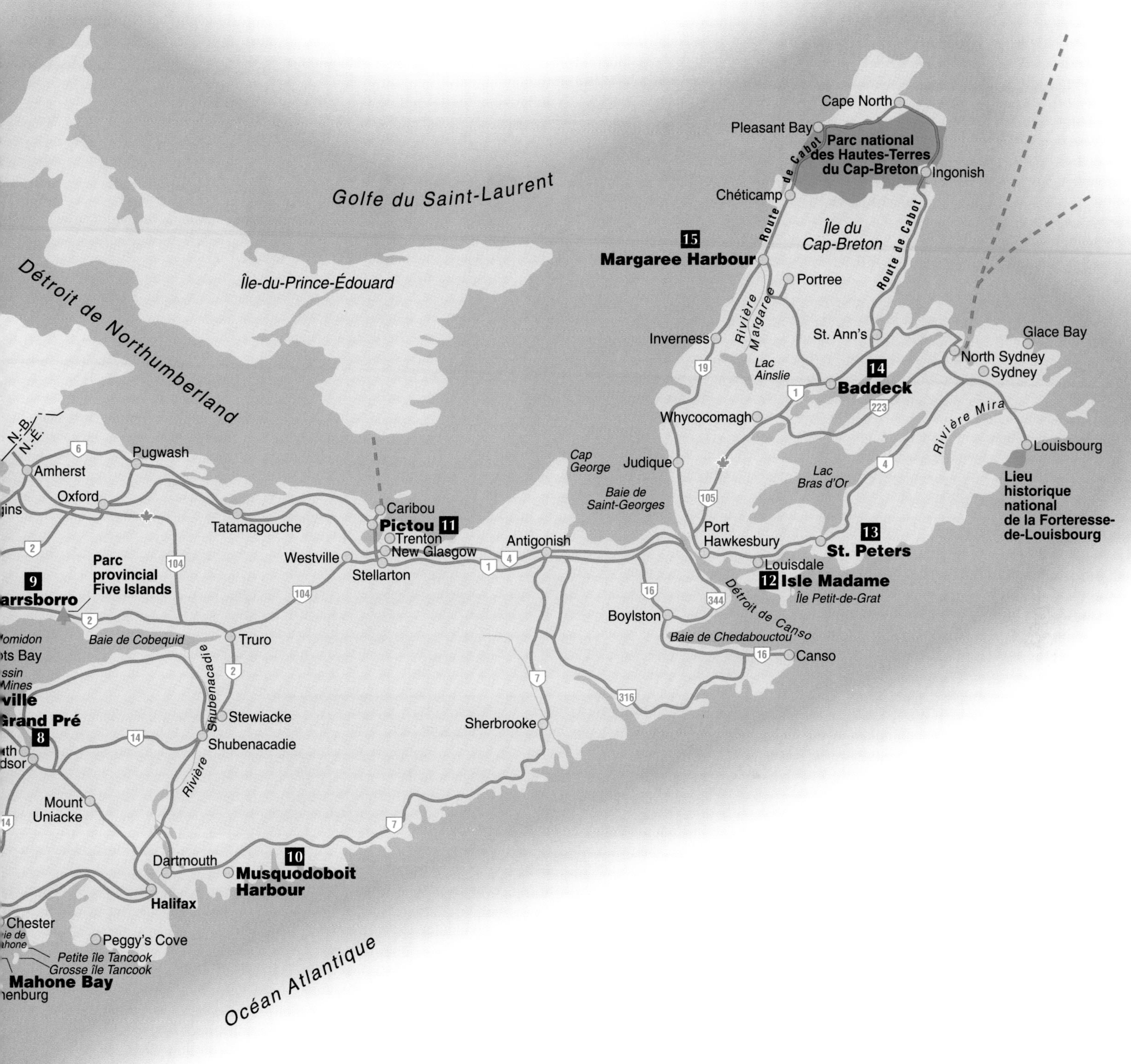

Golfe du Saint-Laurent
Détroit de Northumberland
Île-du-Prince-Édouard
Cape North
Pleasant Bay
Parc national des Hautes-Terres du Cap-Breton
Ingonish
Chéticamp
Route de Cabot
Île du Cap-Breton
15
Margaree Harbour
Portree
Rivière Margaree
Inverness
St. Ann's
Glace Bay
North Sydney
Sydney
Lac Ainslie
14
Baddeck
Whycocomagh
Rivière Mira
Louisbourg
Cap George
Judique
Lac Bras d'Or
Lieu historique national de la Forteresse-de-Louisbourg
Baie de Saint-Georges
Port Hawkesbury
13
St. Peters
Louisdale
12
Isle Madame
Île Petit-de-Grat
Détroit de Canso
Boylston
Baie de Chedabouctou
Canso
Antigonish
N.-B.
N.-É.
Pugwash
Amherst
Oxford
Tatamagouche
Caribou
Pictou
11
Trenton
New Glasgow
Westville
Stellarton
Parc provincial Five Islands
9
arrsborro
Baie de Cobequid
Truro
Shubenacadie
Rivière Shubenacadie
Stewiacke
Grand Pré
8
Mount Uniacke
Sherbrooke
Dartmouth
10
Musquodoboit Harbour
Halifax
Chester
Peggy's Cove
Petite île Tancook
Grosse île Tancook
Mahone Bay
Océan Atlantique

Une flottille de « cape islanders » sommeille dans le port de Clark's Harbour qui l'a vue naître.

1 Île du Cap-de-Sable

La pointe la plus au sud de la Nouvelle-Écosse, l'île du Cap-de-Sable, est reliée au continent par une chaussée qui traverse le passage Barrington et débouche sur la route 330. Celle-ci décrit une double boucle autour de l'île, longeant des jetées achalandées et des échoppes de fabricants de bateaux.

Dans les petits villages comme Stoney Island, South Side et Daniel's Head, des flottilles de « cape islanders » (il s'agit de bateaux, petits mais robustes, particulièrement bien adaptés aux eaux peu profondes) égayent la mer. Conçu en 1907 par Ephraim Atkinson, le premier cape islander fut construit à Clark's Harbour. Ces bateaux, qui croisent partout le long des côtes de l'Atlantique Nord, sont fabriqués de nos jours en fibre de verre.

Clark's Harbour (pop. 1 098) est un petit village qui vit de pêche et de construction navale. On y admire un temple baptiste uni (1921-1931), construit avec des cailloux bien polis ramassés dans l'île même et dans les îles voisines. Posé sur une assise en blocs de granit, il est éclairé par des vitraux sur deux étages. Les poutres de chêne satinées qui supportent le plafond font penser aux consoles en bois utilisées pour supporter la quille des bateaux.

À la pointe sud-ouest de l'île se trouve un lieu désolé dénommé The Hawk. Il y avait jadis une forêt. Envahie et noyée par les eaux, elle n'a laissé que quelques souches éparpillées.

Dans le village de Centreville (pop. 316), où la 330 se recoupe elle-même, on découvre le passé maritime de l'île au musée Archelaus Smith, ouvert de la mi-juin à la fin de septembre.

Archelaus Smith était venu de la Nouvelle-Angleterre en 1760. Rebuté par la présence des Indiens, il retourna chez lui pour apprendre que sa femme et ses enfants étaient entre-temps partis le rejoindre. Il revint à Barrington, un village de la côte en face de l'île. Les Micmacs, à sa grande surprise, avaient dans l'intervalle pris soin de sa famille. Il décida donc de rester et, plus tard, il s'installa dans l'île. On le considère ici comme le père de Cap-de-Sable.

L'île accueille plusieurs oiseaux de rivage et sert de halte aux oiseaux migrateurs. Par temps calme, les pêcheurs amènent les visiteurs dans les îlots voisins où les ornitophiles sont comblés, surtout en automne.

Événements spéciaux

Les Journées de l'île
(fête du Travail)

2 Digby

Une flottille de barques se balance avec grâce près de la jetée de Digby (pop. 2 558) et rappelle qu'on est ici au pays du pétoncle. L'incessante danse des mâts ajoute encore à la beauté naturelle du paysage qui englobe le bassin d'Annapolis et, au-delà d'un étroit passage, la baie de Fundy. C'est à partir de la promenade Admiral's Walk qu'on a la plus belle vue.

On découvre le passé maritime de Digby au musée Admiral Digby grâce à de vieilles cartes et à des photographies que complètent des archives généalogiques. Le musée est ouvert tous les jours, de la fin de juin à la fin de septembre et l'entrée en est gratuite.

Le temple anglican Trinity fut bâti par des constructeurs de bateaux ; son plafond rappelle, en effet, la coque inversée d'un navire.

Digby est également réputée pour ses « poussins », des harengs fumés qui sont une spécialité de l'endroit.

On peut affréter un bateau pour aller en haute mer pêcher ou observer les baleines ; promenades en bateau, natation, équitation et golf sont aussi au programme.

Événements spéciaux

Journées du pétoncle de Digby (mi-août)

Promenade sur la « Côte française » de la Nouvelle-Écosse

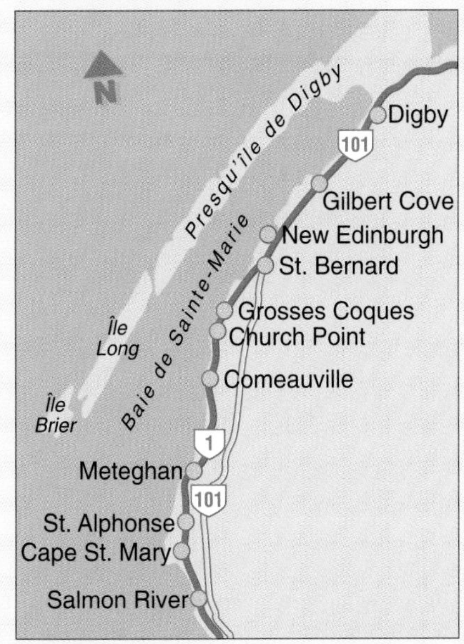

Distance : 67 km

Le littoral oriental de la baie de Sainte-Marie, ponctué de pittoresques villages acadiens aux maisons colorées, a été surnommé la « Côte française ». Le drapeau rouge, blanc et bleu des Acadiens flotte partout au vent ; son étoile unique symbolise *Stella Marris*, l'étoile de la mer.

- De Digby, dirigez-vous vers le sud sur la route 101, passé le phare de Gilbert Cove avec sa lumière d'origine (1904) qui fonctionne toujours. On peut le visiter gratuitement tous les jours en été.
- Un peu plus loin, vous arrivez à New Edinburgh, village tracé par des loyalistes écossais en 1783, mais jamais construit. On voit encore les marques de son périmètre.
- À Saint-Bernard se dresse une très belle église de style gothique en granit (1910-1942). En tournant vers l'ouest sur la route 1, vous atteignez Belliveau Cove (pop. 404), village renommé pour ses marais d'eau douce, sa splendide jetée et sa marina où l'on cueille des palourdes.
- Il paraît que les palourdes ici sont les plus grosses de ce côté de l'Atlantique. C'est sans doute ce qui explique le nom du village suivant, Grosses Coques (pop. 357), où vous verrez le premier cimetière acadien de Nouvelle-Écosse et la première maison (1768) de la région.
- Poursuivez ensuite jusqu'à Church Point (pop. 318). Il faut visiter l'église Sainte-Marie (1903-1905), dont les piliers ont été taillés dans des troncs d'arbres. Avec sa flèche de 56,3 m, c'est la plus haute église de bois de l'Amérique du Nord. Son musée, ouvert tous les jours durant l'été, présente une collection de vêtements sacerdotaux, de meubles, de documents et de photographies.
- Plus au sud, vous arrivez à Comeauville (pop. 292). Il ne faut pas manquer de goûter ici à l'un des fameux plats régionaux des Acadiens, le pâté de râpure, fait avec de la viande ou du poulet et des pommes de terre râpées. Vous passerez ensuite par Saulnierville, fondé en 1785, avec ses belles maisons de bois et son église qui date de 1880.
- Vous voilà à Meteghan (pop. 890), le port le plus achalandé de la « Côte française ». La Vieille Maison, bâtie vers 1820, a été transformée en musée et abrite des objets du XIXe siècle. Des guides en costume traditionnel la font visiter tous les jours, entre juin et la mi-octobre.
- À Saint-Alphonse (pop. 588), l'église, toute modeste, abrite une grotte dédiée à la Vierge de Lourdes et à Cape St. Mary (pop. 131), la vue sur la mer est incomparable. Sous le cap s'étend la plage Mavillette, devenue parc provincial. Le marais derrière les dunes se prête à l'observation des oiseaux.
- L'excursion se termine à Salmon River (pop. 323) ; jetée, plage et usine de traitement du poisson se regroupent à l'embouchure d'une rivière à marée.

3 Îles Long et Brier

À l'extrémité d'une étroite bande de terre appelée Digby Neck se trouvent les îles Long et Brier, autrefois rattachées au continent.

Un traversier, le *Joshua Slocum*, part d'East Ferry (pop. 111) pour rejoindre

La chaussée des Géants, sur la côte sud de l'île Brier, et ses piliers de basalte.

Tiverton (pop. 292) dans l'île Long. À l'ouest du village, le musée Tiverton Islands décrit l'histoire des îles ; on y trouve la reconstitution d'une poissonnerie et d'un jardin d'époque. Il est ouvert tous les jours, de mai à octobre.

Un sentier mène au rivage de la baie de Fundy où l'on voudra s'attarder à ramasser de jolies pierres.

À l'extrême pointe de l'île, un second traversier quitte Freeport pour rejoindre Westport (pop. 353), l'unique localité de l'île Brier. Au sud du débarcadère se trouve Big Cove ; c'est là que, au sommet d'un monticule dominant le Grand Passage, une plaque rappelle la mémoire de Joshua Slocum, premier navigateur à faire le tour du monde en solitaire entre 1895 et 1898 ; il a vécu à Westport.

Trois routes, dans l'île, mènent à trois phares où l'on peut pique-niquer et à une station de baguage des oiseaux. L'île Brier est un point important sur la route migratoire des oiseaux et on en a identifié jusqu'à 300 espèces. En 1988 a été créé un refuge de 486 ha pour les espèces indigènes et migratrices, comme le pygargue à tête blanche, le balbuzard, le grand héron et différents oiseaux de mer.

La flore de l'île Brier est remarquablement diversifiée : elle inclut des petites fleurs courantes comme la pensée des champs, d'autres plus rares comme une minuscule orchidée et le chardon à grandes fleurs. Des excursions en haute mer permettent d'observer les dauphins, les baleines et les marsouins attirés par la richesse poissonneuse des eaux côtières qu'alimente le vaste entonnoir de la baie de Fundy. Ces excursions sont organisées par la Brier Island Ocean Study, de Westport, formée en 1984 pour repérer les espèces locales menacées de disparition.

Au sud de l'île, il faut voir la chaussée des Géants où surgissent de la mer d'impressionnantes colonnes de basalte aux formes géométriques parfaites.

Événements spéciaux
Les Journées Heritage (à la mi-août)

4 Bear River

Deux fois par jour, la marée monte de plus de 6 m à Bear River (pop. 900) ; elle transforme alors en lagunes argentées les grèves rocailleuses et les bancs boueux couverts de mousse de mer et vient s'étaler sous les maisons habilement construites au flanc des collines avoisinantes.

Bear River serait la transcription phonétique en anglais du nom de Louis Hébert, un colon venu de France au XVIIe siècle. Les vignes qu'il planta sont devenues sauvages et ont envahi les collines.

Ce fut plus tard au tour des loyalistes d'être séduits par la richesse forestière de l'endroit et par cette rivière

Les collines boisées de la vallée, à Bear River, renvoyaient jadis l'écho des chantiers navals.

qui conduisait à la mer. Ils se firent bûcherons et constructeurs de bateaux. (Parmi les loyalistes se trouvaient des soldats, originaires de la ville portuaire de Hesse, en Allemagne, qui avaient combattu du côté des Britanniques.) Au XIXe siècle, en un point de la rivière surnommé Head of the Tide, il y avait deux grands chantiers navals et une importante scierie. Goélettes et bricks, construits ici, allaient livrer du bois aux États-Unis, dans les Antilles et même dans les îles Britanniques. Mais le déclin des navires en bois, vers 1870, fut désastreux pour la région.

C'est à marée basse qu'on découvre l'ingéniosité avec laquelle les maisons de l'endroit ont été construites. Érigées sur les berges abruptes de la rivière, elles sont supportées à l'arrière par des poutres de bois équarries dont la projection dépasse 12 m de hauteur. Elles donnent parfois l'impression d'être construites sur pilotis. La rivière, à marée haute, n'en menace pas moins de les atteindre. Plusieurs maisons sont flanquées d'une singulière galerie à deux étages, propre à Bear River.

Le musée ethnographique Riverview, sur Chute Road, renferme une collection de costumes et d'œuvres d'art folkloriques qui serait l'une des plus riches au Canada. Les costumes, pour la plupart du début du siècle dernier, proviennent d'Europe, d'Asie, du Pacifique Sud, d'Afrique, d'Amérique latine et... de Bear River. Le musée est ouvert toute l'année sauf en octobre, du mardi au samedi.

Au bord de la rivière s'étend un joli parc, idéal pour pique-niquer. La réplique d'un moulin à vent hollandais est une des attractions de l'endroit. La réserve des Micmacs, voisine de Bear River, reçoit aussi les visiteurs et vend divers objets d'artisanat.

Événements spéciaux

Carnaval des cerises (fin juillet)

Foire du comté de Digby (fin août)

5 Annapolis Royal

Le bassin d'Annapolis est probablement le tout premier site que les Européens colonisèrent en Amérique du Nord. Les Français y érigèrent, en 1605, un poste pour la traite des fourrures qu'ils baptisèrent Port-Royal (voir ci-contre). Après avoir été détruit par les Anglais, ce poste fut rebâti en 1635 sur les lieux de l'actuel village d'Annapolis

UN SITE LÉGENDAIRE RESSUSCITÉ

Le drapeau du roi bat encore au vent devant l'enceinte de Port-Royal.

À 10 km d'Annapolis Royal, une palissade entoure des bâtiments en bois que protège une batterie de canons. C'est Port-Royal, première colonie française en terre d'Amérique. Fondée par Samuel de Champlain en 1605, elle servit pendant deux ans à la traite des fourrures. Les Micmacs venaient y troquer des peaux contre des armes et des breloques ; par leurs conseils et leurs médecines, ils aidaient les Blancs à survivre en terre nouvelle.

Pour faire renaître l'optimisme chez les colons durant le long hiver, Champlain fonda l'Ordre de Bon-Temps. On se réunissait pour se divertir et déguster ensemble des pâtés d'orignal, du canard rôti à la broche et beaucoup de vin. Le 14 novembre 1606 eut lieu la première représentation théâtrale en Amérique du Nord, le *Théâtre de Neptune*, écrit et mis en scène par Marc Lescarbot, un avocat de Paris.

En 1613, une armée britannique venue de Virginie détruisit Port-Royal qui demeura néanmoins vivant dans la mémoire nationale. En 1911, on identifia les ruines du fort et leur restauration fut complétée en 1941. Aujourd'hui, pendant l'été, des guides en costumes d'époque font visiter aux touristes des bâtiments identiques à ceux d'autrefois.

Le passé est si présent au parc historique national de Port-Royal qu'on pourrait s'attendre à y voir Champlain.

Royal (pop. 634). En 1710, les Anglais s'emparaient de ce second Port-Royal et le rebaptisaient Fort Anne en l'honneur de leur reine.

Le fort Anne est devenu un site historique national, qui reste ouvert au public toute l'année. Le visiteur peut grimper sur le terre-plein, vieux de trois siècles et demi, et visiter un musée aménagé dans l'ancien quartier des officiers britanniques, où des bénévoles travaillent à une immense tapisserie historique.

L'histoire sociale de la région est racontée à plusieurs endroits dans le village d'Annapolis Royal. À la Maison Robertson (c. 1785), un musée est consacré aux souvenirs des enfants qui ont vécu ici : livres, jeux, jouets et vêtements des XIXe et XXe siècles. Au musée de l'auberge O'Dell (c. 1869), ce sont divers vestiges de l'époque victorienne que l'on expose : costumes, meubles et artefacts. Les deux musées sont ouverts depuis le début de juin jusqu'à la fin de septembre.

Parmi les autres bâtiments historiques, il y a la Maison Adams-Ritchie (c. 1712), une structure à deux étages de style georgien qui a été restaurée, de même que l'auberge Sinclair et l'hôtel Farmer qu'on croit dater de 1710.

Rue St. George, le King's Theatre, construit en 1921, présente des pièces de théâtre et de la musique. Plus loin, les Jardins Historiques sont une collection de jardins thématiques qui occupent 4 ha de terrain ; ils se signalent entre autres par leurs roseraies, qui se classent parmi les plus belles du Canada. Il faut y voir aussi la maisonnette acadienne et son jardin luxuriant.

À la sortie de la ville, une chaussée traverse le bassin et mène à la centrale marémotrice Annapolis, la première du genre en Amérique du Nord et la seule au monde à utiliser de l'eau salée. Elle utilise la puissance des marées de la baie de Fundy à leur entrée dans le bassin d'Annapolis. De mai à la mi-octobre, on peut faire une visite gratuite de la station.

Chemin faisant, les amateurs de pêche voudront s'arrêter le long de la chaussée et y tenter leur chance car l'endroit est renommé pour ses belles prises de bar rayé et de truite.

De l'autre côté du bassin, en face d'Annapolis, on rejoint Granville Ferry ; à l'orée du village, le musée North Hills, dans une maison de bois qui date de 1760, présente des meubles de style georgien, des tableaux, des céramiques, des pièces de verre et d'orfèvrerie.

Trois églises côte à côte, de dénominations anglicane, unitarienne et luthérienne, se reflètent dans la baie de Mahone.

Événements spéciaux

Marché agricole (les mercredis et les samedis de la mi-mai à la mi-octobre)

Exposition et vente d'objets d'artisanat d'antiquités (fin juillet)

Journées historiques d'Annapolis Royal (fin juillet — début août)

Journée Charter (mi-septembre)

Festival des arts d'Annapolis Royal (fin septembre)

6 Mahone Bay

Trois églises protestantes du XIXe siècle veillent sur la baie de Mahone. Dans l'air calme du matin, elles se reflètent dans l'eau gris acier de la baie et ce paysage fait la renommée de Mahone Bay (pop. 1 228).

La ville fut fondée en 1754 par quelques-uns des colons allemands que les Britanniques avaient installés sur la côte sud de la Nouvelle-Écosse. Néanmoins, son nom viendrait d'un ancien mot français, *mahonne,* qui signifie navire de pirates. Des colons français et anglais se joignirent plus tard aux « protestants étrangers » ; c'est à leurs descendants qu'on doit les chantiers navals dont la prospérité se maintient depuis plus d'un siècle et que rappelle chaque année le festival Wooden Boat (bateau de bois).

La vieille maison de Benjamin Begin (c. 1850) sur la rue South Main, aujourd'hui musée Settlers, expose des céramiques, des jouets anciens et des documents qui datent de l'époque des pionniers. Une section consacrée à l'architecture permet d'identifier le style des vieilles maisons locales.

Mahone Bay se signale par ses magasins d'antiquités, son marché aux puces du dimanche et ses nombreuses boutiques d'artisanat où l'on peut acheter des céramiques et des étains faits sur place.

La boutique Teazer rappelle le souvenir du *Young Teazer,* bateau américain armé en corsaire, capturé par les Anglais, qui le firent sauter durant la guerre de 1812. L'événement, intégré au folklore local et transformé en légende — on entendrait les cris de détresse des marins —, est évoqué au festival Wooden Boat.

Un parc sur la rue Edgewater permet de pique-niquer en profitant de superbes aperçus sur le port et la rivière Mush-a-mush qui attire les grands hérons, les balbuzards, les goélands et les mouettes. Le parc offre des courts de tennis, une piscine en plein air et abrite un boisé. On peut louer des canots et des kayaks et réserver des bateaux à moteur à forfait.

De Chester on atteint par traversier les plus grandes îles de la baie de Mahone, Big et Little Tancook. Les voitures ne sont pas admises dans ces îles où l'on peut emprunter des sentiers solitaires et jouir de vues admirables.

Événements spéciaux

Festival Wooden Boat (fin juillet)

Marché aux puces et dîner de chaudrées Île Big Tancook (août)

7 Wolfville

La ville universitaire de Wolfville (pop. 3 235) est considérée comme le centre culturel de la vallée d'Annapolis. Elle s'appela Mud Creek jusqu'au jour où, au XIXe siècle, les petites-filles d'un certain juge DeWolf, qui était à la fois sheriff et percepteur de taxes de

Au pays du trésor du capitaine Kidd

Distance : environ 112 km

Le littoral de la baie de Mahone et de sa voisine, la baie de St. Margarets, est parsemé de villages de pêcheurs ; la route qui les relie s'appelle avec à-propos le Lighthouse Drive (chemin du phare).

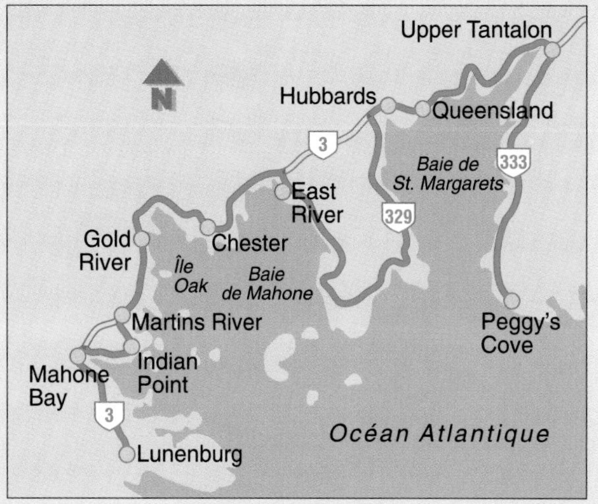

• Lunenburg (pop. 2 781) est le port de pêche le plus important de toute la Nouvelle-Écosse. Fondé en 1753 par des protestants allemands et suisses, il traduit ses origines européennes dans ses noms de famille, son architecture et sa cuisine.

C'est à Lunenburg qu'on trouve une réplique du *Bluenose*, la goélette qui illustre, côté pile, les pièces de 10 cents. Le musée des Pêcheries de l'Atlantique, ouvert de mai à octobre, est consacré aux goélettes jadis utilisées pour la pêche dans l'est du Canada et à la vie des marins à bord.

• De Lunenburg, la route 3 mène à Mahone Bay d'où un chemin secondaire aboutit à Indian Point (pop. 104), village de pêche hauturière, de pêche au homard et de construction de bateaux.

Voilier glissant vers le quai du bassin de Chester, dans la baie de Mahone.

• Traversez le pont, poursuivez à l'intérieur jusqu'à Martin's River, puis reprenez de nouveau la route 3 vers l'île Oak. Dans cette île, on cherche encore, depuis 1795, le trésor qu'y aurait caché un pirate, le capitaine Kidd.

• Suivez le littoral ; vous traversez les villages de Western Shore et Gold River, avec leurs mines d'or désaffectées. Puis vous atteignez le village de Chester (pop. 1 119), installé à l'extrémité d'une péninsule qu'entourent d'admirables anses appelées Back et Front Harbour. Sa fondation par des colons venus de la Nouvelle-Angleterre remonte au XVIIIe siècle. Virez à droite à la première intersection ; la route zigzague à travers le village et rejoint la 3.

• Prenez vers l'est la route qui mène à East Chester et au parc provincial Graves Island, lieu de pique-nique doté d'une petite plage. À East River, prenez la route 329 pour faire le tour de la péninsule abrupte d'Aspotogan qui sépare la baie de Mahone de celle de St. Margarets. Vous apercevrez des villages de pêcheurs et plusieurs plages de sable.

• De retour sur la 3, poussez jusqu'à Hubbards pour y acheter du bon homard cuit. Virez à droite vers Queensland et Black Point que vous traversez.

• À Upper Tantallon, la route 333 vous mène en 21 km à Peggy's Cove, charmant petit village admirablement perché sur des falaises de granit dénudées par la dernière glaciation. Vous y trouverez des boutiques et un restaurant.

la localité, déclarèrent sans ambages qu'elles refusaient de dire être nées dans un lieu si affreusement nommé.

La ville est dominée par la silhouette gracieuse de l'université Acadia, fondée en 1838. Parmi ses élégants bâtiments, on remarque la Maison Randall, construite en 1808, qui a été remeublée et transformée en musée. On peut la visiter gratuitement tous les jours entre la mi-juin et la mi-septembre.

Dans la rue Front se trouve le Robie Tufts Nature Centre : il s'agit d'un centre d'interprétation voué en exclusivité aux mœurs étranges des martinets ramoneurs. Pendant l'été, de la fin de mai à la fin d'août, ces oiseaux se rassemblent au crépuscule et décrivent des cercles concentriques dans le ciel avant de plonger un par un dans une cheminée pour y passer la nuit.

À l'est de la ville, la piste Wickwire emprunte une voie ferrée désaffectée et décrit une boucle de 4 km. C'est une promenade d'autant plus agréable qu'elle permet d'avoir des vues spectaculaires sur le bassin des Mines et les falaises du cap Blomidon.

Événements spéciaux

Festival Apple Blossom (fin mai)

Journées de Mud Creek (début août)

8 Grand Pré

À courte distance de Wolfville se trouve Grand Pré. Le village a gardé son joli nom français en hommage aux colons acadiens qui créèrent un vaste pré propre à la culture en érigeant 8 650 m de digues pour contenir les marées de la baie de Fundy. On peut encore admirer ces belles terres en suivant les sentiers au sommet des digues.

Le parc historique national de Grand-Pré s'étend sur l'emplacement du village acadien fondé en 1680. Une chapelle de pierre, de style français, remplace l'église où les Acadiens apprirent de la bouche même des Anglais l'épou-

Une flottille de canots en excursion sur une des nombreuses voies d'eau du parc national de Kéjimkujik.

Kéjimkujik

Le parc national de Kéjimkujik renferme, sur une superficie de 381 km², des terres vallonnées, parsemées de lacs, de rochers et de tourbières. Impropre à la culture, ce coin de terre résista toujours aux tentatives de colonisation.

Pendant au moins 5 000 ans, les Micmacs ont chassé dans ces parages car le gibier abondait dans la forêt mixte, près des lacs bordés de petits fruits. Il ne reste rien pour rappeler le passage de ces voyageurs au pied léger, qui se déplaçaient à pied ou en canot, si ce n'est le nom de quelques parcs, comme Peskowesk, Pebbleloggitch ou Peskawa.

Les Français furent les premiers Européens à découvrir Kéjimkujik pour la traite des fourrures. Vers la fin du XVIIIe siècle, les Britanniques cherchaient du bois pour construire des navires de guerre qui serviraient à battre Napoléon ; ils trouvèrent de grands pins blancs dont ils firent des mâts. Certains arbres de Kéjimkujik ont donc pu contribuer à la défaite de la flotte française à Trafalgar en 1805.

Vers 1840, des colons s'établirent sur les hauteurs qui entourent le parc. La forêt leur fournissait le bois de construction et plus tard, la pâte à papier. Dans les années 1870, on venait ici chasser et pêcher d'Angleterre et des États-Unis.

Créé en 1964, le parc national de Kéjimkujik a pu sauver plusieurs essences de bois dur de vieille souche et un ensemble de pruches vieilles de 400 ans.

On y trouve un groupement inhabituel de plantes du nord et d'espèces rares généralement implantées dans le sud des États-Unis. Par exemple, dans les tourbières, on peut rencontrer côte à côte le thé du Labrador, qui appartient à la flore nordique, et le millepertuis, très répandu en Floride. Dans une petite baie abritée, on apercevra peut-être, à côté de l'utriculaire commune, une des plantes les plus rares du Canada, l'hydrocotyle en ombelle. Fougères, mousses, lichens et une douzaine d'orchidées sauvages prospèrent dans la chaleur humide de l'été. Les visiteurs, sous le vaste parasol de l'ancienne forêt de pruches, songent avec émotion qu'il n'en existe guère de semblables ailleurs.

À l'aube et au crépuscule, le cerf et le porc-épic viennent brouter au bord des routes. Il y a plus de reptiles et d'amphibiens dans le parc que partout ailleurs dans l'est du Canada : 13 espèces de grenouilles et de salamandres, cinq de serpents et trois de tortues dont une espèce très rare, la tortue de Blanding. Une excursion en canot sur la rivière Mersey permet d'apercevoir 20 à 30 tortues se prélassant au soleil.

La multiplicité des habitats — peuplements de bois dur et de bois tendre, terrains plats inondés, prés et tourbières — attire quelque 165 espèces d'oiseaux parmi lesquelles le tétras du Canada et le pic à dos noir, mais aussi des parulines, des moucherolles et des grives des bois, normalement plus méridionales. Les lacs et les cours d'eau sont habités tant par les huarts, les sternes et les bécasseaux que par les poissons.

Ici, même le roc a des histoires à raconter : des pans de granit de 5 tonnes balayés par les grands glaciers comme de simples galets ; du roc d'ardoise qu'on trouvait autrefois au large de l'Afrique ; et des sites où se dressaient, il y a longtemps, des montagnes aussi hautes que l'Himalaya.

RENSEIGNEMENTS PRATIQUES
Accès : *route 8.*
Entrée : *pont Maitland.*
Installations : *329 emplacements pour tentes et caravanes à services limités et 47 emplacements de camping sauvage.*
Activités estivales : *programme d'interprétation, randonnées pédestres, pique-nique, vélo, canot (location de vélos et d'embarcations à Jake's Landing).*
Activités hivernales : *ski de randonnée.*

REPAIRE D'UN DIEU DANS LA BAIE DE FUNDY

Des falaises de grès rouge couronnées d'une épaisse forêt dominent de 200 m les plages de sable rouge du bassin des Mines, dans la baie de Fundy. Ce sont les falaises du cap Blomidon.

Une légende micmac veut que ce soit ici le repaire du grand dieu Glooscap ; du haut des falaises, il surveille les « enfants de la lumière » (c'est la signification du mot *Micmac*) et les animaux. Le soleil est le sourire du dieu, le tonnerre, sa colère.

La légende veut qu'un beau jour, son rival Castor ait voulu le défier en construisant un barrage dans le bassin des Mines. Alors, la voix de Glooscap s'enfla avec le vent en même temps que sa fureur et il fracassa le barrage à coups de massue. Ce qui en reste forme aujourd'hui le cap Split, une avancée rocheuse qui prolonge en croissant dans la mer la péninsule de Blomidon.

Belles terres cultivées du cap Blomidon.

La route 358 conduit à Scots Bay sur le cap, point de départ du Cape Split Hiking Trail. Ce sentier, qui traverse d'épais fourrés puis des clairières, serpente le sommet des falaises et mène, en 14 km aller-retour, jusqu'au cap Split que les marées féroces assaillent avec acharnement. À gauche du cap, un sentier court mais difficile donne accès à une petite plage de galets où l'on peut trouver des améthystes et des agates. Attention toutefois à la marée montante : elle isole l'excursionniste imprudent !

vantable nouvelle de leur déportation en 1755. Un vitrail, qui est l'œuvre de T. E. Smith-Lamothe, de Halifax, illustre un épisode dramatique du « grand dérangement ».

En face de la chapelle se dresse la statue en bronze d'Évangéline, héroïne de Longfellow. L'auteur, sans jamais venir en Acadie, a su exprimer dans son poème épique toute l'horreur de l'expulsion et de la tragédie des familles séparées et dispersées. Faites le tour du monument : le visage d'une jeune amoureuse devient peu à peu la figure d'une femme pleurant l'homme qu'elle n'a jamais revu.

9 Parrsboro

Nichée sur le littoral du bassin des Mines, dans le nord de la Nouvelle-Écosse, se trouve Parrsboro (pop. 1 634), une toute petite ville charmante et paisible dont les demeures prospères rappellent la belle époque de la navigation à voile. Même son théâtre d'été conserve une saveur nautique puisqu'il est logé dans un ancien traversier, le *Kipawo*.

En 1985, Parrsboro devint célèbre du jour au lendemain. On venait de découvrir, dans les falaises de grès près de la ville, des fossiles datant du Trias et du Jurassique (240 et 175 millions d'années). Aucun ensemble en Amérique du Nord n'offre des vestiges aussi anciens : crocodiles primitifs, dinosaures de toutes tailles, lézards et requins, ainsi que les empreintes de pas d'un jeune dinosaure.

Dans la ville, le Musée géologique Fundy, qui raconte le passé géologique de la région depuis l'aube du monde, expose des pierres semi-précieuses et des fossiles. Il est ouvert de mai à octobre et l'entrée est gratuite.

Au large, à 30 km environ sur la route 2 vers l'est, on aperçoit un groupe de cinq îles. Elles aurait été créées, d'après la légende, par des rochers que le dieu Glooscap lança contre Castor, son rival. À proximité s'étend le parc provincial de Five Islands au pied d'une petite colline appelée Economy, transcription phonétique d'un nom indien.

De délicats fossiles végétaux et animaux ornent les falaises abruptes de Parrsboro.

À 6,5 km à l'ouest de Parrsboro se trouve le musée Ottawa House dominant le bassin des Mines ; il est logé dans la résidence qu'occupa vers la fin du XVIIIe siècle Sir Charles Tupper, Premier ministre du Canada de mai à juillet 1896. Restauré et décoré dans le goût de l'époque, il est consacré à la construction des bateaux et à la foresterie. Il est ouvert, l'été seulement, tous les jours de la semaine.

Du musée on aperçoit l'île Partridge où chaque année, en août, des collectionneurs viennent ramasser des pierres semi-précieuses comme l'améthyste que l'érosion détache des falaises.

Événements spéciaux

Festival Parrsboro Old Home Week (début juillet)

Festival Five Islands Glooscap (mi-juillet)

Rockhound Roundup (cueillette de roches, en août)

Festival de palourdes de Economy (début août)

10 Musquodoboit Harbour

Renommée pour ses saumons et ses truites, la rivière Musquodoboit traverse Musquodoboit Harbour (pop. 930) avant de se jeter dans l'océan Atlantique. En langue micmac, son nom la décrit bien telle qu'elle est : un cours d'eau couvert d'écume.

Circuit dans l'ouest de la baie de Fundy

Distance : environ 259 km

La route de Parrsboro à Joggins, au-delà du chenal des Mines, vous fait pénétrer dans la portion ouest de la baie de Fundy. De Parrsboro, prenez la 209 vers l'ouest jusqu'à Port Greville où se trouve le musée Greville Bay qui trace l'historique de la construction navale.

• Une route sinueuse au relief accidenté mène à Spencers Island, port d'attache du vaisseau fantôme *Mary Celeste*. En 1872, ce brigantin faisait voile vers l'Italie quand on le découvrit à la dérive près des Açores : il n'y avait pas une âme à bord. Le musée du phare raconte cette étrange histoire.

• Au cap d'Or, le phare perché sur la falaise marque la sortie du chenal des Mines. Au-delà, voici Advocate Harbour, petit village réputé pour ses longues plages où l'on ramasse des palourdes et une algue comestible délicieuse, la main-de-mer palmée. Poursuivez jusqu'au cap Chignectou, une région sauvage ponctuée de hautes falaises où croissent des plantes rares.

• Toujours sur la 209, mais en direction nord maintenant, vous rejoignez la petite ville minière de Joggins (pop. 577). Une courte promenade sur la grève au pied des rochers vous fera peut-être apercevoir une fougère fossilisée ou les empreintes de pas d'un animal qui vécut il y a des centaines de millions d'années. La falaise renferme des souches d'arbres vieilles de 300 millions d'années ; l'une d'elles préserve l'Hylonomus, le plus ancien reptile jamais découvert. Les souches, qui appartiennent à une flore de marécages chauds et humides, nous rappellent que la Nouvelle-Écosse se trouva un jour près de l'Équateur. Le Joggins Fossil Centre expose des spécimens intéressants.

• À quelques kilomètres de Joggins se trouve Minudie (pop. 28) où vécut au XIXe siècle Amos Seaman surnommé « le roi ». Le musée local raconte toutes les légendes entourant ce petit garçon pauvre surgi de nulle part qui devint un riche industriel.

• Vous pouvez ensuite continuer vers Amherst ou retourner à Parrsboro en passant par River Hebert, petit village où les hommes extrayaient le charbon à genoux. Prenez la route de terre qui traverse la réserve faunique du Cap-Chignectou. Après Halfway River East, la route 2 se faufile à travers les monts Cobequid et vous ramène à Parrsboro.

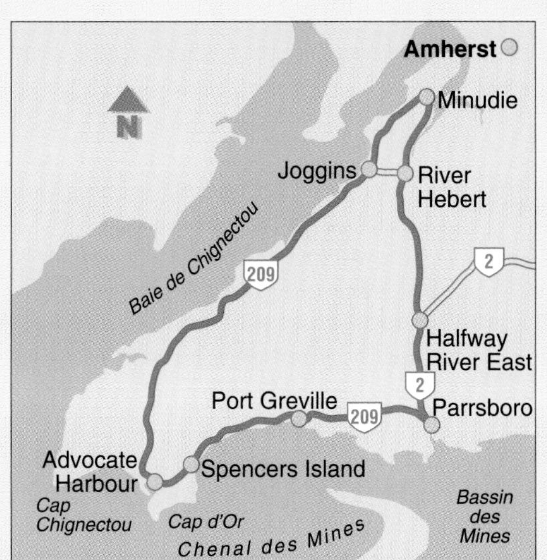
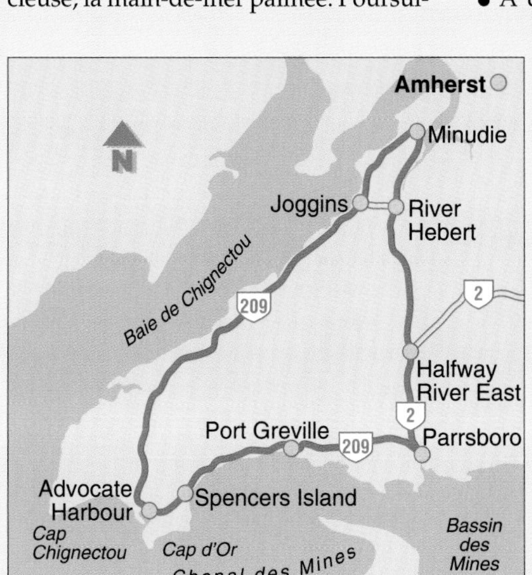

Le cap d'Or doit son nom au cuivre qui fait briller ses rochers.

Des colons anglais fondèrent Musquodoboit Harbour en 1754. Vinrent ensuite des loyalistes puis des soldats de la guerre d'Indépendance américaine et enfin des méthodistes allemands. Aujourd'hui, la ville vit de la pêche, de la forêt et d'une industrie légère.

Au centre du village se trouve le Musée du rail. Il est logé dans une gare de 1915, restaurée et peinte en rouge. La voie ferrée est maintenant envahie par les folles herbes. Entre 1915 et 1960, le Blueberry Express faisait quotidiennement la navette entre ici et Dartmouth. Le musée est ouvert de la mi-mai jusqu'en octobre et l'entrée est libre. On y voit notamment une voiture de queue, un wagon chasse-neige, une voiture pour voyageurs et marchandises, différents fourgons à bagages, un wagon de pompage et de l'équipement connexe.

Musquodoboit Harbour fait partie d'une chaîne de petites localités de la côte qui s'ouvrent sur l'océan. Plusieurs d'entre elles nichent dans des baies profondes qui s'insèrent entre les rochers et qu'égayent de jolis îlots parsemés de bouquets de conifères et de rochers gris d'origine glaciaire. Sur la grève, çà et là, sèchent des agrès de pêche et des barques qui ont essuyé bien des tempêtes.

Entre deux vagues, un bécasseau poursuit son repas sur la plage Martinique.

Jeddore Harbour se signale par un phare rouge et blanc et, à 4 km du rivage, en pleine mer, par un immense rocher baptisé The Old Man. De loin, on dirait un vieil homme grisonnant à la tête massive et au dos voûté.

Jeddore Oyster Pond abrite le musée Fisherman's Life. On y trouve une collection d'objets domestiques, un orgue à soufflet et des tapis crochetés qui recréent l'ambiance familiale du pêcheur James Myers au tournant du siècle. Des dames en costume folklorique offrent aux touristes du pain d'épice chaud. Le musée est ouvert tous les jours entre la mi-mai et la mi-octobre.

À 10 km au sud du village, la plage Martinique est, avec ses 5 km de sable, la plage la plus longue de la Nouvelle-Écosse. Dans cette vaste sablière, le côté abrité du vent est un refuge d'oiseaux peuplé de plusieurs espèces de canards, de bécasseaux et de grands hérons.

Événements spéciaux

Foire estivale Eastern Shore
Musquodoboit Harbour
(mi-juillet)

Festival Elderbank Outdoor Recreation
(mi-juillet)

Concours de châteaux et de sculptures en sable de Clam Harbour Beach
(première quinzaine d'août)

Foire du comté de Halifax
Middle Musquodoboit
(mi-août)

11 Comté de Pictou

Un mot de bienvenue accueille en écossais les visiteurs qui entrent dans le comté de Pictou : *Ciad Mile Failte* ou « cent mille fois bonjour ». C'est en 1773 que débarquaient ici les 189 premiers immigrants venus des hautes terres de l'Écosse. Ils furent bientôt suivis de plusieurs milliers d'autres, et firent du comté de Pictou le berceau de la Nouvelle-Écosse. Le comté renferme maintenant cinq municipalités — New Glasgow, la métropole (pop. 10 000), Stellarton, Pictou, Westville et Trenton — sur une bande de 65 km au bord du détroit de Northumberland.

Pictou (pop. 4 500) était autrefois un centre de transport maritime. Afin de préserver les traditions, on s'affaire aujourd'hui, au quai Hector Heritage, à construire une réplique du trois-mâts de 30 m qui amena les premiers arrivants ici, le *Hector*. En toutes saisons, des guides en costume folklorique accueillent les visiteurs sur le chantier.

Une promenade dans la ville vous fera voir bon nombre de maisons en pierre ou en bois qui datent du XIXe siècle. L'une de celles qu'on peut visiter, sur la rue Haliburton, est la Maison McCulloch où vécut le révérend Thomas McCulloch, premier pasteur presbytérien de Pictou. Bâtie en 1806 avec des briques importées d'Écosse, elle renferme de belles boiseries sculptées à la main et des corniches en plâtre finement ouvragées.

Le musée Burning Bush, installé dans le temple presbytérien de la rue

Prince, renferme une collection de documents et d'objets divers reliés à l'histoire religieuse et à la vie des personnages les plus importants de Pictou. Le musée ouvre ses portes tous les jours en juillet et en août en dehors des heures où l'on célèbre le culte.

Également en juillet et en août, on peut visiter, le mercredi, la fameuse collection Sobey qui inclut en particulier des tableaux de Krieghoff et plusieurs œuvres du Groupe des Sept. La collection loge dans la Maison Crombie, aux abords de la ville de Pictou.

En retrait de la route 376, en direction de New Glasgow, se dresse l'église Loch Broom Log, réplique du premier temple construit par les colons en 1787. Un service religieux y est célébré chaque dimanche d'été à 15 heures.

À New Glasgow, dans la rue Temperance que borde une allée d'arbres, se trouve l'imposante Maison Stewart, construite au début du siècle dernier. Durant l'été, une exposition y retrace l'histoire économique et sociale du comté. On y admire aussi une belle collection d'objets en verre de Trenton.

Le splendide intérieur de l'église Notre-Dame-de-l'Assomption d'Arichat, à l'Isle Madame, est celui d'une ex-cathédrale.

Un artisan local a transformé un petit bateau en monstre marin, dans l'île Janvrin.

Le comté de Pictou se signale par ses paysages remarquables et les belles promenades qu'on peut y faire sur la plage. Pour accéder aux plages de l'île Pictou, on prend le bateau à partir de Caribou. Parmi les activités estivales, on note le golf, la pêche au saumon et à la truite dans les cours d'eau et les lacs, à la morue, au flétan, à la goberge et au maquereau dans l'océan.

Événements spéciaux

Carnaval du homard de Pictou (début juillet)

Festival des tartans, New Glasgow (mi-juillet)

Hector Natal Day By the Sea, Pictou (début août)

Festival Hector, Pictou (mi-août)

12 Isle Madame

Bordée de petites baies rocheuses et de pittoresques villages de pêcheurs, l'Isle Madame (45,5 km^2) se situe là où l'Atlantique devient la baie de Chedabouctou. Son nom rappelle le titre donné aux filles du roi de France et à la femme du frère du roi. Elle fut peut-être ainsi nommée par les pêcheurs français qui, à partir du XVIe siècle, s'y réfugiaient après avoir tendu leurs filets en haute mer. Une poignée d'Acadiens s'y installèrent vers 1750 après s'être faits expulser d'ailleurs en Nouvelle-Écosse. La plupart des 5 000 insulaires actuels sont acadiens et vivent encore principalement de la mer.

Un pont à Louisdale enjambe le passage Lennox et donne accès à l'île. La route 206 traverse ensuite des forêts avant d'atteindre plus au sud la baie de Chedabouctou au village de West Arichat, autrefois centre de construction navale et de commerce local.

Dans la petite île voisine de Janvrin, on peut cueillir des palourdes et louer de l'équipement pour faire de la plongée sous-marine autonome, du ski nautique, du véliplanchisme ou de la pêche hauturière. L'endroit est idéal pour la photographie sous-marine.

La route 206 mène ensuite à Arichat. Ce petit village fut à une certaine époque l'un des ports les plus importants du Canada sur l'Atlantique. Prenez en contrebas le chemin qui suit la 206. Il mène à l'église Notre-Dame-de-l'Assomption, une église de bois à deux tours, construite en 1837, qui était autrefois la cathédrale du diocèse.

En pénétrant dans le village d'Arichat, arrêtez-vous à la forge LeNoir pour visiter l'atelier du forgeron, bâtiment en pierre restauré tel qu'il était au XIXe siècle, et au musée consacré à l'histoire d'Arichat. Thomas LeNoir était originaire des Îles-de-la-Madeleine. La forge qu'il mit sur pied approvisionnait en matériel et en outils les chantiers navals d'Arichat. Elle devint avec le temps la première école de forgerons de la Nouvelle-Écosse.

Plus à l'est se trouve l'île Petit-de-Grat peuplée d'Acadiens qui vivent de la mer depuis toujours. La route qui fait le tour de l'île contourne des anses où les chalutiers se bercent sur les vagues. La beauté des paysages a toujours attiré ici beaucoup d'artistes.

Sur la rive est de l'Isle Madame, on atteint par la 320 le ravissant village de pêcheurs nommé D'Escousse. Un peu plus loin, on rejoint le village de Martinique. On peut faire une halte au parc provincial pour pique-niquer et faire de la randonnée, ou visiter un phare historique, ou encore, se détendre au club nautique ou y louer un voilier.

Événements spéciaux

Festival Oceanview d'Arichat (début juillet)

Festival Harbourfest à D'Escousse (début août)

Festival acadien de Petit-de-Grat (début août)

Festival de Janvrin dans l'île Janvrin (fin août)

Foire d'automne de Louisdale (fin septembre)

13 St. Peters

À partir de 1520 et pendant 10 ans, des pêcheurs portugais vinrent s'installer chaque printemps dans un village appelé San Pedro, sur la minuscule langue de terre qui sépare l'océan Atlantique du lac Bras d'Or. La rigueur du climat finit par les décourager.

Un siècle plus tard, des marchands français construisirent au même endroit un petit village fortifié qu'ils baptisèrent Saint-Pierre. En 1650, Nicholas Denys s'y installa et ouvrit un poste de traite des fourrures avec les Micmacs.

Vers la fin du XVIIIe siècle, la région tomba aux mains des Anglais qui construisirent à proximité le fort Dorchester, sur le mont Granville. Le village anglicisa son nom en St. Peters.

La localité prit de l'importance quand on perça un canal dans l'isthme pour faciliter l'entrée des bateaux et des gens dans l'île du Cap-Breton. Les travaux commencèrent en 1854 et durèrent 15 ans. Le canal de 30 m de largeur et 800 m de longueur devait passer au travers d'une colline de granit de 20 m de hauteur. Il fallut étayer ses rives et installer des écluses. Durant sa période de gloire, le canal connut un grand achalandage ; aujourd'hui, il sert surtout à la navigation de plaisance qui se rend au lac Bras d'Or, bien que des navires commerciaux l'empruntent encore parfois.

Les ruines du fort Dorchester et celles du petit village français appelé Port-Toulouse, construit en 1713, se trouvent à l'est de St. Peters, dans le parc provincial Battery. On y voit aussi

Les écluses de St. Peters, permettant de passer du lac Bras d'Or à l'Atlantique, furent un exploit d'ingénierie au XIXe siècle.

Sur les rives du lac Bras d'Or

Distance : 185 km

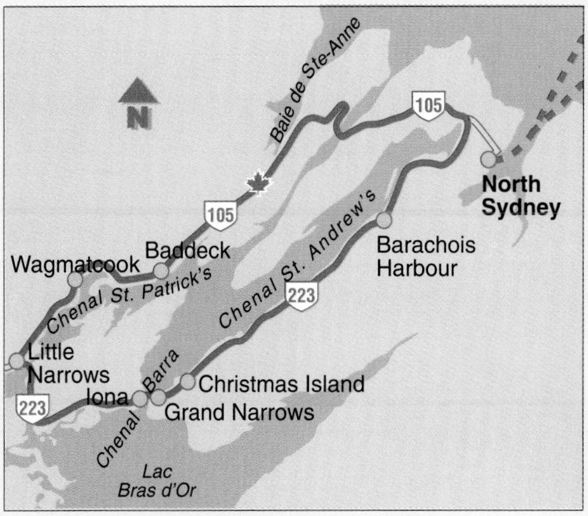

Le lac Bras d'Or est une mer intérieure de 1 098 km² qui divise virtuellement l'île du Cap-Breton en deux parties. Seule une mince bande de terre à St. Peters la sépare de l'Atlantique. Ses rives escarpées rappellent les hautes terres d'Écosse. Pour cette raison peut-être, plusieurs anciens Écossais y habitent et maintiennent vivantes leurs traditions.

• De Baddeck, prenez la Transcanadienne (route 105) vers l'ouest. Vous traversez la réserve indienne de Wagmatcook, où vit l'une des quatre bandes de Micmacs qui habitent la région, avant d'atteindre Bucklaw. Empruntez alors la route 223 et dirigez-vous vers Little Narrows à travers une région dégagée que fréquentent les pygargues à tête blanche. Le littoral du lac est spécialement poissonneux ici. Pour atteindre Little Narrows (pop. 126), vous traversez d'abord le passage St. Patricks sur un bac à câble ; trois minutes plus tard, vous pénétrez dans la péninsule de Washabuck.

• Après avoir parcouru 30 km sur la 223, vous atteignez le village d'Iona (pop. 120) où un musée, le Nova Scotia Highland Village, regroupe 11 bâtiments historiques et une colline d'où l'on embrasse les quatre comtés du Cap-Breton. Ce musée est le seul à reconstituer la vie des Écossais qui habitaient les hautes terres. Il est ouvert tous les jours pendant l'été et en semaine seulement pendant l'hiver.

• À proximité se trouve un terrain de pique-nique et une plage qui donne sur le détroit de Barra et les blanches falaises de Plaster Cove.

• Prenez le bac qui en 5 minutes vous emmène à Grand Narrows, de l'autre côté du détroit. (On prévoit pour bientôt l'érection d'un pont.) Poursuivez vers l'est sur la route 223, le long du passage St. Andrew's, et traversez le village de Christmas Island d'où il serait bien amusant d'envoyer, d'avance, vos cartes de Noël.

• Poursuivez sur la 223 jusqu'à Barachois Harbor où vous prendrez la route de la rivière Georges pour retrouver, 8 km plus loin, la Transcanadienne. À partir de là, suivez les directions pour rentrer à Baddeck en passant par le pont Bras d'Or (731 m) qu'on nomme localement le pont de l'île Seal. Vous y aurez, depuis le pont, une vue imprenable sur le Grand Bras d'Or et sur l'Atlantique.

• De l'autre côté du pont se trouve le mont Kelly. Il paraît qu'on ne peut pas quitter l'île du Cap-Breton sans l'avoir traversé. C'est ici, selon les Micmacs, que reviendra sur terre le grand dieu Glooscap. À flanc de montagne se trouvent deux points d'observation remarquables : d'un côté, vers le pont de l'île Seal ; de l'autre, sur la baie St. Anns avec les hautes terres du Cap-Breton dans le lointain.

les vestiges du poste de traite ouvert par le premier colon britannique, Lawrence Kavanagh.

À St. Peters, on peut visiter, de juin à septembre, le musée Nicholas Denys qui reconstitue le poste de traite de 1650. Non loin, sur la rue Granville, le musée Wallace MacAskill rappelle la vie du photographe dont le musée porte le nom et dont les marines sont bien connues. C'est ici qu'il naquit en 1890.

En face se trouve le plus vieux magasin de la ville, construit en 1881 par A. A. Morrison. Il est toujours aux mains de la famille, administré par les petits-enfants Alex et Catherine.

Événements spéciaux

Exposition Oceanview Sportsmen (début avril)

Dîner annuel de homard (1er juillet)

Summerfest (premier week-end d'août)

14 Baddeck

Baddeck (pop. 995), sur le Bras d'Or, est un petit port fort populaire auprès des bateaux de plaisance qui y font escale avant d'entrer dans les eaux du Cap-Breton. Alexander Graham Bell, l'inventeur du téléphone, y eut sa résidence d'été. Un musée réunit une abondante documentation sur le grand homme au parc historique national Alexander-Graham-Bell. Le musée est ouvert toute l'année et l'entrée en est gratuite.

En été, on expose dans le village une réplique du *Silver Dart,* l'aéroplane parrainé par Bell qui s'éleva au-dessus de la baie en février 1909 ; c'était le premier vol effectué par un sujet britannique dans l'Empire britannique.

Événements spéciaux

Festival artistique de Bras d'Or (juillet et août)

Régate du club nautique de Bras d'Or Baddeck (août)

Highland Village Day, Iona (août)

Foire du comté du Cap-Breton North Sydney (août)

Harvest Home au musée Bell Baddeck (septembre)

Festival d'artisanat de Baddeck (fin septembre)

15 Margaree Harbour

C'est par Margaree Harbour que transitaient autrefois les marchandises venues du golfe du Saint-Laurent à destination de la vallée de la Margaree. Les installations portuaires étaient

LA PETITE FEMME DE LA VALLÉE DE LA MARGAREE

Au cimetière de l'église Saint-Patrick, à North East Margaree, une épitaphe rappelle la mémoire d'Henriette Lejeune, épouse de James J. Ross. Première femme blanche à s'installer ici, elle serait née en France en 1743 et serait morte à Margaree en 1860 : elle aurait donc vécu 117 ans.

L'âge de sa mort n'est qu'une des nombreuses erreurs qui ont entouré la mémoire d'Henriette Lejeune et l'ont fait passer dans la légende. On a aussi prétendu qu'elle était présente au siège de Louisbourg (1758). En réalité, elle naquit quatre ans plus tard, en 1762, à Rochefort, en France.

Elle faisait partie des Acadiens que les Anglais chassèrent du Cap-Breton et elle erra jusqu'à l'âge de 30 ans, d'abord avec ses parents puis avec ses deux premiers maris, à la recherche d'une terre d'accueil.

Vers 1790, elle réintégra la Nouvelle-Écosse où elle fit la connaissance de son troisième mari, James J. Ross, un soldat britannique qui avait combattu du côté de la Révolution américaine. Ils furent les premiers colons de la vallée de la Margaree et eurent quatre enfants dont deux, Joseph et Jean, assurèrent une lignée qui habite toujours la région.

La vallée fut colonisée conjointement par des Anglais et des Acadiens. Parmi les pionniers, Henriette Lejeune faisait office de sage-femme et d'infirmière. On prétendait qu'elle était immunisée contre la vérole, une maladie extrêmement redoutée à l'époque. Il ne se trouvait personne, dans toute la vallée de la Margaree, à ne pas connaître Henriette, dont le nom se transforma bientôt en Harriet et qui finit par s'appeler Granny Ross. Son mari mourut en 1825, mais elle lui survécut jusqu'à l'âge vénérable de 98 ans.

bruissantes d'activité, la route, encombrée de charrettes à deux ou à quatre chevaux qui transportaient jusqu'à St. Ann, à quelque 100 km, de grosses barriques de mélasse. Les tavernes étaient achalandées. En hiver, on venait de Judique, de Mabou et d'Inverness pour faire courir ses chevaux sur la glace.

De nos jours, Margaree Harbour (pop. 128) est un petit village de pêche qui serait oublié s'il n'était situé à l'intersection de deux grandes routes touristiques, la route de Cabot (19) et la route Ceilidh (219).

Accostée près du pont à l'embouchure de la rivière Margaree, la *Marion Elizabeth*, une goélette de 40 m, abrite un restaurant et un musée consacré à l'histoire locale de la pêche et de la construction navale. À proximité, à Schooner Village, se trouve le bateau qui ne voulait pas flotter (*The Boat Who Wouldn't Float*), sujet et titre d'une œuvre de Farley Mowat.

Dans le port se côtoient les homardiers et les bateaux qui emmènent les touristes pêcher en haute mer, observer les baleines ou voir les oiseaux de l'île Margaree.

Le passé est toujours vivant dans l'architecture des bâtiments de ferme et le profil surbaissé des maisons qui donnent sur la mer. On les construisait ainsi pour résister aux grains assez puissants ici, disait-on, pour lancer les bestiaux dans les voiles des bateaux.

Pêche au saumon dans une fosse de la rivière Margaree.

Hautes-Terres-du-Cap-Breton

Situé dans la partie septentrionale de l'île, le parc des Hautes-Terres-du-Cap-Breton (950 km²) est un univers de roc, de vent et d'eau dont les hauteurs, noyées dans la brume, s'abîment dans la mer. La route Cabot, l'une des routes les plus spectaculaires en Amérique du Nord, traverse ce plateau accidenté comme un fil ténu qui relie, d'est en ouest, les villages de la côte atlantique à ceux du golfe Saint-Laurent.

Le ciel, la montagne et l'eau composent des paysages splendides qui se succèdent sur 10 km : promontoires de granit, plages de sable ou de galets, vallées de bois dur, forêts de conifères, taïgas désolées, chutes tumultueuses et, nichés dans cette nature au superlatif, de modestes villages de pêcheurs.

Le sous-sol renferme des minéraux parmi les plus vieux et les plus durs du monde. Des tensions géologiques échelonnées sur un milliard d'années sont visibles un peu partout à travers le parc, où les grands bouleversements de la planète comme la dérive des continents ont sculpté des défilés profonds et de larges vallées comme celles de Chéticamp, de Clyburn et d'Aspy.

Dans le parc des Hautes-Terres-du-Cap-Breton, la chute Beulach dévale en filigrane les rochers de granit.

À l'époque où les dinosaures broutaient les fougères qui constituent maintenant le charbon du Cap-Breton, les rivières des hautes terres, en ralentissant leur course avant de rejoindre l'océan, accumulaient près du rivage du limon, du sable et des galets. En ce temps-là, il faisait très chaud ; les baies s'asséchèrent, laissant des dépôts profonds de gypse et de grès. L'eau et le vent y ont ouvert des rades qu'occupent, hors du parc, les villages de Chéticamp, Pleasant Bay, Dingwall et Ingonish.

Pendant des milliers d'années, les Micmacs ont campé le long des côtes et dans les vallées. Il se peut que Jean Cabot ait mis pied à Aspy Bay en 1497. Autour de 1520, Ingonish, alors Port-d'Orléans, était fréquenté par les Portugais. Ce fut ensuite un village français que les Anglais incendièrent quand Louisbourg tomba en 1745.

Le rude climat aura fait bien des victimes parmi les voyageurs égarés sur les pistes désolées. La mort de Mary Brown, survenue de cette manière, entraîna la création de gîtes que perpétuent les haltes d'urgence du parc, nanties de poêles.

En été, les grands chevaliers à pattes jaunes des tourbières attaquent parfois les excursionnistes. Autour d'eux, les houppes cotonneuses des linaigrettes palpitent entre les orchidées sauvages et les aréthuses roses, tandis que les sarracénies et les rossolis carnivores attendent leurs victimes. Cladonie des rennes, bleuets, airelles et chicots de tamarac poussent chichement sur les corniches.

En juillet et en août, les nuits sont fraîches, les journées chaudes et la brise douce. Fin août, le fond de l'air se rafraîchit et les nuits sont froides. Vienne octobre : le cyrilla des marais vire à l'orange ou au pourpre et les mélèzes allument partout de petites flammes jaunes. Mais le flamboiement dure bien peu ; dès la mi-octobre, les feuilles tombent, le spectacle s'éteint.

Et c'est l'hiver. L'ours noir s'endort ; l'orignal et le cerf quittent les hauteurs ; les hautes terres — qui représentent 90 p. 100 du territoire du parc — disparaissent sous 4 m de neige.

Des forêts épaisses peuplées d'érables à sucre, de chênes rouges, de merisiers, de hêtres, de pruches et de pins tapissent les vallées. Un silence solennel y règne qu'interrompt parfois le ruissellement des eaux vives. Depuis 300 ans, ces forêts entretiennent une faune sylvestre, surtout dans les vallées de Clyburn, de Grande-Anse et d'Aspy.

Dans les défilés étroits, souvent à proximité des chutes, croissent des plantes arctiques ou alpines — épilobe de Hornman, saxifrage de montagne, sabline capillaire — qui persistent ici depuis la dernière glaciation, il y a 9 000 ans.

RENSEIGNEMENTS PRATIQUES
Accès : *route Cabot. Entrée du côté ouest au nord de Chéticamp ; entrée du côté est à Ingonish.*
Accueil : *bureaux à Ingonish (ouverts toute l'année) et à Chéticamp (de la mi-mai jusqu'à octobre).*
Installations : *les campings de Chéticamp et d'Ingonish sont ouverts toute l'année ; cependant, les services varient selon la saison. D'autres campings ferment à la mi-octobre.*
Activités estivales : *observation d'oiseaux, randonnées pédestres, pêche, tennis, golf, cyclisme. (On peut louer de l'équipement.) Programmes d'interprétation. Théâtre de plein air. Chansons et danses acadiennes et écossaises ; concerts de violonneux et de cornemuseurs.*
Activités hivernales : *ski de randonnée, pêche à la truite et à l'éperlan sous la glace, patin, toboggan.*

TERRE-NEUVE ET LABRADOR

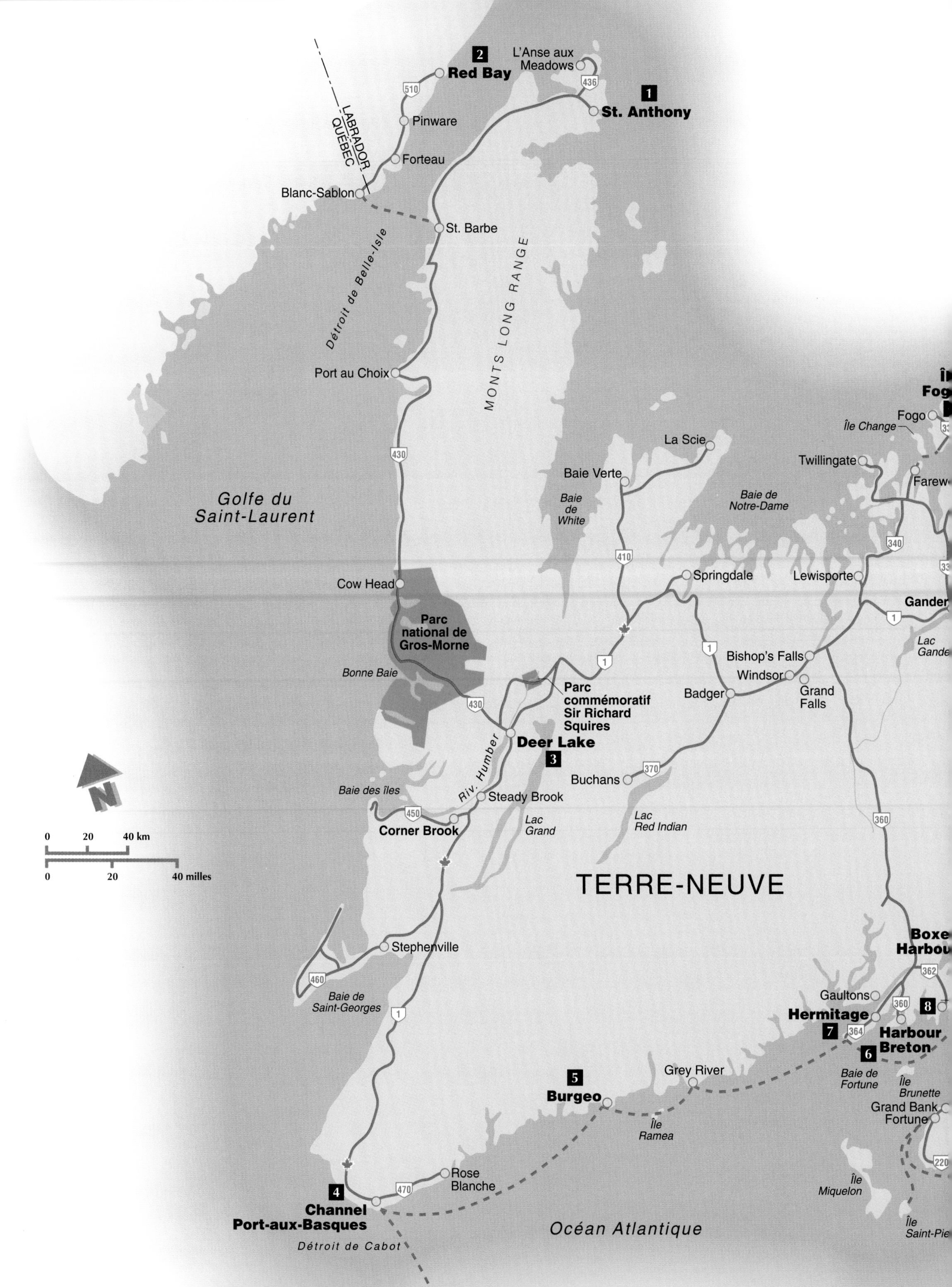

L'Anse aux Meadows
Red Bay
St. Anthony
LABRADOR
QUÉBEC
Pinware
Forteau
Blanc-Sablon
St. Barbe
Détroit de Belle-Isle
MONTS LONG RANGE
Port au Choix
La Scie
Baie Verte
Baie de White
Baie de Notre-Dame
Twillingate
Fogo
Île Change
Golfe du Saint-Laurent
Cow Head
Springdale
Lewisporte
Gander
Parc national de Gros-Morne
Bonne Baie
Parc commémoratif Sir Richard Squires
Bishop's Falls
Windsor
Grand Falls
Badger
Lac Gander
Deer Lake
Riv. Humber
Buchans
Baie des îles
Steady Brook
Corner Brook
Lac Grand
Lac Red Indian
0 20 40 km
0 20 40 milles
TERRE-NEUVE
Stephenville
Baie de Saint-Georges
Gaultons
Hermitage
Harbour Breton
Baie de Fortune
Île Brunette
Grand Bank
Fortune
Grey River
Burgeo
Île Ramea
Rose Blanche
Channel Port-aux-Basques
Détroit de Cabot
Océan Atlantique
Île Miquelon
Île Saint-Pie
1
2
3
4
5
6
7
8

22

Terre-Neuve et Labrador

Sites
L'Anse aux Meadows
St. Anthony
Red Bay
Deer Lake
Channel Port-aux-Basques
Burgeo
Harbour Breton
Hermitage
Boxey Harbour
Île Fogo
Trinity
Île Ireland's Eye
Trinity Loop
Harbour Grace
Cap Sainte-Marie
Parc provincial La Manche

Circuits automobiles
Côte du Labrador
Centre de Terre-Neuve :
Badger à Buchans
Péninsule de Burin

Parcs nationaux
Gros-Morne
Terra Nova

*Pages précédentes :
Excursionnistes dans le parc national
de Gros-Morne*

LÀ OÙ LES VIKINGS MIRENT PIED À TERRE

À la recherche du pays de cocagne dont ils avaient entendu parler, les Vikings, poussés par le vent, guidés par les étoiles, bravèrent l'Atlantique dans de longs bateaux en bois à un seul mât. Aux environs de l'an 1 000 de notre ère, ils débarquaient à l'Anse aux Meadows, à la pointe nord de la péninsule de Terre-Neuve. Pendant longtemps, on a tenté en vain de localiser le Vinland des grandes sagas nordiques. Vers 1960, un couple de renommée internationale, l'écrivain et explorateur Helge Ingstad et sa femme, l'archéologue Anne Stine, mit au jour un site qu'ils identifièrent comme étant Norse, la plus ancienne colonie européenne dans l'hémisphère occidental. Ce site s'appelle aujourd'hui L'Anse aux Meadows, adaptation phonétique anglaise d'un nom français, anse aux méduses.

Ce qu'on avait pris pour des monticules herbeux étaient en réalité la première assise des murs de huit bâtiments de bois et de terre : quatre ateliers de réparation, trois grands quartiers d'habitation pouvant loger chacun une vingtaine de personnes et, près d'un ruisseau, une forge, sans doute la première du Nouveau Monde. On dégagea de terre une broche en bronze couronnée d'un anneau, une lampe en pierre, un volant de quenouille en pierre de savon, le fragment d'une aiguille en os et une pierre à aiguiser. Grâce aux trois derniers objets, on tira la conclusion que des femmes avaient accompagné les navigateurs. Quant aux clous et rivets de bateau et aux scories de fer trouvés dans le campement, ils devaient servir à réparer les bateaux en hiver pour faire voile, l'été venu, vers l'intérieur du continent.

Modèle d'un Viking, L'Anse aux Meadows

L'Anse aux Meadows est devenu un lieu historique national qu'on peut visiter toute l'année. Le centre d'interprétation expose quelques objets exhumés et décrit l'histoire du site à l'aide de films et de maquettes. Un trottoir mène aux huit bâtiments, recouverts d'herbe. Trois maisons ont été reconstituées et équipées d'outils et d'ustensiles de cuisine de l'époque.

En 1978, l'Anse aux Meadows a été versé au patrimoine mondial par l'Unesco ; c'était le premier site d'intérêt culturel à mériter pareille distinction.

1 St. Anthony

La municipalité la plus importante de la grande péninsule de Terre-Neuve est St. Anthony (pop. 3 164), siège de la mission Grenfell. Jusqu'en 1892, la localité n'était qu'un simple village de pêche comme tant d'autres sur la côte. Mais cette année-là arriva un médecin qui allait changer le sort de la région. Il s'appelait Wilfred Grenfell (1865-1940) et représentait une mission britannique auprès des pêcheurs hauturiers.

Grenfell fut profondément troublé par la misère dans laquelle vivaient les pêcheurs de Terre-Neuve et du Labrador. De retour en Angleterre, il réunit assez de fonds pour ouvrir des hôpitaux, des cliniques, des écoles et un refuge pour les enfants. Son oeuvre ne cessa de grandir. Cliniques et infirmeries, reliées par caboteur et par avion, desservent aujourd'hui un territoire de 2 400 km sur la côte du Labrador ; mais le siège permanent de la mission demeure à St. Anthony.

Ce grand visionnaire mit également sur pied des coopératives, des cercles

Spectaculaire iceberg au large de St. Anthony, à la pointe nord de Terre-Neuve.

Raquettes traditionnelles, musée Grenfell

d'artisanat et une cale sèche pour améliorer le sort de St. Anthony et des autres communautés qu'il avait réunies en réseau. Il fit même venir un troupeau de rennes de Laponie pour diversifier l'économie. Bref, sous sa gouverne, St. Anthony devint un centre commercial prospère.

On peut visiter l'été la Maison Grenfell, transformée en musée ; elle domine le port, dans le quartier ouest de la ville. On y a regroupé divers souvenirs du célèbre médecin : objets, photographies, lettres et mémoires. Sa tombe, celles de sa femme et d'autres fidèles compagnons reposent au sommet de la colline Tea House, près de l'hôpital.

À côté de la Maison Grenfell, l'hôpital commémoratif Charles S. Curtis présente dans le hall d'entrée huit murales, œuvres du céramiste montréalais Jordi Bonet. Réalisées en 1967, elles rendent hommage au dévoué médecin ainsi qu'aux pionniers de la région.

Événements spéciaux

Festival de la morue (fin juillet)

2 Red Bay

Avant 1977, le petit village de pêcheurs de Red Bay (pop. 334), au Labrador, était réputé pour ses mûres jaunes (les « plaquebières » des Maritimes), ses rochers rouges et les os de baleine éparpillés sur ses plages. Cette année-là, des fouilles archéologiques le placèrent au rang des sites de première importance à l'échelle mondiale.

Dans le sol tourbeux de l'île Saddle, les archéologues découvrirent un fondoir du XVIe siècle, où la graisse de baleine était transformée en huile dans de gros récipients en cuivre, et une tonnellerie, où étaient assemblées et réparées les barriques servant à contenir l'huile. Ils trouvèrent aussi les vestiges de petites maisons, où devaient loger les

Promenade sur la côte du Labrador

Distance : environ 196 km

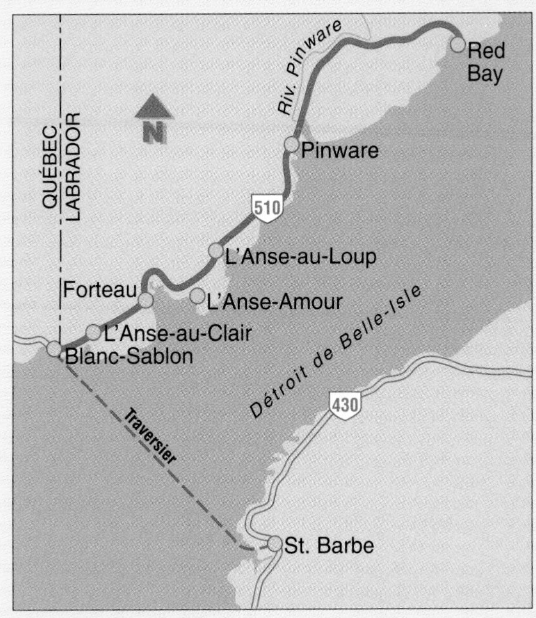

De la pointe nord de Terre-Neuve, vous pouvez vous rendre au Labrador pour explorer la côte la plus isolée du Canada. Entre mai et décembre, un traversier assure deux fois par jour le service, sur le détroit de Belle-Isle (17,6 km), entre St. Barbe, à Terre-Neuve, et Blanc-Sablon, au Québec, à la frontière du Labrador. Banquises et baleines sont souvent au rendez-vous.

• À Blanc-Sablon, prenez la route 510 vers l'est ; elle relie plusieurs villages de pêcheurs qui ont en commun de très hautes falaises et de belles plages de sable. Le premier de ces villages est l'Anse-au-Clair, fondé par les Français au début du XVIIIe siècle.

• Le suivant se nomme Forteau (par analogie à « fortes eaux »), un centre administratif du Labrador-Sud. La région est réputée pour ses petits fruits, viorne comestible, lingonnes, bleuets, mûres jaunes, surtout en juillet et en août. Forteau célèbre en août le Festival des mûres jaunes qui dure quatre jours.

• L'arrêt suivant est L'Anse-Amour (à l'origine, L'Anse aux morts), où se trouve un tertre funéraire indien de 24 m de circonférence. Il s'agit de la tombe d'un jeune garçon, dont on a exhumé des objets datant de 7 500 ans.

• Non loin de là se trouve le phare de la pointe Amour (1857). Avec ses 33 m, ce serait le second en hauteur au Canada.

• En vous rendant à l'Anse-au-Loup, arrêtez-vous au musée Labrador Straits consacré à l'histoire de la région. Les premiers habitants d'Anse-au-Loup, comme ceux de Capstan Island et de West St. Modeste, sont venus d'Angleterre, de Jersey et de Terre-Neuve.

• Pinware (pop. 195), à 52 km de Blanc-Sablon, doit son nom à un gros rocher noir en forme de pied qui se dresse à l'embouchure du ruisseau Black Rock. Les Français l'avaient baptisé « Pied-Noir », ce qui devint « Pinware » dans la bouche des anglophones. La localité niche au pied d'une falaise haute de 106 m, appelée « Ship Head ». C'est là qu'en été, les premiers habitants, Français et Anglais, préparaient des teintures à partir de différentes écorces pour colorer leurs filets. Un mortier à écorce, qui servait à extraire les pigments, est encore exposé à Ship Head.

Près de Pinware se trouvent deux cours d'eau renommés pour la pêche au saumon : la rivière Pinware et le ruisseau Trout. Le village de Pinware River, à quelque 6 km, est reconnu comme l'un des meilleurs endroits au pays pour la pratique de ce sport. On peut également prendre le saumoneau et l'omble chevalier anadrome dans la Pinware en période de montaison, notamment en juillet et en août.

• La route 510 se termine à Red Bay ; ce fut, à une époque, le plus grand port baleinier du monde.

Phare de la pointe Amour, au Labrador

Gros-Morne

Le parc national de Gros-Morne est l'un des rares endroits au monde où l'on peut observer à proximité les uns des autres des échantillons de la couche externe de la croûte terrestre et de son enveloppe pierreuse interne. Sur une étendue de 1 805 km², il renferme un trésor de merveilles naturelles qui n'a pas son pareil ailleurs ; on y trouve aussi des spécimens de presque tous les types de roche qui existent en Amérique du Nord. De fascinants phénomènes géologiques transportant le visiteur des milliards d'années en arrière témoignent de la dérive des continents et illustrent les effets impressionnants de la glaciation dans un cadre insulaire.

Les géologues ont posé l'hypothèse que, durant la dérive des continents, l'océan Iapetus (l'ancêtre de l'océan Atlantique) se fractura. Des flots de lave en émergèrent, propulsant sur la côte des débris du fond océanique. Des roches éruptives normalement enfouies dans les entrailles de la terre — gabbro, harzburgite, dunite — se retrouvèrent sur la côte. Ce sont ces débris qu'on retrouve au sud-ouest de Gros-Morne, sur le plateau dénudé des Tablelands. Lui-même surgi de l'ancien lit de l'océan, ce plateau mesure 8 km de largeur sur 15 de longueur.

Ces cataclysmes ont donné à Gros-Morne une topographie heurtée qui comprend les étendues brunâtres des Tablelands, la côte volcanique des Green Gardens, les sommets arrondis des monts Long Range et les étendues plates de la vaste plaine côtière. Ils ont également créé la faille de Cow Head, conséquence des immenses glissements de terrain dans l'océan Iapetus. Dans cette faille, on peut voir des conglomérats de roc et de fossiles émanant à la fois de mers chaudes peu profondes et d'océans glacés. Cette découverte est à l'origine de la théorie de la dérive des continents.

La richesse du parc en fossiles est étonnante. Près de la pointe Green, le long de la route, on peut examiner des strates qui vont du Précambrien au Paléozoïque. Près de la pointe Broom, au nord, on passe du Cambrien au Silurien inférieur et on aperçoit des fossiles qui vont des trilobites, gastropodes et graptolithes aux espèces plus évoluées comme les escargots et les palourdes.

Lièvre arctique en livrée d'été, à Gros-Morne

Les glaciers ont laissé en héritage un relief torturé : défilés profonds, lacs abyssaux, plateaux dénudés, tourbières et terres basses. L'étang Western Brook illustre bien la voracité avec laquelle les glaces ont entamé la montagne. Cet étang est en réalité un lac de 16 km de longueur sur 3 km de largeur et de 165 m de profondeur, serti dans des falaises qui s'élèvent de 656 m au-dessus de ses eaux.

Les courants froids de l'océan gardent le temps généralement frais dans les monts Long Range où le climat se rapproche de celui de l'Arctique, forçant les plantes à s'agripper au sol pour résister aux vents violents. Et pourtant, certains des plus gros arbres du parc poussent ici dans les vallées abritées : sapins, bouleaux, épinettes. Dans les basses terres, le parc accueille une forêt boréale composée de sapins baumiers, de bouleaux blancs et d'épinettes noires. Des vents d'énorme vélocité ont déformé la végétation des hauteurs côtières exposées et créé une forêt tordue par le vent, typique de Terre-Neuve.

Le parc national de Gros-Morne comporte un littoral varié qui s'étend sur 72 km. Certaines parties du parc sont bordées de falaises dénudées. Ailleurs, la marée s'étale sur des grèves de galets ou des bas-fonds marécageux. Dans la zone la plus septentrionale, les plages de sable sont bordées de dunes.

Dans l'étroit chenal qui sépare la baie de Saint-Paul du golfe du Saint-Laurent, les marées créent des marais salants où les oiseaux de rivage viennent faire provision avant d'entreprendre leur long vol migratoire en automne.

Quand il fait beau, les phoques communs se prélassent dans la baie de Saint-Paul ; ceux du Groenland se montrent parfois en hiver. De petites bandes de globicéphales à tête bulbeuse, des petits rorquals et des rorquals communs visitent chaque année la Bonne Baie. On a déjà aperçu, non loin du rivage, des rorquals bleus et des rorquals à bosse.

RENSEIGNEMENTS PRATIQUES

Accès : *par la route 430 et la route 431.*

Accueil : *dans le parc, 3 km au sud de Rocky Harbour ; et au Village des pionniers de Wiltondale.*

Installations : *5 terrains de camping.*

Activités estivales : *baignade, pêche, excursions en bateau, randonnée pédestre ; alpinisme sous réservation.*

Activités hivernales : *camping d'hiver, ski de randonnée, raquette.*

Ten Mile Pond est l'un des lacs-fjords que les glaciers enfermèrent dans les terres sur leur passage.

baleiniers, et un cimetière, où l'on dénombra plus de 140 corps.

La recherche sous-marine fit découvrir trois gros navires et une pinasse, ainsi que plusieurs petits bateaux qui devaient servir à harceler les baleines durant la chasse. On retira des eaux un galion de 300 tonnes, le *San Juan*, qui avait coulé avec toute sa cargaison d'huile de baleine en 1565. C'est le spécimen le mieux conservé du type de bateaux que les Européens utilisèrent pour coloniser le Nouveau Monde.

Entre 1530 et le début du XVIIe siècle, une vingtaine de bateaux venaient chaque année à Red Bay des pays basques français et espagnol. Les équipages chassaient la baleine franche, réduisaient la graisse en huile et la rapportaient vers les marchés européens. Red Bay fut donc à cette époque un centre de commerce international important, ouvert sur le monde.

Le vieux cimetière se trouve du côté sud de l'île Saddle. La moitié des tombes excavées renfermaient plus d'un cadavre, détail qui laisse entrevoir à quel point la chasse à la baleine était meurtrière pour les hommes. On y a trouvé également un grand nombre de pièces d'habillement en excellent état de conservation : une paire de chaussures en cuir avec des lacets intacts, des chaussettes, des pantalons de laine et un bonnet en tricot.

De juin à septembre, le centre d'interprétation de Red Bay expose les objets trouvés dans l'île et projette un documentaire sur l'excavation d'un baleinier basque.

Événements spéciaux

Festival des mûres jaunes (août)

3 Deer Lake

Quelques-uns des plus beaux paysages de l'intérieur de l'île de Terre-Neuve se rencontrent sans aucun doute dans la vallée de la rivière Humber. C'est au cœur de cette vallée que se situe la ville de Deer Lake (pop 4 327), sur le lac du même nom. La plupart des habitants vivent essentiellement de la coupe du bois qui alimente la papetière de Corner Brook, au sud du lac.

Le petit village de pêche de Red Bay, au Labrador, a déjà été la capitale mondiale de la baleine.

Saumon remontant la chute Bigg, dans le parc commémoratif Sir Richard Squire.

C'est au musée historique Humber Valley qu'on a une juste idée de l'activité fébrile qui régnait ici vers 1920. On y présente des outils de foresterie et d'agriculture, ainsi qu'une belle collection de vieilles photographies et d'anciens journaux.

De Deer Lake, il faut prendre la route 430 nord, puis la route 422 (incluant un tronçon non asphalté) pour se rendre au parc commémoratif Sir Richard Squire, sur le cours supérieur de la rivière Humber. En juillet, on y assiste aux efforts incroyables du saumon de l'Atlantique pour remonter la chute Bigg vers son aire de reproduction.

Au sud de Deer Lake, la route épouse la rive orientale du lac Deer. Un court arrêt à Steady Brook vous permettra, en vous dégourdissant les jambes, d'aller, par un joli sentier de forêt, à un endroit d'où l'on a une vue spectaculaire sur la chute du ruisseau Steady, qui dévale sur 39 m.

Événements spéciaux

Festival Hangashore (juillet)

Festival des fraises de la vallée de la Humber (fin juillet)

Foire agricole et exposition artisanale de la vallée de la Humber (fin septembre)

4 Channel Port-aux-Basques

Dès 1560, les pêcheurs du nord de l'Espagne avaient pris l'habitude de fréquenter ce petit port à l'abri des glaces. Champlain en prit bonne note et, en 1612, nomma l'endroit Port-aux-Basques. Il fait maintenant partie de l'agglomération de Channel Port-aux-Basques (pop. 5 644), point d'arrivée du traversier qui relie Terre-Neuve à North Sydney, en Nouvelle-Écosse. C'est également le port d'attache des bateaux côtiers qui assurent la liaison avec les petits villages isolés de la côte du Sud, comme Burgeo, Grey River, Hermitage et Harbour Breton.

Sur la rue principale, 2 km après l'hôtel de ville, le musée Gulf reconstitue l'histoire de la région. Parmi les éléments réunis par des bénévoles, on peut admirer un scaphandrier qui a 100 ans et un astrolabe du XVIIe siècle, le plus ancien jamais découvert au Canada. On l'appelle ici l'astrolabe Mushrow, car sa découverte est due à un plongeur local, Wayne Mushrow, qui le trouva dans une des nombreuses épaves qui jonchent la côte sud-ouest de Terre-Neuve.

On a un bon coup d'œil sur l'ensemble de la ville du haut de Stadium Hill. Dans le prolongement de la rue principale se trouve Channel Head, un rocher couronné d'un phare qui émerge des eaux du golfe du Saint-Laurent.

Excursion au centre de Terre-Neuve

Distance : 75 km

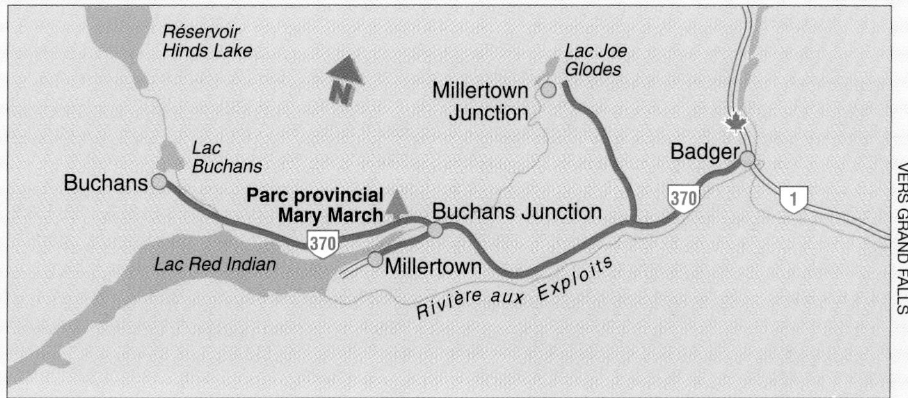

Pour explorer la nature sauvage au cœur de l'île, prenez, à Badger, la route 370 qui mène au lac Red Indian et à la rivière aux Exploits. (Badger se situe à 27 km à l'ouest de Windsor et de Grand Falls, les deux principales localités du centre de Terre-Neuve.) La route 370 traverse une forêt d'épinettes noires, franchit une zone vallonnée, enjambe des torrents écumants, longe des marécages et des lacs que fréquentent en grand nombre les orignaux et les caribous.

- Au bout de 12 km, un chemin de terre s'en détache pour aller à Millertown Junction, une ancienne dérivation du Canadien National. Vous pouvez camper au bord de la route et taquiner le poisson dans le lac Joe Glodes, ou faire un brin de promenade sur la voie abandonnée.
- Revenez à la 370 et poursuivez vers le sud jusqu'à Buchans Junction, lieu de naissance de Clyde Wells, Premier ministre de Terre-Neuve.
- Prenez à gauche à la jonction pour aller découvrir la petite localité forestière de Millertown (pop. 158). De son passé prospère, il ne reste que l'immense roue hydraulique qui se dresse dans les eaux du lac Red Indian. En vous promenant dans le village, vous verrez l'église anglicane, bâtie en 1901 par le marchand de bois écossais Lewis Miller, et une école des années 40. Transformée en musée, l'école présente en saison des photos, des documents et des objets relatifs aux industries forestières et minières et rappelle l'histoire des 45 familles norvégiennes et suédoises qui se sont établies dans le village.
- À 3,2 km du village, en bordure du lac, se trouve un camp beothuk reconstitué. Les Beothuks furent exterminés au début du XIXe siècle. La reconstitution permet de comprendre leur mode de vie en wigwam et d'apprendre comment ils préparaient le gibier et fumaient la viande de caribou.
- À Millertown, prenez la route de terre qui vous mènera, 2,5 km plus loin, au barrage aux Exploits. Un élévateur à poissons hisse les saumons par-dessus le barrage pour qu'ils puissent se rendre dans leurs aires de reproduction.
- Revenez à Buchans Junction et prenez la route 370 ouest. En moins de 2 km, vous êtes au parc provincial Mary March, qui porte le nom d'une femme beothuk capturée par les explorateurs. Vous pouvez vous baigner dans le lac Red Indian ou vous promener sur la plage.
- Une fois de retour sur la 370, vous atteignez en 40 km l'ancienne ville minière de Buchans (pop. 1 164). Perchée sur un haut plateau, la ville surveille, comme une forteresse, la région environnante. Un puits s'élève encore dans le ciel, dernier vestige de la mine.
- Un musée a été installé dans l'ancienne habitation du directeur de la mine. Photos et objets racontent la fin tragique de 23 mineurs et la façon dont le prospecteur Mattie Mitchell découvrit la richesse minière de l'endroit. Il aurait, paraît-il, été en train de faire bouillir de l'eau lorsqu'il vit fondre un morceau de minerai que la vapeur avait réchauffé.

Automatisé depuis peu, le phare est entouré de ce qui fut autrefois les bâtiments du gardien ; ceux-ci sont maintenant inhabités.

Événements spéciaux

Festival du cerf-volant Gulf News (juillet)
Festival des fraises (juillet)
Festival folklorique de Codroy Valley (août)

5 Burgeo

Burgeo (pop. 2 400) est un petit port de mer intrépide qui se dresse face à l'océan dans une île reliée par un pont à la terre ferme. Au large, se déploie l'archipel Burgeo, qui joue le rôle de brise-lames naturel et protège la localité des fureurs de l'Atlantique.

On se rend à Burgeo par caboteur à partir de Channel Port-aux-Basques, ou par la route 480 qui se détache de la Transcanadienne. Ce tronçon de 146 km est peu fréquenté et dépourvu de service. Il est donc prudent de faire des provisions près du parc Barachois Pond avant de s'y engager.

Le petit musée local, qui ouvre ses portes en été, expose des objets rassemblés par les habitants : instruments de pêche des ancêtres, photographies de paquebots d'autrefois.

À l'ouest de Burgeo s'étend le parc provincial Sandbanks où vient nicher le pluvier siffleur. On prétend que les plages du parc sont les plus belles de la province.

Un traversier fait la navette entre Burgeo et l'île Ramea, à une heure de distance. Les réservations ne sont pas nécessaires ; il faut néanmoins vérifier les heures de départ car elles changent selon la saison. Ramea est un petit port de pêche très pittoresque. L'escale, de courte durée, ne permet pas d'en faire le tour, à moins qu'on ne décide d'y passer la journée. Mais le voyage en mer donne un bon aperçu de la côte déchiquetée et rocheuse qui a provoqué tant de naufrages.

Le caboteur de Channel Port-aux-Basques se rend aussi à Grey River, un de ces petits ports de pêche de la côte terre-neuvienne, actifs mais isolés, qui tendent à disparaître. La visite deux fois la semaine du caboteur constitue son seul lien avec le monde.

6 Harbour Breton

La route 360, entre Bishop's Falls et Harbour Breton, traverse une forêt dense, où règne l'orignal, et suit les pistes des Beothuks et des Micmacs qui jadis vivaient ici. Cette route solitaire de 223 km aboutit à Harbour Breton, mais avant d'y arriver, deux routes s'en détachent, les 364 et 362, qui mènent à Hermitage, Boxey Harbour et quelques autres localités disséminées autour de la baie de Fortune.

Harbour Breton (pop. 2 418) a été nommé ainsi à cause des Bretons qui venaient pêcher ici à la fin du XVIIe siècle. Les liens du petit port avec la mer sont évidents, si l'on en juge par les plateformes à poissons de Down Harbour, le quartier le plus ancien de la localité, et par les doris qui parsèment la baie. Les deux quartiers de Harbour Breton sont reliés par un pont.

De Harbour Breton, on peut voir par temps clair l'île Brunette, dans la baie de Fortune. Un projet écologique expérimental y a vu le jour vers 1960 : on y transporta des bisons dans l'espoir de les acclimater. Ils n'y sont plus : l'environnement ne leur convenait pas. Mais on prétend qu'il en resterait encore un.

Quelques pêcheurs acceptent parfois d'amener les touristes en haute mer et de leur faire visiter les îles. C'est du large en effet qu'on a la vue la plus spectaculaire des rochers de granit, des fjords profonds et des plages de sable qui marquent le littoral.

7 Hermitage

Fondée par les Français il y a plusieurs siècles, Hermitage (pop. 831) se dresse sur les berges escarpées de la baie du même nom. On y voit encore de pimpantes maisons à étage aux couleurs vives, typiques des ports de mer, qui permettaient aux pêcheurs de reconnaître de loin leur demeure.

De la jetée part un traversier à destination de Gaultois (pop. 550), de l'autre côté de la baie. Le bac est en service de 8 heures à 20 heures en été ; il trans-

Une masse de roc impressionnante domine le petit port isolé de Harbour Breton qui survit vaillamment dans la baie de Fortune.

La petite communauté de Boxey Harbour s'étale autour de la baie de Fortune.

porte des passagers et des marchandises, mais pas de voitures. Les visiteurs qui veulent s'embarquer pour la petite île peuvent laisser leur voiture sur le terrain du quai.

La promenade en mer, qui dure 30 minutes, longe les îles de Little Fox et de Fox. Un phare, à l'extrémité de cette dernière, guide les bateaux qui s'engagent dans les étroits passages de la baie. Avec un peu de chance, vous rencontrerez peut-être quelques baleines en chemin.

8 Boxey Harbour

Sur la route 363, une enseigne originale annonce l'arrivée à Boxey Harbour (pop. 120) : *Welcome to Boxey — A Piece of Heaven on Earth* (Bienvenue à Boxey — un peu de ciel sur terre). À l'époque des colonies, ce village était renommé à cause d'une singularité géologique : un rocher percé d'un « œil magique » grâce auquel on pouvait guider la navigation dans l'anse de Coombe's en évitant les récifs.

On raconte que deux pêcheurs, Jacob Penney et Simon Bungay, faisaient voile vers l'anse de Deadman, en quête d'un trésor, quand des esprits malins les échouèrent au large du rocher de Boxey. Reprenant la mer au prix de gros efforts, ils arrivèrent à destination, mais un peu tard : ils virent le fameux trésor glisser derrière une fente dans le roc pour disparaître à tout jamais.

La péninsule de Burin au relief tourmenté

Distance : environ 350 km

À Goobies, la route 1 croise la 210 sur laquelle il faut vous engager en direction sud. Les 140 km qui traversent le goulot de Burin se déroulent, pour la plupart, au milieu de paysages sauvages. La seule ville qu'on croise, Swift Current, se trouve tout à côté de Goobies.

- La route prend fin à Marystown (pop. 6 739). Au feu de circulation, tournez à droite et allez prendre la 213 en direction de Garnish (pop. 716) et de Frenchman's Cove. Garnish s'enorgueillit d'un phare datant de 1885.
- La route 213 rejoint la route 220 qui file vers Grand Bank (pop. 3 528), une ville des plus intéressantes sur le plan historique. Vous visiterez le musée Seaman, dont la structure rappelle les voiles d'une goélette. Ce gracieux édifice fut le pavillon yougoslave lors de l'Expo universelle de Montréal en 1967. Le musée présente des maquettes de goélettes et différents objets propres à la navigation.

Musée maritime Seaman, à Grand Bank

Dans la ville, promenez-vous sur Heritage Walk qui vous fera découvrir différents bâtiments datant du début du siècle.

- À 3 km de Grand Bank se trouve Fortune (pop. 2 177), d'où l'on peut se rendre par traversier dans les îles françaises de Saint-Pierre et Miquelon. Par temps clair, on a une vue remarquable de ce coin de France à partir du parc French Island, un peu plus loin sur la 220.
- Poursuivez vers le sud jusqu'à Lamaline. Empruntez la chaussée qui mène à Allan's Island et à sa grotte consacrée à la Vierge Marie.
- Entre Lamaline et Lawn (pop. 1 025), vous aurez peut-être la chance de goûter à une variété de baies typique de Terre-Neuve, les mûres jaunes (dites localement *bakeapples*), qui poussent dans les marais et qu'on vend le long de la route.
- À St. Lawrence (pop. 1 743), le monument *Echoes of Valour*, en face de l'hôtel de ville, rappelle le souvenir des 203 marins américains qui périrent en février 1942 quand deux bateaux, le *Truxtun* et le *Pollux*, s'échouèrent près de là. Le monument est aussi dédié aux mineurs qui moururent dans les mines de spath fluor de la ville. Un musée consacré à l'activité minière de St. Lawrence ouvre l'été sur la rue principale.
- Rejoignez la 221 par la 220. Tournez à droite pour aller à Burin (pop. 2 940). La rue principale mène à la vieille ville de Burin et au musée Heritage House, qui expose des vêtements, des objets et des meubles datant du tournant du siècle. Le bâtiment qui l'abrite a été construit autour de 1920. On le visite de mai à octobre.

Museum shingle, Burin

Le Burin Heritage Weekend (la deuxième fin de semaine d'août) est marqué par des spectacles de musique et de danses en costumes folkloriques.

- Reprenez la 210 pour rentrer à Marystown.

Terra Nova

Les saisons se fondent doucement l'une dans l'autre au parc national de Terra Nova — celui des 35 parcs nationaux du Canada qui est situé le plus à l'est. Le printemps commence à la fin d'avril quand la glace se rompt à Newman Sound et qu'arrivent le garrot à œil d'or, le canard noir et la bernache du Canada. Bientôt, les fleurs brillantes de la rhodora émaillent de lilas le brun des tourbières ; des bouquets de bouleaux blancs inscrivent leur feuillage vert clair sur le vert sombre des conifères et, en se réchauffant, le courant du Labrador détache les banquises.

Quand les conditions climatiques poussent le courant vers la côte, on voit s'approcher ces immenses icebergs — certains ont la taille d'une cathédrale — et leur étonnante masse d'un blanc bleuâtre domine les plages de Terra Nova. Même durant les journées ensoleillées d'été où la température grimpe à 25°C, vous les verrez passer à l'horizon.

L'été ajoute des pousses bleutées aux épinettes de Terra Nova.

Le courant du Labrador amène aussi près des côtes de petites bandes de rorquals à bosse et de globicéphales, ainsi que des petits rorquals solitaires. Ces baleines viennent à l'intérieur des limites du parc : il est possible de faire une excursion en bateau pour aller les voir de près.

Newman Sound se prête bien aux promenades sur l'eau. Son rivage parsemé d'arcs rocheux et de grottes marines abrite des centaines d'oiseaux, parmi lesquels le guillemot à miroir, la sterne arctique et quelques variétés de macareux et de marmettes.

À cause du courant du Labrador, l'été arrive tard et demeure frais. Juillet a le temps de s'installer avant que le laurier des moutons ait complètement épanoui ses fleurs roses et que les houppes cotonneuses blanc et or des linaigrettes se soient mélangées à ses inflorescences ainsi qu'aux fleurs rose magenta de l'aréthuse bulbeuse, une délicate orchidée. En guise de couvre-sol, la mousse de sphaigne étale ses jaunes, ses verts, ses rouille, ses rouges et ses bruns.

Il n'y avait que 14 espèces de mammifères à Terre-Neuve à l'arrivée des Européens ; plus tard s'ajoutèrent l'orignal et le lièvre d'Amérique. Aujourd'hui, les seuls mammifères d'importance qui laissent la marque de leurs pas dans le parc sont l'orignal, l'ours noir, le lynx et la loutre de rivière. On rencontre aussi des belettes, des écureuils, des visons et des lièvres d'Amérique, mais les porcs-épics, les mouffettes, les ratons laveurs, les marmottes et les couleuvres sont absents, comme de toute l'île. Si les vertébrés terrestres sont si peu nombreux, c'est surtout parce que Terre-Neuve est séparée du continent par un détroit d'eau salée et froide.

L'automne se prolonge jusqu'aux premières chutes abondantes de neige, fin décembre ou début janvier. Les gelées de septembre font virer à l'écarlate les feuilles de quelques érables rouges, mais c'est en octobre que la forêt revêt sa belle livrée d'automne : les trembles et les bouleaux deviennent d'un jaune brillant, le bleuet du Canada se pare de rose magenta et l'osmonde cannelle prend des teintes rousses. Quand les aiguilles dorées du mélèze se mettent à tomber, s'annonce à l'ouest la première vraie tempête de neige.

RENSEIGNEMENTS PRATIQUES

Accès : *par la Transcanadienne et la route 310.*

Accueil : *Newman Sound et Twin Rivers (mi-juin à début septembre).*

Installations : *camping pour groupes à Newman Sound (à l'année) et à Malady Head, et deux campings sauvages.*

Activités estivales : *petite navigation (location de canots et de kayaks à Sandy Point), plongée en apnée, plongée sous-marine, pêche, randonnée, golf, pique-nique, programmes d'interprétation, promenades guidées.*

Activités hivernales : *camping ; raquette, ski de randonnée, pêche sous la glace.*

9 Île Fogo

De Farewell, sur la terre ferme, il faut 45 minutes en bac pour rejoindre l'île Fogo où les villages sont parmi les mieux préservés de Terre-Neuve.

L'île fut colonisée vers 1680 par des Anglais et des Irlandais qui fuyaient les Français et les Beothuks. L'endroit demeura complètement isolé jusqu'au XXe siècle, à tel point que ses habitants ont conservé les coutumes et le dialecte de l'époque élisabéthaine.

Son nom viendrait du mot portugais *fuego,* feu en français, allusion possible aux feux de camp des Indiens Beothuks que les pêcheurs portugais, habitués de ces côtes au XVe siècle, devaient apercevoir de loin.

Après avoir traversé la baie d'Hamilton, le traversier jette l'ancre à Stag Harbour. L'île, qui mesure 25 km de longueur sur 14 de largeur, est traversée par la route 333 qui dessert un chapelet de petits villages portant des noms savoureux, comme celui de Little Seldom. La route s'achève à Fogo (pop. 1 153), la localité la plus importante de l'île. L'été, on y visite le musée Bleakhouse, logé dans ce qui fut la maison (1816) d'un poissonnier. Le bâtiment restauré abrite divers objets qui font revivre la vie des pêcheurs et des poissonniers de l'époque.

Dans la partie nord-est de l'île se trouve le village de Joe Batt's Arm, ainsi nommé en souvenir d'un marin qui déserta le bateau du Capitaine Cook en 1763. On s'y rend par la route 334 qui se termine aux petits ports de pêche de Tilting et de Sandy Cove. Le premier aurait été nommé d'après la pente du toit d'une cabane en rondins construite par les premiers colons à la fin du XVIIIe siècle. On y trouve l'un des plus vieux cimetières irlandais catholiques de Terre-Neuve. C'est à Sandy Cove que les Beothuks, avant l'arrivée des Blancs, avaient coutume d'établir leurs camps lorsqu'ils venaient du continent passer l'été sur la grande île.

Des sentiers mènent à Lion's Den, à Brimstone Head (qui serait, d'après les théories de la *Flat Earth Society,* l'un des quatre coins de la terre), à Locke's Cove et à Eastern Tickle. Vous rencontrerez peut-être un troupeau de poneys de Terre-Neuve qui viennent paître ici en liberté pendant l'été.

Événements spéciaux
Festival folklorique Brimstone Head (mi-juillet)

10 Trinity

Ce village pittoresque (pop. 328) est l'un des plus anciens de Terre-Neuve. La baie de la Trinité fut en effet découverte en 1501 par l'explorateur portugais Gaspar de Corte Real et les premiers Européens l'habitèrent en 1558. Au milieu du XVIIIe siècle, Trinity vivait dans l'aisance, grâce à la pêche et à la construction de bateaux.

L'église anglicane St. Paul, construite vers 1892, domine le paysage avec sa flèche de 31 m. À l'intérieur, on admire des arcs en bois poli et deux vitraux d'une grande beauté.

Dans le cimetière, près de l'église, se dresse un monument en l'honneur du révérend John Clinch, missionnaire anglican à Trinity, qui fut le premier médecin, en 1800, à administrer le vaccin contre la variole dans le Nouveau Monde. C'était un ami du docteur William Jenner, l'inventeur du vaccin.

Au nord de l'église, la Maison Hiscock, construite en 1881 pour le forgeron Richard Hiscock, a été restaurée au goût de 1910. Des guides en costume traditionnel la font visiter tous les jours, de juillet à septembre.

Au sud de l'église, le musée Trinity est logé dans une *saltbox* de 1880. (Il s'agit d'un type de maison fort répandu en Nouvelle-Angleterre aux XVIIe et

Partout dans le village et loin sur la baie de la Trinité, le clocher de l'église St. Paul est un point de repère familier.

CROISIÈRE D'UN JOUR À IRELAND'S EYE

Avec ses 388 km^2, l'île Random, dans la baie de la Trinité, est la seconde en superficie parmi les îles de la côte de Terre-Neuve. Elle est si proche de la terre qu'on la prendrait pour un des nombreux promontoires de la côte. Pourtant, seule une chaussée la relie à la terre ferme, dont elle est séparée en tous points par un étroit chenal.

Pour vous y rendre, quittez la route 230 à Milton et prenez la route 231 qui se rend dans l'île. Poursuivez jusqu'à Petley. C'est ici que vous pouvez vous embarquer sur le seul bateau qui parcourt régulièrement le passage de Smith, le *Lois Elaine II*.

Naviguant vers l'est, le bateau double des anses et des ports abandonnés depuis près d'un quart de siècle. À Warrick's Harbour, les piliers en béton marquent l'emplacement d'une ancienne usine de poisson. À Pope's Harbour, les jardins débordants d'arbres fruitiers et d'essences ornementales sont encerclés par l'épinette et le bouleau. Les maisons désertes de British Harbour s'inclinent peu à peu vers le sol.

Après avoir quitté le passage de Smith, le *Lois Elaine II* met le cap sur l'île Ireland's Eye. On dit que si vous regardez en droite ligne au-delà de son étroit chenal, 3 000 km plus loin vous verrez l'Irlande. Des maisons battues par les intempéries se dressent toujours sur le port abandonné ; elles ont perdu leurs couleurs et leurs fenêtres s'ouvrent sur le vide. L'église, veuve de son clocher, veille encore sur le village, mais seule une famille de pygargues y fait ses dévotions. Naviguant en sens inverse dans le passage de Smith, on double Thoroughfare, l'un des plus vieux villages de l'île Random et jadis le site d'une poissonnerie où l'on fumait et traitait le saumon et le hareng pour l'exportation.

L'excursion, qui prend la journée entière, se termine tandis que les petits rorquals émergent et plongent près du bateau qui vous ramène à Petley.

LE CHEMIN DE FER SUR L'ÉTANG

Le seul endroit, à Terre-Neuve, où l'on puisse entendre le train siffler et les roues d'acier cliqueter, c'est au village ferroviaire de Trinity Loop. C'est sans doute aussi le seul endroit en Amérique où l'on trouve une voie ferrée en boucle. Trinity Loop se situe au sud de Trinity. Pour vous y rendre, tournez à droite à Dunfield, sur la route 239.

Le but d'une boucle est de faciliter l'ascension du train lorsque la pente est abrupte et la distance trop courte. À Trinity, au début du siècle, les ingénieurs de la ligne Bonavista Peninsula s'aperçurent qu'entre le plateau et les terres inondées par les marées, ils allaient faire face à ce problème. Il fallait donc allonger le parcours, ce qu'ils firent en installant une voie en boucle autour d'un étang.

En 1984, le Canadien National interrompit le service à Trinity et décida de vendre les rails comme métal de rebut. Mais un homme, Clayton Cook, s'opposa au plan envisagé. Lui-même employé des chemins de fer et fervent d'histoire, il mena à lui seul une campagne intensive pour préserver ce tronçon. Tant et si bien qu'il gagna.

Aujourd'hui, une locomotive et des voitures miniatures emmènent le visiteur en excursion autour de l'étang, pour le plus grand plaisir de tous, tandis qu'à côté, au musée Newfoundland Railway, on a réuni plusieurs locomotives et voitures d'autrefois, bien réelles celles-là.

Le train fonctionne gratuitement toutes les fins de semaine entre la fin de mai et l'Action de grâces, en plus des jours de semaine entre la mi-juin et la fête du Travail.

XVIIIe siècles, dont la structure ressemblait à une boîte à sel.) Il renferme plus de 2 000 instruments de cordonnerie et de médecine datant du tournant du siècle. Un des objets les plus précieux de la collection est un livre publié localement en 1729.

Toujours dans la même rue, l'église catholique Holy Trinity est la plus vieille église en bois encore ouverte au culte à Terre-Neuve. La décoration intérieure n'a pas changé depuis 1833, année de sa construction ; un clocher lui a été ajouté en 1880.

La rue Victoria domine le village. La forge de la famille Green, la seule qui soit encore debout, y a pignon sur rue. Bâtie en 1895, elle demeura en exploitation jusqu'en 1955. L'été on y expose des outils qui ont plus de 200 ans.

Au bout de la rue, on peut voir les restes de la Maison Lester, construite en 1750 pour le riche marchand de poissons Benjamin Lester. Non loin, le magasin Lester-Garland était autrefois le joyau de l'empire Lester. On relate l'histoire en détail au centre d'interprétation de Trinity, un bâtiment vert à deux étages situé à côté de la Maison Lester et qui date lui-même du début du siècle.

Événements spéciaux
Festival de Trinity (juillet)

11 Harbour Grace

Dans son journal, en date du 7 octobre 1612, le premier gouverneur de la colonie, le Britannique John Guy, écrivait : « À voile et à rames, nous sommes venus à Havre de Grâce, mais n'avons pas dépassé le fort du pirate... où nous sommes demeurés jusqu'au 17 octobre. » Ce pirate n'était nul autre que le fameux Peter Easton qui avait construit, en 1610, un fort d'où il pouvait surveiller les allées et venues sur toute la côte de l'Amérique du Nord.

Malgré ses débuts de corsaires, Harbour Grace allait devenir une ville respectable et prospère. On la considéra longtemps comme la seconde capitale de l'île. Hélas ! deux violents incendies au XIXe siècle et un troisième au XXe siècle la détruisirent en grande partie.

Au musée Conception Bay, à l'extrémité est de la rue Water, le visiteur aura tout le loisir de se familiariser avec l'histoire colorée de Harbour Grace.

D'allure altière, le bâtiment de pierre et de brique où loge le musée fut construit en 1870 sur l'emplacement du fort Easton pour abriter les douanes. À l'extérieur du musée (ouvert l'été seulement), une plaque rappelle la mémoire d'Amelia Earhart, la première femme à accomplir un vol en solitaire au-dessus de l'océan Atlantique en 1932.

Dans la rue Cochrane, trois églises se font suite : l'église anglicane St. Paul (1835), la plus ancienne église en pierre de Terre-Neuve ; le temple Coughlan de l'Église unie, érigé en mémoire du révérend Laurence Coughlan qui installa, en 1765, la première mission wesleyenne en Amérique du Nord ; enfin, l'imposante église catholique de l'Immaculée-Conception, qui date de 1889.

La rue Harvey mène à Carbonear (pop. 5 259), ville où l'enseigne d'Easton, Gilbert Pike, abandonna la piraterie pour convoler en justes noces avec

La baie de la Conception, encadrée par une fenêtre du musée de Harbour Grace.

une princesse irlandaise, Sheila Na Geira, après l'avoir délivrée d'un navire hollandais qui la tenait prisonnière.

Événements spéciaux

Régates de Harbour Grace (fin juillet)

Festival folklorique de la baie de la Conception (fin juillet)

Foire de Trinity et Conception (fin septembre)

12 Cap Sainte-Marie

Au cap Sainte-Marie, il est difficile de savoir lequel de deux spectacles est le plus fascinant : les milliers d'oiseaux de mer qui se disputent bruyamment sur les falaises les matériaux pour leur nid, ou tous les rorquals communs, rorquals à bosse ou petits rorquals qui croisent non loin du rivage.

Les marins portugais avaient surnommé l'endroit « capo da tormente » et plus tard « capo de Sancta Maria ». En 1964, le cap Sainte-Marie, perché au bout de la péninsule d'Avalon, devenait une réserve écologique. On s'y rend par un chemin de 16 km qui se détache de la route 100.

Après avoir garé sa voiture, le visiteur n'a que 10 minutes à marcher pour se retrouver au milieu d'une des plus importantes colonies de fous de Bassan au monde. The Stack, un îlot rocheux de 76 m, est relié par un pont naturel à la terre ferme. De mai à septembre, on peut voir jusqu'à 53 000 oiseaux, surtout des marmettes et des mouettes tridactyles, tenir tous à la fois sur ce minuscule îlot.

Le cycle de reproduction de ces oiseaux dépend de l'abondance des poissons dans l'eau et, particulièrement, de l'abondance des capelans. Or, cette espèce vient par grands bancs frayer sur les grèves au début de l'été, au moment où les oisillons commencent à éclore.

Durant l'été, les guides du centre d'interprétation répondent aux questions des visiteurs. Il faut s'habiller chaudement car le vent qui souffle sur le cap vient tout droit de la mer.

Le cap Sainte-Marie constitue l'une des aires de nidification les plus importantes au monde.

13 Parc provincial La Manche

Au fond d'une crique, la rivière La Manche se jette dans l'Atlantique entre des berges escarpées. Son nom lui vient de la forme de son embouchure qui fait penser à une manche ou encore au bras de mer entre la France et l'Angleterre appelé la Manche. La rivière et sa vallée constituent ensemble le parc provincial La Manche, créé en 1966.

Plus de 50 espèces d'oiseaux ont été dénombrées dans le parc — huarts à collier, moucherolles à ventre jaune, plusieurs types de bruants et d'éperviers — de même que des orignaux, des castors, des lièvres d'Amérique, des musaraignes et des visons.

Le sentier Falls Trail (1,25 km) mène à la chute spectaculaire au-dessus de l'étang La Manche. Un autre sentier de même distance mène à la ville abandonnée de La Manche qui fut détruite par une tempête le 25 janvier 1966.

Le parc se trouve aux limites de la réserve faunique d'Avalon qui abrite une harde de 5 500 caribous des bois.

Près du parc se trouve la réserve écologique de Witless Bay, trois îles que fréquente en été l'une des concentration d'oiseaux les plus importantes du monde. Entre la mi-juin et la mi-juillet, on y voit entre autres des milliers de macareux, de pétrels culs-blancs et de marmettes de Troïl pêcher le caplan.

Collaborateurs en région

1 ÎLE DE VANCOUVER

JAMIE BOWMAN
Cumberland
Îles Denman et Hornby
Détroit de Nootka
Île Quadra
Parc Strathcona

SUSAN LUNDY
Île Salt Spring

DAVE MARSDEN
Lake Cowichan
Lac Cowichan*

HAROLD J. PARSONS
Parc nat. Pacific Rim

MARIE RICHARDS
Bamfield
Tofino
Ucluelet

GAIL SJUBERG
Île Gabriola

TED STONE
Île Pender
Île Galiano

ALISTAIR TAYLOR
Port Hardy
Alert Bay
Telegraph Cove
Le nord de l'île*

GRAEME THOMPSON
Île Mayne

2 ENVIRONS DE VANCOUVER

CHERYL BAUDIN
Pemberton à D'Arcy*
Pemberton à Lillooet*

MICHAEL BOOTH
Squamish
Parc prov. Garibaldi

NEIL CORBETT and INGE WILSON
Tunnels Othello
Hope

KEN GOUDSWAARD
Parc prov. Golden Ears
Polder Pitt
Île Barnston
Parc prov. du Sasquatch
Parc prov. Cultus Lake
Lac Chilliwack*

JANE SEYD
Desolation Sound
Lund
Pertuis de Skookumchuck
Île Texada

3 CENTRE DE LA COLOMBIE-BRITANNIQUE

KEN ALEXANDER
Clinton
Gang Ranch
Piste du Caribou*

JENNY CROFT
Bella Coola
Parc prov. Tweedsmuir

JOHN FARRELL
Parc prov. Naikoon
Archipel de la Reine-Charlotte

JEREMY HAINSWORTH
Hazelton
Port Edward

CHRIST'L ROSHARD
Lillooet

MURPHY SHEWCHUK
Région des lacs*
Clinton à Williams Lake*

JOHN STIRLING
Parc historique de Barkerville
Parc prov. Bowron Lake
Cottonwood House
Fort St. James

BARRY TAIT
Ashcroft

4 SUD-EST DE LA COLOMBIE-BRITANNIQUE

JOHN BETTS
Nakusp
New Denver
Nelson
Vallée de la Slocan*

MIKE HOGAN
Grand Forks

MURPHY SHEWCHUK
Lac Nicola
Vallées de la Kettle et de l'Okanagan*

HELENA WHITE
Creston
Kimberley
Sillon des Rocheuses*

JON WHYTE
Parc nat. Yoho et Kootenay

TIM WILKINSON
Salmon Arm
Sicamous

JOHN G. WOODS
Parc nat. Mont-Revelstoke et Glacier

5 SUD DE L'ALBERTA

GARY ALLISON
Cardston
Falaise Head-Smashed-In

MARK BREWIN
Parc Interprovincial Cypress Hills
Parc prov. Writing-on-Stone
Pétroglyphes et pictogrammes

BRENDA DEBONA
Drumheller
Dry Island Buffalo Jump
East Coulee*
Route du Dinosaure*
Musée Royal Tyrrell

RORY FLANAGAN
Parc nat. de Banff

ROSEMARY GASCOYNE
Frank
Éboulement de Frank
Col du Crowsnest*

BARBARA GRINDER
Parc nat. des Lacs-Waterton

JAMIE NESBITT
Parc prov. Dinosaur

CAROL PICARD
Parc prov. Peter Lougheed
Région de Kananaskis
Cochrane

6 CENTRE DE L'ALBERTA

DIANE BALATCKA
Markerville

HEATHER AND DAVID BEREZOWSKI
Parc prov. William A. Switzer
Vallée de l'Athabasca*

ROSS CHAPMAN
Parc nat. Elk Island

GARY ELASCHUK
Lac La Biche

RORY FLANAGAN
Parc nat. Jasper

ANN HAMMOND
Rocky Mountain House

R.W. RUSSELL
Cold Lake

LORNE TAYLOR
Smoky Lake

MAURICE TOUGAS
Village historique ukrainien

7 SASKATCHEWAN

CAROLYNE GAREAU
Parc prov. St. Victor's Petroglyphs

PATRICIA HALL
De Willow Bunch à Ogema*

SUZANNE HENRY
Parc nat. Prince-Albert

PAM HORSMAN
Fort Qu'Appelle
Ferme historique Motherwell

WILLIAM KORELUIK
Canora

DARLENE LLOYD
Parc nat. des Prairies

JACK MIGOWSKY
Maple Creek
Les grandes dunes de sable
Parc interprovincial Cypress Hills

THELMA POIRIER
Parc prov. Wood Mountain Post

MICHAEL ROBIN
Parc prov. Meadow Lake

PATTY STEWART
Lieu historique national de Batoche
Parc Wanuskewin
En terre métis*

JOHN STRAUSS
Parc prov. Buffalo Pound
Lac Diefenbaker

JACQUI TRIPPEL
Parc prov. Moose Mountain
Cannington Manor

8 MANITOBA

CELES DAVAR
Parc nat. du Mont-Riding

PENNY HAM
Parc prov. Spruce Woods

BEN KROEKER
Parc prov. Turtle Mountain
Jardin international de la Paix

TIM PLETT
Steinbach
Forêt provinciale Sandilands

LORNE REIMER
Parc prov. Elk Island
Parc prov. Hecla
Environs de Winnipeg*
Marais Oak Hammock
Parc prov. Whiteshell

SHIRLEY ROSS
Parc prov. Duck Mountain

LORNE STELMACH
Vallée de la Pembina*

ELISABETH TREGER
Neepawa

9 NORD-OUEST DE L'ONTARIO

GORDON ELLIS JR.
Nipigon
Parc prov. du Lac-Nipigon
Archipel Nirivia
De Kakabeka Falls à Thunder Bay*

KEN JOHNSTON
Vallée de la rivière à la Pluie*

MICHAEL JONES
Pukaskwa

RICK SMIT
Red Lake
Parc prov. Woodland Caribou

ANN MARIE SMITH
Ignace
Le château de McOuat

BOB STEWART
Kenora
Keewatin

JOHN STRADIOTTO
Parcs provinciaux
Kakabeka Falls
Ouimet Canyon
Quetico
Sleeping Giant

10 NORD DE L'ONTARIO ET DU QUÉBEC

BOB AVIS
Wawa

MARISSA BECKER
Parcs provinciaux
Pancake Bay et Batchawana Bay

JOËL CHAMPETIER
Lac Témiscamingue (Qué.)*

RENÉ DECOSSE
Chapleau

ARNIE HAKHALA
Mattawa
Temagami

ANNE-MARIE MALES
Cobalt
Lac Témiscamingue (Ont.)*

SYLVAIN PARADIS/ FRANÇOIS BÉLISLE
Bourlamaque

JULIANE PILON
Parc d'Aiguebelle

D. BRENT RANKIN
Île Saint-Joseph
Bruce Mines
Thessalon

MARJIE SMITH
Gore Bay
West Bay
Île Manitoulin*

11 CENTRE DE L'ONTARIO

JENNIFER BROWN
Dorset
Parc prov. Algonquin
Lac des Baies*

KATHARINE FLETCHER
Route de l'Opeongo*
Pionniers de l'Opeongo Line

PAM HEAVEN
Parc sous-marin national Fathom Five
Parc nat. de la Péninsule-de-Bruce

DOROTHY PARSHALL
Bancroft

HAROLD J. PARSONS
Parc nat. des Îles-de-la-Baie-Georgienne

MARTHA PERKINS
Haliburton

LILLIAN RACHAR
Port Carling

BRIAN TRACY
Parry Sound
En bateau dans la baie Georgienne

Scott Woodhouse
Thornbury
Creemore
Vallée de la Beaver*

12 ENVIRONS DE TORONTO

Scott Anderson
Port Perry

Molly Harding
Jordan
Péninsule du Niagara*

Stuart Johnston
Vallée de la rivière Credit*

Keith Knight
Bobcaygeon
Kirkfield

Carol Kozak
St. George

Susan Lawrence
Port Hope

David Meyer
Elora

Chris Powell
Alton

Harry Sullivan
La ferme de Puck
Sharon
Schomberg
Tyrone Mill
De Tottenham à Tyrone Mill*

Lise Tallyn
Campbellville

Ron Turpin
St. Jacobs

David Webb
Hockley

13 SUD-OUEST DE L'ONTARIO

Heather Boa
Bayfield
Benmiller
Clinton

Peter Epp
Dresden
Oil Springs
Petrolia
Thamesville

David Greenberg
St. Marys

Mona Irwin
Festival de Blyth
Goderich

Ian Robinson
Port Stanley
Pointe Longue
Port Dover
Sparta
De Port Stanley à Port Dover*

Diane Simon
Kingsville
Île Pelée

Don Wilkes
Parc nat. de la Pointe-Pelée

14 SUD-EST DE L'ONTARIO

Brian Amaron
Merrickville
Parc prov. Charleston Lake

Joe Banks
Williamstown

Lee Anne Parpart
Gananoque

Maureen Pegg
Perth

Martha Plaine
Le canal Rideau
Almonte

Jacques Poitras
Île Wolfe*

Ed Reeves
Parc prov. Sandbanks

Don Ross
Parc nat. des Îles-du-Saint-Laurent

Jeff Wilson
Parc prov. Bon Echo

15 OUEST DU QUÉBEC

Katherine Aldred
Shawville
Rivière des Outaouais*

Jean Belleau
Montebello
Plaisance
Lac-Simon
La Petite-Nation*

Natalie De Blois
Ferme-Neuve
Mont Sir-Wilfrid
Réservoir Baskatong

Daniel DesLauriers
Mont-Tremblant
Parc du Mont-Tremblant

Katharine Fletcher
Parc de la Gatineau

Ernie Mahoney
Wakefield

Louis Pelletier
Rawdon
Lanaudière*
Île des Moulins
Vieux-Terrebonne

16 NORD-EST DU QUÉBEC

Pierre Dubois
Cap Tourmente
Côte-de-Beaupré*

Mryka Hall-Beyer
Parc nat. de la Mauricie

Lise Pilote
Hautes-Gorges de la Malbaie
Cap-à-l'Aigle et Saint-Fidèle
Port-au-Persil

Louise Plante
Champlain
Batiscan
Sainte-Anne-de-la-Pérade
Circuit des *Filles de Caleb**
Chemin du Roy

Andrée Rainville
Parcs marin et terrestre du Saguenay
L'Anse-Saint-Jean
Sainte-Rose-du-Nord

Paul-Emile Thériault
Péribonka
Val-Jalbert

François Trépanier
Les Éboulements
Île aux Coudres
Grand Jardins
Les voitures d'eau
Saint-Joseph-de-la-Rive

Nil Vermette
Île d'Orléans

17 SUD DU QUÉBEC

Pierre Breton
La Beauce

Lise Carrier
Chutes de Charny

Natacha Charland
Lac-Brome

Margaret Ellis
Dunham

Louise Grégoire-Racicot
Îles de Sorel
Le chemin des Patriotes

Dany Jacques
Ulverton
North Hatley
Lac Massawipi*
Lac Memphrémagog*

Liz Morency
Coteau-du-Lac

Rémi Tremblay
Parc de Frontenac
Lac-Mégantic

18 EST DU QUÉBEC

Paul Beaudoin
Îles aux Grues
Grosse-Île
L'Islet-sur-Mer

Lise Carrier
De Charny à Montmagny*

Gilles Dubé
Île Verte
Cabano

Stéphane Giroux
Parc de la Gaspésie
Miguasha
Vallée de la Matapédia
Baie des Chaleurs*
La pêche au saumon

Chantal Mantha
La Grave
Havre-Aubert
Cap-aux-Meules–Havre-Aubert*

Pierre Michaud
Parc du Bic
Les portes de l'Enfer
Jardins de Métis

Diane Turcotte
Parc nat. Forillon

19 NOUVEAU-BRUNSWICK

Rayanne Brennan
New Denmark

Michael Burzynski
Fundy

Judy Cole
Woodstock
Pont couvert de Hartland

Charlene Daley
Île Lamèque
Île Miscou

Ross Ingram
Gagetown
Autour du lac Grand*

Gail MacMillan
Parc prov. du Mont-Carleton

Carol-Ann Nicholson
St. Stephen
Studios Crocker Hill
St. Andrews
St. George
Île Deer
Grand Manan
Île Campobello
Île du Grand Manan*

Edith Robb
Dorchester
Sackville
Bouctouche
Hillsborough
La baie de Fundy*

Michael Rosen
Parc nat. Kouchibouguac

20 ÎLE-DU-PRINCE-ÉDOUARD

Kate MacQuarrie
Collines Bonshaw*
La pointe est*

Phil Michael
Parc nat. Île-du-Prince-Édouard

Heather Moore
Alberton
Parc prov. Cedar Dunes
Parc prov. Green Park
Cap Nord
Victoria
Village historique d'Orwell Corner
Georgetown
Basin Head
Souris
Miscouche
En terre acadienne*

21 NOUVELLE-ÉCOSSE

Rosemary Algar
Parc nat. des Hautes-Terres-du-Cap-Breton

Susan Belliveau
Parrsboro
L'ouest de la baie de Fundy*

Bill Dunphy
Margaree Harbour
Baddeck
North East Margaree
Lac Bras d'Or*

Millie Evans
Parc nat. Kejimkujik

Sue Hebb
Îles Long et Brier
Bear River

Margaret Hennigar
Mahone Bay
De Lunenburg à Peggy's Cove

Cathy Holmes
Île du Cap-de-Sable

Jo-Anne MacDonald
Isle Madame
St. Peters

Doug MacNeil
Comté de Pictou

Sheila McDougall
Musquodoboit Harbour

Sandra Meers
Annapolis Royal
Port-Royal
Wolfville
Grand Pré
Cap Blomidon
La « Côte française »*

22 TERRE-NEUVE

Kim Brett
Île Fogo

William Callahan
Harbour Grace
Cap Sainte-Marie
Parc prov. La Manche

Barbara Dean-Simmon
Trinity
Trinity Loop
Île Ireland's Eye

Reg Hamilton
De Badger à Buchans*

Dave Huddlestone
Parc nat. Gros-Morne

Linda Norman
Deer Lake
Harbour Breton
Hermitage
Boxey Harbour

Sherry Pilgrim
L'Anse aux Meadows
St. Anthony
Red Bay
La côte du Labrador*

Michael Rosen
Parc nat. Terra Nova

Ken Simmons
Burgeo
Channel Port-aux-Basques

Debbie Smith
Péninsule de Burin*

---

* Circuit automobile

Index

La pagination en italique réfère aux photographies. Les noms entre parenthèses identifient la ville (musées et attractions spéciales) ; les abréviations entre parenthèses identifient la province. Les excursions en avion, en bateau, en traversier et en train figurent sous la rubrique pertinente, identifiée en caractères gras.